U0839893

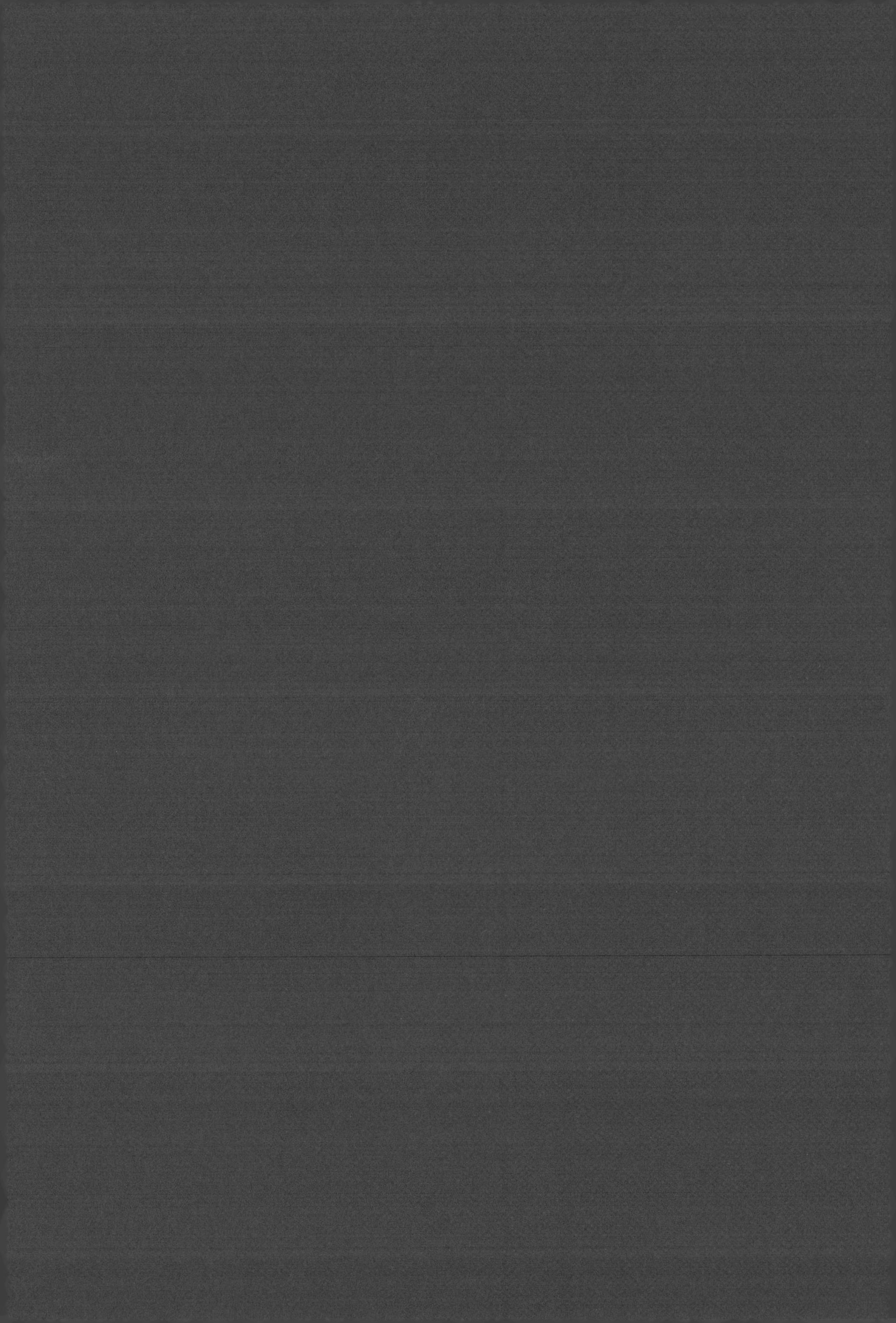

中國鄉土小說名作大系

平凹题

主编 郑电波

中篇小说系列（一九七七年至二〇一二年）

第三十五卷

中原出版传媒集团
大地传媒

中原农民出版社

图书在版编目(CIP)数据

中国乡土小说名作大系. 第35卷 / 郑电波主编. —郑州：中原出版传媒集团，中原农民出版社，2014. 12
ISBN 978-7-5542-1009-3

Ⅰ. ①中… Ⅱ. ①郑… Ⅲ. ①中篇小说-小说集-中国-当代 Ⅳ. ①I247

中国版本图书馆 CIP 数据核字(2014)第 278509 号

中国乡土小说名作大系

出版人	刘宏伟		
总编审	汪大凯		
总策划	刘宏伟		
策划编辑	郑电波		
责任编辑	郑电波　高燕燕		
责任校对	彤　冰		
装帧设计	吴丹青		
装帧制作	董　雪		
封面题字	贾平凹		
插　　图	董　钺		
出版发行	中原出版传媒集团　中原农民出版社		
地　　址	河南省郑州市经五路66号	**邮　编**	450002
网　　址	http://www.zynm.com	**电　话**	0371-65751257
邮购热线	0371-65724566	**传　真**	0371-65751257
承印单位	河南省瑞光印务股份有限公司		
开　　本	787mm×1092mm	1/16	
印　　张	24.5		
字　　数	470千字		
版　　次	2014年12月第1版	**印　次**	2014年12月第1次印刷
书　　号	ISBN 978-7-5542-1009-3	**定　价**	98.00元

本书如有印装质量问题，由承印厂负责调换

《中国乡土小说名作大系》
编辑工作委员会

凡 例

本大系全套共36卷，精选了1977年至2012年在中国国内公开发表、出版的乡土小说作品中的短、中篇名作。其中前6卷为短篇小说，后30卷（7卷—36卷）为中篇小说。其中包括荣获全国大奖的乡土短、中篇小说；被小说选刊选载且极具影响力的作品；在当时受到社会广泛关注、在读者记忆中留下深刻印象的优秀作品。

本套书的选编原则上是以发表、出版的时间顺序排列的，每卷从作品的品质考量前后有所微调，但大的格局不变。

上世纪整个80年代，是中篇乡土小说创作的黄金时段，名作灿若群星，该大系收录此时段的作品较多。短篇小说系列每卷分上、中、下三部分，而中篇小说系列不作界分。

每卷的字数大致相当。由于上世纪80年代及90年代初，一般中篇小说的篇幅比后来的较长，因此每卷的篇数较少，这也是全套各卷选篇数目不均的原因。

卷首语

三十多年来，中国农村发生了翻天覆地的变化，而中国农村题材小说的创作，正是对应了这段历史。它们是如此的丰富、瑰丽、饱满和激越，如此的斑驳陆离色彩纷呈。它们是心史，是一次不曾间歇的歌哭相随——过人的敏感，欣悦和忧郁，惊愕与绝望，大喜过望以及突如其来的沮丧，肤浅的赞许和陡峭的情感——这一切情愫一切境遇的全面记录和生动描摹。

张　炜

2013 年春

卷首语

中原农民出版社出版《中国乡土小说名作大系》，是当今文化界一个大事件。

中国现代文学过去多少年取得的成就主要是乡土小说。

现在我们国家的改革进入到了城乡一体化阶段，农民进城，小城镇的人到县上，县上的人到省城，省城的人到北京上海等大城市，中国社会已是迁徙的社会。我估计将来再过一两代人，乡土小说类型慢慢就要消退了，肯定不会再成为中国文学的主流了。但是，消亡我觉得是不可能的，因为大量的农村还在，更重要的是中国农村文明的思维还在，只要土地在，思维在，农耕的思维观念在，不管在哪儿，就是你在美国，到月球上去，你还是中国的，中国式的，写中国人的文学就不会消失 ，因此乡土小说也不会真的消失。

在中国，你想真正了解这个社会，获得一些更深层的东西，就去看一看乡土小说。乡土小说就好像馆藏一样，那里有丰富的宝藏。现在它已经不出现在街头了，就像庙堂或者说茶室一样，有闲时可以去坐一坐，静一静，慢慢品味它。

贾平凹

2014 年春

前 言

中国是一个乡土性很强的大国，诚如社会学家费孝通所说，中国是一个“乡土中国”。

乡土，几乎是每个中国人的精神家园。

在新时期文学中，乡土文学堪称最敏感的文化神经。新时期当代文化思潮的演进变化，许多是从乡土小说中透露出重要信息的。应该说，从中国乡土小说中可以读懂当代中国。

农民在我国的文学中，历来处于一个突出而显赫的地位。农民的社会地位不高，而文学地位不低。这是由中国作家的乡土情结、生活阅历、审美情趣及价值取向所决定的。在文学对民族文化心理的反思中，农民作为民族文化心理的主要载体，自然成为小说家关注和表现的对象，故乡土小说天然地在新时期小说中，有着举足轻重的地位。

改革开放的三十多年，这是一个伟大的时代，一个中国前所未有的大变革时代。农村生活的改变，农民心气的勃发，新一代农民在精神、意识、思想上的吐故纳新，新与旧在现实生活中的冲突与较量，以及对于腐败现实的理性批判，随后成为乡土小说在一个时期里反复吟唱的主旋律。作家成了这个时期乡村广大农民理想的抒发者和愿景诉求的代言人。农民在内心理想的感召下奋发向前，作家与之击鼓前行。

改革开放以来的文学，我们称之为新时期文学。新时期文学有三个相互联系的阶段：“伤痕文学”、“反思文学”和“改革文学”。许多作品系统地反映了农村农民生活命运的变化，社会的深层变革，抒写了自己的社会理想。有些作家把思想的锋芒指向乡土文化与农耕文明，以自己的眼光与理性来发现和表现乡土中国的浑重、复杂与嬗变。当然，也有不少作家在作品中多有对自身命运的描述和情感宣泄。

新时期文学初期，印象深、乡土味儿较浓的有何士光的短篇小说《乡场上》，高晓生的《陈奂生上城》《李顺大造屋》，张炜的《一潭清水》，贾平凹的《黑氏》，铁凝的《哦，香雪》，邵振国的《麦客》，张石山的《镢柄韩宝山》，王润滋的《内当家》，史铁生的《我的遥远的清平湾》，田中禾的《五月》，乔典运的《满票》等。中篇小说有郑义的《老井》，路遥的《人生》，张贤亮的《绿化树》，张一弓的《犯人李铜钟的故事》，叶蔚林的《在没航标的河流上》，莫言的《红高粱》，张炜的《秋天的愤怒》，映泉的《桃花湾的娘儿们》，王安忆的《小鲍庄》等等。

新时期文学的早期，是一个激动人心的时期，是一个重建希望的时代，人的内心如同枯木逢春，激情被时代精神所鼓舞并迅速地再度燃烧起来。人们在思想解放运动的昭示下又一次看到了未来的希望，并热情地期许这一切尽快变成现实。深怀理想主义文化信念的作家，无论用什么样的创作方法，骨子里都潜伏着浓重的浪漫主义基因，时代气氛使这浪漫潜滋暗长。那个时代的作家极少悲观，历经再多的苦难也不能告别乐观。作家几乎对未来用承诺的方式描绘着生活，读者的期待使写出好作品的作家一夜成名，自发阅读小说的人超过以往任何时代。人们最大的自由就是对美好的向往，人们在想象的话语中得到满足。

时间在飞驰，中国的变革在加深、加快。二十世纪九十年代引发的经济热潮、商业大潮席卷而来，文学受到很大冲击，一些作家纷纷下海弃文经商，文学创作受到了影响。然而乡土小说的创作，因与政治思潮、商品大潮都有一定程度的疏离，也由于作家的坚守，似乎并没有出现中断或萎缩的情形，无论是中、短篇小说还是长篇小说，都在坚守中有所拓展，且成就了乡土小说创作的特有景观，其作家创作形成了楚文化群落、吴越文化群落、齐鲁文化群落、燕赵文化群落、秦晋文化群落、中原文化群落、东北文化群落、巴蜀滇黔文化群落等，乡土小说内容丰富，五彩斑斓。

九十年代的乡土小说不再是单色的，而是多色的，很耐人寻味。如陈源斌的《万家诉讼》，李佩甫的《无边无际的早晨》，关仁山的《九月还乡》，余华的《活着》，迟子建的《雾月牛栏》，张宇的《乡村情感》，韩少功的《马桥人物》，杨争光的《公羊串门》，赵德发的《通腿儿》等等。

这一时期的长篇小说数量不太多，但质量很高，作家开始向家族、人生命运深处思考，审察人性、反思历史、反观传统，因此作品更显得有分量。长篇小说取得了重大成就。先有张炜的《古船》初现端倪，继有陈忠实的《白鹿原》，莫言的《丰乳肥臀》，阿来的《尘埃落定》的联袂冲刺，掀起长篇小说创作的第二个新高潮，是继八十年代古华的《芙蓉镇》，路遥的《平凡的世界》，贾平凹的《浮躁》之后第二个创作高峰。

新世纪阶段比之于前二十年文学文化领域，因面临着商业文化、传媒文化与信息科技的多重冲击，更由于人们价值观的变化，乡土小说读者的减少，作家浪漫情怀的式微，总体来说乡土小说创作出现了下滑和萎缩的趋势。然而，乡土小说并未到这部乐曲的尾声，不少乡土作家还在这片“土地”上耕耘，他们的笔墨自由而灵动，多元的叙事与多元化的观念已出现，令人感到振奋的是长篇小说的进一步繁荣，乡土长篇小说的创作出现了新的景观。贾平凹的《秦腔》，蒋子龙的《农民帝国》，孙慧芬的《歇马山庄》，铁凝的《笨花》，张炜的《你在高原》，刘震云的《一句顶一万句》，莫言的《蛙》等，其中有的作品的水平，已达到乡土长篇小说的新高。这是由于一些乡土小说作家一直在创作的深刻思考之中，他们甘于寂寞，其思考已抵达生活、社会、历史、人生甚至哲学的深处。

中国乡土小说可以说是新时期文学的精华与支撑，几乎所有的小说名篇都与“乡土”血脉相连，这不但有广泛的共识，也是不争的事实，它们占据了文学、文化、出版价值的制高点。

它是我们这个时代特有的文学形态，具有深厚的人文价值，就中国乡土小说而言，可以说达到了中国文学史上“前无古人”的思想和艺术高度，而且由于我们社会的深度变革，农耕文明的逐渐瓦解，这种形式的文学必将终结，因此可以说，它不仅是空前的，也是绝后的，它的辉煌如同唐诗宋词在中国文学史上的辉煌一样。

乡土小说植根于中华民族精神深处汲取营养，又表现并滋润着民族精神和意识，形成了新时期的文化景观。它不但被中国有识之士充分肯定和赞许，同时也被世界看重。“越是民族的，越是世界的”，莫言获诺贝尔文学奖，就是一个有力的证明。

多年来，从鲁迅到沈从文，中国作家无不有着共同的诺贝尔文学梦，可是直到去年，莫言才为中国作家实现了这个梦想。我认为，莫言获诺贝尔奖，不是他一个人的胜利，而是一大群中国乡土小说作家的胜利。这片热土，造就了这一批作家；这个时代的气候，滋润了这一批作家的成长。如张炜、贾平凹、陈忠实等一批作家，其文学创作的实绩和水平，也大都进入了这个层面。我们为中国乡土作家的成功而鼓掌，为中国乡土小说的辉煌而欢呼。

这是一套乡土小说的精选本，我们这套书重在推出改革开放 35 年(1977—2012)来中国乡土小说的精华部分，它们绝大部分是获奖名篇或被小说选刊选载、被评论家和广大读者所关注、极具影响力的作品。这些作品是时代的一面镜子，较深刻地反映了一个时期的社会现实。

本套书重时代感，所选作品的排序按照原作初次发表的时间先后顺延。选篇首重乡土气息、时代精神和文学价值，以作品品质为标杆(作家名气、地位作第二位考虑)以期展示 35 年中国农村变革、农民精神嬗变的文明进程，使内涵巨大的乡土小说所构成的文字画卷，具有以文学纪录时代史诗般的价值。

虽然过去也有一两家出版社出版过一些乡土小说选集版本，但大多是以作家为标杆选择篇目，规模小，不全面；而这套书以整个大改革时代为着眼点，登高望远，选篇宏观铺陈，将散失于长达 35 年间奇珍般的乡土小说，用一根乡土彩线串系在一起，这是对乡土小说的寻找与抢救，也是在打造我们中国人共同的心灵家园。

由于书的印张所限，有不少影响大、水平高的乡土小说未能选入，对此我们深感遗憾。我们希望这套书的出版，不但能让热爱乡土小说的读者喜欢，而且能让更多的农民兄弟读到。让农民了解农民，了解农村的变化，关心自身命运，关心社会变革，这是我们的初衷。

郑电波

2013 年初春

目　录

向阳坡

胡学文

一

马达并不知道那辆甲虫一样的轿车和他有某种关系。车经过马达身边，没有放慢速度，嗖地射过去。泥浆跳起来，在马达裤子上咬出一片片黑痕。马达骂了句脏话。他身上常常脏兮兮的，有时脸上也趴着泥点子。泥土是啥？马达从不因别人弄脏他的衣服而恼火。可那天马达心情不好。他两手空空，一无所获。父亲得了重病，一整天吭吭哧哧咳嗽不止。医生说父亲的病治不好了，想吃啥吃点啥吧。马达问父亲，父亲说啥也不想吃。马达明白父亲的心思，怕马达花钱。马达买了一颗牛头，两副马板肠，这是父亲最喜欢吃的两样东西。吃了一半，父亲死活不吃了，直到马达答应不再买。马达想让父亲吃肉，于是就去野外套兔子，运气好还能捡到一两只冻死的半翅。可天气转暖，积雪融化，套兔子不那么容易了。一连数日，马达空手而回。

村长莫四上门，马达正在吴小丽身上骑着。不是夜里那种骑法，马达收拾吴小丽呢。马达让吴小丽去镇上买二斤牛头肉，吴小丽问要是没牛头肉呢，马达说那就猪头肉，吴小丽问要是没猪头肉呢，马达火了，说营盘镇卖屁股的都有。马达不用吴小丽了，自己去。吴小丽拿钱的工夫，马达想法又变了。他声音软下来，一副商量口吻，干脆买头牛算了。马达早就有这样的念头。赵老汉也得了重病，医生说不过一年时间了，该吃啥吃啥吧。赵老汉一生节俭，舍不得吃舍不得喝，在世时间不多了，咬牙大方一回，把耕地的牛宰了。一头牛吃完，赵老汉的病竟然好了，他后悔不迭，见人就叨念他的牛。马达认为父亲吃一头牛也会好起来，可一直拿不定主意。吴小丽不同意，说没这么个学法，遭人笑话。马达和吴小丽争执起来，后来就把吴小丽骑在身下。马达魁梧，吴小丽娇小，那架势像一只老鹰摁着一只母鸡。马达扇了吴小丽一巴掌，吴小丽哭叫，你个蛮货，打死我吧。

莫四骂，你个狗日的，又打人啦？马达瞅瞅头发已经散开的吴小丽，迅速撤下。莫四问清原因，笑了，天下没你这么笨的学法，吃牛能吃好，还要医院干啥？马达说，一头吃不好就吃两头。莫四瞪他一眼，没这么个糟践法。吴小丽说，就算你买了，爹怎么吃得进去？这是问题关键，吴小丽知道什么话对马达有效，刚才没来得及说就被马达摁倒了。

马达勾了头，断了脖子似的。

吴小丽麻利地沏杯茶，村长你坐。莫四在马达肩上拍拍，他比马达矮许多，样子很是滑稽。莫四说，你小子撞大运了。马达的脸仍铮铮的硬，没理莫四。但吴小丽听清了，捅捅马达，村长和你说话呢。莫四骂，妈的，你小子福分不浅呢。莫四骂着脏话，却是喜气的。马达和吴小丽对视一眼，盯住莫四。莫四嘴唇鼓凸，总是半张着，一副咬人架势。嘴唇下面还趴着一颗黑痣，据说这颗痣再靠下点儿，莫四就不止是村长了。莫四骂，这么大个村儿，大运偏偏撞你头上，你得请我喝酒。

马达急了，我听不懂你的话，啥意思？

莫四嘿嘿笑了，喜气从鼻孔嗖嗖往外冒。向阳坡有你三亩地是吧？一个老板看中了，要当墓地呢。

马达更急了，他凭什么看中，我还要种胡麻。

莫四点着马达，急啥？我还没说完。莫四说，老板已和他商谈过，老板占用向阳坡的地方，作为补偿，给马达三千块钱，老板给村里修一座桥。村里从别处给马达调三亩地。

马达梗了脖子说，我不同意。

莫四被砍了一斧子似的，表情突然凝固，你说啥？你小子说啥？你没疯吧？

吴小丽紧张地看看马达，看看莫四。村长你坐下说，马达没听明白呢。马达大声说，我听明白了，向阳坡的地肥着呢，我不换。

莫四冷笑，能有多肥？还能流出油来？给你三千块钱呢，要是都换成十块的，能把你眼睛数蓝。再说，人家还答应修一座桥，多少年了，村里也没一座桥，到雨季出不来进不去的。村里的事，也是你个人的事，你给村里修一座桥，向阳坡的地就留给你。

吴小丽附和，眼睛却盯着马达，是啊，是该有座桥，去年爹差点让水卷走。

马达声音虚了，我舍不得啊。

莫四训他，你以为那是你的地？说到底是村里的，你牛个蛋，我是照顾你。后半截我还没说呢，老板要找俩看墓的，并负责种花植树，每月一千块钱。你两口子愿意，这差事就留给你们，要是不乐意，我就另找人。

吴小丽捅捅马达，马达眼睛也亮了许多。问，他说话算话？不会坑人吧？

莫四哧的一笑，人家是老板，有闲工夫和你玩？

马达当即道，我听村长的。

莫四和吴小丽都松口气。莫四骂，你小子倒卖起乖了，没利你能听我的？

马达嘿嘿笑，问老板给什么人选墓地，爹？娘？还是他自个儿？怎么就看中了向阳坡？

莫四说，这和你没关系，只要他给钱就行。

马达想想说，那倒是。

莫四一走，马达讨好地冲吴小丽笑笑。马达缺半颗牙，一笑那半颗牙就露出来。吴小丽白他一眼，不理他。马达笑出了声，可忽然顿住。他大步出去，将院门关住。然后，笑声蹦出来，噼噼啪啪的，炒豆子一样。吴小丽不笑，脸紧紧绷着，她记那一巴掌的仇呢。马达再次顿住，这是真的？吴小丽骂他什么，马达没听清。吴小丽说，你不是不同意么？差点让你搅黄了。马达嘿嘿。嘿嘿嘿。谁让莫四卖关子呢？三千块钱，马达确实舍不得向阳坡。可每月给一千，就是另一回事。一月一千，一年就是一万二。老板让马达看墓，肯定不是一年，而是十年、二十年……马达一辈子不愁吃不愁喝了。马达当然高兴。莫四说的没错，马达确实撞大运了。马达差点错过，但到底还是被马达抓住。

吴小丽仍然沉着脸。马达扑过去，将吴小丽扛起来。吴小丽捶他，大叫，放下！马达不放，在地上转圈。直到吴小丽说头晕，马达才停下。吴小丽脸涨得鸡冠一样，骂道，你个疯子，害死我呀。马达伸出手，拿钱，我要去镇上。吴小丽狠狠拍在马达手上，马达那半颗牙又露出来。

马达骑上那辆破旧的自行车，忽左忽右扭着身子。吹完两支口哨，营盘镇就到了。没有牛头肉，但猪头肉多的是。马达买了二斤，想想，又买了二斤。一份给父亲，另一份给吴小丽。马达没像过去买了东西急急回村，他想在镇上逛一圈。镇上什么都有，商店、肉铺、音像店、裁缝铺……经过二妹发廊，一个女孩冲马达招手。马达慌了慌，低头走开。马达说的卖屁股，就是二妹发廊。大板牙说二妹发廊的女人睡一觉三十块钱。大板牙是二妹发廊常客。经过自行车修理摊儿，马达问一个车铃多少钱。修车师傅瞟一眼马达的自行车，淡淡地说，你那车，要车铃也没多大用。马达本来只是问问，师傅一说，他决定买，而且买俩。师傅怪怪地看着马达，问，俩？马达声音邦邦硬，俩！左边一个，右边一个。师傅乐了，你说安几个就安几个。马达腰板硬了，虽然钱还没到手。

回村，马达先去看父亲。马达想让父亲和自己一块儿住，父亲不同意，嫌不利索，马达只好让吴小丽一日三餐送过来。莫四曾经说过，别看马达愣，在营盘村，马达最孝敬。绝无一点夸张。不管多忙，马达每天都看父亲一趟，哪怕半夜呢。父亲在磨一把剪子，磨几下咳几声。马达一把夺过来，磨它干啥？你就不能歇会儿？父亲说，不干点儿啥，我心烦……你是不是去镇上了？马达递过去，刚切好的。父亲生气了，我说不吃了嘛！之后一阵猛咳。马达说，我有钱了，你随便吃。父亲狐疑地盯着马达，你哪儿来的钱，不是……马达说，你想哪儿去了。便把莫四的话择要说了。父亲听得都呆了，半晌才说，有钱也不能糟蹋。马达点头，我记着呢。

吴小丽吃了马达买回的猪头肉，脸色却没有松动。马达脾气暴，一吵架就控制不住动手。每次打完，马达又后悔又心疼。马达不会说好听的，他的哄就是让吴小丽复仇。扇吴小丽一巴掌，一定要吴小丽扇他三巴掌。吴小丽不扇，他就抓住吴小丽的手替她扇。扇了三下，吴小丽没抽回去，马达说，再扇几下。吴小丽不干了，我手疼。马达说，那我替你扇。啪！啪!! 吴小丽恨恨地骂，你个蛮子，那是脸，不是铁皮！马达愧疚道，我不是东西，该扇。吴小丽跺跺脚，再这么愣，不和你过了。说着扑进马达怀里，边捶边骂，你个蛮货呀。

马达是有点儿蛮。蛮不是傻，是愣，或许有几分莽撞的意思。马达因为蛮才把吴小丽娶到手。吴小丽二十岁那年，忽然得了癔症。附在吴小丽身上的不是死去的村民，就是狐狸。吴小丽疯疯癫癫，说着奇奇怪怪的话。她确实有特异功能，如头发能垂直竖起，在两米高的墙头行走如飞。吴小丽家人放话，谁娶吴小丽，不但不要一分钱，还陪送一辆自行车。没人敢想，马达不怕。马达正愁娶不上媳妇呢。吴小丽嫁了马达，癔病不治而愈。村民感叹，蛮人有蛮福呀。

那向阳坡也与马达的蛮有关。向阳坡有棵百年柳树，先是一个姑娘因婚姻问题吊死在柳树下，时隔一年，一个老汉因儿媳虐待也死在那儿。向阳坡成了不吉利的地方，谁也不愿意要那块地。马达想，不就吊死俩人吗？没人要我要。现在城里的老板相中了向阳坡。蛮人有蛮福，这话真是不错。

马达和吴小丽在炕上折腾了半天。有什么喜事，比如冬天套一只兔子，夏天落一场雨，春天捡几个野鸭蛋，秋天多打半袋粮，他俩都用这种方式庆贺，简单快乐，从不觉单调。

马达坐起来，问吴小丽喝不喝水。吴小丽摇头。马达跳下地，灌杯冷水，然后盯着吴小丽，目光如蜘蛛网，抖抖颤颤。吴小丽愕然，你怎么了？马达一本正经，我想和你商量个事。吴小丽说，怎么吞吞吐吐的？马达说，有了钱，我想买头牛。吴小丽叹气，不买牛，你非得病不可。不就一头牛吗？你说买就买，你说宰就宰。这下行了吧？马达叫我的好老婆呀，将吴小丽紧紧抱住。

睡到半夜，马达忽然推醒吴小丽，莫四不会诓咱吧？

吴小丽呵欠连天，想什么呢？……不会！

马达问，老板怎么就相中了向阳坡？

吴小丽说，谁知道呢，老板的心思咱摸不着。

马达不踏实，他不会反悔吧？

吴小丽说，你今天怎么了？还不如我呢。

马达迟迟疑疑睡了。过了一会儿，吴小丽捅捅他，老板真会变卦？

马达愣了愣说，我是老板肚里的虫子就好了。

二

第二天下午，莫四火急火燎找上门，说老板打来电话，后天就要下葬，一天之内必须把墓穴打好。兴奋在马达背上蹿着，样子却显得意外，墓也要我打？莫四说，有大板牙么，不过一个墓四百块钱呢。马达吃了一惊，大板牙给人打墓也就几十块钱，外加一条烟。马达说还是我打吧。莫四说马达没打过墓，如果愿意，就和大板牙一块儿干，再说时间紧迫，必须两个人干。

马达在村口等了好一会儿，才看见背着手的莫四和扛着铁锨的大板牙。大板牙好像刚刚睡醒，头发挤向一边，五粒扣子倒有三粒系错，但他的眼神却贼亮。他说马达抢了他的生意，方圆附近谁都知道打墓是他大板牙的活儿。大板牙说的没错，可马达不甘示弱，说谁也没规定打墓只是他大板牙的，若不是看在乡邻份上，这活儿他自己包了。大板牙说马达贪，占了天大便宜还不知足。马达说，谁还嫌钱扎手？莫四插话，都闭嘴吧，没那个老板，甭说四百，四毛也没有。

向阳坡其实是鸡公山下一个缓坡，距路百十米的样子。莫四在柳树前来回丈量几步，说就是它了。莫四一走，马达便开始挖。挖了一会儿，见大板牙不动，便说，你是干活的，还是监工？大板牙说，急啥？怎么也得抽支烟吧，给我娘挖坟我也没这么着急。眼瞅大板牙抽完两支烟还不动手，马达火了，你啥意思？大板牙这才不情不愿地站起来。大板牙嘴不闲着，马达，天下的好事让你占尽了。马达不理他。大板牙说，看不出呢，你有这样的福分，当初向阳坡的地是分给我的，我没要。这可是一步赶不上，步步赶不上。大板牙说，你得感谢我，要是我要了这儿的地，你就没戏了。

干了一会儿，大板牙把铁锨一扔，又坐着去了。马达招呼他，他只是嘻嘻笑，直到马达再次沉了脸，大板牙才说，说你蛮，你真是没心计，干活不能太快，太快雇主以为容易，觉得钱花得冤枉。马达说干不完，一分也挣不上。大板牙哧的一笑，这是什么季节？地和女人的肚皮一样软，照这么挖，天黑就干完了，明天干啥去？马达说明天歇着。大板牙说，那钱你怕是拿不到，来，歇会儿，明天挖好就是。马达被大板牙说动，跳到坑外。

晚上，马达和吴小丽说起大板牙的话，吴小丽说是该多个心眼儿，又话中有话地说，可别啥也跟大板牙学啊。马达提出改天请莫四吃饭，吴小丽说请就趁早。两人商定，明晚就请。次日一早，马达和莫四说了。莫四说，是该为你庆贺庆贺。

莫四到墓地查看，马达和大板牙挖了约三分之二。莫四骂，挖个墓也磨洋工。马达有点儿心虚，没吭气，大板牙一嘴理由，面上化了，下面还冻着呢，再说给老板挖墓，得用心不是？莫四哼了哼，天黑前必须挖好。大板牙笑嘻嘻地问莫四能不能先付工钱。莫四生气地说，你不想干算尿了。大板牙说驴拉磨还得添点儿草料吧？莫四骂了句什么，掏出一百块钱，顿顿，又掏出一张。

莫四一转身，大板牙便冲马达挤眼，怎样，要是昨儿个就挖好，要钱得追他屁股后头。马达说少废话，赶紧干吧。大板牙忽然问，你是不是要请莫四吃饭？马达甚是吃惊，你怎么知道？大板牙嘻嘻一笑，我是什么鼻子？请上我咋样？马达犹豫，大板牙说，不就多添双筷子么？马达说挖完咱俩早点儿回。大板牙得了钱，晚上又有酒喝，一下起劲儿了。

大板牙直接跟马达回家。大板牙是光棍，家里没啥惦记。吴小丽已准备妥当。桌上放了六个盘子。其中五个用碗扣着，另外一个是熏鸡，油光锃亮，看着让人眼馋。就要挣钱了，大方一次也值得。马达让吴小丽给父亲送饭，他去请莫四。

马达和莫四进门，眼球忽然凝固。没想到大板牙先吃上了。酒已喝掉半瓶，熏鸡也吃掉大半，只剩鸡头鸡爪鸡脖。大板牙边嚼边说，我实在饿了，先垫个底儿，坐呀，愣着干啥？马达骂，你就不怕撑死？莫四说，算了，酒席不分先后，不是还有菜么？马达把后边的话咽回去，脸仍愤愤的。酒桌上的话题围绕老板和马达。大板牙说老板眼睛厉害，看出向阳坡风水好，从远处看，向阳坡像一把椅子，他的后人可要发达呢。莫四似乎怕马达后悔，忙说，那要看他的后人有没有这个福分，没福分也是白搭。大板牙说，那倒是，看是看不出来的，就说我，长得有福气吧，可硬是打了四十年光棍。马达面相上也看不出啥呀，白娶个老婆，现在又有人上门送钱，狗往粪堆上屙呀。莫四骂，你他妈又喝多了。

大板牙话糙，可马达心里美滋滋的。他瞟一眼吴小丽，再瞟一眼吴小丽。

马达起了个大早。他要和莫四迎接老板。对老板是个哀伤的日子，可对于马达，却是一个节日。这么想，似乎不地道，有点儿对不住老板。马达对着镜子，端详着自己的脸，他怕脸上露出喜气，惹老板不高兴。他摆布着各种表情，终于从中选定一种。谁说马达粗？也有细的时候哩。马达越来越感到老板的重要，越来越感到自己的福气是和老板连在一起的。临出门，吴小丽叫住他，劝他换换衣服。马达哦了一声，他忽略了衣服的重要。他的褂子是绿色的，太鲜艳了，太惹眼了，老板看见会不高兴的。吴小丽在包袱里翻了半天，找出一件黑夹克。马达想，还是女人细心啊。

马达在村口守着，不时朝远处张望，莫四没说老板什么时候到，只说了个大概。马达没见过老板，他一遍遍在脑里勾画老板的样子，可画着画着，就成了莫四。马达只好涂了抹了，再勾再画。牵着牛的福旺女人经过马达身边，问马达等谁。显然，福旺女人还不知道老板占用了向阳坡。马达忽然想开个玩笑，说我在等你。福旺女人脸一红，警惕地往四周瞅一眼，大声道，你个蛮货，胆子倒不小。马达说，我也没咋着你啊。福旺女人声音放低，等我啥事？马达说，我想看看你的牛。福旺女人呸了一口，却没一点儿恼的意思，啥便宜你也想占。马达目光落在牛身上，真是想看看你的牛。福旺女人牵了两头牛，一头乳牛，一头肉牛。福旺女人眼神怪怪的，果真是个蛮货，脑子进水了？马达正色道，我没说瞎话，你的牛卖不卖？福旺女人说，卖，你给钱，我现在就卖。马达说，我现在没钱。福旺女人笑笑，知道你也没钱。马达觉出福旺女人的轻蔑，叫，你的牛我买定了，你必须卖给我。福旺女人哟了一声，凭啥呀？马达说，我不会少给你钱。福旺女人似乎懒得再说，在牛身上拍了一下。马达在心里大声说，妈的，老子买定了。

过了一会儿，崔杆子经过马达身边。马达说，这么早！崔杆子说，早也没你早，看你两眼放光，要发财了吧？马达谦虚地摆摆手，穷命一个，发什么财呀。崔杆子说，我早知道了，你装啥？钱是你的，谁也抢不走。马达嘿嘿笑。

老板没影儿，莫四也没露面，马达不免有些担心，老板别不是又选了别的地儿吧？这么一想，心里就乱了，塞了杂草一般。他拔腿往莫四家跑，在门口险些和莫四撞在一起。莫四忙问来了？马达说没。莫四骂，没有疯跑个鬼？我这身板哪撑住你撞？马达问，这么晚了，会不会有变？莫四被问住，沉吟着说，倒也是。又嘀咕，这事闹的，修桥的人我都找好了。

马达和莫四先在路口等，之后又到向阳坡下。脖子拽细了几次，眼睛酸胀得泛黑光时，老板来了。不，是老板的车队来了。

来了！马达兴奋地向莫四报告。其实，莫四已经看见。

来了！莫四也长长出一口气。

有十几辆车呢，前面的全是黑色轿车，后面是一辆白色面包。马达知道面包车是拉棺材的，老板在哪辆车就猜不出了。正想问莫四，莫四已快步扑过去。马达立刻咬在莫四身后。

马达终于见到了老板，他略略感到失望。老板不高，或者说有点儿矮。相貌也很一般，可以说一同来的哪个也比他俊气。老板眼睛又细又小，乍一看，还以为瞌睡着呢。莫四介绍了马达，老板碰碰马达的手，目光便滑到坡上。马达暗想，老板怎么会是这样子？但马达很快觉出老板的不同，那些人和老板说话都低声下气，小心翼翼。

几个人从面包车上抬下棺材，棺材通体漆黑乌亮，几乎晃眼。马达没见过这样的棺材，好像木头的，又不像木头的。马达试图帮忙，但扛棺的后生冲马达做个拒绝的手势，马达便往后靠了。

上坡途中，不知老板冲莫四说了什么，莫四转身就走。马达问他干什么去，莫四呜噜一声，等于没说。马达想，老板肯定安排莫四什么事了。莫四急惶惶的，没准是老板先前安顿的，他忘记了。马达暗怪莫四，还村长呢，丢三落四的。

棺材放到墓穴边，那些人都看着老板。老板却不理会，他凝望着鸡公山，好一会儿目光方拉回来，在柳树上停了停，尔后回头搜寻着。他冲马达勾勾手，马达赶紧过去。此时，马达看到的是一张悲伤的脸。

老板问，你叫什么名字？

马达说，马达。

老板问，莫村长都跟你说了？

马达说，说了。

老板说，你给我看好了，记住了？

马达说，记住了。

老板说，让我再看一眼吧。老板声音不高，有气无力，显然是对手下说的。其中两人上前揭了棺板。

马达往后退时，随意往棺材里瞟了一眼。他的目光突然被绞住，死死的，怎么也抽不动。

棺材里是一条狗！

一条大狼狗。它歪在那儿，样子有些可笑。它竟然穿着衣服！准确地说，是穿了一身西服，脖子上系了红色的领带，领带下端还有个金色卡子。但马达没笑出来，他像一根木桩，戳在那儿。

棺材板合上，马达依然呆呆的，丢了魂一样。

一头大汗的莫四来了，手里牵了两只羊。马达拦住莫四，结结巴巴地说，是……狗。莫四像没听见，对老板说，我牵来了。马达把莫四拽到一边，说，是条狗。莫四愣了愣，狗？马达说，狗！……怎么会是狗？莫四说，哦。是……莫四没往下说，两人同时被羊的惨叫吸引过去。

已经添土了，两只羊分别挤在棺材前后。它们大约明白了等待它们的是什么，可挣扎不动，只是惨叫。

咩，咩，咩。

咩，咩，咩。

咩，咩，咩！

三

马达说，是一条狼狗。

莫四说，哦。

马达说，还穿着西服。

莫四说，哦。

马达说，还戴着领带。

莫四说，哦。

马达说，还陪葬了两只羊。

莫四说,哦。

马达问,怎么就穿着西服呢?

莫四说,狗是人家的,想穿什么穿什么。

马达问,怎么就戴着领带呢?

莫四说,狗是人家的,想戴什么戴什么。

马达说,怎么还要埋两只活羊?

莫四说,那是人家买的。

马达问,买的就可以活埋了?

莫四说,说过多少遍了,你烦不烦?

……

马达说,埋的是一条狼狗。

吴小丽说,哦。

马达说,还穿着西服。

吴小丽说,哦。

马达说,还戴着领带。

吴小丽说,哦。

马达说,还陪葬了两只羊。

吴小丽说,哦。

马达说,怎么就穿着西服呢?

吴小丽说,狗是人家的,想穿什么穿什么。

马达说,怎么就戴着领带呢?

吴小丽说,狗是人家的,想戴什么戴什么。

马达问,怎么还要埋两只活羊?

吴小丽说,那是人家买的。

马达问,买的就可以活埋了?你怎么跟莫四一个腔调?

吴小丽说,你说过多少遍了,让我说什么?

马达的目光像蛇信子一伸一缩,似乎要寻找一个目标。寻了半天,什么也寻不到,蛇信子忽然就蔫了,如秋风里的枯草。老板说话算数,给村子拉来水泥,给了马达一万五千块钱。其中三千是换地补偿款,余下的是种植花草树木的工钱。这是今年的,明年还要给。不错,马达撞了大运,可马达高兴不起来。不,是难受。心里硌了什么东西似的,不管睡着醒着,总感觉那东西坚硬地存在。他脑里不停地晃着那条穿西服戴领带的狼狗,耳边却是绵羊哀伤的叫声。马达没了精气神儿,被秋霜杀过的样子。老板派人送来松树苗,送来花秧。马达硬着头皮和吴小丽栽完,不愿再到向阳坡。不愿再想。但不想是办不到的,马达像一只昆虫,被巨大的蛛网罩住。马达憋得难受,想找个人说说,但没人想听他的,连吴小丽都嫌烦了。

吴小丽起床，马达的头还在枕头上埋着。其实，他早就醒了。马达好觉头，吴小丽说他像猪，刚刚还在她身上趴着，往下一滑就打起呼噜，早上还睡不醒，常常是吴小丽拽他耳朵或将湿毛巾捂到他脸上。现在他睡不踏实，往往吴小丽有了鼾声，他还睁着眼。吴小丽没扯他耳朵，也许，知道他醒着。吴小丽备好饭，拎着桶走了。他知道吴小丽浇花去了。从河里打上水，担到向阳坡上，很吃力的。马达没帮她，他实在不想去那个地方。当然，马达也没闲着，家里的地总要弄。

马达打算去地里转转，他不想病汉一样窝在家里。不找莫四了，莫四嘴里吐不出好东西。可听到莫四说话，马达就身不由己了。莫四的声音像一根铁链子，一步步把马达牵过去。莫四正和两个妇女说笑，不知莫四说了什么，两个妇女笑得胸前乱颤。一个说，莫村长，你可不许哄人家啊。另一个撇嘴，你甭信他，当官的有几个说话算数？牵羊的时候说好给一千，到手就不是这个数了。马达暗想，原来羊是秋山家的。莫四说，比你卖合算多了。秋山女人哼了哼，羊还要下羔呢，羔也要下羔。莫四说，按你这么推，鸡比凤凰都贵了，要是……莫四看见马达，表情突然僵硬，我还没吃饭呢。匆匆走了。

马达几乎和莫四前后脚进屋。莫四上炕，没理马达。倒是莫四女人问马达要不要吃一口，马达摇头。莫四不愿听，可马达还是想说。马达说，埋的是一条狼狗。马达说，还戴着领带。莫四砰地将碗摔在桌上，气咻咻地冲女人吼，放了多少盐？想害死我呀？女人慌慌地说，也没搁多少呀。莫四骂，你这娘们儿欠揍！不吃了!!莫四从另一个方向下地，甩给马达一个愤怒的背影。

马达半张着嘴，似乎噎住了，撑着了。马达不傻，知道莫四躲他。莫四烦了，可他再烦也没马达烦。马达并不想烦他，只想让莫四给他整明白。

马达在河边寻见莫四。村里建桥，莫四自然是监工。马达没有丝毫畏缩，径直竖在莫四身边。马达叫，莫村长！莫四恼恼地瞪着马达，忽然就笑了，你怎么像个尾巴？我活四十多年竟然长出尾巴，妈的，我成猴子了。旁边有人捧场，嘎嘎笑。然后，莫四指着远处，你看那是谁？马达顺着莫四的手指，看见下游的吴小丽。莫四声音很是不屑，让女人干活，你鸡巴梦游，还是不是男人？

马达目光颤了颤，听到体内有冰块撞击的声音。他没再说什么，甚至没看莫四，顺着河沿向下游跑去。

吴小丽刚刚打满水。她挖了个引流槽，将细瘦的河水引进槽内。马达突然降临，她稍感意外，你怎么来了？马达没说话，从她手里夺过扁担。走了两步，马达说，你歇着吧。吴小丽还是跟上来。吴小丽步子欢快，似乎要说些什么，瞄马达几眼，终是没开口。

马达多日没到向阳坡了，呈现在他眼前的是绿油油的生机。小松树长势喜人，那些花也半尺多高了。外围是树，中间是花，看起来像个大圆环。马达的目光在那个坟包停停，迅即扭开，似乎被扎疼了。他弯腰浇花，吴小丽在他背后说，就算不下雨，七八天也不用浇了。马达想，她可真用心呢，种自己的地也没像这样。当然，马达不怪她，为了钱么。如果马达有钱，才不会让她侍候一条狗呢。其实，侍候一条狗倒也好了，可埋在地里的不是狗，是什么？马达说不上来。

马达让吴小丽在坡上待着，他一个人挑水。下去，上来，上来，下去。他身上藏了太多的劲儿，它们嗷嗷叫着，像一群快饿毙的猴子，不放它们出来，就会咬断他的骨头。吴小丽说行了行了，都浇透了。马达不听，她抢，他甩开，他不能被咬断骨头。马达不是走，而是飞了。硌在心中的坚硬，也渐渐柔软。向阳坡埋个狗又咋样？穿西服戴领带又咋样？陪葬两只羊又咋样？不关马达的事，去他妈的吧，只要挣上钱就行。去他妈的，去他妈妈的。最后一担，马达挑上来半桶水半桶沙子。吴小丽又是心疼又是责备，你这个蛮子呀，让你气死了。

晚上，马达和吴小丽狠狠好了一番。从吴小丽身上翻下，马达呼呼睡了。吴小丽长长地松口气，在马达后背摸了又摸。睡到半夜，马达大叫一声，吴小丽忙问，怎么了，做梦了？马达做噩梦了。梦见两只羊追着他咬，羊长着锋利的牙齿，像画上的夜叉。马达没敢说，他羞于说，他什么时候怕过？吴小丽说，你累了。顿顿又说，我想起个事，你不是想买牛么？明儿买一头吧。马达几乎忘了，他有这么大一档子事要办。他得为父亲买头牛，就算治不好父亲的病，他也要试试。

马达把福旺女人堵在门口，她正牵牛出去。马达说，我来买牛了。福旺女人眉开眼笑，马达呀，听说你发财了？尔后忽然绷脸，我不卖，谁说我卖牛了？马达一脸严肃，你说的，你答应过我的。福旺女人似乎要笑，但半路收紧表情，那天我是想卖，今儿不卖了。马达抓住她胳膊，我买定了。福旺女人说，妈呀，在我家门口要流氓。马达烫了手似的松开。福旺女人没绷住，笑了笑。她说，没见过你这号人，干吗非买我的牛？马达说，我买定了。福旺女人一副不情愿的样子，你逼我卖，我就卖了吧。马达问，多少钱？福旺女人说，一万五。马达险些跳起来，这不是坑人么？正好福旺出来倒水，马达叫，福旺，你女人狮子大开口，要一万五，你说值不值？福旺瓮声瓮气地，你俩商量，我不管。马达暗骂，闷葫芦！啥事都让女人做主。福旺女人问，你买不买，不买我走了。马达问，不能再少了？福旺女人很坚决，不能。马达说，我买了。

吴小丽饭还没做好，马达已把牛牵进院子。吴小丽眼睛顿时瞪得灯笼一样。得知马达一万五买了福旺家的牛，吴小丽脸都青了，你怎么不搞搞？马达说，我搞了，搞不下去，拿钱吧。吴小丽说，干吗非买她的？马达说，我相中她的牛了。吴小丽不知说什么好了，你这个呆子呀。她还是给马达拿了钱，她拦不住他。吴小丽气呼呼地坐了一会儿，慢慢释然。马达高兴就好，她想。

马达让吴小丽放牛，他去找崔杆子。崔杆子是镇屠宰厂临时工，杀牛杀羊杀骆驼，没他不敢杀的。难得崔杆子在家休息，马达讲了宰牛的事。崔杆子说，赵老汉也许是误诊，跟你爹的情况不一样，还是买点药吧。马达执拗地说，药不管事，只能吃牛了。崔杆子叹口气，一条道偏走到黑，我看你是钱催的。崔杆子让马达准备腌肉的缸，准备好他就动手。

马达不再想那条戴领带的狼狗，所有心思都用在杀牛上。他和吴小丽把两个菜缸腾空，怕不够，马达把父亲屋里的半大缸也扛过来。父亲问马达做啥，马达说等秋天腌菜。马达没敢说实话，不然，父亲肯定拦他。父亲很少出门，等他知道，马达这边也利索了。牛宰了，不吃也得吃了。但村民都知道马达要宰牛，大板牙问马达要不要帮忙。马达斜他一眼，你那身板，帮不上的。大板牙笑嘻嘻地说，那我去看着叔吧，小心他来捣乱。马达警惕地说，你别出幺蛾子啊……你还是过来吧。大板牙说，这就对了嘛，我能吃多少？

秋山女人在路上拦住马达。她说，我等你半天了。马达说，我也正要找你。秋山女人好奇地问，找我？干啥？马达说，我梦见你家的羊了。秋山女人咯咯笑起来，胸脯依旧乱颤。她说，真是好笑，梦见我家的羊了？马达一点不觉好笑，认为有必要告诉她真相，就说羊被活埋了。秋山女人轻描淡写地说，埋就埋了呗。马达问，你不心疼？你真够……心硬。秋山女人说，牲畜生来就是宰了吃肉的，你不是也要宰牛么？马达正色道，宰和埋是两码事。秋山女人不耐烦，都是个死，有什么不一样？不和你较真了，卖我一颗牛心。秋山女人说她总是心慌，想吃个牛心补补。马达不卖给她，谁让她心那么硬呢。秋山女人往前凑凑，卖不卖？马达硬硬地说，不卖！秋山女人忽地蹭他一下，马达往后退一步，脸不由热了。秋山女人挤挤眼，卖不卖？马达大声说，不卖！秋山女人骂声木头，转身就走。马达却心软了，叫住她，说他不卖，不过可以送给她。

杀牛那天，来了不少人。秋山女人端个盆子，大板牙则牵着牛缰绳。崔杆子腰上别着刀，分派任务。马达倒成了闲人儿。他蹲在那儿看他们忙活，不由自主地，目光落到牛身上。牛也在看他，它的眼神极其熟悉。马达头皮忽然麻了，霍地站起来，大叫，不杀了！

四

退牛费了不少周折。福旺女人很硬，说想买就买，想退就退，没这个理儿。马达争辩，牛没少一根毫毛，凭啥不能退？福旺女人说牛见了刀，吓坏了，怕是再也不长膘了。马达说她满嘴胡言，牛又不是耗子。马达跑了五六趟，福旺女人始终不肯。马达火了，我好话说一箩筐了，你还要怎样？退不退？福旺女人口气变了，咋，你还想打？打呀！打呀！！福旺女人刁蛮是有名的，从来不肯吃亏。马达捏紧的拳头又松开，倒不是怕，他看出她的把戏，一打就退不成了。马达改变了方式，把牛牵进她家院子，后来干脆牵进堂屋。福旺女人又气又恼，你这不是欺侮人吗？马达声音突然放低，水一样柔软，我有难处嘛。福旺女人总算答应退，但只退一万四。马达瞪了眼，这是为啥？莫非我买的时候是大闺女，现在是娘们儿了？福旺女人说没错，现在牛落了价，它就是个娘们儿。马达让步，你真是个贪心女人。

马达揣着一万四千块钱，在街上转了一圈又一圈，似乎进了迷魂阵。他不是发愁和吴小丽没法交代，而是觉得对不住父亲，心里难受。抓到手的药又扔了，再抓就猴年马月了。转得腿细了，才走进父亲家。得了病，父亲连光也怕见了，窗户挡得严严实实。马达知道父亲在哪个角落，不用看也不用听。父亲就像一棵草，除了干活，不轻易挪动位置。父亲说来啦，马达嗯了一声。父子俩面对面，良久无言，只有父亲的咳声在狭小的屋子里弹跳。马达触到那一包钱，摸了一下，又摸一下，慢慢缩回手，声音泛着泡沫一样的湿润，我给爹买了头牛。父亲剧烈地摇晃着，你说啥？这不是犯浑吗？马达说，我又退了。父亲喉咙的声音小了许多，这就对了么，我要牛做什么？马达说，我有难处。父亲好像没听见，而是说，别打女人了，不然老了会后悔。马达说，我记着呢。父亲说，记得把我的烟袋一块儿埋了。马达皱眉，都咳成这样了，还想抽？父亲说，有你娘看着，我不多抽。别在这儿耗着了，帮女人干点儿活。

马达出来，他还有重要的事。他要讨回向阳坡。绕了一个大圈，马达还是没绕过去。不就一条狗么，凭什么占那么大的墓地？凭什么穿西装戴领带？凭什么陪葬两只无辜的羊？凭什么让马达两口子守墓？不错，狗是老板的，钱是老板的，老板想怎么折腾就怎么折腾，本来不关马达的事。可埋在向阳坡，那就不一样了。向阳坡是属于马达的，马达被冲撞了，马达不舒服了。

吴小丽对马达一直是迁就的，马达像一股风，说买牛就买牛，说退就退，她都认了。她的抱怨只是顺嘴说说，不当真的。尽管她心疼那一千块钱——马达被福旺女人坑了，但马达就是这样一个人，她又能怎样呢？可一听马达要把向阳坡讨回来，吴小丽突然口干舌燥，像被点了火似的。她急切地说，不行！觉得口气过于轻淡，又大声补充，绝对不行！马达说，我不换了，我要讨回来。吴小丽叫，你是不是疯了？你没疯吧？马达很冷静，我没疯，我不换了。吴小丽说，我不同意，不同意！不同意!! 要遭人笑话呢。马达像困兽在地上转了几圈，突地停下，折弯脖子，脸正对吴小丽，我难受啊。吴小丽扭转身子，不理他。马达身子一点儿一点儿弯下去，我真的难受啊。吴小丽甩一下胳膊，想躲开马达，没想到马达像没立稳的砖垛，轰然倒塌。

吴小丽拉马达，手被马达攥住。马达说，我不换了。

吴小丽抽抽，没抽动。她深深呼吸几口，盯住马达，是不是有人说啥了？

马达说，没有。

吴小丽说，那是为啥？

马达说，我难受。

吴小丽问，钱让你难受了？

马达说，不是。

吴小丽冷冷一笑，到底怎么回事？

马达说，向阳坡埋狗了。

吴小丽问，埋狗咋啦？

马达说，一条狗凭啥占那么大地儿？还他妈的穿西服。

吴小丽问，穿西服咋啦？

马达说，还戴领带。

吴小丽问，戴领带咋啦？

马达说，还陪葬两只羊。

吴小丽越发急了，陪葬羊咋啦，妨你啥事了？

马达还是那句话，我难受。

吴小丽耐着性子说，你闭住眼得了呗。

马达说，闭眼不管事。

吴小丽说，那你撞墙，撞晕就不难受了。

马达说，除非撞死。

吴小丽再也忍不住，大声说，那你撞死好了。

马达说，你拦不住我的。

吴小丽叫，钱呢？那一千块钱哪儿出？

马达说，你拿给我。

吴小丽说，我没钱，有钱也不给你！吴小丽明白怎么对付马达了，没钱，马达就没法子折腾。

马达也火了，声音像枯死的树木，邦邦硬，拿不拿？

吴小丽气咻咻地，不拿！

马达拎小鸡一样把吴小丽拎起，拿不拿？

吴小丽的眼泪秋雨一样飞溅，你个蛮货，打死我算了！

马达扬起的手慢慢放下。父亲说打女人老了会后悔，马达根本等不到老，每次打完都后悔。马达终于长出了记性。

马达不再逼吴小丽了，要自己找。家里有多少钱，马达不清楚，但他知道是有点儿钱的。吴小丽从不往信用社存钱，她藏钱的地方很多，每次给马达拿钱都不是一个地方，比方衣服包里，炕席底下，枕头芯里。马达揭开柜板，拎出一个包袱，从一只袜子里找出二百，从一只手套里翻出一百。吴小丽扑上来，掐他咬他，马达一点没感觉。这些钱是他和吴小丽辛辛苦苦攒下的，马达也内疚呢，可福旺女人硬要扣一千块钱，他能怎么办呢？只能和吴小丽不讲理了。吴小丽咬就咬吧，掐就掐吧。吴小丽出了气，马达也好受一点儿。

马达终于翻找够了，把一千和一万四搁在一起，小心翼翼包好。吴小丽放弃了阻止，捂着脸呜呜哭。

马达径直去莫四家。已经很晚，街上空空的，猫都难觅一只。现在找莫四不大合适，莫四毕竟是村长，不是随便踢门就进的。马达懂这个。可马达一会儿也等不及了，他不知过了今夜会有什么变故。莫四果然锁大门了，马达犹豫一番，还是拍了几下。一会儿，传来莫四女人的声音，谁呀？马达问，我是马达，找莫村长。莫四女人说，你等等。显然是请示莫四了。过了几分钟，莫四女人说他睡了，明天来吧。马达说，我有重要的事。莫四女人不再理他，马达便啪啪拍门，边拍边叫，莫村长，我真有事。莫四女人打开门，抱怨，你个蛮子，拍烂门你赔啊？

莫四半仰着，跷着二郎腿，边瞅电视边斜马达，深更半夜的，女人跑了还是咋的？

马达一本正经，没跑。

莫四笑了，她咋就不跑呢，我要是你女人早就跑了。啥人啥福，你摊个好女人。

马达啪地把纸包拍在炕上。

莫四一怔，这是啥？

马达说，这是老板的钱，一分不少，都在这儿。

莫四眼睛瞪圆，啥意思？

马达说，那地我不换了。

莫四眉头慢慢拧紧，拧成一个大疙瘩时，忽然松开，脸上勾出几缕怪怪的笑，打上灯笼也难找呢，你不是说胡话吧？

马达说，我清醒着呢。

莫四问，干吗不换了？

马达脖子蠕动几下，又蠕动几下，那么好的地，不能让一条狗占了。

莫四脸肌抽了抽，似乎要笑，但终究没笑出来，声音冷得不能再冷，碍你啥事了？

马达说，狗穿着西服呢。

莫四说，老板的狗，有资格穿。

马达说，还戴着领带。

莫四说，老板的狗，有资格戴。

马达说，还陪葬两只羊。

莫四说，老板的狗，有资格陪葬。

马达说，可那狗东西没资格葬在向阳坡。

莫四噎了一下，目光在马达脸上敲敲，不是你的地了，你管不着。

马达说，我不换了，要回来。

莫四突然玻璃一样爆裂，你以为是闹着玩的，想换就换不想就退？愣也不是这么个愣法。

马达一点没被莫四吓住，反正向阳坡是我的。

莫四声音依然锋利，你种过几年就是你的了？榆木脑袋！你敢公开说，小心派出所抓你。

马达说，抓我，向阳坡也是我的，你让老板把狗弄走。

莫四说，走走走，你犯迷糊了，我和你说不清。

马达说，他要是不弄，我自己挖了。

莫四厉声道，你敢！简直反天了。莫四两腮鼓出大包，好像撑了鸡蛋，想让你女人守寡，想让你爹死了连个摔盆子的也没有，你就去试试！

马达不知挖出那条狗会犯多大王法，但他知道会惹麻烦。马达不想惹麻烦，还没到那一步。马达又不想被莫四唬住，坚持说，地是我的，我想咋就咋。

莫四不再理他，开始脱衣服。脱了两件，冲女人吼，你不睡还要熬年？莫四女人为难地瞅马达一眼，马达知道该走了。

莫四说，把你的钱拿走。抓起来抛向马达。马达伸胳膊一挡，纸包裂开，钱像冻死的树叶纷纷扬扬扑到地上。

五

马达不再去换给他的那块地，已经不属于他了，想要回向阳坡，先得放弃那块地，他这么认为。他种了三亩胡麻，长得都不错，可只能割舍了。他不能啥便宜都占，他不是爱占便宜的人，权当替别人种了。爱谁要谁要，马达不管了。马达也不和吴小丽去侍弄向阳坡的花和树，坡是他的，花和树不是，他早晚都要拔掉。种别的晚了。撒荞麦还行。马达没拦吴小丽，她愿意弄就弄吧，等老板挖走狗，看她还弄？

马达大部分时间都在追莫四。地是莫四换出去的，自然要找莫四讨回来。马达一天三趟，莫四家的门槛快踢平了。莫四先前还躲，可不管他躲到哪儿，马达总能找见，村庄就那么大，莫四不能变成蚂蚁钻洞里，莫四干脆不再躲。莫四先前还冲马达发火，骂骂咧咧的，后来也不再骂，似乎是懒得开口。那钱莫四拿来一次，马达很快送回去。莫四说先搁他那儿，算他替马达保存。

那天下午，马达和莫四理论完，莫四要留他吃饭。马达甚是意外，不知莫四什么用意。在营盘村，只有别人请莫四吃饭，什么时候见过莫四请？马达狐疑地盯着莫四，他多了个心眼儿。随后说，算了，我还是回去，在外面吃不惯。莫四笑眯眯的，咋？怕我下毒？马达心一横，吃就吃，莫四能把他咋样？马达没怕过谁。

菜很丰盛，比马达请莫四强多了，除了鸡，还有鱼和肘子。马达请客最硬的菜就是鸡，倒被大板牙啃去多半。看来，莫四早有准备。这么硬的菜，只请他马达一个人。莫四让吃马达就吃，莫四让喝马达就喝，既然拿起筷子就不客气了。马达等莫四下文，可莫四只是劝酒。直到马达喝晕，莫四才问道，好吃不好吃？马达说好吃。莫四身子往后仰仰，啥叫过生活？有肉吃有酒喝，夜里有女人搂。你过去那不叫日子，那么俊俏的女人跟了你，你让她吃的是啥？穿的是啥？别的女人脖子都套一个金链链，你女人脖子套啥了？你对不起她，换成别的女人早跑几十次了，你女人没跑，野汉也没给你招。这样的女人，你凭良心说，好不好？马达说好。莫四说，这就对了，女人好你得让她跟你享福，你说你女人跟你享啥福了？一日三餐，没别人家泔水里的油花多，现在总算有点儿甜头，瞧瞧你那德性，你就是二五眼猪，连三两膘也攒不下！说到最后，莫四几乎咬牙。马达脖子下意识地缩缩，莫四说的是实话，吴小丽跟他没享过福，想到这点儿，他就很愧疚。他不是不想，做梦都想，可折腾来折腾去，就是不如人。莫四说，你不要觉得看墓地委屈，人和人不一样，有人当皇帝有人只能沿街要饭，那点活别人急着抢着要呢。莫四终于绕到向阳坡上，那是马达心里的坎儿。马达问，狗呢？和人也不一样？莫四说，那是当然，老板的狗就是比人值钱，起码比营盘村任何人都值钱。村里年年死人，谁占过那么大的墓地，谁雇人栽树养花了？没有吧？可是马达扭不过弯儿，他说，就算值钱，埋在向阳坡我就是不舒服。莫四说，你舒服不舒服算个屌，低下你的狗头再想想，啥重要啥不重要。

莫四要带马达去个地方，马达不知他搞什么花样，让去就去。已经是晚上，一弯月亮无精打采地挂在树梢。马达脑袋发沉，脚底绊了一下，险些摔倒。莫四伸手扶马达一把，夜色中莫四有几分慈祥。莫四问没事吧，马达说没事。两人出了村庄，来到河边，站定。马达想，莫四要干吗？把他推到河里？河水细得像一根带子，怕是连马达的脚都淹不住。

莫四指着黑乎乎的东西问，看清了？不用看，马达知道那是建了多半的桥。莫四声音沉重，我当了十年村长，这条河已经淹死四个人。马达当然记得。平时小河不声不响，一下暴雨就像发了疯的娘们儿，稍不小心就被咬一口。一个老汉急着去河对岸牵牛，迈了半步人就漂了，他闺女急着拽他，一块儿被卷。还有两个半大孩子，被冲出十几里，嘴眼塞满泥沙。莫四说，我一直想修座桥，可咋也修不起来，多亏了老板。人家凭什么给咱修桥？还不是占了一块墓地？你想要回向阳坡，就是和全村作对，除非你给村里建座桥。

莫四说笑话呢，马达能建一座桥，早当村长去了。马达明白莫四黑天半夜为啥领他到这儿了，莫四在给他加码。莫四老早就说过，可在黑乎乎的夜里说，马达的感觉不一样。马达呼吸困难，总是半口气，想说什么，可张嘴就窒息。

莫四说，不能太自私了，老想着自个儿。

莫四说，你那些乱七八糟的想法，统统见鬼去吧。

莫四说好好跟你女人过日子，别亏了她。

……

往回走的时候，莫四没再说啥，街上只有两人的脚步声，扑、扑，好像鱼被甩到岸上。分手，莫四在马达肩上重重地拍了拍。

马达进屋就吐了。马达一次喝过二斤酒也没吐，那是一块五一斤的零打酒。莫四招待马达是瓶装酒，也就喝了七八两，马达竟醉成这样。看来，那酒不该喝，那肉也不该吃。偏偏还吐在自己家。吴小丽扶马达躺下，清扫了马达的呕吐物，又擦拭马达衣物上的秽物。吴小丽已经好几天没和马达说话，但一日三餐顿顿做好，顿顿给父亲送。吴小丽是个好女人，莫四说了真话。马达是不该打她，一阵难过，马达眼里闪过泪花。吴小丽脸色突变，她还没见过马达如此。马达伸手在吴小丽脖子上摸摸，吴小丽不知马达干啥，慌得后退一步。马达慢慢闭上眼，他虚弱得眼睛都睁不开了。

第二天，马达睁开眼，吴小丽已经不在。马达瞄瞄桌上扣的碗，知道她又去了向阳坡。马达的头依然发昏，洗了脸方清爽些。昨夜的事情水一样流过。他还是不能让那条狗埋在向阳坡，不能。他答应过莫四吗？没有。他吃了莫四的，喝了莫四的，但都吐了，等于没吃没喝。村里是需要一座桥，可在马达看来，不是没钱，而是莫四没尽力。一家一户出点儿钱就行嘛，马达出得起，别人更出得起。没有老板，难道桥就不建了？谁知道老板建桥是不是为过车方便？马达想，自己差点让莫四蒙蔽住。吴小丽脖子空就空吧，他看着顺眼就好。

马达在河边寻见莫四。莫四不知为了什么正训斥一个汉子，骂一句，脖子往长拽一点儿，几乎要抻成竹竿了，马达不由替他捏把汗。莫四看见马达，脸一下柔软许多，仿佛一块冻肉突然化开。马达，剪彩那天你来放炮。

马达说，我不换了，还是把向阳坡给我吧。

莫四眼睛顿时撑开，你……说啥？

马达重复。

莫四嘴唇抽动几下，骂出声，我日你个娘。

马达说，我娘早就死了，你就日土吧。

莫四骂，那么好的酒，那么好的肉，还不如喂狗呢。

马达说，我都吐了。

莫四骂，有能耐你建一座桥，我把全村的地都给你。

马达说，你是村长，那是你的事。

莫四气得不知说什么，骂一声狗日的，再骂狗日的，然后狠狠踢飞脚底的一块石子儿，想反悔，休想！急匆匆离开，走出老远，仍骂着什么，胳膊还一挥一甩的。

马达低头往回走，一个老汉说他父亲正到处找他。马达怔了怔，拔腿猛跑。父亲不轻易出门，他一定是有急事。几只鸡被马达惊得四处飞跑，溅起一街惊叫。马达气喘吁吁地站定，紧张地看着坐在石头上的父亲。父亲像是死去了，一动不动，马达不敢叫他。也不过几十秒时间，父亲剧烈咳嗽起来。父亲的脸更黑更瘦了，像是一块烧干了的煤渣。马达埋怨，不在家待着，跑这儿干啥？父亲说，你想要回向阳坡的地？马达问，谁告诉你的？马达明白莫四找了父亲，吴小丽从不在父亲面前告他的状。父亲虎着脸，只是脸上没一点威严了，别管是谁，是不是吧？马达皱皱眉，你管这干吗？父亲猛咳几声，我是你爹，我啥不能管？马达说，和你说不清楚。父亲说，我还没糊涂，算得清账，一块地给村里带来多少好处？给你带来多少好处？只怕你两口子这辈子吃不尽喝不尽。马达蹲在父亲身边，爹，你不知道那地里埋的是啥。父亲气哼哼地，我怎么不知道，不就一条狗嘛。马达说，那不是狗，是怪物，穿着西服戴着领带还陪葬两只活羊。父亲静默片刻说，那又怎样？关你什么事？马达说，爹一辈子也没穿过西服。父亲说，爹不稀罕。马达说，爹一辈子也没戴过领带。父亲说，爹不稀罕。马达说，爹……到时，我只能给爹扎两只纸羊。父亲眼角溢出泪珠，你有孝心，扎两个蚂蚱爹都高兴。马达说，我不高兴。父亲说，听爹的话，别折腾了。马达说，我难受。父亲说，人活着总要难受，光图痛快不行啊。马达说，爹，我难受得要死了。父亲又一阵静默，然后问，折腾就不难受了？马达无言。父亲重重叹气，爹不难为你了，记着，可别欺负你女人啊。

马达眼睛发潮，父亲没逼他。可他知道父亲没有放下心，父亲的心怕是揪成麻花了。狗日的莫四，还抬出父亲压他。莫四这一招失败了，马达是轻易被压住的人？莫四是急了，他还能有啥招数？什么招数也挡不住马达。

马达打算给父亲买块肉，已经好几天没买，父亲浑身只剩骨头和皮了。马达欠父亲一头牛，不能再让父亲没肉吃。马达没费什么劲就寻出一百块钱，他从不这样干，偷偷摸摸像个贼。可现在，他挺难向吴小丽张嘴，有了钱，他再悄悄塞回去就是。

莫四派了好几个人劝马达，有马达的亲戚，有村里的干部。那些人巴不得老板把狗埋在他们的地里，可老板偏偏相中向阳坡，他们痛心而愤怒，质问、声讨、骂娘。但谁也劝不动马达，马达像一块坚硬的石头。

晚上，马达吴小丽正吃饭，大板牙溜溜达达进来。吴小丽客气地让大板牙，大板牙毫不客气，说我正好没吃呢。吴小丽大约担心饭不够吃，吃几口就出去了。大板牙在碗里扒拉几下，抱怨，怎么连个肉丝也没有？跟村长家差远了。马达没好气，白骑毛驴你还嫌硌。大板牙说，别忘了，你还欠我一顿饭呢。马达问，我什么时候欠你了？大板牙说，我白帮你宰牛了？没宰成是你自己的事，总得管饭吧？马达恼恼地说，不要提了。大板牙吃了两碗菜，五个馒头，仍抱怨，有油水我就吃不了这么多了。大板牙嘴损，马达懒得理他。大板牙问，你要把向阳坡要回来？马达看他几眼，说，你不是也来劝我的吧？大板牙道，怎么不是，我不能看着你把咬进嘴的肉吐出来呀，你倒是为啥？马达说，说了你也不懂。大板牙受了污辱似的，只有你不懂的，还有我不懂的？笑话！不就是一条狗么？不就穿个西服戴根领带么？碍你啥事了？马达大声说，轮不着你教训我。大板牙见马达生气，又嘻嘻一笑，是不是女人不让你睡，你火气这么大？马达怒道，滚！大板牙举起手，好，就当我放个屁吧。我不劝你了，但你得帮我个忙，我给莫四说下大话了，劝通你，他给我一箱二锅头。你先应了怎样？我拿上酒你再反悔。马达摇头，不行！大板牙咦了一声，这么点儿忙也不帮？你一半我一半，咋样？马达说，闭上你的臭嘴吧。大板牙很是失望，看来你脑子不是进水，是进油了。老天爷真是不公，凭啥让你娶上媳妇呢？你就该像我一样打光棍。马达骂，小心我把你的牙敲碎。

马达想莫四是没辙儿了，把大板牙都支使出来。还有啥辙儿？马达和莫四说话的语气比往常重了许多，你退也得退，不退也得退！

莫四没有表情，地是老板的，有能耐你找老板去。

马达气鼓鼓地，找就找，我怕他个卵。

六

马达没去找老板。他不知道老板是干什么的，老板住在哪儿，老板叫什么名字。他唯一清楚的是老板有钱，手底下的人都怕他。马达问莫四，莫四说，有能耐你自己找。莫四不告诉马达。马达真要找老板，莫四还是害怕。马达想了想，大板牙耳朵长，没准儿清楚呢。马达问大板牙，大板牙哼着鼻子，我当然知道了，我说过，只有你不知道的，没有我不知道的。马达求他，大板牙眼睛抬到眉毛上，你也有求人的时候？我怎么求你来着？马达说，不就一箱二锅头吗？我给你！大板牙问，算话？马达发誓，大板牙眼球转了转说，算了吧，我怕你闯出祸来，你出事不要紧，吴小丽就守寡了，你爹也没人管了。马达腔调变了，你倒是知道不知道？大板牙装模作样地叹口气，我告诉你吧，老板住在城里。马达瞪他，城里大着呢。大板牙说，兔子还有三个洞呢，何况老板？你甭费心思了，找不见的。不过，等桥剪彩，老板肯定要来，你哪儿也不用去，就在桥头候着。马达的目光在大板牙脸上一圈圈绕着。大板牙颇为得意，怎样？这法子你就是想烂脑袋也想不出来吧？马达问，要是不来呢？大板牙说，咱赌一箱二锅头。马达同意。输一箱二锅头，也值。

马达在河边蹲了一上午，盯着盯着，马达犯了嘀咕，老板只出一座桥钱？绝对不止！莫四干吗这么上心？他肚里有猫腻。说什么村里有好处，马达有好处，其实好处都让莫四占了。马达因这一想法兴奋不已，难怪莫四怕他反悔，莫四有自己的小九九呢。

马达去找大板牙，说打一个墓绝对不止四百，莫四贪了，咱得和他要。大板牙问马达有什么证据，马达说还要什么证据，一诈他就认了。大板牙咧咧嘴，你以为你是猫，莫四是耗子？错了，在营盘，莫四是猫，别人都是耗子，诈不出的。马达不屑，你就这么认了？大板牙说，给人打墓几十块，给狗打墓二百，我知足。你说莫四贪，也很正常嘛，这叫雁过拔毛。经过村长村长拔，经过镇长镇长拔，经过县长县长还要拔，我是够不着，够着我也揪一绺。马达骂大板牙跟瞎子一个样。大板牙说，我眼瞎心里亮堂，你眼不瞎心里堵死了。

马达又去找秋山女人。秋山女人对马达没有杀牛一直耿耿于怀，几次碰面都耷拉着脸。一见马达，秋山女人就拿眼白他，咋？又要杀牛了？马达寡寡地笑笑，说不定什么时候我还要杀的。秋山女人哼了哼，怕是下辈子吧？牛心没吃上，害我差点儿犯病，还白白让你占了便宜。马达想，这娘们儿，明明是她蹭自己，却倒打一耙。这事理论不得的，马达只好讪讪地笑。该杀不杀，让福旺女人捡个大便宜，秋山女人难掩酸意中的好奇，你说你有啥好，你女人白天黑夜侍候你？马达转移话题，我找你有事。秋山女人将胳膊抱在胸前，一副对抗的架势，什么事？马达问，莫四那两只羊向你买的？秋山女人硬硬地，你知道还问？马达问，给了你八百？秋山女人反问，关你什么事？马达说，你让他坑了。秋山女人放下胳膊，眼睛却没离开马达。马达就说了自己的怀疑和理由。秋山女人说，你替我要回来，我分一半给你。马达说，我会有办法的，你等着吧。

马达和莫四在街上碰个正着。莫四没躲，反拦住他，问，你怀疑我贪了挖墓和买羊钱？马达想，大板牙和秋山女人向莫四告密了，这两个叛徒。好在马达不怕，他就是要让莫四知道。马达说，我不是怀疑，你就是贪了。莫四冷笑，你这是诬陷，是犯法的，你知不知道？马达说，那你把我抓起来好了。莫四骂，你是个浑球。马达问，你拿老板多少好处？莫四骂，你是个浑球。马达说，你绝对拿了老板的好处，我就不信碰不见老板，我就不信问不出来。凭啥你家天天吃肉，凭啥你家焊铁大门？莫四骂，和你说不清楚，你是个浑球。

马达想，浑就浑吧，莫四不把向阳坡还给他，他就浑。马达开始调查莫四别的事，当然，他调查不出什么，没人告诉他。但马达没有停止。马达要让莫四知道，不退给马达地，他就没有安宁日子。马达还跑到莫四家，当着莫四女人的面问莫四是不是和秋山女人有一腿，要不他和秋山女人说过的话，莫四不出半个时辰就知道了？谁的羊不能买，偏偏买秋山女人的？莫四骂，你就嚼吧，别烂了舌头。

莫四终于被马达搞怕了——至少马达这么认为。一天晚上，莫四把马达喊到家里，莫四把女人支走，神情严肃，马达，咱俩得好好谈谈。

马达看着莫四。灯光下，莫四的鸭子嘴像一个大铲子。

莫四问，你到底要干啥？

马达说，你清楚。

莫四说，我不清楚，我都让你弄糊涂了，你脑子和别人不一样。

马达说，你是装糊涂。

莫四往前凑凑，你想知道啥？我告诉你。

马达问，你拿老板多少钱？

莫四扑闪扑闪盯马达半天，问，谁和你说什么了？

马达摇头。

莫四说，要是换了别人，怕是要喊我爹呢，你……嫌钱少？

马达说，钱都让你吞了。

莫四说，说半天，你就是嫌钱少么。你早说，绕这么个弯子干啥？你要多少？

马达问，老板给了你多少？

莫四骂，妈的，给我扣黑锅。这样，我跟老板说说，再给你加三千，怎样？一万八，已经不少了。

马达颤了颤，看来莫四说多少就是多少。

莫四说，可别折腾了。

马达说，就是给我座金山，我也不换了。

莫四吸吸嘴，挨了一拳的样子。你这个家伙……你这个家伙……莫四忍着没发作，你给我交个底儿，你咋想的？干吗非要向阳坡？

马达说，我难受。

莫四眉头皱得要脱下来了，不就埋一条狗么，你难受啥？

马达说，我就是难受。

莫四说，你倒是说说，怎么个难受法？心疼？胃疼？眼睛疼？还是屁股疼？

马达说，我干吗告诉你？

莫四话带出火药味，我看你就是吃饱撑的。

马达也硬了，把我的地退回来！

莫四再次被激怒，胡搅蛮缠，休想！

马达回敬，不退地，我让你当不成村长。

莫四骂，妈的，我算瞎了眼。

马达不是随便说的，他要告莫四。莫四拿了老板的好处，毫无疑问。因此，他不肯把向阳坡退给马达。桥是莫四的挡板，莫四把全村人都哄了。他们还一个个念莫四的好，念老板的好。马达是蛮货，他们是大蛮货。马达跑了趟营盘镇，告状当然找能管住莫四的。能管住莫四的自然是镇长了。营盘镇马达来过很多次，镇政府大门一次也没进过。那与马达太不搭界。没人拦他，马达大摇大摆走进去。政府又不是老虎，马达不怕。进了院子，马达的心跳快了许多，马达有些懊恼，暗骂自己没出息，故意踩出沉重的声响。马达向一个人打听镇长，对方打量马达几眼，问马达找镇长啥事？马达说，我要告状。对方马上说，你跟我来。进屋，他问马达姓名，哪个村的，告谁。马达没有隐瞒。对方说镇长开会，让马达等一会儿。

马达就在椅子上等，只要镇长见他，甭说等一会儿，一天都成。等了很长时间，马达几乎犯困，脑袋忽忽悠悠地摆，忽然被开门声撞醒。马达以为是镇长，目光扑过去，却是一头大汗的莫四。马达愣住，你怎么……莫四捋一把额头的汗，狗日的，在村里折腾还不算，竟来镇里捣乱。马达纠正，我没捣乱，我来告你。莫四扑哧一笑，很快收紧脸，跟我回！马达说，我凭什么跟你回？莫四破口大骂，你女人晕倒了，你知不知道？你还在这儿闹，活该你打光棍。

马达奔回家，吴小丽在炕上躺着，额上敷块毛巾。吴小丽姐姐数落马达，那么重的活，丢给女人，你还算不算男人？马达不知说什么好，他歉疚地凝望着吴小丽，吴小丽把头扭到一边。他抓吴小丽的手，吴小丽缩回去。马达便抓起毛巾，冷水里浸浸，折好，重新敷上。吴小丽姐姐数落够，离去。她嘱咐马达，三天之内别让吴小丽下地。

马达问吴小丽怎么回事，吴小丽咬着嘴唇不答。马达埋怨，我说别浇了么。吴小丽把整个身子扭过去，肩膀一耸一耸。马达勾了头，是我不好。声音像蚊鸣。马达又说，我不好，我不是东西。说着，掴了自己一下。这是替吴小丽出气最有效的办法，马达没别的招数。又掴一下，再掴一下，马达不藏奸，每一下都实实在在。然后，马达的胳膊被吴小丽捉住，吴小丽狠狠瞪他，马达却嘿嘿乐了。吴小丽不一会儿就爬起来，她要做饭。马达说，我来吧。吴小丽不理他，马达围着吴小丽转，吴小丽和面，他赶紧舀水；吴小丽烧火，他忙着添柴。吴小丽要给父亲送饭，马达说我去，吴小丽一把夺过去。

第二天，吴小丽挑着桶走，马达拦不住，吴小丽凶得像护雏的母鸡。马达只好跟着她。到河边，马达抢过桶。吴小丽没再争夺。

向阳坡的花开了，像铺了层金子，黄灿灿的。营盘村没谁种过这么大面积的花，吴小丽种了，可惜是给一条狗种的。它躺在那儿，还要人侍候，妈的。马达尽管不去看，可目光总是被它牵过去。他看见它……真的，他看见它了……马达想，怎么会呢？他怎么会看见它呢？可他确实看见了它。它穿着西服戴着领带，左抓一只羊右抓一只羊。它傲慢地斜着马达，向马达示威，你能把我怎样？马达嘿了一声，舀子飞出去，击在坟包上。它忽然不见了。吴小丽叫，你干什么？马达怔了怔，恼恼地骂，狗日的，还笑老子！吴小丽嘟囔，发神经！马达假装没听见，吴小丽总算说话了，尽管是骂他。吴小丽没看见死狗那得意样，要是看见，她不会这么尽心，河水快让她挑干了。他已经把钱交出去，她还一遍遍浇，这女人，把花侍弄得这么好，他都不忍心拔了。不拔是不可能的，他早晚要拔掉，除非……马达想出一个主意。

马达找莫四，我认了，不换地了。

莫四长出一口气，总算没烧坏脑子，把钱拿回去吧，再保存我可要利息了。

马达说，我有条件。

莫四忙说，你讲你讲。

马达说，你把狗挖出来，除了向阳坡，埋哪儿都行。

莫四几乎跳起来，妈的，这不是要人么？

马达声音沉重，我已经让步了。

莫四说，说半天全是废话，向阳坡不是你的了，你管得着？

马达说，它狂着呢。

莫四冷冷地，就是你挪了脑袋，它也不会挪地儿。

马达说，那就别怪我了。

莫四说，不顾女人死活，你就折腾吧。你个蛮货！

马达从莫四话里咂摸出点儿味儿来。马达本来有些怀疑，莫四这么说他就更加怀疑。吴小丽那么欢实，怎么突然晕倒了？偏偏是马达告莫四的时候？这怕是莫四的一个计。如果吴小丽没什么事，莫四就是捆，马达也不会随他回来。吴小丽站在莫四一边，莫四的话她不会不听。这么想有点儿损，可马达不得不琢磨。马达想问问吴小丽，又开不了口。怎么开口呢？万一不是呢？吴小丽就伤透心了。马达没问，但阴阴的目光始终在吴小丽脸上绕。吴小丽受不住了，看不顺眼，你就明说。马达慌慌一笑，你顺眼着呢，我想多……看看。

马达终是没问。一次没成，告第二次么，看莫四再有什么招数？

七

马达找大板牙，问镇里有没有熟人。后来马达琢磨过味儿，那个人根本没打算让马达见镇长，他稳住马达是为了通知莫四。大板牙问马达什么事，马达没有隐瞒。大板牙说人倒是有认识的，可告莫四不大好办。直到马达答应请他吃饭，大板牙方应了。

在镇里的小饭馆，马达给大板牙要了一个猪蹄、两瓶啤酒、一碗面。大板牙边吃喝边教训马达，你不是和莫四作对，是和全村人作对，这么点儿个弯儿，你咋就转不过来？我看你是让鬼缠住了，要不是咱俩交情好，我也绝不领你来。其实，问题很好解决，你再请我一次，我立马就替你解决了。不信？……算了，我也不用你请了，我说说我的主意。你干吗找这个寻那个？偷偷把狗挖出去就是，随便埋个地方，等你爹死了，你把他埋在向阳坡，老板还为以埋的是狗呢，其实埋的是你爹。给你爹守墓，还能挣老板的钱，绝不绝？老板要来墓地，你就拼命磕头，老板一高兴说不定还要赏你。老板以为你给他的狗磕头，其实你是给你爹磕头。马达骂，这是什么馊主意？闭上你的臭嘴吧。大板牙抱怨，我这么好的主意，诸葛亮也想不出来，你还不领情。马达说，就是挖，我也光明正大地挖，才不偷偷摸摸。大板牙说，你看你，就这个毛病，直来直去，不懂得拐弯儿。光明正大挖还能瞒住老板？老板知道你挖走他的狗，不让你吃官司才怪，鸡蛋碰不过石头。马达目光坚定，我让他自个儿挖。大板牙叹道，你这个梦做得可够牛×。

酒足饭饱，大板牙带马达进了镇政府。大板牙让马达在食堂门口候着，他去找熟人说合。过了一会儿，大板牙出来，说熟人答应引见镇长，但不大情愿，最好意思意思。马达问怎么意思，大板牙说给我钱，我去买两盒好烟。马达想想也是，摸出五十块钱。大板牙嘱咐马达别乱跑，他去去就来。

大板牙一去就没了影儿。马达先前还耐着性子张望，后来沉不住气，跑出镇政府。马达挨商店转，却不见大板牙。马达不知大板牙怎么就没了影儿，他在镇街上半走半跑寻了几个来回，大板牙蒸发了一样。马达心疑，难道大板牙回村了？他怎么能丢下马达呢？马达慢下来，他的腿疼得厉害。

马达正要回村，忽然瞅见大板牙，马达叫了一声。大板牙埋怨，你往哪儿跑了，我找你半天。马达审视大板牙，镇长呢？大板牙生气地说，镇长等不见你，早走了。马达看出大板牙耍他，尽管大板牙脸上不青不白，可目光躲躲闪闪。马达说，你给我说老实话！伸胳膊揪他。大板牙撒腿就跑，马达骂着追上去。

大板牙跑出镇，回头瞅瞅，跑进了庄稼地，又拐进林带。随后，脸色煞白的大板牙窝靠在一棵树下，呼哧呼哧喘。

马达揪住他，你敢……哄我！

大板牙喘着说，我……没有……

马达狠狠掴他一掌，还嘴硬！

大板牙叫，君子动口不动手。

马达骂，君子个蛋，钱呢？

大板牙说给熟人买烟了。

马达手一用力，捏住大板牙脖子。大板牙脸顿时紫了。

马达怒问，说不说？

大板牙翻着白眼，僵僵地点头。

大板牙终于承认他诓了马达，镇里没他认识的人。钱已被他花掉，不过，算他欠马达的，等他有钱再还。马达逼问再三，大板牙说钱花在二妹发廊，都让女人捋去了。马达骂，你个驴，拿老子的钱填女人窟窿，那也花不完呀，余下的呢？大板牙说，正搞活动呢，五十块钱可以搞两次。马达踹大板牙一脚，驴，驴！急得像个陀螺。而后挥挥胳膊，不行，你必须要回来。大板牙可怜巴巴地说，我用了人家，不可能要回来啦，这不是买牛，可以退货。马达大嚷，我不管，你必须要回来！马达面色紫红，似乎脸上的血管崩裂了。那钱不光带着马达的体温，还沾着吴小丽的汗迹，马达怎能让大板牙花在邪道上？

马达押着大板牙往回走。大板牙缩着脖子，嘴却不闲着，别去了，要不回的，我还你就是。

马达喝道，走！

大板牙说，我是怕你跌了火坑呀。

马达咬牙切齿，滚！

大板牙央求，你可别乱来呀。

马达狠狠踢他一脚。

二妹发廊敞着门，两个女孩正在说话，看到大板牙便笑盈盈站起来。马达问，哪个？大板牙指指那个黄头发，马达一甩手，大板牙一个踉跄扑在侧面柜子上。两个女孩觉出异常，都有点儿发愣。马达盯住黄头发，他是不是给你五十块钱？黄头发紧张地后退一步。马达说，那钱不是他的是我的，你不能要，你必须还我！黄头发抖抖地，我没拿他的钱。马达扭头问大板牙，是不是她？大板牙几乎带出哭腔，别犯浑呀！马达怒道，是不是她？大板牙点头，语速极快地说，妹子还给他，我给你打个欠条吧。马达直视着黄头发，听见了吧？让他给你打欠条，你马上还给我。黄头发嘀咕，派出所就在旁边。马达冷笑，他什么时候被吓住过？声音陡然提高，拿出来！黄头发慢腾腾地掏着，而后突然转身，冲进里屋，砰地将门关了，就势插住。马达推了推，大骂，你敢要老子。连踢两脚，门烂成两截。

黄头发正要跳窗户，被马达一把揪下来。黄头发大叫，救命呀，抢劫啦。马达掐住她脖子，吼，拿出来！黄头发歪着头，费了老大劲儿，终于扬起手。两个手指夹着五十块钱，马达认出正是自己那张，上面有个红手印。

马达一松手，黄头发像窒息的鱼软软地斜在那儿。

马达在钱两面反复吹几口，折好，装进裤兜，紧紧贴着大腿。大板牙和另一个女孩都不见了，马达拿了钱，他们在不在马达无所谓。

可马达没能离开。两个警察堵住门口，让马达别动。马达觉得有必要解释一下，说他没干啥，只是拿回自己的钱。那个大个子警察样子十分和善，他说，你没干别的就好，不过我们得调查一下。马达无所谓地说，随便。大个子警察走近马达，拍拍他的肩。马达发怔间，两个手腕已被铐住。马达叫起来，凭什么铐我？大个子警察再无刚才的和善，凭什么？凭你抢劫！马达叫，我没抢，钱是我的，上面还有记号。大个子警察捅马达一下，闭嘴，让你说再说！马达叫，凭什么铐我？腰上又重重挨一下。

马达被带到派出所，同去的还有黄头发和另一个女孩。不同的是马达戴着手铐，她们没有。黄头发脖子上显出青紫，可能马达下手重了，她不停地咳嗽。其实马达并没打算动武。马达想，一会儿给她认个错，不该那么掐她。马达四处搜寻大板牙，他得让大板牙作证。大板牙干了黄头发，钱该由大板牙出。

黄头发和另一个女孩叙述了过程便离开。期间，马达不时强调，我没抢，我只是拿回我的钱。话每次出口，大个子警察都要教训马达一下。但马达不长记性，他憋不住。

轮到审讯马达，马达让大个子警察打开手铐。他质问，凭什么单单铐我？大个子喝道，老实点儿，还嫌自己舒服是不？马达说，要铐都铐，要不铐都不铐。马达挨了几下，扑倒在地，但他并没服软，你们不公平！不公平!! 大个子警察扑哧笑了，骂句棒槌脑袋，表情突然温和了，说道，你是个爷们儿，戴个手铐算啥？交代完自然给你松开。马达想，那就委屈一会儿，又不是没受过委屈。

马达讲述了事情经过，发誓，如有一句假话，下辈子变王八。大个子警察问什么，马达也老实实实回答，如问他踹门没，掐黄头发没。当然，马达也替自己作了辩解，他没想把黄头发咋样，只想要回自己的五十块钱。

但马达的手铐没有打开，马达叫，我都讲了，都是实话，你不能说话不算数。大个子警察狠狠瞪他一眼，这是抢劫，你懂不懂？马达大叫，没有，我没多拿她一分钱！大个子警察喝道，嚷嚷啥？一分也算抢。马达眼珠子血红血红，几乎要凸裂，大板牙可以作证，那真是我的钱。大个子警察冷笑，凭什么是你的钱？马达脖子挺起来，就是我的钱！大个子警察说，你好好想想吧。大个子警察要离开，这怎么行？马达手不能动，脚可以，他拦着大个子警察不让走。大个子警察推他一把，锁上门。马达怒吼一声，奋力踹门，咣、咣、咣。还用头撞，砰、砰、砰。大个子警察返进来，让马达老实点儿。马达叫，放我出去！马达像头疯牛，横冲直撞。大个子警察边躲边拿警棍捅，马达扑通跌倒。马达爬起跌倒，跌倒爬起，力气终于耗尽，脸贴在地板上不再动弹。大个子警察也累了，抹抹脸，出去。

马达被莫四和吴小丽领回去时，已经是夜里了。马达软得像棉花，吃了三碗面，力气才恢复一些。马达委屈地说，那真是我的钱，我没抢她。吴小丽擦拭着马达的头，心疼地说，都流血了。马达忙说，不疼，一点也不疼，警察不冤枉我，流点儿血也没啥。吴小丽叹口气，欲言又止。

第二天，马达才感到脑袋涨闷，像塞了东西。他不恨大个子警察，脑袋是他自己撞的。吴小丽说多亏莫四周旋，不然马达可能要坐牢。她停了停，劝马达别再和莫四闹别扭了。马达奇怪地说，我又没犯罪，坐什么牢？吴小丽说，你抢了人家，还说没犯罪？马达沉下脸，我没抢嘛，我要是抢，能放我出来？吴小丽生气了，你以为那么好出来？不交钱能出来？吴小丽突然顿住，她原本不想让马达知道。马达盯住她，你说啥？交钱了？交了多少？吴小丽索性说了，马达的性质是抢劫，是莫四从中帮忙，交三千罚款了事。马达气就粗了，凭什么交？干吗要交？吴小丽也火了，我能眼看你坐牢？马达举起手，但拍在自己头上。要回五十，赔了三千，赔死了！马达问吴小丽哪儿来的钱，吴小丽没好气，你存莫四那儿的，我哪儿来钱？马达痛苦地闭上眼，连说完了完了。抽搐几秒，怒气渐渐卷上来，他并没有抢，大个子警察凭什么罚他？大板牙可以作证。现在就找大板牙！吴小丽没拦住马达，马达像一个皮球，一蹦一蹦的。

马达拎着大板牙出村，莫四追上来，后边跟着吴小丽。莫四劝马达冷静，大板牙那身架经不住折腾，大板牙光棍一条，不值钱，你就不一样了，有媳妇疼你，爹又重病。马达头脑并未发昏，他说，我不会把大板牙咋样，我让他作证，那钱到底是不是我的？莫四说，你还是没转过脑子，钱是不是你借给大板牙的？马达恨恨地说，不是，我没借给他，他拿钱替我买烟。莫四说，不管怎么说，钱在大板牙手上是不？大板牙拿去找女人，女人可不管大板牙的钱咋来的，大板牙搞了她，就得给她钱，你跟她要钱，她当然不给，你强行要就是抢。警察没耐心跟你说这个，懂了没？马达似乎被莫四说动，他问，我真是抢了？莫四说，当然算抢了，警察不会胡乱定罪，掐死那个女的，还得偿命呢。你只能让大板牙拿钱，不能让她拿钱，人家又没直接从你手里拿。马达后悔不迭，我该让大板牙追她要，狗日的大板牙，让你坑了。马达砸大板牙一拳，莫四和吴小丽强行拉开。

但马达还是去了派出所。就算他抢，让他坐牢好了，不能罚钱。那钱不是他的，是老板的，他不能花老板的钱。马达让大个子警察把钱退了，他宁可坐牢。大个子警察瞄马达半天，说我干半辈子警察，可从没见过你这号人。马达说，我也活了半辈子，从没这么赔过。大个子警察劝马达别捣乱，不然款也罚，牢也要坐。马达说，你把钱退了，怎么着我都行。大个子警察不理他，马达就赖着不走。马达学乖了，没有大吵大闹。

吴小丽追来劝马达，怎么也劝不动，她索性和马达待着。她说，我和你做伴吧。一直耗到晚上，马达让吴小丽回，他说，你不回爹咋办？吴小丽说，让爹饿着吧，咱俩坐了牢，爹天天饿着。马达听出吴小丽拗气，痛声道，我不甘心呀。

八

马达顺从了吴小丽，他不能让爹挨饿。他撵不走她，她铁了心要和他在一起。她哭着说，我离不开你呀，蛮子。罚走的钱还能要回来？除非狗头长角。吴小丽不停地在马达耳旁吹风。马达终于泄气，他想，认了吧，就算被偷了，烧了，让老鼠啃了。马达总能想出安慰自己的法子。可到底是三千块钱，自我安慰没有轻易奏效，一会儿就开始闹心。

马达又去找大板牙，祸由他引起，他不能拍拍屁股就没事了。大板牙躲了，直到晚上马达才堵住他。大板牙龇牙咧嘴，咋还没个完了？不是没事了吗？马达恨恨道，我损失三千块钱，就算白了？大板牙赔着笑，我倒是想替你出这个钱，可你瞅瞅，屋里最值钱的就是我，你不嫌弃，把我领回去算了，你两口子咋使唤都行。马达瞪大板牙一眼，他根本没有让大板牙赔的打算，领回大板牙？更是笑话，大板牙巴不得呢。大板牙问，你说咋办？你倒是说个法子。要不再揍我一顿？马达真想收拾他一顿，可大板牙那身板确实撑不住。马达真是拿大板牙没一点儿办法。他指着大板牙眼窝骂，我早晚骗了你小子。大板牙看出马达也就如此了，语气便带出抱怨，你只记着我的不是，我给你出过多少主意，你怎么不记得？我也不是故意的，路过二妹发廊，实在是挪不动腿了。要说，你也有责任……大板牙揣测着马达的脸，告什么状，莫四是那么容易告的？马达不由捏捏拳头，他终于意识到，最大的祸根还是那条狼狗。是的，就是它！若不是它占了向阳坡，马达就不会告莫四，马达不告莫四，就没那一出。大板牙劝，你就别折腾了，我给你出的主意多好，什么时候挖，我帮你！马达摇头，让他们自己挖好了。马达绝不偷偷摸摸。大板牙说，你怎么认死理儿？指望老板挖走？做梦去吧。马达强调，地是我的。大板牙哼了哼，原来是你的，现在不是，谁都知道向阳坡是狗的墓地。马达大声道，我说是我的就是我的！大板牙忙附和，好好，你说你的就你的吧。声音极小地嘀咕，疯子！马达没听见，那条狗撞进他脑里了。

马达不打算告莫四了，告了两次都不顺利，还损失三千块钱。马达觉得绕这么大个弯子是个错误。莫四爱有多少问题，爱收老板多少钱，马达不管了，他只管要回向阳坡，绝不能让向阳坡变成狗的墓地。

吴小丽知道马达仍拗着劲儿，痛得脸都绿了。她质问，已经罚了三千，还没折腾够？马达说，那是两码事。吴小丽问，就算向阳坡退给你，你拿什么还人家？这确实是个问题，马达不是没想过，可马达认为不是个大问题，他迟疑着问，家里……不够？吴小丽气呼呼的，够你个头。马达说，不够就借，这么大个村子，不信借不来三千块钱。再说，他的狗埋了好几个月，不能白埋吧？他得出点费用。吴小丽顶他，都由你了，你是谁？马达说，我是我，我谁也不是。你个……呆子！吴小丽不知说什么好了。

吴小丽气归气，却不敢再由着马达。莫四警告过她，她心里发怵。她变着法子劝他，有几天她不让马达碰，她像一个刺猬，但没用；她还试图不做饭，让公公饿着，马达肯定着急，可她又下不了这个决心，公公病那么重，这样太狠了。和马达硬着来肯定行不通。

这天晚上，马达回到家，闻到一股香喷喷的味儿。味儿是吴小丽身上的，她刚洗了澡，正穿衣服。马达抽鼻子猛吸几口，便有些躁，目光像个大舌头，上上下下舔着吴小丽。吴小丽态度不大好，马达好几天没碰她了，此时有点儿撑不住。吴小丽狠狠剜他一眼，看什么，没见过？马达看到红云卷过吴小丽脸颊，嗷地叫了一声，抡起她。吴小丽像一条滑溜溜的鱼，奋力在马达怀里扑腾。她老老实实，马达也许还温柔些，她这么闹，马达不能不疯。

马达摸到吴小丽眼窝的泪水，呆了呆，问，咋？

吴小丽哭出声，马达的心揪住，再次问，咋？

吴小丽往马达怀里缩缩，哽咽，抱紧我。

马达摸不着头脑，你到底咋啦？

吴小丽红着眼窝，咱俩早晚要分开。

马达猛地坐起来，你什么意思？不和我过了？

吴小丽说，你这么折腾，迟早要折腾进牢里。

马达唔了一声，还为这个啊，我不信一条狗能让我坐牢。

吴小丽说，狗是咋不了你，可老板厉害啊，他能由着你？

马达说，向阳坡是我的，我想咋就咋。

吴小丽说，过去是，现在不是了，早干啥了？你别答应啊。

马达说，当初只说埋人，没说埋狗么。埋人我就认了。

吴小丽说，人和狗有啥区别？

马达咦了一声，这还用问？人是人，狗是狗。

吴小丽说，狗就碍你事了？

马达说，碍了。

吴小丽追问，碍啥了？

马达骂，妈的，他凭什么给狗穿西服戴领带，还活葬两只羊？

吴小丽说，又来了，又来了，钱是人家的，想怎么来就怎么来。

马达说，我心里憋屈，还不如坐牢。

吴小丽气就粗了，你是宁肯坐牢了？

马达说，没那么严重。

吴小丽冷笑，你以为自个儿多能呢，在老板眼里，不如一只蚂蚁。

马达说，坐牢我也不怕。

僵了一会儿，吴小丽伤感地说，那就让我陪你坐吧，谁让我离不开你呢！

马达说，不行，爹得有人侍候。

吴小丽说，让爹饿着，要不，你把他也带上。

马达严肃地说，你吓唬我呢。

吴小丽说，我没吓唬你，我真离不开你，你不在，我不死也得疯，到时候，还能顾上爹？

马达没再吭声。

吴小丽脸上有一丝不易察觉的释然。

第二天，马达就把吴小丽的话丢到一边。不是忘了，而是不相信一条狗能让他坐牢。就这么认了也太窝囊，他不能让一条狗打败。

马达特意去找莫四，他说，我不告你了。莫四淡淡一笑，你告我也管不着呀，随你便。马达说，地还得退我。莫四说，不可能！莫四很硬，不给马达留一个缝隙。说死了说绝了。马达想，再缠莫四也就是这个话了，不能和莫四这么耗，耗得桥都快建好了，向阳坡的花都快谢了。马达也说了狠话，不管你退不退，向阳坡都是我的。莫四说，你说了不算，已经换了，谁都可以作证，包括你女人。你是个男人，不能反悔是不是？马达说，我让你骗了，你没说埋狗。莫四斜他一眼，你咋就这样呢？

咬住狗蛋不放了？马达说，你别骂我，亏你还是村长。莫四说，你还当我村长？马达说，你转告老板，让他把狗挖走。莫四不屑地一笑。马达一字一顿地说，他不挖我就挖了，到时可别怪我没打招呼！莫四叫，你敢！马达说，你等着瞧吧。

马达不是吓唬莫四，他从不吓唬人。莫四不还地，不把狗挖走，马达只能自己动手。马达绝不偷偷摸摸，像大板牙说的那样，绝不。把这个话传给老板，得让老板知道，到时别怪马达没通知他。莫四不肯传话，马达自己等好了。反正剪彩老板要来。

马达从河边回来，看见吴小丽在前边走，正要喊，却见她拐进莫四家。马达愣在那儿，吴小丽去莫四家干啥？他等了一会儿，迅速走开。在别人家门口守候自个儿老婆，丢人。吴小丽干吗找莫四？他再次自问。想不出来。接下来的两天，马达发现吴小丽又去过莫四家，有时是下午，有时是晚上。马达从不怀疑吴小丽，就算她反对他。可在这个时候，她一趟趟去莫四家，马达觉得还是有些问题。

马达厚着脸皮候了吴小丽一次。吴小丽猛然看见马达，慌了慌，但她什么也没说，低头疾走。马达追吴小丽进屋，盯住她，你一趟趟找莫四干啥？

吴小丽已然没了惊慌，但她并不回答，舀了杯水，慢慢喝。

马达说，你别让他骗了，他嘴上一套肚里一套。

吴小丽忽然说，咱俩离婚吧。

马达怔住，怪怪地瞅着吴小丽，有点儿明白了。吴小丽和莫四商量治他的办法呢。这肯定是莫四的主意。莫四没招了，开始在吴小丽身上动脑子。马达冷冷一笑，莫四教你的吧？

吴小丽别过头，这日子没法过了。

马达不怕离婚，可……谁给爹做饭呢？

吴小丽似乎知道马达想什么，说，这几天你先找个给爹做饭的，找见咱俩就去镇上。

吴小丽脸绷得像黑铁桶，她是要马达害怕和投降。马达是轻易被降服的么？就算莫四和吴小丽加一块儿，就算吴小丽使出离婚的绝招，马达也不会把手举起来。做饭是个问题，马达在脑里过了一遍，找不出一个可以给爹做饭的，那些女人连自己的公婆都不侍候。这么一比，吴小丽的好就越发明显。可她咬定要离婚，他有什么办法？离好了，他饿不死，爹就饿不死。马达还有另一层想法，吴小丽没动真格的，若不是莫四捣鬼，她不会提这个话。她不过下个通牒，并没追逼马达。马达老实了几天，不再理会吴小丽是否找莫四。桥已经建好，马达静心等待老板。

剪彩的日期是大板牙悄悄告诉马达的。大板牙说那箱二锅头我也不要了，我欠你一次，这次还你。马达心里有了数，在吴小丽面前装作什么也不知道。马达要把话直接传给老板，丑话说在前头，马达对得起他。

那天早上，吴小丽起床，马达也就起了。平时，他总比吴小丽晚。吴小丽做好饭，匆匆忙忙走了。马达知道她去浇花，老板要来了么，她更得卖力了。马达心疼吴小丽辛苦，又难抑愤怒，侍候一条狗，真是不值。

马达正要出门，大板牙笑嘻嘻地进来，身后还有崔杆子和一个后生。马达奇怪，问他们干啥。大板牙说，找你帮个忙。马达说，改天吧，我有事。话音未落，马达突然被扑倒，脸颊挨着湿乎乎一片，是刚拉出的鸡粪。马达叫了一声，三个人已摁在他身上，开始捆绑。马达意识到自己的处境，奋力反抗，可终是耐不过三个人六只手。大板牙一般，崔杆子和年轻后生都是蛮力。

他们把捆得结结实实的马达抬到炕上。马达骂，你们要干啥？……妈的，放开老子。

大板牙边替马达擦拭脸上的鸡粪，边劝，老实点儿，一会儿就给你松开。

马达蓦地明白过来，他们是莫四派来的。他想证实，问，谁让你们捆老子的？是不是莫四？

大板牙说，你就别问了，不会难为你，咱们什么关系？我还能难为你么？

马达呸了一声，骂你个叛徒！唾液射在大板牙脑门上。大板牙甚是羞恼，真不知好歹，真不知好歹。

马达逼视着崔杆子，是谁？

崔杆子抱抱手，对不住了，兄弟。又叹口气，你不能和全村人作对啊。

马达骂，你们这帮狗腿子，王八蛋！你们不得好死！找莫四去，给我把莫四叫来，有种的放开我，背后算计人，是狗！狗！！狗！！！停停，又喊，吴小丽，吴小丽！

大板牙说，她听不见，你省点儿劲儿吧。她被你气成啥了？我看着都心疼呢。

崔杆子狠狠瞪大板牙一眼，大板牙马上闭嘴。

马达叫，放开我，放开我！

没人理他。马达开始翻滚，像一条搁浅的鱼。看着快要掉地，他们合力把他抬到中央，他再扑，他们再抬。没一会儿，马达衣服就湿透了，声音微弱下去，求……你们，放开我。

求……你们，放开我。

……

九

马达指着莫四眼窝，问是不是他让人捆他。莫四正吃饭，说是又咋样，不是又咋样？莫四漫不经心，还跟女人要一头蒜。马达愈加愤怒，是，还是不是？声音热辣辣的，似乎烤熟了。莫四剥开蒜，往嘴里丢一瓣。狗日的够狠，那么大的蒜瓣一口就吞了。马达催问，说呀！莫四喷着浓浓的蒜味，你别激动。马达砰地砸莫四一

拳。莫四鼻孔爬出一条虫，稍稍一摆，便红红一片。莫四女人叫，你怎么打人？她想推马达，被莫四制止。莫四出奇的冷静，是我派的，你别怪他们。莫四这么说，马达反没有刚才激愤了。他问，你凭什么？莫四说，不凭什么，我不能让你胡来。马达骂，你个大狗腿。莫四咔嚓咔嚓咬着蒜瓣。骂了一阵儿，马达偃旗息鼓。就算现在撕了吃了莫四，也没用了。莫四算计了他，莫四根本没让他见着老板。他跳得越凶，莫四越得意。

马达说，你等着瞧吧。

莫四嘴里的声音更响了。

夜里，马达问吴小丽老板去没去向阳坡。吴小丽说去了。马达问老板说啥了，吴小丽说没说啥。吴小丽不愿多谈，几次转移话题，都被马达揪回来。马达冷笑，我不信他没说。吴小丽说，没说就是没说，你让我编？马达问，老板脸上有笑没？吴小丽摇头，我没看见。马达说，你没长眼？吴小丽说，我长眼不是看老板的，老板是我看的？马达说，我让莫四捆了。吴小丽声音柔顺许多，还疼不？马达盯住吴小丽，你知不知道他要捆我？吴小丽说，我怎么知道，我上山了。马达问，莫四没告诉你？吴小丽哭了，你咋这样怀疑我？莫四凭啥告诉我？马达说，没有就是没有，哭啥？吴小丽哭得更厉害了。马达并没因吴小丽哭泣而放弃对她的怀疑，这是他心里的疙瘩。莫四捆他，马达能断定，吴小丽是不是预先得信儿躲出去，马达确定不了。吴小丽不知情，马达还好受些。若她是躲出去，马达饶不了她。马达被这个问题缠住，走站想着。第二天，马达又问吴小丽。吴小丽恼了，骂，马达，你不是人，你非要我说知道是不是？马达说，我问问。吴小丽叫，什么问问，你都把嘴问烂了。吴小丽气成这样，马达倒松口气。吴小丽站在莫四一边没什么，吴小丽如果像莫四一样坑他，就是另一回事了。

中午，马达开始行动。他早跟莫四说过，他不是吓唬莫四。原本要跟老板说的，但他见不上。见不上，就甭怪他了。太阳明晃晃悬在头顶，嗷嗷叫着，似乎在给马达助威。马达爬到向阳坡，一眼看见那条蹲在坟包上的狼狗，穿着西服戴着领带，左拎一只羊右拎一只羊。它龇着牙，似乎随时会向马达发起攻击。马达冲过去，狼狗倏忽不见了，马达的拳头落在土包上。马达骂，有胆你出来！狼狗不再露面。但躲进坟包里的它肯定嘲笑马达，就算它不敢露面，马达两口子照样侍候它。马达骂，休想！发了疯地拔那些花。有的谢了，有的正开着，泥土还湿淋淋的，因为吴小丽刚浇过。吴小丽爱花，可她不是替自己养，而是替狗养。马达心疼但绝不手软。

马达不知道吴小丽什么时候上来的，听见她惊慌的叫声，还未等他回头，吴小丽已扑上来，大叫，你个蛮子，住手！马达怎么可能住手？吴小丽抓马达，马达一甩，她弹到地上。她跳起来再抓，再次被马达甩到地上。吴小丽拍着自己的腿，闯祸了呀！闯祸了呀！忽然起身，趺趺撞撞往坡下跑去。

莫四带人上来，马达正拔那些松树，手被扎得血淋淋的，脸上趴着横七竖八的泥道子，衣服湿透了，紧裹着身体。莫四冲他喊什么，马达根本没往耳朵里收。莫四让那几个人摁马达，可马达有了防备，谁也不能靠近。莫四气得跺脚，妈的，全是废物。

大个子警察一到，马达就没那么凶了。马达不怕警察，却怵他手里的警棍。马达栽一个跟头，啃一嘴土，再栽一个跟头，又啃一嘴土，直到被戴上手铐，塞进警车。

吴小丽想让莫四阻止马达，没想到莫四叫了警察。她求莫四别带走马达，损坏的花和树她赔。莫四说，我说了不算，现在已经晚了。吴小丽求大个子警察。她拍着车门叫，别！别!! 警车射出去，留下一道长烟。吴小丽一屁股坐在地上，号啕大哭。

马达看见吴小丽拍门了，看见她煞白的脸和弹跳的泪珠，他终于断定：这个女人没生二心。马达鼻子酸了。

直到晚上，大个子警察才审讯马达。马达昏昏欲睡，他有了经验，不那么闹腾了。大个子警察似乎对马达也头疼了，说，又是你小子，喜欢这个地方？马达说不喜欢。大个子喝道，不喜欢怎么尽干犯法的事？马达问，我犯法了？我犯了什么法？大个子警察火了，装什么糊涂？你不知道干了什么？马达停了停说，那是我女人种的。大个子警察说，你女人种你就有权拔？马达说，那是我的地，你可以去调查。大个子警察说，我早调查清楚了，地不是你的，花和树也不是你的。马达说，原来是我的，他们骗了我，他们没说埋狗。大个子警察说，埋什么和你有什么关系？马达说，当然有关系。那条狼狗又在马达眼前出现了，神气活现。马达说，一条破狗，占那么大个墓地，还——大个子警察打断他，我看你是吃饱撑的。有钱不挣，穷个屁股舒服不是？马达说，我不稀罕狗日的钱。大个子警察说，不稀罕也不能胡来！马达说，是他们逼我。大个子警察一拍桌子，还不老实?! 马达看大个子警察又要离开，忙问啥时候放他出去。大个子警察冷笑，你还想出去？马达说，出不去了？关我也好，可你不能罚钱了，我没钱。大个子警察气笑了，你以为是买东西，还搞价？你不是不稀罕钱么？马达纠正，我是不稀罕狗身上得来的钱。

马达在派出所待了一夜。

第二天，马达见到吴小丽。吴小丽嘴唇苍白，眼睛红肿，神色黯然疲惫。马达的心狠狠疼了一下。马达问，是不是罚钱了？你别给，让他们关我好了。吴小丽声音嘶哑，你个蛮子，你说了算吗？马达急忙问，你又交了？吴小丽说，交了！马达破口大骂，你个死娘们儿，凭什么……马达突然顿住，他看见吴小丽流泪了，红红的，血染的一样。马达小声说，哭啥？由他们罚好了。吴小丽说，她已经向警察保证，最短时间把花树补齐，若马达保证不再毁坏，她就能带马达走了。马达脖子又挺了，种？你还种？吴小丽有气无力，我求了半天人，才换来这句话，你想关就关着吧，我没时间陪你了，我得回去干活。马达想，就算坐牢也得把死狗挖出来，就这么太不值了。于是，马达服软，被带了回来。

吴小丽问，还闹不了？

马达说,不闹了。

已经闹到这样,马达停不下来,他虽然心疼吴小丽,可他不能让一条狗打败。被狗打败还不如坐牢。坐牢好歹有个年头,被一条死狗打败马达就永远栽了。

马达瞒过吴小丽,拎着铁锨上了向阳坡。马达要和这条穿西服戴领带的狗进行最后的较量。马达没有拔花时的疯狂和愤怒,他平和而冷静,周围静静的,只有铲土的嘶啦声和铁锨与阳光碰撞的嘎巴声。挖了没几下,吴小丽上来了,她警惕性颇高。吴小丽骂他不长记性。你要气死我呀。她不能阻止马达,便趴在坟包上,张开手臂护着。马达躲开她,从另一方向挖。两人正抽扯着,莫四来了。看来,他对马达更加不放心。莫四看两人在土包上折腾,骂,反了,反了。

后来,大个子警察就来了,马达再次被铐住。吴小丽骂着马达,却又护着马达,不让大个子警察带马达走。她说我赔我赔,我赔就是。大个子警察不理她,拽着马达闪开。吴小丽哭叫,墓是我挖的,不关他的事。随后蚂蚱一样跳过去,抓起铁锨,奋力挥舞。在场的人全愣了,马达也蒙了,张着嘴却无声。还是大个子警察反应快,冲上前制止吴小丽。吴小丽忽然咬住大个子警察的手腕。大个子警察奋力甩开,吴小丽重重摔倒。马达没见吴小丽那么狠那么凶过,大个子警察疼得脸都歪了。

大个子警察放了马达,铐走了吴小丽。此时吴小丽披头散发,看不清她的脸,只听见她在骂,骂什么谁也听不清。马达脑袋彻底停止运转,待醒过神儿,坡上只剩他和莫四了。马达叫,不关她的事呀。莫四瞪他一眼,现在没人管你了,你挖吧。

马达再没有心思拿起铁锨。他追到派出所,说挖狗墓是他干的,与吴小丽无关,他要替换吴小丽出来。大个子警察不理他,而是端详自己的手腕。吴小丽咬得重了,大个子警察手腕上满是紫青的伤痕。马达声音软下去,求他放了吴小丽,他把马达怎么着都行。大个子警察根本不理他。

马达求了一下午,连吴小丽的面也没见。马达想到莫四,这个时候竟然想到莫四。可除了找莫四,马达又能找谁呢?莫四狠狠寒碜了马达一顿,你闹腾呀,你不是很有能耐么?我还以为你铁鸡巴硬到底呢,半天也有耷拉的时候。这下好,把女人闹进去了。你以为我是你手里的风葫芦,你让我怎么转我就怎么转?马达第一次流泪了,莫村长,救救吴小丽。不管莫四怎么挖苦,马达只那一句话。莫四出完气,说我试试吧,这次不比上次,他瞒不住,已经报告了老板。莫四说,你真是闯大祸了,没准我也得栽跟头,你以为你是跟我作对?你个蛮子!

果如莫四所言,这次是闯祸了。大个子警察说上两次他能说了算,这次不行了。马达问莫四,还有什么办法?莫四没好气,你问我?我还想问你呢!马达抓住莫四胳膊,你得想个法子,只要放吴小丽出来,我肯定不再闹了,我向你保证,我闹就不得好死。莫四骂马达一阵,无奈地说,只能找他了,我也得给人家赔不是。

马达终于见到老板。马达忘记怎么坐车、怎么上楼、怎么走进那个屋子的。那矮矮的个子,那光光的头,马达是记得的,在向阳坡见过一次。但老板的脸,马达没看清，还没等看清，马达就低下头。莫四先低头，莫四的腰几乎弯成大虾，马达见状，忙跟着低头。那个过程不说也罢，因为莫四出来第一句话就是警告他，今天的事烂在肚里，不准说出去。但保证的内容马达记得清清楚楚，他不敢忘。

吴小丽放出来了，没罚一分钱。她完好无损，大个子警察没怎么难为她。

马达把坟包修好，然后在向阳坡搭了间草坯屋。这是老板说的，马达得日夜守墓，不跟老板要一分钱。除了挑水，偶尔看看父亲，马达基本在向阳坡待着。吴小丽则是两头跑，因为她要给父亲送饭，晚上她也住在草坯屋。毁了的树重新补栽过，花呢，种了一些，又从城里买了几十盆菊花围在坟包周围，围成一个大大的圆环，那样子，好像花儿们在手拉手跳舞。老板来过一次，挺满意。留下话，会适当给点儿钱。

那对马达已无关紧要。马达终是被一条狗打败了。马达变得沉默了，一天说不上三句话。吴小丽对马达的状态深为担心，有时故意问他，马达不是摇头就是点头，偶尔吝啬地吐一两个字。

一天夜里，吴小丽抚摸着马达日渐消瘦的胸脯，心疼地说，我知道你在想啥，咱俩偷偷挖出来吧。马达吓了一跳，不知她怎么就揣透他的心思。他确实在想大板牙的话。吴小丽说，没人知道的，别憋疯了。马达紧紧抱住吴小丽，还是没说一句话。

几天后一个夜晚，马达和吴小丽挖开坟包，撬开棺材，把那个腐臭的家伙装进麻袋，然后把那两只羊放进去，重新埋好。马达事先在鸡公山坳挖了坑，那是给麻袋准备的。马达终于把它打败，虽然这种方式马达不齿，但没有别的选择。其实很简单。

忙活完，天快亮了。两人把花盆摆好，相依坐下。浸了夜露，花开得更艳了，好像少女的脸，在等待心上人亲吻。

（选自《当代》2009 年第 3 期）

胡学文

1967 年 9 月生，毕业于河北师院中文系。中国作协会员，河北省作协理事，张家口市文联副主席、作协主席，河北省文学院合同制作家，著有长篇小说《燃烧的苍白》《天外的歌声》，中篇小说集《极地胭脂》《婚姻穴位》等。小说曾被《小说月报》《小说选刊》《中篇小说选刊》《新华文摘》《中华文学选刊》《作家文摘》等报刊转载。其中《极地胭脂》获《中国作家》大红鹰杯佳作奖，《秋风绝唱》获《长江文艺》2000 年度方圆文学奖，中篇小说《一棵树的生长方式》《飞翔的女人》《极地胭脂》《婚姻穴位》等多部作品被改为影视剧。

大学生村官

史生荣

一

被一阵拍门声惊醒，感觉天还没亮，丁一二还是急忙起床。乡村乱七八糟的事多，半夜被敲醒，不是你家财产被盗，就是他家出了乱子。丁一二跑步出去，刚将院大门打开一半，村主任牛满田就跨了进来，也不管后面垂头丧气的章得中，背着手气咻咻地走进主任办公室。

牛满田在自己的办公桌前坐好，吹吹桌上的土，然后看眼丁一二，说，小丁，你是大学生，文化高，今天的事情你来处理。

丁一二猜不透村主任是什么心理，遇事总是说你是大学生，事情你来处理，但他处理过的事情，村主任又总是说不合适，然后总要纠正纠正，还总忘不了教导他几句，而且每次都是意味深长地说，不行啊大学生，只念书还是不行，本事还得从实际当中学。邓小平就说过，实践是检验真理的唯一标准，以后你还得多跟着我学习实践。

村主任牛满田虽只小学毕业，用他的话说是文凭不高水平很高。丁一二虽然觉得可笑，但他能够理解，也不想和他比什么高低。他是大学生村官，具体职务是村主任助理。按规定，两年助理期满后，或者直接录用为乡镇干部，或者参加公务员考试享受加分和优先录取。主任让处理，咱就处理吧。丁一二在牛满田的办公桌对面坐下，然后问垂头丧气站在那里的章得中有什么事。

气愤和委屈让章得中眼睛都红了，他说，我已经和村长说过了，这种事我也丢人害臊得再说不出口。

牛满田虎着脸说，事情都做出来了还害什么臊，再说一遍，说出来让大学生给你评判一下。

章得中在椅子上坐下，由于愤怒，一下又激起了他诉说的欲望，也完全忘记刚才说的害臊丢人的话。章得中说他这些天每天晚上都在瓜棚里睡觉看瓜，今天蚊子多，天不亮他就回了家，进门发现秋和祥一丝不挂和他老婆睡在一起。他要打他，秋和祥反而把他打了。章得中带了哭音说，你们说说，世上有没有这么欺负人的。

这种事确实难办，村里可能也不好解决。丁一二小声问牛满田要不要到派出所报案。牛满田自信地说，这种男女都自愿的事叫通奸，通奸的事派出所不管，他们只管强奸偷盗等刑事案件。他们不管的事我们就得管。然后问章得中有没有证据。

章得中喊，他们都赤条条睡到一起了，还要什么证据。

乱七八糟的事，牛满田每年都要处理很多，但他最有兴趣的，就是处理这种男女之间的事情，处理起来并不费力，而且男女之间的私情也可成为日后的笑料。牛满田点一支烟，说，偷萝卜偷牲畜，偷了就有赃物在，偷情这东西，穿上裤子就不认账，没有证据，如果人家不承认反咬一口，你怎么办。

章得中带了哭音说，我把他抓在了炕上，他身上有我抓破的伤痕，我也被他打成了这样，如果不是老婆把我抱住让他跑了，我就把他的那个东西割掉拿来当证据。

太阳还没出来，但天已经大亮。章得中的脸上有被打的青紫，好像鼻子也出过血，擦过的血痕还挂在脸上。这个秋和祥，睡了人家的老婆还和人家的丈夫打斗，简直是无法无天了，不灭灭他的威风，以后更不知要上天还是入地。牛满田威严地说，小丁，你去给我把秋和祥弄到村委会来。

丁一二来到西川村已经快一年了，最熟悉的人除了村主任，也就是秋和祥了。秋和祥是村里的能人，虽然是庄稼人，但常年在外跑，能贩卖什么就贩卖什么，能经纪什么就经纪什么，能捣鼓什么就捣鼓什么。用他的话说，只要是商品，我什么都倒腾。丁一二觉得目前的农村，最需要这样的人。按丁一二的想法，两年村官任期，不管怎么样，首先要干出点成绩。有了成绩，一方面可以证明自己的能力，另一方面也争取乡里县里能把他直接转为乡镇干部。西川村有种瓜种菜的传统，在他的建议参与下，成立了一个瓜菜协会，秋和祥担任了会长。成立协会时，村主任就不大同意让秋和祥当会长，原因很清楚，就是怕秋和祥超过他。秋和祥不争气，现在又出了这种事。

秋和祥家是新盖的二层小楼，也是全村唯一的楼房。秋和祥家的大狼狗也和丁一二熟了，丁一二来，不但不咬，还会迎上来摇头摆尾表示亲热。来到院里，丁一二有点不好意思进秋家的门。丁一二先在门外听听，里面没有吵闹声，表明秋和祥的老婆并不知道。丁一二又在院子里站了一阵，觉得秋和祥的老婆也该睡醒起床了，才敲门。和丁一二猜测的一样，秋和祥跑回来又假装在屋里睡觉。但脸上还是明显地露出了慌乱不安的神色。秋和祥招呼丁一二进门。丁一二小声说，村主任要你到村委会去一趟。

秋和祥问去干什么。丁一二说，章得中在那里。

秋和祥的妻子也出来了，而且是边走边整理衣扣。丁一二感觉秋和祥并不怕老婆，脸上没表现出一点慌乱。好在秋和祥的老婆也不问什么。秋和祥常年在外奔波来去不定，半夜回来天亮回来都是家常便饭。秋和祥对老婆说，村里有事要和我商量。然后转身往外走。

出了大门，秋和祥低声而恼怒地说，这种事他也管？现在改革开放了，男女恋爱自由，他算什么东西，这种事他能管得着吗？

丁一二解释说，人家是有夫之妇，你又打了人家，人家的丈夫告你，村里不管也不对。

秋和祥骂了几句脏话，边往前走边说，我不去村委会了，我去找何玉兰，让她把那个草包男人领回来。

这也是个不错的主意，丁一二也觉得这样最好。

村子建得有点乱。出了秋家的门，就是田间小路，正是大秋作物疯长的季节，两边的玉米长得让人感觉密不透风。秋和祥说，有些事你不知道，我和何玉兰相好已经多年了，我俩是真正的相亲相爱，这些事村里人都知道，章得中也知道，我老婆也知道，他们知道管不了，也就睁一只眼闭一只眼不管了。

秋和祥的话让丁一二吃惊。丁一二不解，问为什么章得中还不饶。秋和祥叹一声，说，你还年轻不懂，这种事，不管是没办法管，不管并不等于不生气不愤恨。眼不见为净，抓不在床上就没事。昨天何玉兰叫我去看看她家的猪能不能出栏。我去看了，两头大猪正是长肉最快的时候，还可以再养半个多月，到一百五六十斤出栏最好。两头小猪又没打防疫疫苗，我就到乡里买来疫苗给打上。打完疫苗已经是晚上九点多了，玉兰又让回屋喝啤酒。结果喝得有点多了，就在她家躺一会儿。可能是太累了，结果我俩都睡着了，直到天亮章得中从瓜棚回来，我们都一点不知道。

丁一二不由得笑出了声。秋和祥问笑什么，丁一二说，章得中说的和你说的不一样，章得中说你和他老婆一丝不挂搂着睡在一起。

秋和祥笑着在丁一二屁股上拍一掌，说，傻瓜蛋子，男女睡在一起，哪有不脱衣服干睡的。

丁一二细看秋和祥，脸上似乎也有青紫印，但比章得中的轻得多，几乎看不出来。秋和祥高高大大，大概有一米八的样子，加上长得又壮，瘦小的章得中当然不是对手。可怜的章得中。

何玉兰家丁一二去过几次，印象也最为深刻。印象深刻的原因，是因为何玉兰的女儿章叶。章叶在镇政府的对面开了个理发店，手艺不错，生意也好。丁一二到村里后，头发长了，都是在章叶那里理的。章叶给他的印象是，特别的清秀，也很时髦，简直和电视里的那些明星差不了多少。由于喜欢章叶，对她母亲，丁一二也特别在意，当然也很是佩服。在丁一二的眼里，年过四十岁的何玉兰也很漂亮，还很精明，就是农村那种机灵又能干的女人。话说回来，这样的女人，章得中当然驾驭不了，而且从年龄上说，章得中也要比妻子大一些，给人的感觉几乎就是老夫少妻了。丁一二心里又不免涌出无限的感慨。世间的事，真的很难说清。

和秋和祥分手后，丁一二故意慢腾腾往村委会走。果然，丁一二刚回到村委，何玉兰就匆匆忙忙来到村委办公室，上前一把揪住章得中的耳朵，也不说话，拉了就往外走。

章得中坠着屁股使劲掰何玉兰的手。何玉兰低声而威严地说，如果你不回去，就永远别想进家门。

章得中还是委屈得浑身发抖，嘴唇哆嗦地说，家里已经有人了，我还回去干什么。

何玉兰又揪住章得中的耳朵，然后使劲拉了继续走。

看着章得中被拉出村委大院，牛满田一下大笑起来。然后摇头说，看到了吧，村子不大，啥鸟人都有。

牛满田问秋和祥怎么没来。丁一二说，他说这是他们的私事，他们自己解决。

牛满田立即严厉地说，这不行，今天我要收拾的就是他。他欺男霸女伤风败俗，应该主动来认错检讨，然后争取宽大处理。他倒牛皮，叫他来也敢不来。

牛满田背着手恼火地在地上走了几圈，说，小丁，你再去找他。你告诉他，如果不来，后果自负。

章得中回去了，事情也算解决了，丁一二觉得没必要再找秋和祥。丁一二说，我觉得这种事，就是和稀泥的事，和匀了，抹平了，事情也就过去了。

牛满田惊呼一声，然后盯着丁一二说，村里的事，好像你比我还清楚。我和了几十年的稀泥，难道我还不懂和稀泥？但你也不想想，什么事都能和稀泥吗？这种事和了稀泥，章得中的冤屈没人给伸不说，村里的风气，也会败坏得没法收拾。家庭是社会的根基，家庭不稳定了，社会怎么稳定。

丁一二知道无法与他争辩，他也不想解释。牛满田当村领导多年，已经养成了一种霸气，在村里说一不二。他只是个助理，别说自己的话他不会听，即使他父亲的话，也未必会听。但丁一二心里还是不满。丁一二清楚，牛满田要收拾秋和祥，真正的原因，就是不服和嫉妒。秋和祥家的小楼压倒了他家那八间大瓦房，秋和祥的威信也越来越高，大有超过他这个村长的架势。这还不算，秋和祥挣到的钱，也远远超过了他，而且人家的儿子，也比他的儿子有出息。记得当初丁一二提出成立瓜菜协会并推荐秋和祥当会长时，牛满田就不同意，后来乡里也要求成立协会，而且村里再没有合适的会长人选，牛满田才被迫同意。但我丁一二也是上级派来的干部，又不是给你跑腿的通信员。丁一二站在那里沉默一阵表示抗议后，还是不得不再次去找秋和祥。

走在路上，丁一二心里还是委屈，不管怎么说，他也是上面派下来的干部，不是被牛满田随意使唤的奴仆跟班。牛满田这种土皇帝,早不适合当村主任了。丁一二清楚,这样下去,牛满田会更不把他当回事。他觉得这样下去不行,应该找个机会反抗一下,至少也要让他知道他不是跑腿的通信员。

秋和祥没在家,丁一二估计秋和祥很可能还在何玉兰家。他想去看看究竟在不在,更想去看看章叶,他想知道章叶知道不知道这件事,如果知道,她又怎么对待。

秋和祥果然在何玉兰家,而且何玉兰烙了油烙饼,煮了荷包蛋,包括章叶,四个人正围着炕桌吃得津津有味。丁一二一下明白了,秋和祥是章家的常客,在一起吃饭,也是习以为常的事。

丁一二的突然到来,让一家人不免脸红,一时都有点不好意思。好在大家都急忙让丁一二上炕吃饭,才摆脱了难为情的尴尬。丁一二想推辞,但还是觉得一起吃好。现在的乡下,吃喝不愁,你吃他喝他,那是看得起他,更何况丁一二也是有点身份的人,不吃不喝,那才是真的看不起人哩。

大家都默默地低头吃饭,章得中突然说,瓜熟了不少,今天要找辆手扶拖拉机,明天得进城卖瓜。何玉兰立即生气地说,那么多的瓜,靠你卖,都得臭在地里。他秋叔已经给联系了,到时有人上门来收。

章得中立即苦着脸低头继续吃饭。丁一二清楚,秋叔就是指秋和祥,章得中已经默认了。何玉兰这样的女人,虽然不是花妖狐仙,但比花妖狐仙更魅力无边,更变化多端,更妩媚柔情,遇上这样的女人,多么英雄豪杰的男人,也注定要软化成泥,更何况本来如泥的章得中呢。

大家低头吃饭,谁也不问丁一二来有什么事。秋和祥猜测,丁一二来肯定和他有关。吃完放下碗,秋和祥便下炕告辞出门。

丁一二急忙说等等,还有事,然后几口将碗里的汤喝尽,也急忙告辞往外走。

出了院子,丁一二对秋和祥说,村主任还是让你去一趟村委会。

秋和祥恼火地说,什么事都没了,我还去干什么。你回去告诉他,我们什么事都没发生,是章得中昨晚喝醉了酒发酒疯胡说。

丁一二为难地说,你最好去一趟吧,他说如果你再不去,他就放大喇叭广播喊你。

秋和祥骂几句脏话,还是转身往村委会走。

秋和祥突然站住脚,问丁一二村委换届选举什么时候搞。丁一二说,我听说要在秋收后农闲时举行。

秋和祥边走边说,牛满田这种人,已经跟不上时代,根本不适合再当村主任。他当主任,还是老办法老样子,不抓经济,不谋划怎么发展,整天就抓些鸡毛蒜皮,就知道管些老娘们的事情。他当村领导,村里永远也不会发展。你是上面派来的驻村干部,你应该把这些情况向乡领导反映反映。

丁一二觉得秋和祥说得很有道理，他也有类似的看法。牛满田的两个儿子都在县城工作，牛满田早就把自己承包的土地出租给了别人，每年收点地租，再加上村干部补助，日子过得也算宽裕。牛满田对自己的日子很满足，每天到村委会办公室守守电话喝喝茶，如果天气好，就到村里走走转转。至于将来怎么发展，牛满田很少考虑。用牛满田的话说，田分给个人了，谁的日子谁自己会谋划，过好过坏，那都是命。再说了，人民公社时我就是队长，费尽心机谋划，谋划来谋划去，结果是越谋划越穷。这样的话听起来有道理，但丁一二还是不能服气。现在是信息社会技术时代，信息不灵没有技术，什么干不成不说，还会越干越穷。作为村领导，别的办不到，至少可以给村民提供点信息，引进点技术。他曾经提出村里买一台电脑，除了搜集一些种植信息，也可以把村里的产品发布到网上，替村民们销售一些农产品。但牛满田不同意，说电脑是玩的东西，如果坐在家里能把东西卖掉，谁还会去菜市场受苦。这让他深深地感到，牛满田还是文化水平太低，思想太落后保守。他也有过向上面反映的念头，但牛满田和乡领导的关系不错，牛满田也是乡领导倚重的村干部，村子也是计划生育和社会治安模范村。如果向乡里反映，不但会把事情搞糟，自己也难在村里立脚。丁一二鼓励秋和祥向乡里反映。丁一二说，你是见过世面的人，乡领导也知道你是能人，你去反映，效果肯定更好。

秋和祥说，不瞒你说，我不仅要去反映，今年换届，我还要竞选村主任。我原来有点看不起这个村官，现在看来，不当也不行了。不当一是受气，二是自己的事业村里的事业都没法发展。

秋和祥当村主任，确实是最合适的人选。秋和祥高中毕业，是全村文凭最高的文化人，也是全村走南闯北见识最多的能人，也是最能创业最不安分的人。他当村主任，即使不能让村民富起来，至少也能让整个村子活起来，改变一下目前死气沉沉的局面。但村主任要全体村民来选，牛满田在村里不仅家族势力强大，当村领导多年根基也深。丁一二说，要想让村民选你，你还得做很多工作，至少要让村民看到一些希望，得到一些实惠。如果没有实实在在的东西，你恐怕竞争不过他。

秋和祥说，我想过了，瓜马上熟了，过几天咱俩跑一趟上海广州，如果能把瓜推销出去更好，推销不出去，咱也要领几个经销商来，让全村的瓜卖个好价钱。然后再弄点小尾寒羊回来，咱们村种的玉米不少，用秸秆养羊，肯定是条不错的路子。

丁一二是在省城上的大学，除了省城，再没去过任何大点的城市。能去上海广州看看，是他想都不敢想的事情。当确定秋和祥真要带他到那里推销瓜果时，丁一二一下有点脑袋发晕。他高兴地说，我早就知道你有办法，你这回竞选村长，我全力支持你，你要我怎么帮助你，我就怎么帮助你。

秋和祥说，你现在就应该把这些情况向乡领导汇报汇报，要不然人家也不知道我，更不知道我干了些什么事。

丁一二立即说，你放心，咱们从上海广州回来，我就写份书面报告，向乡里全面反映你的情况和你办的实事。

牛满田已经在村委会办公室等得不耐烦。秋和祥进门,牛满田便严肃下脸说,看来有钱人还真是难请,是不是要我敲锣打鼓才能把你请来。

秋和祥理直气壮地在牛满田对面的桌子前坐了,而且还跷起了腿,然后才问有什么要紧的事。牛满田立即惊异地说,你问我?你自己捅了啥娄子你还问我?

秋和祥问捅了啥娄子?牛满田恼火地说,你还要捅啥娄子?你伤风败俗,捅那么大一个窟窿,你还嫌捅的娄子小呀,我告诉你,如果章得中不饶你,告你强奸他老婆,我就让派出所的人来处理你。

秋和祥平静地说,你可别诬陷好人,我可是什么也没干,不信你去问章得中。如果你再乱说,我就告你造谣诽谤。

牛满田意料到发生了什么,但还是严厉地说,我告诉你,章得中一早就来告状,说你强奸他老婆,人证物证都在,你还想抵赖不成!

秋和祥故意笑出了声,然后说,章得中什么时候说我强奸他老婆了?你现在去问问他,如果他说我强奸了,或者他说我捅娄子了,我立即就去自首,如果他说没有这回事,你就得承担造谣诽谤的责任。

牛满田知道是章得中彻底软了。章得中被老婆拉回去,肯定是被老婆制服了。这种事,如果章得中老婆不承认,章得中也没办法,如果连章得中也不承认,村委会更没办法。牛满田这回真有点恼羞成怒。他青紫着脸摸出一包烟,抽一支叼到嘴里。点火时,又意识到了什么,然后再抽出一支烟扔给秋和祥。也许秋和祥想使矛盾缓和一下,便掏出自己的好烟,整包扔到牛满田的桌子上,说,抽这个,这个烟好抽一点。

牛满田缓和了口气说,民不告官不究,民告了,官就得管。这件事我要再问问章得中,等查清楚了,我再处理你。

秋和祥起身说,好吧,你就去查吧。然后出了门。

二

农忙时,乡下人吃饭就没了谱,有时午饭干脆就胡乱凑合一点,只有晚饭,才算正式吃饭。但晚饭却是真正的晚饭。天黑后收工回屋,先得喂牲畜,把牲畜安顿好,才开始生火做饭。吃过饭,还有点时间,就乘乘凉休息一会儿。丁一二待在村里,但又不种田,就有点城不城乡不乡。但他还是按村里的时间吃饭作息。如果天黑后没人请他吃饭,他才谋划吃什么,到哪里吃。他清楚,村里人请他吃饭是可怜他,但他更清楚,这种可怜是善意的,并没有小看他的意思。可怜他,是可怜他远离家乡独自一人,这种可怜当然是人性善良的体现。基于这样的认识,不管谁家来请，不管认识不认识，只要来请，丁一二都会愉快地跟着去吃，吃好吃坏，都是人家的一片心意。今晚秋和祥老婆来请，丁一二心里更高兴一些。秋家生活条件好，饭做得也好，家里收拾得也干净，不论吃什么饭，都让人感到舒心愉快。

和所有的村民一样，每次请他去吃饭，也都是些家常便饭。今天竟然摆了一桌子的菜，有手抓羊肉、有清炖草鱼、有热炒菜、有凉拌菜。感觉好像有什么大事。但想想又觉得不会有什么其他事情，如果有事，也可能是秋和祥要他帮忙竞选村主任。丁一二心里不免有点发虚。按他目前的能力和地位，不一定能帮上秋和祥什么。秋和祥能否当上村主任，关键还是村民选不选他。但他可以给秋和祥出谋划策，毕竟他是大学毕业生。丁一二的腰杆硬了起来，饭也吃得心安理得。

吃过饭，秋和祥要和丁一二出去走走。

村子在一片狭长的平原上，一条小河从村边流过。河上有一座木桥，桥不算长，但为防洪水，桥建得很高，称得上全村的制高点。两人并肩走到桥上，手撑桥栏看河水。秋和祥说，今天请你出来，我是有话要说，但这个话我真有点张不开嘴。

秋和祥不再往下说，丁一二吃惊地盯着秋和祥的脸，但今晚月色不是很好，秋和祥的表情看不大清楚。秋和祥低着头一动不动老半天才说，我想让你带章叶去趟广州，去广州跑跑，看能不能把村里的蜜瓜推销出去。

为什么让他带章叶去，而且是去那么远的地方。丁一二满腹疑惑，也担心章叶会不会去，和章叶商量了没有。秋和祥又沉默半天，问丁一二喜欢不喜欢章叶，感觉是在给他介绍对象。丁一二反复斟酌，还是给自己留了余地，说他喜欢章叶但还不了解她。秋和祥说，我知道你喜欢她，我今天有件事要告诉你。说起来真是不好意思，章叶其实是我的女儿。

丁一二半天合不拢嘴，同时十万个为什么在他的脑子里快速地旋转。秋和祥继续说，我最近发现章叶和秋文保有谈恋爱的迹象，所以我让你带她去。我知道你比秋文保强，你如果喜欢章叶，他俩就不会再谈。

秋文保是秋和祥的儿子，如果章叶也是他的女儿，那么秋文保和章叶就是同父异母的兄妹。这太戏剧性了，真的就是一部戏剧。丁一二吃惊得不知该说什么。秋和祥点一支烟，将屁股坐在桥栏上，说，那年冬天何玉兰去县城看病，因等待化验没赶上班车，只好到城外搭顺路车。那天我骑摩托车进城办完事返回，正好遇到了她。当时天已经黑了，又刮着大风，又是寒冬腊月，她骑在我的摩托上当然太冷。我让她穿上我的皮大衣，她不肯，她说她在我的后边，有我挡风，她抱紧我就不冷了。一路上，她果然紧紧地抱着我的腰。把她送到她家时，她要我进她家烤烤火暖暖身子。当时也不知道为什么，可能是我心里也特别不想分手，这样我就跟她进了她家的门。那天恰好章得中不在家，玉兰说章得中到外面打井去了。我这才想起来，章得中和村里几个人组织了一个打井队，走村串乡，专门给农户打手压水井，十天半月也不一定回来一次。章得中不回来，家里也没有别人，取暖的火炉早就熄灭了，屋里冷得如同屋外。她急忙找来木柴。我帮她生着火炉，然后又帮她做饭。吃过饭，已经是晚上十点多钟，不少人家已经熄灯睡觉。你看到了，玉兰长得很漂亮，其实年轻时更漂亮。我当然不想走了。感觉她也没有让我走的意思，而且脸色和眼神也有点不对，于是我就坐着不走，有一句没一句地胡扯。突然玉兰开始铺床，铺好后又把门也插上了。我知道她要留我过夜，这样我们就睡到了一起。

睡到一起并不能说明章叶就一定是你的。丁一二问是不是做过亲子鉴定。秋和祥自信地说，不用，一切都很清楚。玉兰十九岁就嫁到了章家，一直怀不上娃。和我好时，玉兰已经二十五岁。你知道，在农村，女人结婚五六年怀不上娃，那就是天大的大事，自己也没脸见人。当然你也知道，如果男人和女人睡觉，怀不上娃也不是男人的责任。玉兰后来多次哭着给我说，说她几年来四处求医，喝掉的药水有几大缸，到后来，见了药就想吐，见了孩子就想哭。那天到县城，就是去检查为什么怀不上娃的。那天晚上过后，我几乎是天天往她家跑。过了一个月，她就怀上了。以后，她又怀上了儿子小宝。

两个孩子都是秋和祥的，竟然有这种事！丁一二吃惊得脑子里都有点乱。但他最关心的还是章叶，秋和祥是要把章叶嫁给他还是让他搅和一下，把事情搅黄就行？他委婉地问去广州的事和章叶说没说，章叶什么态度。秋和祥说，我也想把话挑明。我觉得你是个很不错的年轻人，稳重，聪明。其实我们章叶也很优秀，也很聪明，也特别能干。你不知道，镇上有三四家理发店，别人家的都生意冷淡，连维持下去都有点困难，只有我们章叶的生意特别好，常常是晚上八九点了还不能下班。如果你娶了她，肯定要享受一辈子。

仿佛血都涌到了头上，激动、意外、羞涩，连自己也说不清，丁一二只感觉到心在狂跳。他确实喜欢章叶，而且常常会不由自主地去想她，想不去想她也办不到。见秋和祥在盯着看他，他知道秋和祥在等待他的回答。他想知道章叶同意不同意？丁一二问这事和章叶说了没有？秋和祥说，我得先问你，得先知道你的态度。如果你同意，一切就好说了。

丁一二说，我喜欢章叶，但婚姻大事，你让我考虑考虑。

秋和祥说，我的意思和你一样，你们先接触接触，看能不能合得来。男女结合，如果能合得来，将来日子就能过好，如果合不来，一辈子都是麻烦。我知道，你现在顾虑的是章叶没有正式工作。其实这些考虑都是多余的，章叶挣的钱，绝对要比你多，也比乡长书记挣得多。你娶了她，不但一辈子不缺钱花，而且立即就会过上富富裕裕的好日子。将来你如果到城里工作，我就出钱帮她在城里买间理发店铺，如果生意做大。她还可以雇几个徒弟。但你如果娶一个和你一样工作的女人，你俩挣的那点钱，过日子都紧张，别说在城里买房，更别说养活父母了。

这些话确实有道理，丁一二不住地点头表示同意。秋和祥说，如果你喜欢她，明天就去找她，一是商量一下去上海广州的事，二是让你办一件大事，就是由你来告诉章叶她是我的女儿，然后让她和秋文保断绝来往。

回到村里，已经家家熄灯一片漆黑。两人虽然走得轻手轻脚，但还是惊动了谁家的狗。一只狗叫，立即引来一片狗吠。但狗都拴在各家的院子里，并不担心扑出来咬人。和秋和祥分手后，丁一二便一阵猛跑，跑回了村委的宿舍。

丁一二感觉口干心烧，他想喝水，但暖壶里空空荡荡。提起烧水的壶，又无心去烧。好在还有啤酒，打开一瓶一口气喝干。他知道，今晚他将无法平静，也无法入睡。

若娶章叶做妻子，他还是不甘心。在他的理想中，未来的妻子不仅漂亮文静，而且应该是个知识分子，应该有份体面的工作，至少也应该是个中小学教师。而章叶只是个理发的，整天给人家洗头剪头，感觉连个临时工都不如。他想给父母打个电话，问问父母的主意。

是母亲接的电话，母亲可能已睡着了，听出是儿子的声音，立即惊慌地问出了什么事。丁一二说，没出事，但有件事我想和你们商量商量。

丁一二刚说想谈一个对象，母亲立即问是干啥的，家在哪里，人怎么样。丁一二有点开不了口。他犹豫一下，还是硬着头皮说，是个理发的，家就在我住的村子里。

母亲立即高声问为什么找一个乡下姑娘。母亲着急地说，你大学毕业又是未来的国家干部，都说你要找一个城里的女干部，现在找个理发的，你让我怎么能说得出口，你是不是被人家骗了？

母亲虽然识点字，但终究一直待在乡下，自然不会有什么好的见识和高明的主意。父亲的情况和母亲也差不多。丁一二觉得他并不是向父母讨什么主意，只是想看看他们的态度，他们毕竟是父母，他们反对，事情也麻烦。丁一二解释说，她理发的手艺特别好，每天都有人排队等候理发，挣的钱也不少，人也长得特别漂亮。

母亲沉默了，然后便和父亲商量。父亲接过电话，又问了一些情况。父亲同样不大愿意，但父亲没有坚决反对，他犹豫地说如果人特别好特别漂亮挣钱又多，就领回家里来让大家看看再说。

挂了电话，丁一二的心一下由喜悦跌入烦乱。理智告诉他，这件事确实得好好想想，而且得用科学分析的方法来仔细分析一下。首先要分析一下弊。弊是什么呢？第一是工作不好没有铁饭碗。但对一般人来说，工作也就是挣钱生活过日子。章叶挣钱不少，没铁饭碗也不是什么问题。第二就是文化程度低，但文化程度和文凭程度应该是两回事，文凭低不等于文化低。他多次去章叶那里理发，每次去都说说笑笑，感觉章叶的谈吐并不俗，社会知识也不少，和大学里的那些女同学比，感觉也差不多。如果说知识是多种多样的，那么章叶的社会知识也是很有用的。在大学，他也谈过一个女朋友。女朋友各方面都一般，却高傲尊贵得像个公主，什么事她都自有主张，什么事都要她说了算，什么事都要他让着她，都要他捧着她，稍不如意，就说他没有绅士风度。但当个绅士也太难，他感觉很累，慢慢也就疏远了。好在两人都抱着实习的态度，散伙倒也是一种解脱。但和章叶就不同，他感觉很爱她，想到她就会立即兴奋。也许这就是爱情？

还得分析一下利。利是什么呢？漂亮聪明、性格开朗、举止大方、待人热情。除去这些还有什么？当然是挣钱不少。娶妻过日子，这不能不说是一个优点。挣钱不少却没社会地位，从功利的目的看，也许是一件好事。没社会地位，就不得不依赖有社会地位的丈夫，也容易把全部的感情投向有社会地位的丈夫。想想看，有一个体贴漂亮小鸟依人的妻子，看一眼就高兴，一进门就舒服，这样过一辈子，你还要什么？

章叶也是有手艺的手艺人。家有千万，不如薄技在身。人人都要理发，章叶有一手理发的好手艺，走到哪里都能挣钱，今后的生活还愁什么。

丁一二兴奋得想到院子里走走。但出了门，村委会的大黑狗就跑过来，又摇尾又扯他的腿，真是讨厌。他想把狗拴到狗窝，但到了晚上狗是要放开看门的。丁一二只好作罢。

该睡觉了，明天他去找章叶。休息好精神足，明天朝气蓬勃地去见她，给她一个惊喜。

睡下，丁一二又想章叶会不会喜欢他。他觉得这不会有问题。章叶能看上秋文保，就不会看不上他。秋文保的情况他也了解了一些。秋文保读了个电力中专，然后靠老爹使钱出力安排在乡农电站工作，具体的事情也就是爬电杆出力气。至于秋文保的长相，有点像母亲，比父亲差一点，也比他差一点。但明天怎么和章叶说？他一时想不出最好的方案。秋和祥反复说过，章叶是他女儿的事，除了他和何玉兰外，没有别人知道，如果让别人知道了，章得中没法活，他家里也会闹翻天。既要让章叶明白她和秋文保是同父异母的兄妹，又不能让她接受不了大哭大闹，确实是要点艺术策略。

突然听到有人开大门的声音，丁一二急忙起身趴到窗前往外看。是村主任牛满田来了。丁一二急忙穿好衣服迎出去，牛满田边开办公室的门边说，又出事了，章老三家的儿子打死了人，章老三的老婆去监狱看儿子，却突然死在了看守所门前。你写封介绍信，明天带上他家的几个亲戚进趟城，同时代表组织和公安局的人商量一下看怎么处理，然后把尸体拉回来。

章老三家丁一二也知道。章老三老两口就一个宝贝儿子，据说儿子也是四十几岁时抱养的。章老三前年就中风瘫痪在家，章老三老婆却很硬朗，六十出头的人了，走路却像一阵风，而且待人也很热情，特别是对丁一二，有点好吃的，就请丁一二过去吃，丁一二也亲切地叫她章婶。这么好的一个人，怎么突然就死了？章婶的儿子丁一二见过一次，个子不高，瘦瘦小小的。章婶多次说过，她的儿子人小志气可不小，初中毕业后就不顾父母的反对跑出去打工，后来倒腾小生意，这两年一直在县城摆摊卖水果，虽然没发财，但比种地好，一年也能挣一万多块钱。章婶说再挣两年，娶媳妇的钱就攒够了，到时好好给儿子娶一个漂亮的媳妇。丁一二不禁一阵悲伤，他问为什么打死了人。牛满田叹口气，说，详细情况我也不太清楚，听人说是为了争生意，和邻摊另一个卖水果的打了起来，一时兴起，拿起水果刀把人家捅了一刀。消息传到家里，章老三老婆连夜赶到县城，天亮时找到公安局，得知儿子关在看守所时，又跑到看守所。看守所不让进，就抱着大门哭，刚哭了几声，就倒地不动了。送到医院后，医生说是心脏病突发猝死。

这么大的事，丁一二觉得还是牛满田亲自去一趟好。牛满田说，我也想去，可明天到乡里有个要紧的事要办。

丁一二觉得牛满田是不想掺和这种倒霉事。其实他丁一二到乡里才有要紧的事。章叶和秋文保已经谈恋爱了，如果不早点制止，两人的感情就会陷得太深，如果再发生点肉体方面的事，那就太没伦理太残酷了。丁一二想半天，觉得自己还是不能去。但一时又编不出不去的理由。丁一二只好说，我太年轻了，没经历过这种事，我去了恐怕办不好，主任还是您去一趟吧，要不就另派一个人，这么大的事，您不去，我去了也拿不了主意。

牛满田说，人都死了，还拿什么主意。人是自己死的，人家又没打她骂她，你不必说什么。别的村干部都忙，也没人去。再说都是一帮庄稼人，进了城不知东南西北，你去了就是给他们引引路找找人，然后把尸体拉回来。我刚从章老三家出来，明天要去的人我也安排好了，要去的车我也联络好了，你明天一早就到章老三家，然后领他们一起去。

虽然十二分不想去，但丁一二知道再没法推辞。找章叶的事，只能推后一天了。他想给秋和祥打个电话说说，但确实太晚了。还是明天一早先到秋和祥那里说一声，然后再到章老三家。

第二天，还是醒晚了。丁一二没去秋和祥家，便急忙往章老三家跑。章老三家已经聚了很多人。丁一二一眼就看到秋和祥也在里面，正充当主人的角色安排事情。章老三虽然只有一个儿子，但还有兄弟姐妹，章婶也有娘家亲戚，该来的，都已经来了。丁一二代表村里去，他一来，亲戚们立即提出一大堆要求。首要的是要村里买口棺材。亲戚们说，没有棺材，光身子怎么能拉回来。

确实是个问题，但这样的事，得村主任决定。丁一二给牛满田打电话，牛满田立即说，你什么也不能答应他们，村里根本就没有这笔钱，出这笔钱也没有道理。你告诉他们，她儿子卖水果挣了不少的钱，现在儿子坐牢也不用娶老婆了，拿点钱出来到城里买口棺材，然后把死人拉回来。

这样的话丁一二说不出口。刚才既然秋和祥在指挥大家，不如把村长的意思和秋和祥说说，让他和亲戚们说，同时也把隔天再找章叶的事也告诉他。当然，秋和祥能和他一起去城里更好。去办这样大的事，丁一二确实有点胆怯。

秋和祥骂牛满田滑头。然后秋和祥来到亲戚们中间，给亲戚出主意说，村里没钱买棺材，就让村里砍一棵大树做棺材，反正村里有的是大树。

人已经死了一天多了，大热天的，做棺材有点来不及。秋和祥又出主意说来不及没关系，把大树卖了，再到城里买棺材。

亲戚们再一次围住了丁一二。丁一二知道，秋和祥今天要在村民中树立威信，也是成心要和村主任牛满田较劲。丁一二再次要给牛满田打电话时，亲戚们却一下激动愤怒起来。这没良心的村主任，不给点钱不说，竟然躲了不来。有人愤怒地说到主任家里去找。一帮人便骂骂咧咧往村主任家走。

丁一二当然不能去，他也不想阻止大家去，来到屋外，院子里有棵大枣树，枣树下有个条石凳。石凳不知存在了多少年，表面已经磨得油光发亮。在石凳上坐下，才发现秋和祥也没走，正站在大门口看着远去的人们。

丁一二起身来到秋和祥身边。他要说说去上海广州的事。秋和祥说，去上海广州的事我又仔细考虑了，那里太远，运费成本又高，即使能把瓜推销出去，也挣不到钱。我觉得还是到北京天津跑跑稳当。

到上海确实太远，运输成本太大，这些丁一二也想过。但他的理解是秋和祥让他和章叶去，实际目的是让他和章叶去发展感情，瓜能不能推销出去关系不大。现在看来还是真要他推销蜜瓜。推销就推销吧，到北京天津推销确实最合理。再说，这些城市他哪个也没去过，去哪里都一样，去哪里也能发展感情。

丁一二答应后，秋和祥又说，还有件事你也得考虑考虑，还得向乡里反映反映。村里有一个林场，有二百多亩林地，大多是五六十年代栽的，现在都是一抱粗的成材大树。树虽然是村集体的，但护林员是牛满田，管理者也是牛满田。这就有点像既踢球又当裁判。村里年年都要砍点树卖掉，但究竟砍了多少卖了多少，只有牛满田一人清楚。你说，这样的事合理吗？

丁一二只知道河滩老坟湾那片林子是村里的，别的事他也不清楚。丁一二说，会计那里不会没账吧？按规定，账目是要公示的。

秋和祥冷笑几声说，公示倒是公示了，公示说卖了几棵树卖了多少钱，但谁又去核实是不是卖了那么多树，卖了那么些钱。再说，就是核实，砍掉的树桩，谁能分清哪个是今年砍的，哪个是去年砍的。

这确实是个问题。但牛满田当村领导多年，和乡里哪个领导的关系都不错，万一反映后让牛满田知道了，自己在村里很难待下去不说，还会影响他挂职期满后的去向和前途。但这样的事不反映一下也不行。可他还是感觉秋和祥是拿他当枪使。其实，村民去反映更合适，因为这涉及的是他们自己的切身利益。丁一二问村民们为什么不向上反映。秋和祥说，能不反映吗？可反映了谁又认真去管。

乡里不管，他这个村主任助理当然也无能为力了。丁一二只能低头沉默。

沉默一阵，秋和祥说，我是这么想的，等秋收后能不能召开一次村民大会，在大会上，我发动村民讨论讨论林场的问题，你看怎么样。

召开村民大会当然好，但怎么召开什么时间召开，都要由村主任或者乡里说了算。但秋和祥带头闹一闹也好，要不然村里没有民主不说，牛满田也太霸道太一手遮天了。当然，丁一二也明显地感觉出，秋和祥发难，也是为竞选村主任做准备：推翻牛满田，他才有可能成功。丁一二不禁心里感叹，看来这个小小的村子，并不像表面那样平静。丁一二说，开会的事，你到时可以向牛满田提出要求。

亲戚们很快就回来了，而且高兴地说村主任答应过后砍一棵大树补偿。

一行人来到县城，丁一二就不能不说话，不能不拿主意了。按亲戚们的要求，得先到县公安局讨个说法，让他们去埋人。丁一二虽然觉得没道理，但牛满田也有这个意思，再说不去亲戚们也不饶。这真是个破差事，难怪牛满田不来。丁一二只好硬着头皮来到县公安局。

公安局说他们没有一点责任，自然不会承担什么。但十几个亲戚都坐到大门口堵了大门后，局里的领导不得不出面来谈。

得知丁一二是大学生村官时，局领导马上转向了丁一二，要丁一二说出个道理。

来到公安局，丁一二就有点胆怯。他是第一次来这种地方。丁一二当然说不出来闹事的道理。见丁一二低了头一言不发，局领导开始教训丁一二，并要他劝导村民回去。这让丁一二左右为难。局领导说得对，再穷也不能不讲道理，不能无缘无故地讹人，更何况自己是受过高等教育的大学生。但人死了，亲戚们也伤心委屈，也要找个地方出出气。丁一二不知该怎么办，委屈很快就变成了恼火，丁一二什么也不说，恼怒地转身便走。

丁一二出了公安局大门回头看时，亲戚们也都垂头丧气地跟了出来。

再来到县医院，却要收一千四百多块钱的抢救费和停尸费。这回亲戚们气炸了肺。丁一二也觉得有点过分。公安局的人说章婶送到医院就死了，死了还抢救什么？但硬抢尸体也不是办法，闹出大事来，他要负责任。丁一二觉得这回可以找公安局，如果他们不管，亲戚们怎么闹自己也不管了。

再次来到公安局，不知是急的还是累的，此时丁一二已经满头大汗。公安局领导也有点感动，看了医院的收费单后，立即给院长打电话。经过好一阵交涉，医院终于同意免去全部的费用。

将章婶的尸体拉回村里时，已经是后半夜了，大家都累得要死。将尸体放到灵堂里，大家便各自找地方去休息，丁一二乘机悄悄地溜了回来。

三

章叶的理发店只有一间屋，中间用布隔开，里间住人放东西，外间理发。外间也不大，放两个理发椅。一个洗头池，一张让顾客坐的沙发，就再没有多余的地方。今天来理发的人不多，毕竟小镇连着农田，正是秋忙，镇里的闲人就少，整条街道都不见几个人影。不论冬天夏天，章叶都穿件白大褂，也不论天冷天热，总是将袖子高高地挽起，露出两截又白又长的胳膊。看起来有点像外科大夫。丁一二已经想好了，到店里先理理发，磨蹭到中午，就请章叶到饭馆吃饭，如果她答应，就说明她对他有好感，然后借机说明她和秋文保是兄妹，把他俩的恋爱关系割断。

但还没等丁一二理完发，秋文保便提着饭盒给章叶送来了午饭。

一股热血迅速从丁一二的脸上蔓延到了全身。这样看来，章叶和秋文保的关系，已经不一般了。

像一家人一样，秋文保进到里屋，一边取碗一边说，米饭炖排骨，你口味轻，今天有点盐重了。

丁一二的心里莫名其妙地难受，而且还想发火，就像章叶已经是自己的恋人自己的老婆。不行，得立即阻止。

理完发，章叶要去吃饭。丁一二立即说，章叶，你出来一下，我有重要的话要对你说。

章叶满脸疑惑跟出来，但街上人来人往，要说的话毕竟重大离奇，如果章叶冲动起来，不保密不说，还会引来人们围观。丁一二说，我要告诉你的事对你至关重要，得找个没人的安静地方说才行，而且你听了还要保证冷静不许哭闹。

章叶吃惊得有点不知所措，但看丁一二的脸色，感觉确实有重要的事情要说。章叶问是不是家里出事了。丁一二摇头，他环顾左右，说，要不咱们到那边的旧戏台说吧。

东面几十米远就是旧戏台，戏台虽然破旧，但还有破败的围墙，倒是一处没人的地方。

进入破围墙的豁口，章叶便不再走。丁一二拿不准是直截了当地说还是过渡一下再说。直截了当说太突然，她可能一下无法接受。如果她冲动起来，后面的话就无法去说。再说，他也有点张不开口。他决定先从去北京推销蜜瓜说起，看看她会不会跟他走，是不是也喜欢他。丁一二刚说了一起去北京推销蜜瓜，章叶就立即表情轻松下来。然后笑着问为什么要和她去。这话问得有点直接。丁一二的脸一下红到了脖根。但看章叶，并不生气，而且是很高兴的样子。今天的事，本来就不能遮遮掩掩，况且人家一个姑娘直来直去地问，我一个小伙子还害怕什么。但话还是难说出口，丁一二说，你妈和秋叔知道你和秋文保谈恋爱，觉得你们两个不合适，希望我和你谈恋爱，然后和秋文保断绝关系。

章叶愣一下，然后笑了。章叶想说什么，但又将话咽了回去。章叶欲言又止，丁一二知道她想问什么。但章叶没有问，只是用怪样的眼神看着他，好像他今天有什么不对劲，或者他古怪得不可理解。丁一二觉得是告诉她真相的时候了。丁一二清清嗓子，然后用认真而深沉的口气说，那天秋叔专门叫我去吃饭，饭后我们一起到大桥上，然后他告诉我，说你是他的亲生女儿，不能和秋文保谈恋爱，然后让我告诉你这件事，还要我好好安慰你，让你别难过，而且要我带你到外面去散散心解解闷。

章叶呆呆地看着他，待反应过来，她相信这是真的。从她懂事起，就觉得秋和祥对她不一样，对妈妈也不一样。长大后，她就明白了母亲和秋和祥的关系。最直接的就是那天下午放学早，回来后门是锁死的，她用钥匙也打不开。正当她以为锁坏了时，门却突然开了，母亲低着头红着脸。进门后又看到秋和祥装模作样坐在沙发上往笔记本上写字，说今天帮她家卖了多少多少茄子。但秋和祥和她家的关系太密切了，简直就像一个家里的人，而且多年来她也习惯了秋和祥。尽管如此，此后每当秋和祥来，她还是不给他好脸色，也不给母亲好脸色，有次她还故意摔了一个盘子。再后来，她就看淡了。毕竟秋和祥给这个家也给了她不少的关心，而且父亲好像并不在乎，他俩的关系好得就像是亲亲的兄弟。想不到他竟是自己的亲生父亲。章叶突然捂了脸，转身往回跑。

秋文保就在不远处监视着，他急忙跑过来问章叶怎么了，丁一二把你怎么了。章叶不回答也不停步。秋文保愤怒地转向丁一二，两眼冒火问丁一二什么事，是不是想找不痛快。丁一二拿不定主意要不要告诉他。但秋文保如此凶神恶煞，丁一二反而没有了顾虑。他想直接告诉他，彻底打击一下他的嚣张气焰。但张嘴要说时，还是有点说不出口，话也变成了你去问章叶。说过又觉得不够，又说，你还可以问你爸去，你爸会告诉你一切的。

秋文保仍然凶狠地说，我就要问你，是你惹了章叶。

这家伙，不是什么省油的灯。丁一二狠下心说，你爸让我告诉章叶，说你和章叶是兄妹。

秋文保一下没反应过来，不假思索说，兄妹又怎么样？待想清了，一下定在了那里。但只几秒钟，又发了疯似的往理发店跑。

看着秋文保跑进理发店，丁一二只好扭头往镇政府走，他决定到镇政府去一趟。行政工作，就得主动去做，就得不怕跑腿不怕磨嘴。今天去找找民政助理老贾，问问章老三这样的事怎么办。章老三瘫痪在床，老伴死后，谁来照顾他，民政部门管不管，怎么管，这些都得问清楚。

丁一二和老贾也算熟悉，老贾几次到村里，都是丁一二陪同。老贾爱喝酒，有次喝醉,就住到了村委丁一二的屋里。那天老贾半夜不睡,然后突然哭了,痛说自己的家史。说他如何当了兵,当兵后如何努力,转业后又如何奋斗,结婚后又如何在城里买了房,又如何把妻子调到县城医院,后来又如何发现妻子和别的男人偷情。说到这里,老贾泣不成声说,为了买房子,为了把她调到城里,我省吃俭用,花了多少钱,跑了多少腿,求了多少人。房子买好了,老婆也调到城里的好单位了,满以为她会幸福,会感激我,我也有一个漂亮的老婆幸福的家,可谁能想到,一切都没有了,一切都成了别人的了,我他妈的是给别人做窝给别人娶老婆,你说我伤心不伤心。那天丁一二也流泪了,也痛彻地感到人生真是无常。老贾虽没离婚,但从此再不回家,就住在办公室。丁一二敲敲门,老贾问是谁,说他正要睡觉。丁一二犹豫了一下,还是报出了姓名。

老贾只穿了裤头来开门。现在秋凉天短了,老贾还正儿八经地睡觉,可见还是有点消极颓废。老贾解释道,昨晚没睡好,中午补一觉。

人家要睡觉,那就长话短说。丁一二说了章老三的情况,老贾却说,我老了,可能还不如人家。

想不到老贾竟然联系到自己,看来老婆给老贾的打击确实不轻。这让丁一二突然感到当一名乡镇干部确实也不容易,如果自己将来在乡镇工作,就不把老婆单独放到城里,再说也不能找一个比自己地位高的老婆,像章叶这种情况,正好适合他,不担心,不受气,还能当真正的家主。

老贾说,像章老三这种情况,可以给他五保,你回去写个材料,我们给他办五保。

丁一二问五保能给多少钱。老贾说,每月最多不会超过二百元。

二百能干什么?章老三得雇人侍候,别说吃饭,光雇人就得五六百。老贾说,这也没办法,这是政策规定。现在够好了,如果是过去,根本不会管,是好是歹,全由村里自己负责。

村里出钱肯定也困难。丁一二问能不能送到养老院。老贾说,乡里没有养老院,县里才有,但那条件就高了,章老三根本不够格。

丁一二知道,政策这样,老贾也没办法。老贾的钱也是上面拨的。

还有牛有才的事。牛有才生了三个女儿,女儿都出嫁了,家里只剩了老两口,那天也到村里诉苦,要村里给困难补助。老贾听了立即说,这种事不能管,他又不是无儿无女,日子也不是过不去。他的情况我清楚,他的三个女儿,日子一个过得比一个好,特别是二女儿,自己有工作,每月挣一千多,牙缝里省点,也够老爹老娘花了。他这样的再哭穷,别人就没法活了。

牛有才家丁一二去过,房子破得四面都用东西顶着,家里黑乎乎的什么都没有。丁一二说,我看报纸,说要应保尽保,你能不能给争取一下。

老贾立即不满地说,什么叫应保尽保?如果按美国的标准,你我也应该保。但如果和过去比，谁都不用保。过去我们过的什么日子？不光吃不饱穿不暖，有块遮羞布就算不错了。记得我上中学时，有一次过来一辆拉砖的拖拉机，我就扒了上去，然后美滋滋地坐在砖上不想下来。搭了一段路，谁知本来就补了补丁的裤子又被颠簸的砖磨了个大洞。我当时没发现，到了学校，同学们都笑我露着屁股。我当时羞得恨不能钻到地下，坐在凳子上就再没敢起来，一直坐到天黑没人了才跑回家，而且差点让尿憋死。现在，哪个没衣服穿，哪个没饭吃？

这老贾，好像有忆苦病，逮住机会就诉苦。也许是心灵受了创伤的原因。丁一二原以为和老贾关系好，通融通融办几个低保，也算给村里办了点实事，也算他的一点政绩。丁一二不甘心地说，你能不能给争取一下，把他家的情况报上去，给不给是另一回事，不给，咱也有话回人家。

老贾说，报上去也不行，他有三个女儿，再说年龄也不大，根本就不符合条件。不符合条件，你说怎么报。

这个死脑筋老贾，看来再说什么也没用。丁一二再闲说几句，便告辞出来。

中午的乡街人影稀少，虽是秋天，太阳仍晒得人皮疼。丁一二的心又立即飞到了章叶那里。章叶现在怎么样，她在干什么，会不会哭闹，会不会出什么事，秋文保又在干什么，会不会仍然死缠着章叶，会不会两人抱头痛哭？丁一二决定立即去看看。

来到理发店前，丁一二又有点胆怯，秋文保会不会发疯撒野，如果秋文保要打架怎么办？如果打架，他可不是对手，他也不可能打架。扭头往回走几步，他又站住。他觉得没有必要怕秋文保。章叶又不是他秋文保的老婆，再说他也是为他们好，近亲都不能结婚，何况兄妹，再搞下去就是乱伦。

店里却只有章叶一个人。章叶呆呆地在那里坐着，看不出悲伤，也看不出痛苦，只是在发呆。丁一二轻轻敲门，章叶见是他，立即起身开门，然后又坐回原处。

丁一二猜不透她现在是一种什么心情。他站在那里也一动不动，表情复杂地盯着看她。章叶突然问，真的是秋文保的爸让你来的？

丁一二立即说，是他让我来的，如果他不说，我怎么知道。

章叶不再说话。但章叶的表情如此平静，这让丁一二有点不解和惊奇。丁一二在沙发上坐下，但他不知该说什么。章叶又突然问凭什么说是他的女儿。丁一二清楚，如果不进一步给她讲清，她不仅会怀疑，也不会和秋文保断绝关系。丁一二看着地面说，那天秋叔说你母亲结婚几年不生，吃了好多药也不管用。他和你母亲相好后，你母亲很快就怀孕了，那时你父亲在外打井不在家。

章叶红着脸打断丁一二的话，然后说，他为什么不告诉他的儿子，而是让你来说。

好像原因他已经说过了。丁一二猛然明白了，她想知道为什么他来，他来为什么。丁一二有点不好意思，但这话迟早是要说清楚的，不说怎么向人家求婚。丁一二说，他的意思是让我和你好，然后让你和秋文保断绝关系。

章叶再次保持沉默，沉默一阵，又问丁一二你自己是什么意思。丁一二说，我当然愿意，我也喜欢你。

章叶低了头不再说什么。空气仿佛一下凝固了起来，屋里静得能听见心跳。丁一二想打破沉默，但章叶不表态也不说什么，他也没法说什么。沉默一阵，章叶突然站起身，说，刚才没给你刮脸，来，我给你刮刮脸剪剪鼻毛。

也许是自己的鼻毛露出了鼻孔。丁一二不好意思，又很听话地坐到椅子上。

章叶开始工作，丁一二觉得她是那么细心，那么温柔，就像在精心绘制一件心爱的艺术品。丁一二一下觉得浑身温暖，浑身发酥。觉得被女孩子关心真好，有女朋友相爱更好。长这么大，这是第二次被女孩子关心。上初中那年，一位同学拿了把弹簧刀在手上剁，说自己有气功，刀枪不入。他说是刀太钝，他也敢。拿过刀在手上剁几下，感觉刀确实是钝，于是便用力。可能是拉了一下，刀一下割破了手指。当时血流得很猛，但同学们都开心地哈哈大笑，只有班上的一位女同学立即拿出了自己的手绢，然后给他包扎伤口。他当时特别感动，突然手指一点都不疼，不但不疼，还感觉麻酥酥地好受。这位女同学并不漂亮，但她美好的形象，却种在了他的心里，生根发芽无法抹去。可那位女同学初中毕业就再没上学，后来听说她很快嫁人了。今天，他终于有了女朋友，而且感觉比那次包扎伤口还要好受，让他浑身酥软心动神摇。丁一二甜蜜地闭紧眼，任凭她摆弄。

终于修理完了，仿佛是在梦中。当他再次坐到沙发上时，肚子却咕咕地响了起来，章叶也听到了。他这才想起到现在还没吃饭。他估计，秋文保送来的饭，她也没吃，她肯定也饿了。丁一二干脆大方地说，我还没吃饭，我想请你一起去吃。

章叶说，我一般都是到对面那家饭馆吃，想吃什么就让他们做什么。你想吃啥，我让他们做好了送来。

一般在饭馆吃，就说明她不是经常和秋文保吃。她这样说是什么意思，是有意表白她的清白，还是她真的就在饭馆吃？但不管怎么样，章叶是喜欢他的，有这就够了，更何况她要和他一起吃饭。丁一二急忙说，不用太麻烦，随便吃点就行，你想吃什么就吃什么。

章叶出去时间不长，就和服务员一起端来两碗肉丝面，一盘肉片炒青椒，一盘蒜拍黄瓜。但秋文保送来的饭还放在里屋，这让章叶有点难堪，也有点难受，她故意不看那个保温饭盒。丁一二也不看，但那个饭盒还是像放在了他的心上，压得他心里很不舒服。章叶似乎感觉到了，她无声地将饭盒提起放到桌子底下，然后招呼他坐下吃饭。她一直让他吃这吃那，感觉她的心情还不错，甚至有点谈恋爱的味道。看来，她接受了他，至少是可以接受他。丁一二突然兴奋起来，要说话的念头一下那么强烈。他想向她表白，他想向她求爱，但他还是控制住了，他清楚，现在不是时候，也不合适。他也热情地给她夹菜，让她多吃一点。

饭吃完了，章叶将盘碗送到饭馆回来，已经有人等着理发了。章叶对丁一二说，你回去吧，别的事以后再说。

四

找民政助理老贾虽然没办成什么事，但这也是他主动去干了的工作，应该向村主任汇报汇报。牛满田一边翻报纸一边心不在焉地听着，然后说，贾老抠这人，你不了解，如果不用好酒把他灌醉，根本不可能从他手里抠出钱来，等过几天我有了空，看我怎么收拾他。

也许牛满田真有办法，也许老贾天生就属核桃，不砸不开口子。丁一二再将话题转到章老三身上，章老三躺在那里没有人管确实是个大问题。牛满田说，也没什么大不了的，乡下人，天生就是石头蒿草，命哪有报纸上说的那么金贵，一天能有人给他送两顿饭，能给他倒一次屎尿，就不错了。如果像公家干部病了那样侍候，别说一两年，半年花的费用，咱全村人都拿不出来。

但不管命贵命贱，章老三躺在炕上不能动弹，总得有人管有人侍候，丁一二问究竟怎么办？牛满田说，章老三有三口人的土地，土地出租出去，每年可以收五六百斤粮食的租金，足够他吃了。五保后每月那两百块钱，完全够雇人侍候他了。我想过了，他的哪个亲戚愿意照顾他，那两百块钱就归哪个亲戚，如果没人愿意照顾，就让大背锅来照顾，反正大背锅也享受国家的五保，也那么大年纪了，说不定哪天躺倒，也需要别人来照顾，如果他不愿意，他五保的那两百块钱也不给他，他动不了时，村里也不派人照顾他。

大背锅就是大罗锅，因为罗锅太大，几乎九十度看着地面走，所以一直一个人过日子，也算五保户，现在的年纪，大概有七十岁了。但大背锅身体很好，自己养三四头猪，生活过得还很宽裕。有人说大背锅有六七万块钱的存款，还放话说要娶一个能侍候他的老伴，美丑不管，身体好就行。如果大背锅能侍候章老三，这倒是个好办法，用时髦的话说，这也叫互助养老，好像上海那个地方就搞过这种形式的养老。丁一二笑了，他不得不从心里佩服牛满田，这种有实践经验的干部，遇事确实有办法。

牛满田爱喝罐罐茶，喝这种茶很费工夫，喝了又有滋养功效，所以又叫工夫茶。牛满田的茶具和茶料都放在办公室。因为天热不生火炉，牛满田使用一个小电炉。把小电炉插入插座，将五颗小枣放在电炉上烤熟，然后将沙罐放在电炉上，添半罐冷水，将枣放入，再劈一块砖茶。慢火熬半个小时，将茶汤倒入杯中，然后再添半砂罐凉水。熬六七罐，喝一两个小时，牛满田的茶瘾才算过足，脸上也有了生气。近来牛满田又有了革新，在砂罐里放了黄芪，说黄芪补气。从牛满田的脸上看，罐罐茶还确实有点效果，不仅脸色红润印堂发亮，快六十岁的人了，腰板笔直，说话声音洪亮，走路也看不出一点迟缓。牛满田专心喝一阵茶，要丁一二去叫大背锅。牛满田说，不征求章老三亲戚的意见了，他那些亲戚，没一个有善心的，这么些天没人来找，说明也没人愿意侍候。就让大背锅侍候吧。

丁一二刚要走，秋文保突然闯了进来。秋文保什么都不说，对准丁一二的鼻子就是几拳，打得丁一二几乎要晕过去。好在有牛满田，牛满田急忙起身呵斥阻挡，秋文保才转身离去。

鼻血像漏水一样往下流。丁一二担心鼻梁骨断了，急忙用两团卫生纸将鼻孔塞上，摸摸鼻梁，感觉没断。牛满田追问到底是怎么了，要不要去卫生所。丁一二摇头表示不用。牛满田骂几句秋文保，然后又问为什么。丁一二捂着鼻子说没事。

秋文保又没疯，没事不可能无缘无故地打人。牛满田一定要丁一二说出为什么。丁一二知道不说不行。只好轻描淡写说，我昨天去乡里，可能得罪了他。

去乡里怎能得罪了他？这成了更大的谜团，牛满田更认真地追问。丁一二只好说，我去章叶的理发店理发，和章叶多说了几句话，他就起了疑心。

也不可能无缘无故地怀疑。会不会是丁一二怎么了章叶？如果是这样，问题就大了。牛满田穷追不舍，但丁一二又不能实话实说。丁一二一口咬定没什么，就是他怀疑我看上了章叶，也怀疑章叶对我好。

牛满田笑了说，恋爱自由，但不要闹出事。你是干部，闹出事，影响可就大了。

丁一二不想再和牛满田纠缠。感觉鼻血从鼻子里流到了嘴里。不行，塞是塞不住的，得到伙房的自来水管子上冲洗一下。丁一二从嘴里吐出一口血，然后捂了鼻子往伙房跑。

还没将鼻血完全止住，就有村民跑来报告，说秋和祥和老婆打架，老婆跳了河，要牛满田快去解决。

丁一二一下惊得没有了流鼻血的感觉，他本能地跑出来。见牛满田跟着村民急忙往外走，便也快步跟在了后面。

秋和祥家的院子里已经围满了人，也乱成了一锅粥。秋和祥的老婆已经让人救起抬了回来，就放在院子里，正长一声短一声地哭，能哭就没事。牛满田拨开众人来到秋和祥老婆身边，秋和祥老婆全身仍然水湿，还沾了不少的泥土，而且衣服也撕破了几处，衣扣也开着，一只乳房白晃晃地露出。见村主任来了，秋和祥老婆一下坐起，然后双手拍地，呼天抢地说她不能活了，也没法活了。牛满田定定地看着，也不发问，目光好像盯在露出的那个乳房上。秋和祥老婆继续哭喊着说，我早就知道老不要脸的和那个狐狸精不清白，可我做梦都想不到。他给人家弄出两个野种来，害得我儿子也没法活人，这个老不要脸的。

秋和祥和何玉兰的事谁都知道一些，但说野种还是让牛满田感到吃惊，他当然想知道这是怎么回事。牛满田威严地高声说，是不是泥汤水喝多了撑得胡说，他给谁留了种,你是怎么知道的?这种事情。没有证据乱说,是要负责任的。

秋和祥老婆哭喊着想说,但巨大的悲伤让她几次憋过气去,事情也说得颠三倒四,但大家还是都听明白了,章叶是秋和祥的种,因此秋和祥不让秋文保和章叶谈对象。

居然有这种事,牛满田正要问秋和祥哪里去了,秋和祥从屋里跑了出来,他谁也不看,上来提起老婆便往屋里拖。老婆乱踢乱打,但秋和祥根本不管这一切,死死抓住老婆的腿,一直把她拖回家。

牛满田环视左右,感觉大家都清楚了,也差不多了,事情该他来解决了,但屋门已经关死,牛满田用力拍门要秋和祥打开。拍半天,躺在地上的秋和祥老婆起身将门打开。

丁一二也跟了进来,他也想劝劝秋和祥。秋和祥本身就有错,还对老婆如此残酷如此霸道,也太不像话了。

秋和祥脸上青了几块,嘴唇也肿得翻了起来。看秋和祥老婆,身上倒看不出明显的伤,按秋和祥的霸气,老婆不可能把秋和祥的脸打成这样。果然,秋和祥老婆拉住牛满田的衣襟要他给评理时,牛满田严肃地要秋和祥老婆坐下,然后说,你也不是省油的灯,你看你把人家的脸打成了啥样。你先说,究竟是怎么回事?

秋和祥老婆说,我能打他?是他儿子打的,作孽做出了让儿子打的事,你说他还有什么脸活下去!

秋和祥说,牛主任,这是我们家里的事,我们自己解决,你还是忙村里的事去吧。

牛满田不高兴地说,家庭矛盾也是社会问题,上面多次明确指示,要重视家庭矛盾,要解决好家庭矛盾,只有家庭和睦了,才能构建和谐社会。

秋和祥说,我们家没矛盾,刚才的话,是她昨晚吃多了屎胡说。如果有矛盾,我会请你来解决。

牛满田一下被噎得不知该说什么,脸红脖子粗了半天,才指着秋和祥老婆,问事情要不要解决?见秋和祥老婆低着头不作声,牛满田恼火地说,多一事不如少一事,你家出了人命,我也不会再管。然后气冲冲地出了门。

丁一二也想走,又觉得这样走了不好,应该劝劝秋和祥。还没等丁一二开口,秋和祥说,昨晚我家那个畜生不知在哪里喝醉了,回来闹了一晚。现在不知又到哪闹去了。你到章叶家去看看,看看畜生在不在那里。

畜生当然是指秋文保。秋文保这样失去理智疯狂地闹,看来确实是对章叶爱得很深。如果是这样,秋文保很可能在章叶家。那么,他到章叶家会干什么,是哭闹?是死缠着仍然不放章叶?丁一二心里不免有点着急,更不知章叶怎么样了。丁一二转身便往外走。

快走一阵,丁一二又觉得没什么大不了的事。从昨天章叶的表情看,章叶并不很爱秋文保，章叶对这件事表现得很平静，不能和秋文保结婚，好像也不是件什么大事。既然章叶没事，秋文保就不会闹出什么事，更不会把章叶怎么样。来到屋前，丁一二有点胆怯。如果秋文保在，他去了肯定又是一场打闹。他警惕着小心翼翼地来到章叶家的屋后。仔细听，确实有哭闹声。好像章叶的父亲在哭，在骂。另一个更大的哭声好像是秋文保，还有章叶。突然章叶大声喊着说，你来这里哭什么，你不嫌丢人，我还嫌害臊。要哭，就到你们家哭去，你那个老子说不定已经死了。

听到一声门响，便有摩托车发动的声音。感觉是秋文保跑了出去。丁一二绕到屋角去看，果然看到秋文保骑着摩托发了疯一样冲出了大门。

丁一二低着头走进屋，看到章得中抱着头缩到沙发上哭得痛不欲生，章叶和母亲也在哭。见丁一二进来，章叶突然哭着对父亲说，你哭什么哭，如果你觉得我不是你亲生的，如果你不想要我，我现在就走。

说完，章叶果然起身收拾几样东西背了包就走。丁一二一下不知所措。听到摩托车发动的声音，章得中追了出来，想阻拦，章叶已经出了大门。章得中回头见丁一二也追了出来，说，你快跟她一起去看看，小心出什么事情。

丁一二快跑着追出大门，但已经无法追上。正当丁一二停步不追时，摩托车停了下来，好像是等他。丁一二跑过去时，章叶便驾车缓缓前行，感觉是要他也上车。丁一二跨步骑到她的后面，还没坐稳，章叶便猛加油门，摩托车怒吼着向前冲去。

章叶始终不回头，但车开得很快，好像以此来发泄什么。丁一二真担心摩托车翻倒，但他不知该说什么，只好紧紧地抓住后座，开到理发店，章叶才停了下来。

进了理发店，章叶又自顾进入里屋坐着发呆。丁一二也跟进去，在她对面站一阵，安慰说，其实也没什么，大人们的事，我们也管不了。

章叶仍然不吭声，表情痛苦麻木。丁一二只好拉过一个小凳，在她的对面坐了下来。

呆坐一阵，章叶突然说，这么丢人的事，我以后怎么见人？

章叶的话让丁一二感到意外，他原以为她在考虑和秋文保的婚姻，原来是怕丢人。看来和秋文保的事她已经考虑好了。但丁一二无法问，他只好安慰道，其实也没什么，男女间的事本来就很复杂，从古到今，谁也说不清。再说，你妈也是没办法。

章叶打断丁一二的话，说，人们肯定要骂我是野种，我以后还怎么出门？

丁一二说，现在人们的素质也高了，肯定不会有人当面说你，再说那是父母的事，和你也没什么关系。

章叶再次一声不吭。又呆坐一阵，丁一二想问她和秋文保的事怎么考虑。还没开口，章叶却突然说，最可怜的是我爸，辛辛苦苦了大半辈子，突然发现什么都没有了，什么都不是他的了。

《大学生村官》 史生荣

章叶哽咽着无法再说下去，她小声地哭泣起来。丁一二的鼻子也有点发酸，但他得安慰章叶。丁一二说，你不要难过，其实我觉得亲生不亲生倒不重要，关键是有没有感情，只要你和你爸的感情仍然和以前一样，我想你爸也不会太痛苦。

章叶不赞同地说，你说得倒轻巧，这么大的事，落在谁的头上，也是很难接受的大事。

说得也是。丁一二沉默一阵，觉得是该问问她和秋文保的事了。丁一二说，秋文保到你家闹，他要干什么？

章叶说，干什么，他能干什么，他再傻，也不会要求和他妹妹结婚。他再恨，也只能恨他那个造孽的老子。

是呀，他们是兄妹，怎么可能再结婚，恋爱也不可能再谈。丁一二的心里一下轻松了下来，而且轻松得想笑。丁一二高兴得脱口说，其实秋文保也不应该恨他父亲，过几天他就想通了。再说，他多了你这个妹妹，他该心满意足了。

章叶粗暴地说，屁，我们算什么兄妹，如果秋和祥让我认他这个爹，我立即就给他一个耳光。

丁一二不想多说什么，这一番折腾，章叶肯定口渴了。他起身想给章叶倒一杯水，但暖壶是空的。丁一二问章叶喝不喝水，他去买点饮料。章叶摇头拒绝。突然有人上门理发。章叶对丁一二说，我心里特别烦，就想找个没人的地方静静地坐一坐，想一想。

也好，那就到县城，然后找个茶馆安安静静地喝茶。章叶却摇头否定。章叶说，我想到沙漠公园去，那里人少，天也不热，去那里正合适。

沙漠公园丁一二听说过，但没去过。丁一二高兴地说好。

章叶打发了来理发的人，丁一二要去买饮料和吃的，章叶说，那里什么都有，不用带。

沙漠公园在县城东南，距这里五十多公里，骑摩托走了一个多小时才到。沙漠公园实际也就是一片沙漠，只是在低洼地带种了一片树林，又在中间挖了一个人工湖。树和湖的面积都不大，树大概有一百多亩，湖也就是几十平方米。但树林里有养殖区，养了鸵鸟梅花鹿等草食动物。湖里也有游乐设施，可以划船，可以观鱼戏水。湖的周围是一圈蒙古包，在里面可以打牌打麻将喝茶，也可以吃饭住宿。丁一二建议包一个蒙古包，章叶说，我想爬山，我想爬那座最高的沙山。

顺章叶手指的方向看去，她说的那座沙山确实很高，也很远。丁一二说，望山跑死马，要走到那里，估计得一个小时。

章叶有点撒娇，说她就想去。

想去就去吧，反正今天出来就是游玩的。丁一二买了两瓶水，两人向着那座沙山跋涉。

沙丘连绵起伏，其实眼前的沙丘也不矮，翻过两个沙丘，章叶已经气喘吁吁。

章叶将运动鞋脱下，将鞋带挽到一起把鞋挂在脖子上，然后拼命向另一个沙丘爬。爬一阵，突然趴倒，趴在那里一动不动。丁一二追上来问怎么了，章叶没有一点声音。丁一二急忙扶她坐起时，章叶突然猛推一把，将丁一二推得向下翻滚了十几米。好啊，原来你在耍我。丁一二叫喊着手脚并用猛追猛爬。终于追上了章叶，而且抓住她的脚将她拖了十几米，在高耸的沙丘上拖出一条深痕。

追逐嬉戏到沙丘顶，章叶坐下不再动。丁一二也挨她坐下。章叶突然神情肃穆地说，你说人活着有什么意思，像我爸，累死累活拼命劳作，就是为了家，为了让我妈高兴，让我高兴，结果怎么样？老婆不是他的，儿女也不是他的，他什么也没得到！

章叶的眼里又有了泪花。丁一二叹口气说，人这一辈子，很难说清。不过你也不要难过，人各有各的不幸，如果想开了，也没什么。比如你爸，老婆还是他的，儿女也是他的，他什么也没少，什么也没丢，反而多了一个为他操心帮忙的秋和祥。

章叶一下笑了。捣他一拳说，你这家伙，倒会说话，如果事情压到你的头上，你怎么办？

丁一二说，那我就勇敢地扛着，但我不会遇到这种事。

沉默一阵，章叶开始问他家里的情况，问他上大学的情况，对他的大学生活，章叶很感兴趣。章叶说，可惜我上高中时不懂事没用功，这辈子也没机会上大学，只能一辈子给人理发了。

丁一二说，人各有各的活法，我上了大学，不也来到了村里，今后干好了，也就是个小干部，一辈子循规蹈矩按人家的意思活着，也没什么意思。

两人都叹口气，然后陷入了沉思。感觉太阳晒得人皮疼，看眼表，已经正午，该返回了，两人默默地返回湖边。

吃过饭，又划了船。太阳西斜时，两人动身回家。路过县城时，丁一二觉得转了一天，没给章叶买点东西，不够男子汉。总得买个什么留点纪念，也试试章叶对他的想法。丁一二提出转转商店。章叶笑笑，就将摩托车骑到了最大的百货商店。

让丁一二难堪的是今天一早走得急没准备，现在身上只剩几十块钱。没有钱还怎么逛商店。好在来时他看到章叶从理发店里拿了些钱。丁一二从章叶肩上摘下她的背包，说，我知道你这包里有钱，我得向你借点钱用用。

这个举动章叶虽然感到有点意外，但她知道他今天没带钱，只穿了那件平时穿的半袖衫。丁一二的诚实坦然让章叶感到高兴，她就喜欢这种遇事不藏藏掖掖的人。章叶压住心里的高兴说，钱都让你抢去了，还说什么借不借。借多少，打个借条来。

丁一二说要借一千。章叶问借这么多干什么，丁一二说，给我的女朋友买件衣服。

这样没皮没脸，章叶脸红到了脖根。她羞涩地说，真是没脸没皮，给女朋友买衣服用我的钱。都在包里，全借给你，给我好好背着。

转了几个小时，章叶只买了一件羊毛衫，也坚持给丁一二买了一件衬衣。

回到理发店，已经是晚上九点多，章叶坚持不回家，说再不回那个家了。丁一二觉得不回也罢，过几天她心里平静了再说。但丁一二一个人回，章叶又不放心。怎么办？章叶背过身说，干脆住下，天亮再走。

丁一二有点怀疑自己的耳朵。他不清楚是不是要他和她一起住。见章叶不再说话也不转过身来，他只好拼命控制住乱跳的心问住到哪里。章叶仍然头也不回说，你想住到哪里就住到哪里。

一切都明白了，一切都落到了实处。如果不喜欢他，如果不同意处对象，如果不是已经达到了一定的程度，怎么会让他住到这里。这突然的结果，反倒让丁一二有点准备不足不知所措。章叶偷偷看一眼丁一二，说，你睡我的床，我睡外面的沙发。

丁一二急忙说他睡沙发。丁一二说，我上大学假期回家，火车那么短的座椅，我能睡一晚不醒。

真要睡在一个屋里，两人心里还是紧张，不知再说什么。章叶默默地把被褥几乎都抱到了沙发上。丁一二立即说不用，他只盖一个被单就行。两人推来让去，期间多次有身体的接触，但每次接触，好像是触电，都立即躲开。睡下后，丁一二的欲望一下点燃了，里间和外间虽然隔开，但没有门，只有一个布帘，实际就睡在一个屋里。睡在一个屋里，如果就这么白白睡着，那也有点傻瓜。他猜不透她是什么想法，是不是也愿意或者等待着他。丁一二咳一声。对面没有一点声音，连呼吸都听不到一点。丁一二颤抖着声音问她睡着了没有。回答没睡着。丁一二听出她的声音也有点颤抖。再想一阵，丁一二直接说，我想和你睡。

章叶立即说不行。然后说，才认识几天，你怎么就这么说，你是不是有过女朋友？

丁一二矢口否认，他解释说，主要是太爱你了。

等待半天，章叶才说，不行，你好好睡吧，再不要说话。

也好，反正意思已经到了，该明白的，两人心里什么都明白了，至于睡在一起，那是迟早的事情，不用着急。

五

秋文保离家出走后就再没回来，手机打不通，亲戚家也没有，好像突然从人间蒸发了，哪里也找不到，没有一点消息。儿子死活找不到，老婆又要死要活地闹，秋和祥的日子可想而知。原来说好的去北京天津联系推销蜜瓜，但秋和祥这个样子，哪里还顾得上。丁一二心里不免有些着急，到村里已经大半年了，还没给村民们办一件实事。为村民们推销蜜瓜，当然是最实惠最实际的一件事情，错过这几天，一切都晚了。

丁一二早饭也不想吃。来到院子里，看一眼村主任的办公室，门开着，牛主任正在熬罐罐茶。牛主任也看到了他，但没喊他进去，看来今天没什么事。

丁一二想到村里转转，和村民们说说话聊聊天，看村民们有什么想法，他能为村民们办点什么事。

今年村里种的蜜瓜不少，瓜已经成熟，黄灿灿的有点壮观。有村民招呼丁一二吃瓜，丁一二想吃，但和人家不是很熟悉，不能随便吃。再往前走，手机响了，是章叶打来的。章叶有点激动地说，刚才秋文保给我打了电话，他还活着。丁一二问他在哪里？章叶说，他不告诉我。

秋文保给章叶打电话，很可能还要纠缠她。丁一二问他打电话想干什么。章叶说，就是问我怎么样，家里怎么样？我告诉了他，他就挂了电话。

应该立即把这个消息告诉秋和祥。那天他去秋和祥家，秋和祥刚打完老婆。老婆见有人来，胆子又壮了起来。她上前抱住秋和祥的腿，要他赔自己的儿子。让他吃惊的是，秋和祥一脚就将老婆踹到了一边，然后恶狠狠地说不想活你就去死，死了老子肯定敲锣打鼓厚葬。当时他禁不住想，如果娶了章叶，自己一定要好好待她，不但不打她，还要想尽办法让她幸福。他不能让秋和祥再这样打老婆，他将秋和祥拉到外面。秋和祥哭了，秋和祥说他有种预感，秋文保已经不在人世了，然后又说婚姻，说这回他要下决心离婚，然后和章叶的妈结婚，真正夫妻一场，正正经经过一家人的生活。丁一二当时不仅觉得事情重大，也觉得麻烦，肯定又是一场风暴，风暴不仅要牵扯到章叶，还会牵扯到他。章叶说过，她决不会再让母亲和秋和祥来往，这不仅是因为丢人现眼，而是她不允许秋和祥再欺负她父亲。他知道，在章叶的心目中，章得中才是她真正的父亲，至于秋和祥，章叶也说过，说他算什么，即使他真的生了我，又怎么样，就像种田，是谁家的种子有什么关系，关键是耕种和收获。章叶不认秋和祥这个父亲，他丁一二当然也不会认；章叶反对父母离婚，秋和祥就不可能和何玉兰结婚。他劝秋和祥还是好好过日子。秋和祥哭着说，这日子还有什么过头，儿子没有了，已经家破人亡，还有什么盼头。现在秋文保终于有了消息，秋和祥知道后还不知要怎么高兴。丁一二急忙往秋和祥家跑，跑一阵，突然想到打电话。丁一二掏出手机拨通秋和祥的手机。丁一二刚说秋文保打回了电话，秋和祥就立即问儿子在哪里，说了些什么？丁一二不想说章叶说的那些原话。丁一二说，他只打电话问章叶家里怎么样，就挂了电话。

可能是太激动了，秋和祥又打来电话，说能不能再问问章叶，看秋文保说了什么，现在在哪里，然后又要丁一二到他家来详细说说。

秋和祥和老婆都站在大门口张望，丁一二是走田埂小路来的。他突然出现在两人面前时，秋和祥上前一步就拉住了他的手，然后问秋文保是从哪里打来的电话。丁一二只能摇头表示不知道。秋和祥说，你快打电话问问章叶，看文保是从哪打来的电话，我刚才又打了文保的手机，仍然是无法接通。

打通章叶的手机，章叶说她看了，区号是本市的，他很可能就在市里。

秋和祥很高兴，说，有消息就不怕了，也再不管他了，是死是活，由他去吧。

秋和祥说饿死了，要老婆快去做饭，他要吃摊煎饼炒鸡蛋。

秋和祥拿出一瓶酒，说，只要他活着，就不管他了，这些天把人折磨得够呛，今天咱们喝几盅。

在基层工作不会喝酒就是一大缺点，酒量不行，也没法和人家打成一片。来村里挂职后，丁一二就做好了在基层工作一辈子的准备，他学着喝酒，也有意锻炼自己的酒量，慢慢发现自己的酒量天生不小，和什么人喝，都没醉过。有时一天喝几场，虽然摇摇晃晃，但也没呕吐出丑，更没胡作非为。丁一二应邀上炕盘腿坐了，秋和祥说，瓜也熟了，去推销的事还得抓紧，还按原计划，你和章叶去北京天津，我明天就去省城，顺便到市里再找找我那个小畜生。

丁一二问明天一起走行不行？秋和祥说，只要你们能准备好，明天走当然更好，钱我也给你们准备好了，带三千块不知够不够？

这次去花人家的钱，当然是能节约就节约了，这点章叶肯定也能理解，三千块也够了。但几杯酒下肚，秋和祥又说，我再给你们加五百块吧，出门在外，还是钱宽裕点好。

如果明天走，今天就得准备好。吃过饭离开秋和祥家，丁一二给章叶打电话，说了要走的事，章叶也很高兴。丁一二劝章叶回家，丁一二说既然你的父母不闹了，你也就别再闹了，然后说要去接她回家。章叶说不用了，天黑后到她家等她。

天黑后，丁一二来到章叶家，事情却发生了变化。

章叶的母亲当着丁一二的面说认识没几天，双方的大人还没互相见个面，也没说成一定的准话，就成双成对一起出去，让亲戚邻居们知道了笑话。见丁一二有点发愣，章叶母亲解释说，按我们这里的风俗，男方看上了女方，男方的家里人就要请媒人来说媒，三媒六证说好了，女方家里人还要去男方家里看家，看看家里的情况怎么样，厚道不厚道。人家看好了，男方还要下聘礼。聘礼就像现在的定金，聘礼下了，双方才算是正式有了恋爱关系。现在什么都没办就一起出去，让人笑话是一回事，我们不守规矩也是一回事。

话说得虽然也有道理，但现在是什么年代了，女儿愿意，父母也没意见，又何必讲究那么多的规矩。再说，提前在一起多了解了解，也不是什么坏事。丁一二解释说，我们一起出去，也不是去干什么，主要是去推销蜜瓜，也想在一起互相了解了解。

章叶母亲立即说，了解可以慢慢来，推销可以和别人去。再说，对你的家庭情况我们一点都不了解，如果你真想娶我们章叶，就定个时间，带我和章叶去你们家看看，和你的父母见个面，也让你的父母看看章叶。

章叶母亲态度如此坚决，丁一二明白，再说什么也没用了，而且章叶的父母对他对他家还有许多顾虑。稳妥行事，当然也是必要的。丁一二只能点头服从。

告辞出来，丁一二的心里又空落落的。章叶不能去，他一个人去又有什么意思。他想给秋和祥打个电话，要他和章叶的母亲说说。但很快又觉得不妥。闹出的事情还没平息，章得中还躺在炕上不起来，再让秋和祥去掺和，肯定不合适。再说，章叶的母亲能说会道，是那种当家做主的女人。牛满田说过，章得中从来都不敢不听老婆的话，听惯了，也就从来不敢违抗，这样一来，老婆就更无所顾忌，想干什么就干什么，干什么事都要由她说了算。这样性格的女人，也未必肯买秋和祥的账。

第二天一早，丁一二就和秋和祥来到了县城。一起到饭馆吃了牛肉面，两人便分了手，秋和祥转车到市里去找儿子，丁一二去火车站买票，但只买到第二天的火车票，丁一二只好找家旅馆住下。

想不到的是第二天上车走了半天，却接到秋和祥的电话，说他在市宾馆找到了来贩运蜜瓜的客商，价格也基本谈好了，要他立即回来。他急忙说已经走到半路了。秋和祥说，半路也不用去了，去了没用，找个车站下车，然后返回来。

当丁一二第三天返回村里时，秋和祥已经领着客商进了村。

客商是几个山东人，常年往各地贩运瓜果蔬菜，对各种瓜果蔬菜都很在行，用他们的话说，只要是人能吃的东西，没有他们叫不上名字的，没有他们不知道价格的。客商对瓜的质量比较满意，价格给得也不错。往年蜜瓜上市，拉到城里每斤能卖五毛左右。如果在地里收购，每斤就是三毛多点。现在客商出价五毛六，确实是个让人意外的价格。但客商的要求也是严格的，小了不要，太大了也不要，长得不圆不要，颜色不匀也不要。开了口裂了纹不要，有了斑点虫眼儿更不要。客商在村里住了一天，挑选出一车标准的样板瓜，然后就把挑选收购的任务交给了秋和祥，要他负责收购。客商的要求是每天收购三十吨，当天将三十吨发往北京，不能多也不能少，多了少了都退回。这样一来，秋和祥实际上就成了代收购商。

今年村里种的瓜多，又赶上这么一个好价钱，比往年每斤足足多了两毛钱。村民们算算，每亩地产六千斤瓜，就能比往年多卖一千多块钱，真不是个小数字。但让村民们心慌的是每天只收三十吨。全村三百多户人家，种的瓜恐怕要有上千吨，不知什么时候才能收完。夜长梦多，且不说过几天人家再收不收，价格还变不变，就说哪天老天一场大雨，瓜不烂掉也要泡出水疮。如果下一场冰雹，那就连一分钱也没了。人们自然要争先恐后地卖瓜，一时争着卖瓜的村民将秋和祥家的院子挤得满满当当。

村子是几百年的村子，大家不是本家就是亲戚，先收谁的后收谁的，都不好决断。秋和祥对丁一二抱怨说，早知是这样，我就不出面，让你来办。远来的和尚好念经，你无亲无故，又是村干部，谁都不会说你六亲不认偏三向四。

秋和祥说过，他这次给村民们推销蜜瓜，主要是想出点政绩，挣点声誉，为秋后的村领导选举打下基础。这样争抢的效果，也许正是秋和祥求之不得的。从秋和祥掩饰不住的兴奋看，也证实了他的判断。丁一二提出抓阄。秋和祥摇头否定。秋和祥说，我看要不就限量收购，每天每家收一两百斤，你看怎么样？

这倒是个好办法。每天卖一点，成熟一点卖一点，既不争抢，各家也不忙乱，可以轻轻松松慢慢来卖。这样做，无疑会得到村民更多的赞誉。

收瓜验瓜也不是件轻松的事，每筐瓜都得验，每筐瓜都得过秤。秋和祥毕竟老了，他也想装出个大老板的架势，具体的事，便都交给了丁一二。丁一二倒也愿意。他来锻炼，就是该干点事情，蹲在村办公室已经让他觉得闷得发慌，能给村民们干点事，能接触认识一下村民，也是一件很有意义很难得的事情。丁一二干得很认真，也很卖力。当然，他也没少受到恭维和巴结，因为虽然有言在先每户只收一百斤，但哪个村民挑来的瓜都是只多不少，有的还远远超过了一百斤。特别是未来的老丈人章得中，前面挑来一百多斤，收购后又挑来一百多斤。虽然有人指出已经收过了，但丁一二还是装聋作哑收了下来，因为他知道，不仅是他，就是秋和祥，也得讨好章得中并且对他百依百顺。

第四天，丁一二突然接到牛满田的电话，说村里有事，要他速回村委会。

这几天收瓜，丁一二就在秋和祥家吃喝，回村委会睡觉时已是夜深人静。丁一二急忙赶回村委，进门就问牛满田什么事。牛满田一脸不高兴，也不回答。丁一二一时摸不着头脑，不知出了什么事。想想这几天，他也没办错什么事。丁一二便拿出个干部的模样，大大方方在牛满田的对面坐下。

牛满田恼着脸专心熬一阵罐罐茶，才问丁一二知道不知道自己是什么身份。见丁一二一脸迷惑一脸不高兴，牛满田说，你是上面派来的村主任助理，你不是秋和祥雇佣的长工。你一个村干部，整天给秋家干活给秋家打工，村里人笑话不说，也怀疑你有其他的动机。

真是天大的冤枉。他原以为是给村民办好事办实事，却被理解为别有用心。丁一二刚要辩解，牛满田立即打断他的话，说，我知道你要说什么，可你比我更清楚，秋和祥明明是在自己做生意赚大钱，你一个村干部，却给他使唤，秋和祥有钱可以雇别人，雇我们村干部，就是在打村委会的脸，就是在长他自己的威风。

丁一二突然明白了，牛满田对秋和祥，已经不是一般的不满，也不是一般的嫉妒，而是把他当成了政敌和对手。人都有判断力，聪明人又有超前的判断力。牛满田当村长多年，在这方面他有足够的超前判断能力。秋和祥早已不甘寂寞跃跃欲试，牛满田不会看不出他的图谋。就像猴王，为了保持王位，它会时刻注视着猴群里那些身强力壮的竞争对手。在村里，秋和祥不仅仅是身强力壮，而且已经羽翼丰满，随时都有可能兴风作浪。牛满田当然不能容忍他这个主任助理去助理别人，而且这个别人还是政敌。面对这样的局面，丁一二清楚，他只能离开秋和祥，甚至要从表面上和秋和祥划清界限。丁一二说，我原以为闲待着没事，就为村民们办点事干点活儿，既然你觉得不合适，那我就不去了。

牛满田说，我没想到你待在村里没事闲得慌，我还以为你会嫌工作太多太累。其实村里有许多事可干，许多事我们还没干好干细。那这样吧，一会儿乡卫生院的要来孕检和查环，你去协助他们登记一下做点工作。

孕检环检那是计生部门的事，村里也有专管此事的妇女主任。按规定，计生部门的医生每月都要来对适龄妇女进行一次检查，戴了环的查环，没戴环的查孕。查完检完，登记造册，然后发给被检妇女两块钱。这种事让他这个未婚男子汉去干，丁一二觉得有点要笑他。丁一二红着脸说他不好意思去。牛满田立即说，这有什么不好意思去的，你又不动手不动嘴，眼睛也不用往那里看，就是帮助她们提提东西写写名字，如果遇到难缠的，你再做做她们的工作。这种事看起来简单，其实最能锻炼人的能力。你不是要好好锻炼锻炼嘛，这计划生育是基本国策，也是基本的功夫，更是最难搞的工作。这样的工作你不干，就等于你没在基层待过，也没干过最艰苦最艰难的工作。

干就干吧，其实他到村里前，就有人说过，去了主要的工作，就是和妇女们纠缠，干一干也好。丁一二答应后，牛满田又严肃地小声说，有人反映，说她们多报冒领环检费，明明只检了十个，却登记造册二十个，多领的费用，被她们挪用了。你去了多留个心，如果有这回事，你不要声张，悄悄和我说就行了。

来查环检孕的有乡卫生院的两名大夫，乡计生专干，村妇女主任，清一色的女人。加入他这个青年男子，一时都觉得有点别扭可笑。尽管丁一二总是站在门外，但还是不断地被人开玩笑，特别是那个中年女医生，竟然要丁一二也来看看，看看她们的工作怎么样，像不像他小时掏鸟窝，有没有小时候掏鸟蛋那样有趣。丁一二不知道女大夫是真要让他看一看还是故意和他开玩笑，但那个年轻女大夫却不时笑眯眯地偷看他一眼，这让他更加脸红不好意思。后来才知道，年轻女大夫姓王，叫王菲，是去年才从医学院毕业的。这样说来，他们也算同年毕业的师兄妹了。

丁一二很快就愉快起来，让他愉快的还是这个王菲。他感觉王菲长得特别清秀，气质也特别文静，即使不说话，但那眼神，举手投足，都让他觉得特别美，特别舒服。而且他明显感觉到，她的一颦一笑都和他有关。丁一二一下对自己充满了信心。检完查完，把她们送走，丁一二的心情还好了半晚上。

六

今天的牛满田心情也格外好，一路哼着歌来。进了办公室，牛满田就大声喊丁一二，要他过来一下。

丁一二刚进门，牛满田便得意地说，上面派你这样一个大学生给我当助理，你说说为什么？

这样没头没脑的话，让丁一二不知怎么回答。看牛满田的表情，不像不满也不像有什么坏事。丁一二只好说，那还用说就是帮助你干点事呗。

牛满田说，错了！然后说，这就是认识上的错误。帮我干点事的人太多了，他们都比你有力气。要你这个大学生来，就是要用你的脑子，要你给我多出些主意。不知你想没想过，有什么好主意要告诉我。

丁一二一下明白了，肯定是牛满田又有了什么自认为好的主意，然后才这样得意地埋汰他。丁一二不温不火地说，我的想法，不一定能对你的心思。如果我要提议，就是村里应该拿出点钱来，搞一个图书阅览室。如果钱再多一点，就搞一个文化体育活动中心。

牛满田一阵大笑，笑声震得丁一二耳朵都嗡嗡乱响。牛满田说，到底是年轻学生，我让你出点挣钱的主意，你尽给我出花钱的点子，而且这些点子和农村人的观念与需求完全不一样。在农村，信奉的是勤俭持家。我小的时候，天不亮，父亲就把一家人叫起来，老大扫院子搞卫生，老二割草喂羊，老三拾粪积肥，一家人都要干活，各负其责，基本上是眼睛一睁忙到天黑。这样才算是治家有方。这样的家庭才算合格的家庭。我能有今天，就是父亲从小教育得好。你倒好，给我出主意让我反着来，让人们吃喝玩乐。你看看今天，凡是坐牢的老婆跑掉的讨吃要饭的，哪一个不是不好好劳动，整天游来荡去不务正业的。

这样评论他的建议，这样认识文化科学知识，让丁一二感到气愤和心寒。这样落伍的人当领导，村里能富起来才怪！丁一二想给牛满田上一课，告诉他知识就是潜在的生产力，没有知识，就不可能持续发展，而且发展也不是只为了吃饱穿暖，最终目的应该是精神愉快和谐美好。但他清楚，牛满田一向感觉良好，这样良好的感觉是他当村领导多年滋长起来的。在西川村，牛满田说的就是对的，牛满田的头脑就是最聪明的头脑，甚至牛满田就是主宰，就是真理。村主任也确实该换一换了。丁一二还是压住满腔的不满什么也没说，静等牛满田再说什么。

牛满田将罐罐茶泡上，才严肃认真地说，经过长时间的思考，我给村里搞了个发展规划图。昨晚和村里其他几位村干部商量了一下，他们也觉得非常正确，非常高明。

牛满田不急于说规划图是什么，丁一二也不想问。他知道牛满田会说的，把他叫来，肯定就是要说他的宏伟规划的。果然，看着罐里的茶煮开，牛满田说，我决定向林业部门打个报告，把林场的树采伐个几千方，然后用这笔钱办一个大型砖瓦厂。我仔细想过了，办砖瓦厂，一是有东岗那堆土资源，二是农村发展了，都要盖砖瓦房，产品不愁销路。这个计划我已经和乡领导说了，他们也同意。

丁一二立即意识到这是针对秋和祥的。看来两人谁也没闲着，谁也不让谁。收购蜜瓜，秋和祥有点得意忘形，见人就宣传他的治村方略。说如果他当村主任，首先就要把村里的林场承包给个人或者分到各户。秋和祥说，如果承包，每年的承包费至少要交二十万。每年有二十万，他就可以给大家办许多事情，比如医疗，比如孩子上学，甚至年龄到了六十岁，每年就能拿到不少于两千块的养老金。这个承诺自然很有吸引力，有些村民听了高兴得拍手叫好。问到二十万的承包费会不会有人承包时，秋和祥算了一笔账。秋和祥说，林场有二百多亩，而且都是几十年的成材林。如果每年更新砍伐十亩，至少也能卖二十多万块钱。二十几年砍伐完后，第一年砍伐后新栽的树木也有二十几年了，又到了能砍伐的年龄。这样世世代代都砍伐不完。也有人提出干脆分到户，秋和祥答应也可以，说最近他从广播里听到了，说集体林场可以承包，也可以分到户，而且是七十年不变。丁一二听了也很兴奋，觉得这真是个致富的好主意。林场虽然是村里的，每年也零星砍伐点树木，但卖树的钱干了什么，村民们不清楚，也从没分到过一分钱，因此村民们意见很大，丁一二了解民意时，几乎所有的村民都提到这事。但丁一二赞成承包。承包后集体会有一大笔承包费，如果是分到户，零零星星形不成合力不说，弄不好你也偷伐他也偷伐，很快就会毁掉这片林子。秋和祥的治村方略当然会传到牛满田的耳朵里，看来牛满田也坐不住了。竞争确实是好事情。如果办一个砖瓦厂，一是可以加快村经济的发展，二是可以解决村里的富余劳动力，也是个好主意，只可惜这些主意都来得迟了点。丁一二点头称是。牛满田说，你现在就向县林业局写一个砍伐报告，就说有些树木已经百年，已经老死空朽，急需采伐更新。写好后，我今天就去跑乡里，然后再跑县里，争取明年春天，就把砖瓦厂建成。

牛满田拿了报告走后，丁一二又忧虑起来。牛满田这一招，很可能使他在竞争中再次处于优势地位，也很可能保住他村主任的位子，因为秋和祥无权无职，他只是嘴上说说，而牛满田却立即能让大家看到实际的东西。丁一二从心眼儿里不愿再让牛满田当村主任，毕竟思想太老化了，干的年头太长了。秋和祥有文化，年富力强，见多识广，又有干劲。这样的人当村长，村子才有可能出现大的变化。但现在的情况对秋和祥不利。秋和祥也太沉不住气了，离选举还早，他就跳了出来而且把自己的致命武器也亮了出来。丁一二觉得应该把今天的消息透露给秋和祥，让他赶快想应对的策略，赶快再想一个什么高招，在秋后的选举中出奇制胜，一举当上村主任。

因为牛满田不让他到秋和祥那里去，丁一二已经多天没见秋和祥了。今天来，秋和祥这里已经没有了往日的热闹。秋和祥说，对瓜的质量要求严格，符合要求的瓜并不多，已经差不多挑完了，挑剩的瓜还得到市场上出售。

算算，卖瓜也有十多天了，也该接近尾声了。丁一二提出回屋里歇歇，秋和祥说，正好我也和你算算账。

秋文保回来了，虽然只回单位不回家，也发誓再不认这个家这个父亲，但儿子总算是回来了，而且就在咫尺的乡里上班，老婆也不再闹了，秋和祥的心情已经恢复了平静。秋和祥说丁一二帮他挑选了几天瓜，也应该得点报酬。秋和祥说，瓜商每斤给了我点提成，有钱大家花，这五百块钱你拿去，算是我的一点心意。

丁一二估计，这次秋和祥肯定赚了不少，当然他娶章叶，也算他的女婿，给点钱也应该。丁一二将钱装入口袋，说，刚才牛满田让我写了个报告，他要卖树办砖瓦厂。

丁一二想看到秋和祥吃惊的反应，但秋和祥却表现得很平静。秋和祥说，这事我已经知道了，我要让他办不成。

这回轮到丁一二吃惊了，牛满田昨晚才和村里其他领导商量这事，今天秋和祥就知道了，可见村干部里也有秋和祥一派的人，也有反对牛满田的人。可见秋和祥也不简单，也有一定的群众基础。丁一二说，办砖瓦厂是件大好事，群众肯定真心拥护，这样你就没了竞争优势。

秋和祥说，许多事你不知道。生产队时，村里就搞过砖窑，但村民照穷不说，还更累更忙。改革开放后，村里又办过几个企业，有炒货厂、制革厂，但没一个能办成功。办不成功不说，还把村民的集资款打了水漂。这些都是牛满田干的，他这次再办厂，没人相信他能办成功。至于砍树的事，我也想好了，我也要给乡里县里的领导写个报告，除了把林场的事彻底说清，还要求承包整个林场。

看来秋和祥确实有点头脑。丁一二提醒秋和祥光写报告不行，你写报告，村里也写报告，上面当然相信村里的，再说牛满田在上面也有人有门路。秋和祥笑着说，这些我早考虑好了，只写报告，人家即便认真对待，按正常手续也不知要研究到猴年马月。我要先礼后兵，现在有些事你不闹，就没人管，我要拉点人闹一闹，让他们不解决不行。

看来秋和祥和牛满田都不是等闲之辈，都比他丁一二高明一头，他还得好好向人家学习。

秋和祥要丁一二帮忙给他写份阻止牛满田卖树的上访信。这当然不行，他不能纠缠到里面，而且在秋和祥与牛满田的斗争中，他至少要在表面上保持中立。丁一二撒谎说还有事，而且他也没写过这种信。

从秋家出来，丁一二想去章叶家看看。

章叶家这几天在收玉米，先把玉米棒子掰回来，码在院子里晾晒，然后再把玉米秆割倒拉回来，很麻烦，也费工。尽管章叶家谁也没叫丁一二去帮忙，有空丁一二还是主动去帮助干点活儿，而且在心理上，他已经把自己当成了章家的女婿。

章家院子里静悄悄的，大黑狗早已经认识了丁一二，见丁一二来，便立刻迎上去又摇头又摆尾，显得比章家的主人更高兴。丁一二摸摸黑狗，看看院子，大半个院子堆满了玉米，十几只鸡在玉米堆上随意啄食，鸡屎也随意拉在了上面。丁一二将鸡赶到后院，屋里也没人出来，但大门没锁，屋里应该有人。屋门果然也没锁，丁一二推门进屋，喊一声叔，传出了章叶的声音：就我一个人在屋里。

章叶在卧室里躺着，丁一二问怎么了？章叶说，肚子疼。

丁一二俯身细问，章叶说，不知怎么了，昨晚疼了一晚上，现在才好了点。

丁一二揭开章叶的被单子看，章叶竟然只穿了裤衩胸罩。雪白的身子让丁一二的大脑嗡的一下，浑身也跟着发麻。丁一二虽然已经拥抱亲吻过章叶，那天也抚摸了她的乳房，但一览无余，还是第一次。他的眼睛一下被她的乳房牢牢吸引，无法移动。章叶害羞地用被单子捂住。丁一二还是站在那里无法动弹，嗓子也干得没有一点唾液。他还想看看，更想摸摸，他要给她揉揉肚子，将手伸进被单子里时，章叶并没坚决反对。揉几下肚子，他的手便到达了他想要到达的地方。突然章叶呻吟着移到了一边，把半截床明显地空给了他。他感觉是那个意思，便立即脱衣上床，用力挤进她的被单子里。

章叶不停地呻吟着喊他傻瓜，然后引导他达到了最后的目的。

躺下喘口气，他又想认真看看她的身子。细看时，突然想到她没有出血，她不是处女了！

丁一二的心一下缩成了一团，鲜血好像全部从心里挤压出来，眼前这具雪白的肉体，是那样的丑陋，那样的让他厌恶。他愤怒地穿上衣服，愤怒地下了床。发现她仍然紧闭着眼睛，好像并没发现他的情绪变化。丁一二愤怒地骂，不要脸的东西，想不到你这么不要脸！

章叶一下睁开了眼睛，见丁一二不像在开玩笑！但她不明白他为什么突然这样，好像是神经病人突然发作。章叶一下坐起，用被子捂住自己的身子，然后惊恐地看着他。

丁一二愤怒地喊，我还以为你作风正派，没想到你已经和人上过床，已经和秋文保睡过觉了！

章叶明白了怎么回事，她捂着脸哭起来。哭几声，她突然喊道，滚！既然你嫌弃我，你就滚得远远的，再也不要来见我。

丁一二气呼呼地出了门，但愤怒仍然让他不知该怎么办。这个不要脸的东西！母亲作风不正派，她又是这个样子，母女一模一样，那他将来注定就是章得中的下场，戴绿帽子，还养野种。

丁一二气急败坏猛走一阵，才发现来到了河边。

在土堤上坐下，他更加憎恨秋文保。这个畜生，刚和人家谈恋爱几天，就把人家睡了，而且还是自己同父异母的妹妹。

不行，得问问秋和祥该怎么办，为什么是这样！这是谁的罪过！

起身快步走一阵，丁一二又觉得不妥，站着想一阵，又不甘心。他很想宣泄，决定用电话和秋和祥说。掏出手机打通秋和祥的手机，还没开口，丁一二突然呜一声痛哭起来。

秋和祥糊涂了，接电话时，来电显示的是丁一二，但感觉却是儿子秋文保。这些天儿子有点神经不正常，不定什么时间就突然打来电话，不是骂他就是痛哭。秋和祥问你是谁。问半天，丁一二才说，你为什么不早制止秋文保和章叶。

确实是丁一二，秋和祥急忙问怎么了。丁一二再次强止住哭，喊着说，他俩已经上床了！

秋和祥连说不可能，然后问是谁说的。悲伤再次像洪水一样涌上来，丁一二悲痛地合上了手机。

手机很快响了，他知道是秋和祥打过来的，他知道秋和祥更急。果然，秋和祥着急地问你们到底怎么了，发生了什么事，是谁说的。

秋和祥说，肯定是谣言，他们两个不可能上床。

丁一二哀伤地说，不要说了，是真的。

秋和祥追问得更紧了，丁一二厌恶地说，是章叶自己说的。

沉默一阵，秋和祥立即予以否认，说这是绝对不可能的，她怎么会说这样的胡话。

丁一二不知怎么去说，和章叶上床的事他也说不出口。他再次默默地合上了手机。

电话又打了过来，这次秋和祥开口就问你们是不是上床了？丁一二想否认，又没有撒谎的勇气，不否认当然就是默认了。秋和祥改用语重心长的话语说，年轻人最容易犯的错误就是冲动，一时冲动干出的事情，也是可以原谅的。我觉得夫妻过日子，最主要的是感情，现在章叶真心爱你，章叶已经忘掉了文保，既然文保在她的心里没有了，你还计较什么？我的判断从来都是很准确的，我早就判断出来了，你和章叶结婚，肯定会幸福一辈子，章叶一辈子也不会再爱别人，更不会再和文保怎么样。只要你幸福了，以前的事，又不可能留下痕迹，你何必这么计较哩。

说得倒轻巧！如果是你，你怎么办？但丁一二还是什么也没说。秋和祥喂几声，知道他在听，接着又说，你和她不是也上床了吗？既然已经上了床，你就是她的男人了，她也是你的老婆了。你如果咽不下这口气，你就骂我，或者把气出在我的身上。

秋和祥这话是什么意思，是不是在威胁他？丁一二觉得有这个意思。是呀，既然和人家上了床，问题就变得复杂起来。这事还得好好地想想，看来也是麻烦。丁一二突然觉得今天就不该给秋和祥打电话，更不该说这些。他恨自己太冲动太不成熟，丁一二又想哭，他再次挂了电话。

听着手机里传出的嘟嘟声，秋和祥猜测，丁一二很可能是和章叶吵闹了，说不定章叶的父母也知道了，而且章叶全家都卷了进来，全家人现在正闹得鸡犬不宁。秋和祥决定打个电话问问，看看事情究竟是怎么回事？

玉兰家的电话在客厅的电视机旁边，半天才有人接，因为带了哭音，秋和祥以为是玉兰。问出了什么事，对方却什么也没说，然后挂断了电话。

真是莫名其妙，不管出什么事，也不应该一句话不说就挂断。合上手机，秋和祥又觉得接电话的不像何玉兰。不管多委屈，这么些年，玉兰还从来没给他这样耍过脾气。如果不是玉兰，那就有可能是章叶。章叶这孩子，确实让人心寒。不知自己的身世时，一口一个干爹，叫得和亲爹一样亲切。知道了身世，反而像见了仇人，一句话不说，还见了就躲。不行，不管怎么样，终究是自己的女儿。考虑再三，秋和祥还是决定到玉兰家去看看，他已经好多天没去她家了。

他轻手轻脚来到院门口，听听看看，感觉屋里没人，进了院里，发现屋门也是开着的。他咳嗽几声推门进去，推了几个门，才看到章叶刚急急忙忙穿好衣服，眼睛都哭得通红。这闺女受委屈了，秋和祥满怀感情地想安慰几句，章叶却气冲冲地扭头就走，然后进入爹妈的卧室，砰的一声关死了门。

秋和祥站在门口，他想让章叶开门，他有许多话想对她说，但哀求几声，章叶毫不理会。他知道章叶不可能开门，也不可能听他说什么。沮丧地站一阵，秋和祥还是决定找找玉兰。章叶不去上班待在家里，爹娘又一个都不在家，这究竟是怎么回事？

何玉兰和章得中果然是在玉米地里干活。这些天章得中应该是愉快的。章得中家的蜜瓜不仅早早卖完，每次来卖，他还有意给多算几斤。章得中今年种了六亩瓜，估计至少也卖了一万多小两万。那天在电话里，玉兰说章得中彻底服气了，也彻底想通了。秋和祥问是怎么想通的？玉兰说，他怎么能想不通，如果没有咱们的事，他哪里来的一儿一女。那天晚上我揪着耳朵问他，女儿儿子可爱不可爱，女儿儿子孝顺不孝顺，他都点头说好。我问他儿女是哪里来的，他不作声。我说既然都好，既然儿子女儿都一口一个爸地叫你，你还有啥不满意？我告诉他，如果你不满意，觉得日子过得不舒坦，我们就走，反正你不承认我们是你的。最后他彻底地服气了。秋和祥也看出章得中确实是服气了。那天见到他，脸上表情很平静，他主动打招呼，他也热情回应，好像什么事都没有发生一样。

章得中家的玉米棒子已经掰完，章得中和玉兰正在割玉米秆，也看不出闹矛盾或者不高兴。秋和祥下到地里，说该休息了。见章得中扔下镰刀走过来，便掏出红塔山烟，给章得中一支，说，玉米长得不错，看来今年你是丰收了。

章得中点燃香烟，说，再丰收也是个种田的，哪像你，大老板，轻轻松松大钱就来了，你看，连烟都又上了一个档次。

秋和祥将整包烟递到章得中的手里，看着章得中将烟装入口袋，说，钱倒挣了几个，但钱挣得也不轻松。

何玉兰也走了过来，秋和祥想问章叶怎么了，又感觉也许他们不知道丁一二和章叶闹矛盾的事。秋和祥心里轻松了许多，说，最近我想做笔大买卖，想和你们商量商量。刚才丁一二找我，说牛满田要卖树办砖厂。这事很明显，他又要糟蹋那片林子，最后的结果是砖厂办不成，卖树的钱也打了水漂。秋和祥说，这回我得站出来，不能让他卖树。那片树，我要承包！我公开叫价每年二十万承包费，然后把这笔钱每年分给村民。如果牛满田不同意，我就组织村民闹事，看乡里怎么解决？

二十万确实是个不小的数目。章得中问怎么才能挣到二十万，如果靠卖树，树卖完了怎么办？秋和祥笑笑，然后掰了手指算账。

章得中一生都想挣大钱，也一生苦苦挣扎，这样挣大钱的事对章得中自然冲击不小。章得中再算一遍，确实是个挣钱的好买卖。现在那样大的一棵树，价钱远不止一百五，卖二百也有人抢。每年伐二十亩树，卖三十万都不止。章得中急忙掏出那包红塔山，给秋和祥敬一支，说，要不这事咱们合伙干，合伙承包势力大一点，成功的可能性也大一点。

秋和祥说，现在的关键不是谁包，是怎么阻止不让牛满田卖树，然后怎么逼上面同意承包。同意承包了，你包我包咱俩合包，都不是问题。

章得中兴奋得有点激动。掏出打火机将烟点着猛吸几口，说，我觉得这事还是我来办合适。牛满田卖树是为钱，承包也能得到钱，他不会不同意承包。如果你公开叫价承包，就有人要和你竞争，闹不好就承包不到，即使承包到了，价格也会太高。我和牛满田的关系不错，他家的儿媳又是我的侄女。有这几层关系，我再带份厚礼，或者答应赚了钱给他分一点，这样神不知鬼不觉，咱们就把事情办妥当了。

秋和祥摇头说事情没有那么简单。秋和祥说，你想想，牛满田也不是傻瓜，他的账算得比谁都精。如果他继续当村长，那片树就归他管，就是他的摇钱树，他绝不会搞什么承包。承包了，收多少钱也在明处，他自己想拿也拿不走，他才不会干这种傻事。你给他送礼，能送多少？你送多少也不如他卖树挣的多。

章得中要解释，秋和祥打断他的话，说，只有一条路，那就是斗争。只有把牛满田斗败了，咱们斗胜了，牛满田斗下台了，咱们斗上台了，承包才能实现，一切好事才能实现。

章得中听明白了，秋和祥的意思是要当村主任。他当了村主任，咱自然能得到好处，别说占点小便宜，承包那片树林的大便宜，也是一句话的事情。但怎么才能当上村主任，章得中觉得也不容易。秋和祥说，选举秋后就要进行，咱们联合起来串通村民，答应给他们分钱，给他们办养老院，办合作医疗，办许多事情。只要让村民们尝到甜头，他们就不会不选咱们。

何玉兰还在算承包林场的账。她说不光是卖树，在林子里还可以养羊。何玉兰说，夏天林子里有草，冬天林子里有树叶，一年四季有东西吃，养二百只羊没一点问题，光养羊，一年也能挣几万。

账越算利越大，利大舍命。谁都会算账会争利，看来事情还不是那么简单，承包林场当村主任，都不会容易，看来得好好想一个万全之策。老话说得好，吃不穷穿不穷，打算不到就受一辈子穷。没有一个绝妙的策略，事情恐怕很难办成。秋和祥再给章得中鼓一阵劲，才心事重重地往家走。

七

西川村自然条件不错，虽然不富裕，但也丰衣足食。这样的日子让不少当家的男人感到满足，也感到小有成就。每年秋收一过，看看满院满仓的收获，自然要有一种庆贺的想法。这个季节，也是男子汉们最快乐的季节。杀一只羊，打一桶酒，把想请的亲朋好友都请来，热热闹闹吃喝一天。第二天，又该轮别人请客了，一轮吃下来，也快过年了。今年秋收虽然还没完全结束，秋和祥已经等不及了，他觉得自己今年应该首先请客，利用请客的机会，把村里所有应该说的事情和大家说说，把所有能鼓动的人也鼓动鼓动。把群众发动起来了，他才有可能当上村主任，也才有可能承包到林场。当然，他请客还有几个理由几层意思。一他是蔬菜协会的会长，二今年瓜菜卖得不错，三感谢乡亲们对他的支持帮助。秋和祥要把全村所有的人都请上。但请不请村干部，秋和祥还是有点为难。如果村干部在场，发动群众的许多话就不能明说。如果不请村干部，显然又不合情理，甚至有点像搞阴谋诡计。反复考虑，秋和祥决定写几份通知贴出去，村干部们看到后想来就来，不来更好。至于那些有头脸的村民，他再悄悄上门去请。

天完全黑尽，秋和祥才揣了三张通知，拿了一瓶胶水出了门。来到街上，他突然就有种地下党张贴传单的感觉，虽然他竭力装出一副若无其事的样子，但心里还是止不住有点发虚，生怕被什么人看到问起。好在天有点阴，感觉四周一片漆黑。秋和祥低头一路快走，碰到人，也装作没看见。他将两张通知分别贴到村子的两头，然后才将最后那张贴在了村宣传栏里。

通知是用整张红纸写的，很醒目。牛满田看到通知时，还是感觉有点突然，还没看完，愤怒就充满了他的胸膛。村里的宣传栏是宣传张贴公事的，而且要通知的事，都应该经过他，即便不经过，也要告诉他一声。这种私人的事，竟然也贴到了村委会的宣传栏里，简直是明目张胆的挑衅！简直是公开跳出来夺权。虽然他早就知道秋和祥会向他挑战，但没想到如此之快，如此之直接，如此之大胆。牛满田骂一句脏话，然后愤怒地去撕通知。胶水贴得很牢，费了好大劲，还是没有撕干净。

牛满田气急败坏来到办公室，背着手在地上走一阵，然后大声喊丁一二，要他过来一下。

牛满田如此愤怒，让丁一二感到害怕。牛满田也不看丁一二，说，敌人终于跳出来了，而且是公开下挑战书。好吧，既然你公开挑战，我也只好应战了，咱们走着瞧，看谁能斗过谁！

丁一二有点摸不着头脑，但凭直觉，他觉得敌人不是他，好像是秋和祥。丁一二只能一言不发地站着。牛满田又背着手在地上走几圈，说，你通知所有的村干部，要他们迅速到村委会开会。

突然开会，总得告诉人家什么事。牛满田说，你没看到秋和祥贴出的通知吗？他已经下战书了，已经坐不住上蹿下跳了，已经拉帮结派要篡党夺权了。

秋和祥写通知的事丁一二知道，起初秋和祥要他写，他怕牛满田看出他的字迹，才以字写得太丑婉言谢绝。牛满田把问题也说得太严重了，什么篡党夺权，完全是“文革”语言，充其量也就是个竞争村领导，这符合当前的方针政策。为这么一件事就召开村委会，小题大做不说，也有点以权压人的感觉。丁一二不情愿地说，秋收完了，今天又是大集，大多数人都赶集去了，现在通知，恐怕也没人在家。

牛满田烦恼地说，集市又不发钱也不唱戏，怎么会都去赶集。

会不会去赶集丁一二也不清楚，但他还是说，忙完了，也丰收了，人们都想去转转看看散散心，也有的人去打听一下行情，看自家地里产的那些东西能卖个什么价钱。

平日丁一二是听话的，不知今天哪来的这么多话。牛满田疑惑地看着丁一二，说，别的不要说了，你赶快去通知。

村干部家里都有电话，通知开会，打电话就行，电话就在牛满田的办公桌上。丁一二看着号码本挨个打，还真让他说准了，七位村干部，六位家里都没人接电话。

会议只能在晚上开了。

牛满田独自坐在办公室想一阵，他觉得人家已经活动了，自己也不能坐以待毙。他猜测，秋和祥不仅仅是贴通知请客，说不定早已经在村民中串联了，也说不定已经搞了什么鬼，许了什么愿。也说不定已经到上面活动了，早已得到了哪个乡领导的支持。秋和祥收购蜜瓜已经收买了不少人的心，如果任凭他再闹腾下去，不仅威信会超过自己，人心也会完全偏到他的身上。

牛满田再起身背了手在地上急走一阵，觉得针锋相对迎接挑战还远远不够，首先把对手打倒才是上策。秋和祥劣迹斑斑，生活作风问题就是他的一个死穴，抓住这一点，不仅可以粉碎他的村主任梦，还可以把他搞倒搞臭，让他在村里成为臭狗屎，遗臭万年！

男女问题说大不大，说小也不小。不说秋和祥欺男霸女，单说伤风败俗败坏村风，就是一个很大的问题。如果这样的事不管，以后的社会风气如何了得？家庭不像家庭老婆不是老婆人人没有安全感，这日子还怎么过？更可恶的是秋和祥作风败坏不说，还给人家整出两个野种，让人家一家人不算一家人，亲父子不是亲父子。这种罪孽深重民愤极大的事，村里早就应该管了，拖到今天，也是他这个村主任的失职。

以这件事整倒秋和祥，必须要受害人章得中出面才行。这个缩头乌龟男人，让老婆一整治，就不敢再和秋和祥闹，而且一下被整治得哑口无言。

牛满田决定去找找章得中，和他谈谈，好好给他讲讲利害，不仅要他作证揭发秋和祥，也要他把秋和祥告到乡里告到法院，而且再讨要一笔赔偿金。他了解章得中，章得中爱财如命一生贪图小便宜，之所以甘当乌龟，也是得到了秋和祥的不少小恩小惠。只要让章得中得到钱财实惠，章得中不会不动心。

老六家开了饭馆，牛满田决定请章得中喝酒吃饭。

牛满田再将丁一二叫过来，要他去请章得中。牛满田说，让他马上到老六家的饭馆，就说我请他吃饭喝酒。

得告诉人家为什么请吃饭。牛满田霸气地说，你就说请他吃饭，什么事来了我告诉他。

感觉牛满田今天吃错了药，丁一二不敢再说什么，虽然心里窝着火，还是出了门。

在丁一二心里，他已经把章得中当成了老丈人。现在看来，能不能成为老丈人还难说。那天和章叶闹翻，章叶再没找他，连个电话都没有。虽然觉得闹翻也好，这样的女人确实不能要，但他心里却希望她来找他，别说道歉，来向他解释一下也行。但遗憾的是没有，章叶至今没有一点消息。现在他主动到章家，章叶还以为他服软了。

丁一二看眼表，已经上午九点多了，估计章叶去理发店上班了。再说，咱是有公事找章得中，又不是找她。

家里却只有章叶，而且见了丁一二，章叶竟然生气地将脸转了过去。丁一二也冷了脸硬邦邦地说，是村主任让我来找你爸的，你爸到哪去了？

章叶头也不回，说不知道！

什么道理，伤风败俗和人家上了床，还好像有了理，简直是不知廉耻。怒火一下使丁一二脸都涨得通红。他想狠狠骂她几句，但一时找不到合适的话，只好愤怒地转身就走。

盲目走一阵，心里平静了一点。他感觉今天章叶始终背对着他，也没看清她究竟是什么表情。是恨他，是不愿见他，还是故意撒娇？但丁一二发狠了想，不管怎么样，这样的女人是不能要了，要了，将来也是麻烦。

秋庄稼基本收尽，田野开阔了许多。章得中家的地丁一二清楚，章家种了点秋萝卜，也到了收获的时节，估计章得中应该在那里。还没走到，章得中便发现了丁一二，然后远远地迎了上来。

可以看出，章得中是愿意把女儿嫁给他的，而且还有点迫切。丁一二也快走几步。两人面对面站定，丁一二说，村主任要请你吃饭，在老六家的饭馆，要你马上就去。

章得中深感意外，一双小眼疑惑地盯着丁一二看半天，才问有什么事，丁一二说不知道。章得中更加疑惑，说不到中午就请吃饭，是不是听错了？丁一二只好说，他是有事请你去商量，什么事他没告诉我。

既然是商量，就不会是坏事，章得中坦然了许多。在路上，章得中突然说，这么多天你也不来，是不是和章叶闹矛盾了？

闹不闹矛盾章得中当然能看得出来，这事也没法隐瞒。但为什么事闹矛盾，章叶肯定不会告诉父亲，自己也不能告诉任何人。丁一二不想说什么，他低了头默默地往前走。章得中说，章叶不懂事，脾气有点犟，但心特别好，是个难得的好姑娘。

如果是别的事，他倒可以原谅，但和别人上过床，怎么想心里都发痛，怎么想都无法原谅。丁一二不知该说什么，但不说也不行，丁一二只好说，你还是问章叶吧，她会告诉你的。

到了老六家的饭馆，牛满田已经坐在了那里，而且酒瓶已经打开，四个下酒的凉菜也摆在了桌上，就等章得中的到来。章得中有点受宠若惊，立即躬腰作揖表示感激。丁一二不知要不要他作陪，待章得中坐定，丁一二说，你们吃吧，没事我就回去了。

牛满田指了座位要丁一二坐下，然后让丁一二倒酒，说，今天你也参加，咱们一起吃，一起谈。

牛满田只管招呼吃喝，也不说什么事。这样的吃喝让章得中很是不安，连丁一二都着急了，牛满田才说，咱们村的老会计当会计也有十几年了，人老了不说，脑子还有点不太灵活。再说会计这营生，也不能干得太久，干久了，就知道怎么做假怎么贪钱了。我想好了，会计得换一下。牛满田又喝一杯酒，吃一口菜，突然对章得中说，我想让你来当会计，你愿意不愿意？

章得中从来没想过这事，他有点反应不过来，待明白过来后，一下高兴得有点不知所措。急忙站起身给牛满田连敬几杯酒，说，我上小学的时候就跟老师学过算盘，我的算盘打得最好，给你当会计，我肯定能行。

牛满田说，现在已经用电脑了，会用电脑才算本事，但会用什么都不重要，村里也没多少账可算，唯一重要的，就是要听话。人们都说会计是村长的老婆，只要听话，只要一条心，就行。

章得中小学毕业，能不能当会计，让人怀疑。但牛满田已经说得很露骨，让章得中当会计，就是要让他成为亲信，而且要牢牢地控制在手里。丁一二隐隐约约感觉到，牛满田拉拢章得中的目的，还不仅仅是要他听话，很可能要鼓动他和秋和祥斗。果然，章得中赌咒发誓表达一番忠心后，牛满田得意地说，我没看错人，我早就知道你和我最投缘，你我肯定能合得来，咱们肯定能成为一个战壕里的战友。既然成了朋友，你的事情我就不能不管。不管，我心里也窝得难受。

章得中急忙起身再敬酒，然后讨好附和说，从今往后，你就是我的大哥，我的事，你当然得管，还要管好。

牛满田知道章得中没理解他的意思，但他正好顺着继续往下说。牛满田喝干敬酒，说，我首先要替你撑腰的，就是秋和祥欺负你给你戴绿帽子的事，这件事不管，连我心里都堵得难受。

章得中红了脸急忙说这件事就不用管了，这件事，我们已经私下处理好了。

牛满田问怎么处理的。章得中无法回答，因为这件事老婆再不许他提，女儿也再不许他说，就只能捂烂在心里。

牛满田给章得中倒一杯酒，说，我知道你心里难受，也知道你是哑巴吃黄连有苦说不出，更知道你孤单一人怕斗不过他们。这回有我撑腰，你不用怕，你明天就去法庭告他，我明天就开大会批他。一告一批，他秋和祥即使不坐牢，也臭得没脸再待在村里。

这可不行，章得中有点急了，这件事不光是老婆和女儿不让他闹，他也仔细算计过了。如果闹下去，不仅老婆会离他而去，女儿和儿子，也都真的不是他的了。这绝对不行！不管儿女是不是他的种，他苦熬了这大半辈子，就熬出这一个老婆和一双儿女。如果一下都没有了，他还有什么活头？牛满田却笑着说，说你聪明，你有时也真是糊涂。你不想想，儿女都是你养大抱大的，都喊了你十几年的爹，感情多深你当然清楚，就凭一句话，他们能不认你这个爹？如果不信，你让章叶叫秋和祥一声爹，看她叫不叫，她能叫得出来算她的本事。儿女没事，老婆就更没事。玉兰已经过了风流的年龄，眼看要让儿女养老了，她能扔下儿女丈夫跑掉？你打了让她走，她也不会走的。

章得中还是觉得不行。现在日子已经安稳，那口恶气也能咽下，何必再找麻烦。章得中连连摇头说算了，和为贵。牛满田说，我也知道和为贵，我也是为了和。我早就为你想好了，只有彻底整倒秋和祥，让他痛哭流涕跪在你面前给你认错，那时，才有真正的和。要不然，他一直骑在你的头上，一直和你的老婆勾勾搭搭，你怎么和。

话是对的，可整倒秋和祥也没那么容易。但章得中相信牛满田，甚至有点崇拜牛满田。他知道牛满田有多大的力量，只要牛满田要整的人，没有整不倒的；只要牛满田想干的事，没有干不成的。真的整倒了秋和祥，秋和祥真的跪在他面前道歉，那时，他才算出了一口气，才能说真正活了一回男人，活得像个男人。但他只同意在村里整治秋和祥，不去法庭告，更不把秋和祥送进监狱。如果把秋和祥送进监狱，不仅他的良心不安，玉兰也要和他拼命。

牛满田摇头说章得中不懂法。牛满田说，他们的事是通奸，通奸是双方自愿的，不犯法。但通奸违犯道德，法院可以叫他赔钱，赔一双儿女的抚养费。我问过律师了，律师说这种情况，秋和祥至少得赔你十五六万。你得到那么多的钱，也灭了秋和祥的威风，这么好的事，你再到哪里找？秋和祥的威风一灭，玉兰也不会再爱他。退一万步说，即使玉兰再闹，你也不必再怕她。你想想，你当了会计，又得到了那么多钱，这时，你有了权力有了身份有了金钱，那时的你就不是现在的你，你还怕她什么？如果她再闹，你就真的把她赶走，然后公开再娶，大姑娘小寡妇，想娶谁都能办到。

章得中的心还真有点痒痒的。如果真的有钱有势，再娶一个还真不难。村里的二香才三十出头，去年丈夫出车祸死了，二香就领着一个女儿回到了娘家，全家整天张罗着帮她嫁人。二香长得也很好看，年龄要比玉兰小十一二岁。有钱有势的男人就是皇帝，八十岁的老汉都能娶十八岁的少女。如果玉兰再闹，就真的离婚再娶一个。好吧，看来不听话也不行，那就听牛满田的。章得中还是点头答应了。

牛满田连敬三杯酒，说，一言为定，你就等着享受荣华富贵吧。

丁一二始终一声不响听着，但他的精神却高度紧张。他清楚，一场斗争的序幕已经拉开，这场斗争不仅仅是牛满田和秋和祥的斗争，而是整个西川村的斗争，斗争的结果，将决定全村未来的发展和命运。不知为什么，他从心眼儿里希望秋和祥能够赢得胜利，这不是因为私人的感情，也不是因为秋和祥是章叶的生父，他相信，如果秋和祥当村领导，村里的面貌肯定能有一个大的改观。现在牛满田全面反攻，而且政治围攻和人身打击双管齐下。特别是拉拢章得中并起诉秋和祥，这一招确实够狠的，他真担心秋和祥会吃亏。他觉得应该把这件事尽快告诉秋和祥，让他有所准备，或者让何玉兰阻止章得中，或者自己在章得中身上下点功夫，把牛满田的进攻瓦解掉。看看牛满田和章得中喝得正起劲，丝毫没有结束的意思，丁一二都有点急了。

章得中终于喝醉了，先是话多，抱着牛满田的膀子胡说乱巴结。这样的场面让丁一二难堪得抬不起头来，他不由得想，怪不得何玉兰要偷情，嫁这样没出息没主意没骨气的男人，不偷情才是傻瓜。好在章得中很快就又吐又哭坐立不稳。牛满田起身躲开章得中，边擦溅在裤子上的秽物边笑着说，没血性的男人喝酒都不行，这才喝了几杯就醉了。然后对丁一二说，趁他还没尿裤子，你赶快把他扶回去。

好歹也是个大学生村干部，大白天扶着一个醉汉招摇过市，别人不笑话，他也没这个脸皮。再说有不少人已经知道他和章叶谈恋爱，让人看到，还以为他在巴结老丈人。丁一二不高兴地说，他醉成这样怎么能扶回去，还是让他在这儿睡一觉，睡醒了再说。

牛满田说，那就交给你了，你看着办吧。说完出了饭馆。

八

牛满田呆呆地坐在办公室里，感觉自己从来没像今天这样渺小，这样孤独无助。想当年，那时虽然自己只是个民兵连长，但权力已经够用，别说谁干了坏事他二话不说就可以把他抓起来，即使没干坏事，他也可以找个借口审审问问。可今天，秋和祥欺男霸女，干出如此大逆不道的坏事，他堂堂一村之长，竟然对他奈何不得。奈何不得也罢了，秋和祥竟然敢在大会上破口大骂。其实，一开始牛满田是温和的，他要用温和的形式，让人民群众逐渐认识秋和祥的罪恶，然后逐渐批判秋和祥的罪恶，就像过去历次的政治运动，先办学习班让你自己认识错误，检讨错误，待你认错了，检讨了，然后再批你斗你，彻底把你打倒。因此，在晚上的村干部会上，他提出帮助教育秋和祥，大家都没意见一致通过。上午召开村民大会来参加会议的人不少，但哪里也找不到秋和祥，秋和祥的手机也关机了，他知道会议内容泄露了。他只好先让章得中在大会上诉苦。但章得中并没有痛哭流涕，只是低着头像蚊子一样说了几句。他只好一个人在大会上讲。可他刚讲了一半，不知躲藏在哪里偷听的秋和祥突然冒了出来，然后站在那里和他对着吵，和他对着骂。面对这样的局面，他手里不但没有民兵，连其他村干部，也都哑口无言，没有一个人站出来替他说话，帮他解围。牛满田禁不住仰天长叹，他知道，对付秋和祥，除了让章得中到法院起诉，已经没有别的办法。让乡里出面也不可能，现在是法治社会，乡里也不会管这种事，这些事只有执法部门去管。

按通知的时间，下午秋和祥就要请客，要阻止秋和祥请客也不可能，唯一能办到的，就是打电话通知村干部不能去，党员也不能去。他还可以在村里走走，到那些德高望重有头脸的人家坐坐，劝他们也别去。领导和有头脸的村民不去，秋和祥请客就失去了一半的风采，也失去了大半的意义。

但要派一个人去赴宴，去看看他们说什么，做什么。这个任务交给丁一二最好。牛满田把丁一二叫来，详细布置了任务，说，你去了只管吃，只管听，什么也别说，回来向我汇报就行了。

秋和祥也特意请了丁一二，去不去，怎么去，去了怎么向牛满田解释，刚才丁一二还在犯难，没想到牛满田让他去。这下好了，他可以堂堂正正地去。至于回来怎么向牛满田汇报，他觉得完全可以实话实说，因为在那么多人面前说的话，就是公开要说的话，就没有什么秘密可言。

通知上只写明时间是下午，十二点一过，就可以算作下午。丁一二也没吃中午饭，等到一点，丁一二便起身往秋和祥家赶。

秋家的羊肉已经炖到了锅里，肉香已经飘满了院子，而且丁一二来得也不算早，已经有十几个村民坐在屋里抽烟喝茶。因为人多，秋家在院子里摆了一溜三排长桌和条凳。按风俗，这样的场合，来赴宴的都是家长，而且是能喝酒的壮年汉子。不能喝酒的老弱和妇女，是不凑这个热闹的。西川村有三百多户人家，有喝酒汉子的人家差不多有二百，除去不愿意来的，丁一二估计，今天的宴会应该有一百六七十人。好在秋家的院子很大，丁一二觉得二三百人都坐在院子里，也没一点问题。

羊肉炖熟，该来的人也来了，和丁一二估计的差不多，就是一百五六十人。吃肉前，秋和祥举杯要敬大家三杯，三杯酒后，秋和祥又要说几句话。他首先感谢大家，然后直接将话题转到村里的林场上。秋和祥开门见山，说这些年卖了那么多的树，大家没见到一分钱，这样窝心的事，大家再不能沉默不管了。然后他提出承包林场，而且每年的承包费不下三十万。而且这三十万都将分到大家的手里。这样美好而具有极大诱惑的话，如同在滚油锅里倒了水，立即炸开了锅。秋和祥要的就是这个效果，他及时加以引导。秋和祥仍然用每年卖十亩林种十亩林二十年一轮回的理论，给大家算怎么挣回承包费，然后再说在林场可以养多少羊种多少经济作物。这样一算，大家茅塞顿开，仿佛发现了一颗埋藏在土里的金元宝，也仿佛自己的金元宝却被牛满田白白地占了几十年。大家激动，大家谩骂，同时一个问题也摆在了大家的面前，那就是如何才能实现承包，如何才能将这金元宝抱到手。事情很明显：只有推翻牛满田，至少要逼牛满田这样做。待大家争吵得差不多了，秋和祥及时提出他当村主任。秋和祥承诺，他当了村主任，不仅能够兑现每年分三十万，还可以办一个砖瓦厂，用几年时间，让大家都和他一样，住上小洋楼，开上拖拉机。这样的好事，大家当然求之不得，立即有人表态，今年选举，一定要选秋和祥当村主任。大家立即跟着附和坚决拥护。这样的激情场面，丁一二只在那些农民起义的故事片里见过。他不得不感慨秋和祥的聪明和谋略，这样的人当村领导，村子会发生什么变化呢？

秋和祥再举杯敬大家三杯酒，然后说，好事要实现，还得靠大家，而且要靠大家一步一步地来实现。当大家表示怎么办听他的时，秋和祥说，我考虑过了，首先咱们实现第一步，那就是到乡里去请愿，要求乡里出面把林场承包掉，同时也要求乡里清查村里的账目，罢免牛满田，然后提前选举村主任。这个主意，也立即得到了大家的一致赞同，甚至有人摩拳擦掌说吃完就到乡里去。秋和祥说今天太晚了，于是便决定明天一早就到乡里去请愿。

事情闹到了这个火候，丁一二虽然感到有点过火，但他相信村民们都会去请愿，都会去闹，而且会闹得很开心，就像上个月闹着要变压器一样。那次村里的变压器烧坏了，如果买一台，每家都得掏一大笔钱。于是有人提出到供电局去闹，要他们给弄一台新的。这样无理的要求，连村民自己心里都发虚，只是试试而已。但几百村民坐在门口堵死供电局的大门时，供电局竟然答应了。虽然没给买新的，但也给拉来一台能用的旧变压器。这一次，丁一二想，结果会让村民满意吗？

问题是怎么向牛满田汇报。如果把明天去乡里请愿的事汇报给牛满田，牛满田就会想办法提前阻止，或者采取什么预防手段。但如果这样关键的事不汇报，事后牛满田肯定不会轻饶他。为难一阵，丁一二突然想到喝酒。喝醉了，喝倒了，自然就拖到了明天。到明天，他就可以公开向他汇报了。

丁一二开始主动喝酒，当然，他也是今天唯一的村干部，也是外乡来的客人，见他主动喝，人们便轮番给他敬酒。不一会儿，丁一二便头重脚轻坐立不稳。他想再喝一杯彻底喝醉，但端起的酒杯却掉在了地上。

秋和祥将丁一二扶到二楼卧室，要丁一二好好睡一觉。但丁一二感觉他并没有醉，而且脑子也不糊涂，甚至比平时更清醒。他坚持不睡，而且也不让秋和祥走，他要和他说说心里的话。他抓住秋和祥的手死死不放。秋和祥只好问他什么事。要说时，丁一二突然想哭，而且想扑在秋和祥的怀里哭。扑到他怀里，丁一二一下哭出了声。还不等秋和祥问怎么了，丁一二就哭着说，章叶我是不要了，也不能要了，不要脸的破鞋女人，白送我，我也不要了。

秋和祥虎了脸说，年轻轻的，酒风不好，喝这么点就没轻没重由嘴胡说，将来还干什么大事！

丁一二抹把眼泪，忍住哭无比痛心地说，秋叔，不是我胡说，章叶真的不是处女，我心里难受，她已经和人睡过觉了。

简直是胡闹！但细想，秋和祥也愣了，感觉这已经不是醉话。凭什么说不是处女。秋和祥生气地把丁一二推开，说，你胡说什么，喝几杯酒，嘴上就没了把门的，这种事怎么敢胡说。

丁一二争辩说，章叶真的不是处女，她已经和秋文保睡过觉了。

什么?！秋和祥急问你怎么知道。丁一二说，是章叶告诉我的。

看来事情不会有假，真的是造孽，但这一切的罪孽都是他造成的。秋和祥打自己一个嘴巴。章叶出生后过满月，也是他第一次见章叶，只看一眼，他心里就一惊，感觉这孩子就是自己的孩子。虽然眉眼还没长开，但凭第一眼的直觉，凭那个大轮廓，凭一种说不清的东西，他真切地感觉这孩子就像他们家的人，就是他们家的人。也许正是这个原因，他一直特别喜欢章叶，心里一直把章叶当女儿看待。得知章叶和文保谈恋爱，他就立即让丁一二插进去，但还是晚了。秋和祥痛苦地在心里责骂一阵自己，又开始怨儿子和章叶。现在的年轻人，怎么刚谈恋爱就上床了？见丁一二哭得更加痛心，秋和祥坐下来，给丁一二擦干眼泪，说，你也不用伤心，其实也没什么大不了的，男人要女人的主要是心，只要她的心是你的，她的一切就都是你的。只要她是你的，是不是处女就没什么关系。再说，处女也不是挂起来让人看的，你说她是处女，她就是处女，你不说她不是处女，谁也不会知道她不是处女。

丁一二摇了头又哭，说他心里就是难受。秋和祥清楚，年轻人就是这样，只要有爱在，难受一阵也就好了，而且现在越难受，说明他们爱得越深，如果不难受，那可就真的完了。秋和祥心里宽松了许多。秋和祥俯身哄着让丁一二睡觉，说他还得下去招呼乡亲。待丁一二平静一点后，秋和祥急忙转身往外走。

一觉醒来，屋子里白晃晃地耀眼，丁一二急忙看表，已经是第二天早上八点多了。丁一二急忙翻身坐起，才感觉头疼得厉害。但他心里还是高兴，现在回去，正好给牛满田汇报。

感觉村里静悄悄的，如果村民们去乡里请愿，估计已经出发了。丁一二出了门，感觉自己太清醒了，根本不像喝醉过。下到一楼，只有秋和祥老婆一个人在家。丁一二觉得应该再喝点酒，让秋和祥老婆找来酒后，丁一二又猛喝几口，才急忙往村委会赶。

牛满田如热锅上的蚂蚁正在地上乱转，见丁一二进来，劈头就问干什么去了，电话也打不通。丁一二低着头一脸诚恳，说自己喝醉了。然后解释说村民太热情，每人敬了一杯酒。牛满田不再理丁一二。昨晚丁一二不来汇报，手机又不通，牛满田只好问村民牛小四。牛小四不仅老实，这一阵正求村里批宅基地盖房。牛小四果然把什么都说了，但牛满田却想不出一个完美的对策，更没法阻止村民去请愿，他只能给乡领导打电话汇报，请示该怎么处理。乡领导也没有更好的办法，只能等村民来了再说。牛满田估计，乡里很可能会答应承包林场，因为最近上面也有这方面的政策。让牛满田想不通的是，当了几十年干部，自以为已经经验丰富驾轻就熟，领导一个村子得心应手，没想到却突然出了这样翻天覆地的事情。他估计，请愿的人已经到了乡里，不知乡里如何应对，村民们去了多少，闹成了什么样子？见丁一二仍然痛心疾首样站在那里，牛满田说，你去一趟乡里，看看他们在干什么，然后随时给我打电话。

村里有公用自行车。骑自行车出了村，丁一二一路急行，看到乡政府时他才突然考虑到自己以什么身份出现？不少乡领导是认识他的，如果混在村民中，那就是一起来闹事。这不行，他的身份也不允许，如果以干部的身份劝说大家，村民们又不答应。他决定先在外面看一看，等闹得差不多了再进去，然后见风使舵。

在外面蹲了一阵，丁一二正准备进乡政府的大门，村民们却一窝蜂说笑着拥了出来。

看村民的脸色，当然是胜利了。这么快就胜利，丁一二始料不及。见秋和祥也在人群中，急忙上前问怎么样了。秋和祥得意地说，还能怎么样，全答应了，乡里领导全出面了，而且还在会议室开了个会，会上书记乡长说我们的要求是合理的，全力支持我们，答应林场立即着手公开竞标承包，村干部选举的事，也按程序加紧准备。

事情竟这么简单，简单得让人有些失望。丁一二说他还有点事，让秋和祥先走。待秋和祥走远，丁一二掏出手机，给牛满田打电话汇报。

打完电话，牛满田也没什么新指示。丁一二决定到乡医院去坐坐。那天乡卫生院的王菲来村里搞环检，他就觉得她真是聪明可爱，而且对他似乎也有好感。这两天他就止不住想，既然和章叶闹翻了，那就干脆到王菲那里试试，如果能成，王菲当然比章叶更好，不仅大学毕业有正式工作，长得也不比章叶差，虽然瘦小，但小巧可爱，特别是那双大而黑的眼睛，机灵得仿佛能说出话来。

还好，王菲就在医院值班。

来看病的人也不多，丁一二打招呼后在王菲对面桌前坐下，然后东拉西扯问候一些事情，但王菲的兴致好像并不高。也不知她是天生文静内向还是他并不能引起她的兴趣。丁一二觉得没关系，好感是凭才能建立起来的，来时他就想好了，今天来，要尽量风趣幽默一点，都是年轻人，油嘴滑舌一点更好，甚至再带点死皮赖脸。但他一连开了几个玩笑，也没调动起她的积极性。正在他失望着急的时候，王菲却问他有什么事，是不是病了。丁一二的热情一下降到了冰点。王菲这里是妇产科，好在今天没人来刮宫的。丁一二只好说，今天我想请你吃饭。

王菲很好看地微笑一下，说，请我吃饭干什么，是不是老婆要生了请我接生。

丁一二知道王菲在和他开玩笑，她知道他没结婚也没对象，再说，有对象就不会来她这里泡着！一不做二不休，都什么年代了，干脆今天就直说。但真要直说时，丁一二还是涨红了脸，而且声音也有点发抖。丁一二说我特别喜欢你，晚上都睡不着觉。

王菲也红一下脸，然后说，睡不着我给你开点安眠药，但要我嫁你，肯定办不到，因为我分到乡下已经够倒霉的了，再嫁一个村干部，那就彻底变成农民了，我好歹也上了一场大学。

满腔的血一下涌了出来，羞辱愤怒使丁一二恨不能钻到地下。出了医院的大门，羞辱愤怒又变成了悲伤和痛恨。他为自己悲哀，在人家眼里，他就是一个农民，就是一个最底层的人。悲哀让丁一二心里隐隐作疼。来当村官时，他是高兴的，甚至是自豪的，是怀着一种锻炼的心情下来的，因为并不是谁想当村官就能当上，必须是优秀的大专以上的毕业生才有资格报名。据说全市报名的有六百多人，经过市委组织部的考试和考察，才选出了五十名。能成为十几分之一，也够骄傲的了，想不到竟然被人家如此小看。

愤怒压制不住地升腾，现在细想，王菲的眼神，始终就是那种居高临下的眼神，也是那种不屑一顾的眼神，所说的话，也不是玩笑，而是一种嘲弄和奚落。妈的，牛皮什么，二十年后我要让你看看，即使当不了县长，也要混出个人模狗样让你后悔一场。

但丁一二还是浑身无力，浑身虚弱得蹬不动自行车，在一棵大树下坐了，心里又悲哀得想哭。悲伤一阵，他开始责骂自己，真的是癞蛤蟆想吃天鹅肉。按你现在的情况，无权无势无钱，章叶能嫁你就不错了，你还朝三暮四想干什么。丁一二长叹一口气，想，回去还是给章叶道个歉，然后和好算了。

九

秋和祥虽然告诉过何玉兰章得中要打官司，而且说过这消息是丁一二说的，千真万确，但她还是半信半疑。她不相信章得中有那胆量，这么些年，她太了解他了。但她也不是没做预防，她再一次明确告诉章得中，如果再闹再提，就彻底散伙。想不到他还真的起诉了。章得中没有发疯，也没有精神不正常的迹象，吃喝拉撒干家务收庄稼，一切都平常如往日。愤怒吃惊过后，何玉兰才感到问题真的严重了。这些天，章得中很少待在家里，而且对她也躲躲闪闪。看来，章得中是真的不想过日子了，真的不想要这个家了。

何玉兰浑身冰凉，仿佛空得一无所有。不行，她得问问他，为什么要起诉，起诉了要干什么？

等到章得中回来，何玉兰将法院的传票拍在章得中的脸上，问他为什么？章得中躲开她逼人的眼光，说，不为什么，就是咽不下那口气，就是要秋和祥赔我的损失。

这个不要脸的东西！何玉兰真不知该怎么办，但她的心突然死了，已经没了要闹下去的心情。已经起诉了，再说什么也没了必要，那就只有分手离婚了。何玉兰腾开一间房子，将章得中所有的东西都搬到里面，也不给他做饭，更不让他吃饭。

这样的局面章叶更是反响强烈，她大哭一场，说原以为她有父有母，父母就是现在的父母，如今，她的父母都没有了，她再也不认这个父母，扬言从今以后和这个家庭断绝一切关系。第二天，章叶就住到了理发店再不回来。

痛苦虽然痛苦，但已经这样了，只能坚持下去。章得中决定离开这个家，住到村委会计办公室去，离开了，也许痛苦会轻一点。昨天已经和老会计办理了交接手续，他已经是西川村的会计了。

但住到会计室，他更无法清静，孤独寂寞让他难耐，牛满田的一次次逼迫更让他无法忍受。牛满田要他到乡里去告去闹，把秋和祥彻底搞臭。到法庭起诉了秋和祥，他已有点后悔，再到乡里闹，不仅会彻底失去女儿和儿子，女儿和儿子也没脸再去见人，但不去闹牛满田又不饶。想来想去，还是觉得躲一躲为好，就说生病了，到外面躲几天再说。

还没想好躲到哪里，牛满田又来到会计室。

牛满田心情沉重地坐下来，他觉得事情还得抓紧，不抓紧，很可能就要满盘皆输。这些天，许多事情都让他无可奈何，心里时时有种大厦将倾大势已尽的感觉。林场拍卖，乡里已经同意，谁也无法阻挡。从内心讲，他想购买这片林子，让这片林子仍然能够归他支配。和儿子协商，儿子并不支持。儿子有儿子的想法，说那片林子有许多是歪倒扭曲小老枝杈，成型成材的好树并不多，而且好树这些年也差不多已经伐完。秋和祥已经放风，要每年交三十万承包费。如果真是三十万，每年能伐的树根本卖不出这么多的钱，只能靠多种经营来弥补。儿子不支持，自己已经是快六十岁的人了，承包五十年，他当然不可能再活五十年。儿孙有儿孙的活法，他也不想强求，但他打心眼里不想让秋和祥得到林场，更不能让他便宜包去。他希望到时竞争购买的人多一点，竞价更高一点。他已经和乡里协商过了，他提出了一些具体条件：一条是保底价，如果竞价低于年三十万，林场就不包，仍然归村里管理；另一条是承包金要先付，竞包成功，三天内就要一次交清三十万，以后满一年，就要交清下一年的。这样做的目的，除了保证村里能够得到钱，主要还是为了限制秋和祥。按他的估计，秋和祥一次拿出三十万，还是有点难度。如果拿不出，林场很可能还是村里的。另一方面，他也去找了乡法庭的老刘，老刘说像章得中这样的情况，可以得到民事赔偿，可以让秋和祥支付一女一儿的抚养费。初步算算，这笔抚养费至少也得十几万元。如果先判决秋和祥拿出十几万抚养费，秋和祥就更没能力来承包林场了。现在问题的关键还是章得中，这家伙这两天已经有动摇的迹象，如果章得中动摇了，撤诉或者少要抚养费，事情就有很大的麻烦。牛满田递一支烟给章得中，说，法庭的事我又为你跑了，也和刘庭长大概算了一下你能得到的抚养费，算出的结果是至少十六万。有这笔钱，你吃香的喝辣的，下辈子也花不完，别说娶一个老婆，再娶一个大姑娘也够了。

章得中并没表现出高兴，而是叹一口气，说，我问过了，如果要了抚养费，我就得承认女儿和儿子都是秋和祥的，而且从法律上说，女儿和儿子也成了秋和祥的了。这不行，我舍不得女儿和儿子，女儿和儿子就是我心头的肉。

牛满田嗨一声，说，你也真是糊涂了，什么法律上的儿子，儿子就是儿子，女儿就是女儿，女儿儿子都叫你爹，都和你亲，法律上能管得了，秋和祥能管得了？现在女儿儿子都和你一心，你要了这一大笔钱，再把钱分给女儿和儿子，他们能不高兴？他们高兴了，自然就更亲你这个爹。这么一来，你得了钱财得了儿女也出了恶气，一箭三雕的好事，你再到哪里去找！

可事情并没有这么美好，女儿已经不认他这个爹了，儿子在电话里也骂他糊涂不要脸，章得中只能叹息摇头。

牛满田说，成家的事，我已经给你相中了一个，就是老于家的二香。如果你同意，我明天就去给你提亲。

提到二香，章得中心里又有点痒痒。二香那么年轻漂亮，如果真能得到，也不枉活了一场，也算老天有眼给他的补偿。再说，事情已经这样了，已经家破人亡了，干脆一不做二不休，娶个年轻老婆，好好享受享受。章得中说，我是你一手提拔起来的，你说怎么办就怎么办，我的事就交给你了，你和刘庭长熟，你也往庭长那里多跑跑，说说我抚养两个儿女不容易，至少得判二十万。如果到时多判决了钱，我也不会亏待你。

果然有点财迷心窍，牛满田感觉满意。但问题的关键还是竞选村主任。如果大权在手，即使秋和祥承包到林场，他也有办法整治他，他毕竟是他手下的村民。但如果大权落在秋和祥的手里，即使秋和祥今天承包不到林场，明天也会承包到，而且会有比承包林场更好的事等待着人家。不从政治上整倒秋和祥，西川村就不会太平，西川村就会成为秋和祥的天下。牛满田清楚，章得中只到乡里告状不行，一般的闹也不行，必须得大闹，闹得让乡里知道秋和祥道德有多么败坏，闹得在村主任选举时，乡人大在政治上审查资格时就通不过。如果秋和祥道德败坏没有资格参加村主任竞选，那么西川村当然就又是他的天下了。牛满田再给章得中扔一支烟。然后一脸担忧地说，论你我的关系，恨不得把所有的好事都给你，让你当会计，我就费了九牛二虎的力气。先是其他村干部不同意你当，我反复做工作，人家才勉强同意。然后是老会计不同意退休，怎么也要再干几年。没办法，我只好答应一次性给他一万块的退休金。但现在的问题很麻烦，秋和祥在下面拼命地活动，要当村主任，如果他当了村主任，你别说当会计，他不整死你才怪，到时，恐怕你在村里都很难待下去了。

这事章得中也担心过，现在，他和秋和祥不仅仅是情敌，而且成了不共戴天的仇人，如果秋和祥当了村主任，就绝对饶不了他。看来，也只有听牛满田的，把秋和祥彻底整倒制服。章得中讨好地说，你当了几十年的领导，威信高，能力强，有你在，他就不可能当上村主任。

牛满田摇头表示否定，然后说，明天你去乡里，把每个乡领导都找一遍，进了门就哭，就闹，让每个乡领导都知道秋和祥的罪恶。要记住，控诉秋和祥时，一定要有感情，一定要痛哭流涕痛不欲生，然后再告诉他们，如果乡里不处理不解决，你就到县里闹，到市里闹。

章得中点头答应，但心里想，我去了，哭不哭你又不知道，我才不那么没皮没脸的。

牛满田再交代一些细节，直到章得中一遍遍说记清了，才满意地回到自己的办公室。

坐到办公桌前，才想起今天忘了熬罐罐茶。起身插上小电炉，又没有熬煮的心情。他清楚，这些年村民对他确实有点意见，不少人表面对他点头哈腰恭恭敬敬，其实心里却对他不满。不满的关键原因，还是这些年没给村里实实在在办成一些好事。这应该是他工作中最大的失误。现在他要卖树办一个大型砖厂，秋和祥就提出承包林场然后给大家分钱。办厂和分钱，村民肯定愿意分钱，秋和祥又占了上风。如果能不卖树靠招商引资办一个砖厂，村民们肯定会再次相信他的能力。再说，村前那个黄土岗，就是一大堆财富，不利用，也确实可惜，但招商引资也不容易。牛满田想到广告，又突然想到网络。上次开会乡领导说，如果有什么农产品需要出售或者要发布什么消息，可以到乡里来上网，而且说上网很神奇，想要什么就有什么。上网他不懂，但丁一二可能懂。牛满田将丁一二叫到办公室，说了上网办砖厂。丁一二立即说可以，这事很简单，到乡里一会儿就可以把信息发布到网上。得知上网并不花钱时，牛满田更是一脑子疑惑，他原以为最少也得花一两千呢。这样神奇的东西，牛满田更加觉得不可思议，当然，有没有那么神奇，能不能办成事，他还是充满了怀疑。

牛满田要丁一二立即去。丁一二也想去趟乡里。那天闹僵后，他没找过章叶，章叶也没找过他，他还是想她的，而且时时希望她能够突然出现。现在章叶又和家里闹翻住在理发店不回，来找他和好的可能性更是微乎其微。秋和祥说得对，娶女人，就是娶心，只要心是你的，处女不处女又有什么关系。临出门，丁一二觉得应见见章得中。他毕竟是章叶的父亲，看看他有什么话要对章叶说。

章得中说他也想去，要和丁一二一起去看章叶。这让丁一二没有想到。一起去碍事，许多话就不能对章叶说。这次去，丁一二想好了是要道歉的，是要和解是要请她原谅的。丁一二甚至想好了和解后的情景，那就是两人紧紧地抱在一起然后泪流满面。再说一起去，章叶还以为是父亲逼他来的呢。丁一二为难一阵，然后说他先去看看，劝劝章叶，如果能把章叶劝回来更好，劝不回来，你再去不迟。

章得中在地上走几步，突然一下老泪纵横，用衣衫擦一阵眼泪，然后哽咽着说，我从小就特别地疼她，小时她脚烫伤了，我整天就把她背在背上，背她去医院，背她到地里玩耍。这还不算，为了他们生活得好一点，我起早贪黑，想办法拼命往好过日子，我吃的苦比村里谁都多，日子过得也比一般人家好，他们两个生下来，吃的穿的也比别人家的孩子好。

丁一二也听人说过，说村里最爱财最能吃苦的人就是章得中。章得中白天不停地在地里干，晚上回来还要去放羊，农忙时一天只睡四五个小时。章得中的遭遇确实让人同情。丁一二只能安慰说章叶会回来的。章得中摇着头又泪流满面地说，不会回来了，这回我把她伤得太厉害了，她再也不会认我这个爹了，这么多天她不仅没回来过一次，我给她打电话，她一听是我，就挂断了。

临走时，章得中又拉着丁一二的手，说章叶真的是个好闺女，要他这次去，无论如何也要多给章叶说点好话，无论如何也不要和章叶散伙。如果和章叶吹了，是对章叶更大的打击，他怕章叶承受不了。丁一二也是这样想的，丁一二满腔真诚地点头答应。

到了乡里，已经快到中午，估计章叶也快要做饭了，如果顺利和好，两人便可以恩恩爱爱做饭吃饭了。丁一二特别想立即见到章叶。

章叶正在给一个女孩染发。看他一眼，章叶也没表现出特别的表情，既不吃惊，也不生气，好像并不认识他，仍然专心往女孩头上抹染发水。丁一二也不好开口说什么，只好在椅子上坐下。坐一阵，章叶仍然不理他，丁一二决定就这么坐下去，等女孩走了，看你开口不开口，如果不开口，我再说话。

终于给女孩弄好了，送走女孩，章叶背对着丁一二，把他当一般顾客，说，你是理发还是染发。

不知为什么，本来要先服软认错的丁一二竟无法先服软，冷冷地说什么也不干。章叶说，什么也不干你就坐着，我也不收你的钱。

丁一二突然想让她也给他服务服务，说，我要洗头。

章叶说坐过来，丁一二便坐到了洗发池前。当章叶柔软的双手在他的头上揉搓时，丁一二一下浑身都软化了。他想伸出手把她搂在怀里，但转身刚伸手揽住她的腰，她立即说别动，然后说，我身上很脏，别把你干净的手弄脏了。

洗完头，章叶又给他修整吹干。丁一二判断，章叶还是爱他的，丁一二开始向她道歉。章叶只是静静地听着。一直等他说完，她才说，你可要想好了，我不是处女，也无法弥补，如果结了婚你再后悔，后悔药的成本可就太高了。

丁一二说不后悔。章叶问为什么，丁一二说是不是处女没关系。章叶说，怎么没关系，没关系你那天怎么气成了那个样子，没关系你怎么这么多天没来。我现在给你说清，婚姻的事不能有半点勉强，并且不能有半点疙瘩，如果现在心里有疙瘩，将来疙瘩就会长成炸弹，谁都不会有幸福。你如果还没想清楚，你现在就回去再想想，想清楚了你再做决定。

这女子，聪明得让人叹服，虽没上大学，但思考问题的水平绝不比大学老师差。这事他已经完全考虑好了。丁一二说，处女的事，以后不要再提，就当不知道这回事。

章叶又问为什么，为什么会不再提，如果闹了别扭，会不会再提。丁一二摇了头说不。章叶仍然问为什么，丁一二说，我想通了，找爱人找的是心，只要心在一起，别的什么都不重要。

章叶的眼睛一下亮了，然后突然哭了，而且哭得不可遏止。章叶捂着脸跑回了里屋。

丁一二拿着毛巾也来到了里屋。

章叶趴在被子上哭，而且哭得特别伤心，肩膀抽动得几乎上气不接下气。看来这件事给她的压力和委屈比他还大。丁一二动情地扶起她，给她擦几下眼泪，见她不反抗，便将她彻底抱在了怀里。

章叶把整个脸埋在他怀里哭。哭一阵，她抬起头说，你也不问问我，我其实根本就没和他上床。他单独一个人住间宿舍，房子很宽敞，又是电工，电饭锅电炉子电炒锅什么都有。他让我到他那里做饭，我就去了。有天他突然就抱了我亲热，然后就把手伸到了下面。我拼命挣扎，他还是把手伸了进去。其实处女膜是被他的手掏破的。

不用说了。丁一二再次把她搂入怀里，说，这件事永远不要再提。章叶止了哭，但她仍然伏在他的怀里一动不动。他开始抚摸她，抚摸一阵，他的手转移到了她的胸部。她立即敏感地躲开，然后说，时间不早了，咱们还是做饭吧。

见丁一二仍然不愿罢手，又说，我想过了，不到结婚，咱们还是不要干那些事。

她还是不能忘记处女的事，也好，丁一二只好忍住强烈的愿望，起身准备做饭。

做饭时，丁一二觉得应该说说她父亲的事，说说她父亲是多么爱她。想不到刚开口，章叶立即不让他再说。章叶说，他爱的是钱，他已经公开向人家要抚养费，公开在法庭上说我不是他的女儿，我还怎么认他这个父亲。

说得确实也是。但章得中绝不是爱钱不爱女儿。丁一二决定好好劝劝章叶，一家人和和美美，毕竟是最美好的日子。丁一二再次说父亲如何爱她，强调说，如果父亲爱钱，那也是为了儿女，如果父亲不为儿女，他还要钱干什么。

章叶不再说什么，但又哭。看来这件事确实让她痛心。丁一二也不再说什么，默默地陪她流泪。哭一阵，章叶说，我简直没脸再见人了，人家见了我，都指指点点，你说我还怎么做人？

丁一二简直找不到什么话来安慰她。章叶说，我们结婚后，你就想办法在县城找间房子，把理发店搬到县城，远远地离开这个地方。

丁一二点头答应，心里边却在敲鼓。他不知到城里弄间理发店得多少钱，问题是他现在手里没有一分多余的钱，家里将来能给他的资助，也就是一两万块钱。

吃过饭，就不断有人来理发。看看表，已经快三点了。乡政府的人也上班了，得快点去上网发布信息。从理发店告别出来，丁一二特别轻松特别高兴，竟然骑着车走上了回村的路。走一阵，才突然想起要上网发布信息。丁一二又调转车头，再往乡镇赶。

乡里的网络由信息专干小吴管，小吴不在，去了哪里谁也说不清，丁一二只好等，直到快下班，小吴才回来。发布完信息，天已经黑尽，丁一二不想立即回去，他想再去章叶那里看看她，陪陪她。晚上只有她一个人，陪陪她应该是最好的选择。当然，秋文保也住在乡里不回家，而且仍然和家里断绝着关系。他会不会再找章叶的麻烦，这也是个问题，他得去看个究竟。

章叶正准备做饭。丁一二的到来，让她有点意外，她以为丁一二回去又来了。问他是不是有什么事？丁一二说，我想你了，来看看你，也想带你一起回家。

章叶站在那里低着头想一阵，问丁一二是谁让他来的。丁一二乘机说，是你妈让我来的，说你一个人住在这里她不放心，要我一定接你回去。

章叶又哭了，然后开始收拾东西。丁一二知道章叶要回去，这让他也十分高兴，无意中完成了一件大事，章叶妈肯定会感激他，肯定会夸他会处事。他帮章叶把东西装入包里，又帮她推出摩托车，然后两人一同上了回村的路。

十

章叶回来了，但女儿不许这个家里再闹，还要把章得中叫回来。何玉兰一下心乱如麻。如果不打算过下去，那就得离婚。这个年龄再离婚，怎么说都不是件好事。儿女竭力反对离婚不说，如果离了，这个家也就散了。如果不离婚，章得中又闹得上蹿下跳，让她无法忍受，让她无法不离。这一堆乱麻，何玉兰无法理清。她决定再和秋和祥商量一下，看他有什么主意。

女儿走后，何玉兰打通秋和祥的手机，秋和祥很快就来了。

其实秋和祥早就想劝何玉兰和章得中和好。他不可能和老婆离婚。他清楚，如果离了，他可以和何玉兰结合在一起，但两家的子女根本就没法弄到一起，尽管章叶和章伟都是他的骨血，但这两个孩子见了他就躲，好像他是他们的仇人。子女弄不到一起，后半辈子就不可能有什么幸福，不但没有幸福，老了没有人管，死了不能埋到一起，这样可怕的事摆在面前，想想都让人胆寒，还怎么再去离婚。还有，如果真离婚，章得中就会不顾一切闹下去，他也肯定得支付章得中抚养费。马上要拍卖林场承包权了，如果按三十万算，他很难凑够这笔钱。秋和祥详细讲了这些，见何玉兰也认同，便进一步说章得中的好。秋和祥说，按理，我这辈子最对不住的人，就是章得中，想到这些事，我心里就难受。

何玉兰哭了，而且哭得无法停止，秋和祥猜不透她心里想什么，是哭他还是哭章得中，是怨他还是怨章得中，但不管怎么样，得把事情平息下来，得过安静的日子。秋和祥提出他去找章得中谈谈，让他主动回来。何玉兰立即说，你不要去，你去了事情会更麻烦。

秋和祥说，让你去找他，我怕你心里委屈。

我也不去找他，何玉兰停顿一下，又说，先让丁一二和他说，丁一二这娃聪明有孝心，主动把章叶带回了家，还想让章得中也回到这个家。如果丁一二劝他不回来，那他就不打算回来了。

也好，让丁一二先试试也好，但秋和祥不想去村委会找丁一二，他怕碰到牛满田，不知为什么，他有点怕见牛满田。秋和祥掏出手机打通丁一二的手机，要他来章叶家一趟。丁一二没问什么事，但估计不会是坏事，挂了电话，立即就往章叶家走。

屋里只有秋和祥和何玉兰，两人面对面坐在沙发上，好像在等他，也好像在商谈什么。丁一二感觉很别扭。这个时候了，他们还这样，让他都看着不合适，更别说章得中了。丁一二想，他俩这样的感情，看来两个家庭迟早得破，章得中很难再回到这个家了。丁一二在凳子上坐下，秋和祥说，我和你婶刚才商量了，觉得还是把你叔请回来。我们觉得你去说最好，就说是你婶让你来的。具体怎么说，你比我们会说。如果他不回来，你就告诉他，如果不回来，你婶就走了，你婶要到城里姐姐家，去给外甥看家带孩子。

丁一二没想到是这样的事，他原以为秋和祥和何玉兰正在算计章得中呢。丁一二一时真有点糊涂，更不明白男女爱情究竟是什么东西？丁一二要走时，秋和祥却要丁一二吃了饭再走。秋和祥说，眼看到吃饭的时候了，我和你婶马上做饭，一会儿就熟了。

丁一二也要帮忙，何玉兰不让，要他坐了看电视。打开电视，丁一二却不由得往厨房里看，看着何玉兰和秋和祥忙碌而愉快的身影，丁一二心里又止不住感慨万千。人啊人，究竟是怎样一种动物，特别是人的心人的感情，复杂得真是很难说清。

吃过饭来到会计室，章得中正一个人擀面做中饭。丁一二以为要做面条，章得中说面条太麻烦，烙个薄皮饼，茶水就饼就行了。

可怜的章得中！但这样更好，可怜了，才想回家。章得中用的也是电炉子，丁一二也帮不上忙。呆坐着等章得中把饼烙熟，丁一二才说，刚才章叶妈把我叫去了。

章得中立即停了吃问叫去干什么。丁一二故意再停顿半天，才说，她要我来劝劝你，然后把你请回家。

章得中一脸吃惊，好像有点不敢相信，当确信是来请他时，他的眼睛一下闪亮起来。激动得在地上走一阵，又细问章叶妈是怎么说的。丁一二要章得中先吃饭，然后把编好的话细说了一遍。

章得中听着几次想哭，又努力忍住。丁一二能够感受到他心里的酸甜苦辣。章得中不再吃，也慢慢平静了下来。那天，他去过一趟二香的娘家，也见到了二香，但二香太年轻了，也太漂亮了，年轻漂亮得让他有点敬畏，有点不敢和自己放在一起比。那天是晚上，二香娘家的电灯也不明亮，但他还是感觉手足无措浑身冒汗，而且始终不敢正面看二香一眼。他是以会计的身份来发放粮食直补款的，但他只和二香的父亲说了几句话，就匆匆忙忙让签了字发了钱然后出了门。过后他又不死心，他又等待牛满田的消息。那天牛满田说过要给他介绍二香，而且打包票说没问题。牛满田毕竟面子大，说不定二香家看面子也不好拒绝，能给他一个真正接触二香的机会，但直到现在，牛满田也没给他一星半点的回答，也不知是没去说还是说了人家已经拒绝。也罢，一个和自己半斤八两的何玉兰都笼络不住，哪里还能驾驭得了一个小十多岁的少妇。

章得中问丁一二让他什么时候回去？丁一二说，最好现在就去，去了不要生气，有事好好商量，不管什么事，想通了，问题也就解决了。

章得中走后，丁一二心里却止不住猜测，不知结果怎么样，章得中能不能完全接受现实，能不能去法庭撤诉。如果不撤诉，何玉兰不可能和他和好，章叶也不答应。如果撤了诉，牛满田又会怎么样？

胡乱想一阵，丁一二拨通了章叶的电话。

那晚章叶回来后，又不再主动回家。丁一二曾经劝过，她坚持说不。丁一二能够感觉出，章叶除了嫌丢人不回去，更想逼迫母亲和父亲和好。丁一二说了她母亲让他请她父亲回去，章叶显然很高兴，声音一下高昂起来。章叶一连问了许多情况，丁一二如实地说了。章叶沉默一阵，说，你找个机会再给秋和祥说说，要他不要再和我妈来往。都几十岁的人了，还那个样子，自己不丢人，别人也没脸。再说，你也是男人，自己心爱的老婆不爱自己，心里是个什么滋味？

说得也是。丁一二以前也想说，但这话不该他说，他也没权说这些话。现在章叶让他说，他就可以原话传达，效果当然会更好。但秋和祥肯定会伤心，章叶毕竟是他的血脉。丁一二答应后，又觉得让秋和祥和何玉兰彻底断绝很难，甚至根本就做不到，因为他们毕竟爱得很深。章叶立即生气地说，什么爱得深不深，人总是有理智的，怎么能想干什么就干什么！

丁一二赞同地附和几句，然后说自己的事。丁一二说他很想她，章叶立即柔声说她也是。短暂沉默一阵后，丁一二说他想过去。章叶立即说太晚了不行，明天再来。丁一二觉得也是，说明天上午他就去，然后挂了电话。

第二天等到九点多没什么工作，丁一二便骑车往乡里赶。路上，丁一二接到一个电话。来电说他是隆胜砖瓦厂的厂长，因原来的砖瓦厂已经没土可挖不能再生产，他们想和西川村合作。

上网发布信息后，联系电话留了他的手机，这些天不断有人和他联系，但都是租地或者单独经营，牛满田都不同意。牛满田的意思是合作，至少是五五开，都有管理权，都有收益权。其实牛满田还有话没明说，但他已经猜到了，那就是办了砖瓦厂，牛满田得当领导，如果村主任丢了，他还有砖瓦厂的实职。丁一二在电话里初步谈了谈，隆胜砖瓦厂的条件想法完全符合牛满田的要求，这当然可以谈。对方提出面谈时，丁一二说他汇报一下，然后再回话。

丁一二站下想一阵，还是觉得先返回给牛满田汇报一下好。

牛满田也很是满意，这样的条件牛满田差不多能一口答应。丁一二再和对方联系，对方说他们今天就可以过来。

隆胜砖瓦厂就在县城的西南，离西川村也就是五六十里。牛满田说那个厂他知道，那个地方他也去过。砖瓦厂没土可挖，当然要寻找一个新地方。牛满田对合作成功充满了信心。他要丁一二立即准备一下，除了准备水果饭菜接待，还要立即召开村委干部会议，商量讨论出一个合作的大致方案。

砖瓦厂来了三个人。来人首先实地看了现场，对那片土山相当满意，其他自然条件，他们也相当满意。隆胜砖瓦厂原来是县里的集体企业，后来卖给了个人。隆胜砖瓦厂不能继续维持的主要原因，其实还是没法忍受当地村民的骚扰。砖瓦厂运煤运砖，进出都要经过三个自然村，这三个自然村都以砖车煤车压坏了村路为借口，整天向砖瓦厂要钱要补偿，如果不给或者少给，就把道路挖断，让砖瓦厂无法生产。这样的事让砖瓦厂忍无可忍，但当地的村民又无法得罪，他们什么都不怕，讲理也无处去讲，他们根本就不需要理由。西川村靠公路，不存在道路问题，但没有道路问题不等于没有其他问题。因此，这次和西川村合作，就要共担风险共享利益，把西川村套进来，成为真正的利益共同体，就不会再有什么麻烦了。这样的想法和西川村的想法不谋而合。

投资的方式，自然是村里出土地砖瓦厂出资金出技术。让牛满田高兴的是，砖瓦厂实力雄厚，有七辆载重大卡车，有一台挖掘机五台制砖机。砖坯入窑，也不用人背，而是由卷扬机皮带传送砖坯。基本是现代化的大型生产。砖瓦厂的老板叫张九条，张九条豪迈地说，不说别的，光这些车辆和机器，就值三百多万元。至于建窑的资金，村里说一分也没有，最后只好全部由张九条出。张九条说，我已经初步计划好了，背靠背一溜建十八座龙窑，要干，就大干一场。

大干当然好，而且是越大越好，黄土岗有的是黄土。牛满田估计一下，建十八座窑，至少也得投资七八十万。人家投入这么多，这回村里可是大赚了。他当村领导这么多年，应该说，如果弄成，就是他最得意的杰作。

关键是谁来当领导？按牛满田的意思，如果张九条当厂长，他就当经理。如果张九条当经理，他就当厂长。张九条说这样不行，厂长和经理，分不出个正副轻重，只是叫法不同。没有一个主导领导管理，工厂根本办不成功。牛满田只好做出让步，说他是党员，要不他来当书记，然后会计由村里来指派，而且书记管会计管财务。牛满田说，如果村里不掌握生产管理权，就得掌握会计财务权，要不然赚钱多少花费多少分红多少，村里怎么掌握？这样的想法张九条说可以理解，但一个指挥生产经营的厂长不掌握财权，又怎么指挥生产，生产经营又怎么运作？

双方平等合作，管理也就要平等，这是基本的东西。因为再想不出更好的办法，也只能接受这样的管理了。

谈好了合作的条件，大家都很高兴，接下来就是吃喝庆贺。因为张九条一行要回去，吃喝到晚上十点，宴会便结束了。

送走张九条一行，村干部们还意犹未尽。大家再坐回去继续吃喝。牛满田很高兴，便夸丁一二能干，聪明，不愧是大学生。说这次招商，基本是丁一二的功劳。有这样的评价，让丁一二有点意外。自从来到西川村，这是牛满田第一次肯定他，第一次表扬他，这样的表扬倒让丁一二心里有点发虚。他清楚，牛满田是不懂得网络，如果知道上网发布信息很简单，他花的时间还没有在章叶屋里花的时间多时，牛满田肯定不会表扬他。但牛满田给他敬过酒后，别的村干部也都要敬，而且一敬就是三杯。丁一二要推辞时，村干部们说，男子汉，喝醉就喝醉，以后要当干部，不喝醉怎么能当？

丁一二很快就醉了，而且醉得不省人事。一觉醒来，已经快到第二天中午，手机也响得像催命。丁一二接通，是秋和祥的，秋和祥要他到自己家去吃饭。秋和祥说，你婶给你包了饺子，就等你来吃，打半天电话也不接，你在干什么?

丁一二只好撒谎说手机忘记带了，丁一二不想去吃饭，感觉头疼得厉害。但秋和祥一定要让他去，他只好答应。

进屋坐定，秋和祥就问他砖瓦厂合作的事。丁一二猛然明白了，今天秋和祥请他来，就是要了解合作的事。好在合作的事也没什么保密的，说不定秋和祥已经打探到了一些消息。丁一二详细说了合作的事，连整个过程都说了。秋和祥始终一言不发，沉思一阵，秋和祥说，牛满田当了砖瓦厂的书记，事情就有点麻烦，他如果和人家签一个领导任期，不到任期不能变动，那么这次选举他即使不当村主任了，还是砖瓦厂的书记，这样事情就麻烦了。

看来秋和祥是下定决心要当村主任了，而且已经有了必胜的信心。他当了也好，因为秋和祥毕竟比牛满田更有文化，看问题的水平也更高一些，又是未来的嫡亲老丈人。但要阻止牛满田出任砖瓦厂的书记也难，事情基本已经商量好了。秋和祥深沉地说，如果合作再推迟一点，合作合同拖到村主任选举过后再签，事情就好办了。

按牛满田的心情，恨不得合同立即就签。目前牛满田是村主任，村支书又外出打工，没有人能够阻止他。秋和祥说，商是你招来的，你给对方打个电话，告诉他村里很快就要换届选举，要重新选出新的领导，如果和现在的领导签了合同，就很难和新领导合作，工厂经营也会遇到困难，然后你提出推迟几天，推迟到新的班子产生再签，这也是为他们好。

秋和祥说得也有道理。张九条这人还不错，又是他把人家招来的，为了张九条，为了将来的砖瓦厂，这样做也是对的。如果不这样，将来的村主任真的给砖瓦厂找麻烦，还真有可能把厂办砸。按秋和祥的意思，丁一二拨通了张九条的手机，说了要换届选举的情况。张九条觉得这是个重要的消息，这些年办砖瓦厂，一条重要的经验就是，要想成功，就必须得到当地村领导的支持，当地的村领导就是烧砖的泥土，而且比泥土更重要。张九条感动地连声感谢丁一二。张九条真诚地说，下次见面我一定要谢你请你吃饭，如果你愿意在砖瓦厂帮忙，我一定不会亏待你。

十一

后天就要拍卖林场承包权了，法庭还没有判决的动静。如果不判决秋和祥赔钱，秋和祥就有实力竞拍林场。牛满田打电话问法庭的刘庭长，才得知章得中已经撤诉了。

牛满田简直不能相信，但他清楚，事情实实在在是这样了。这些天，章得中不但躲着他，见了他，就好像老鼠见了猫。这个绿头乌龟，真他妈的不是东西！怒火万丈的牛满田立即高声喊章得中过来。喊半天，也不见动静，出门踢几脚会计室的门，里面也没一点动静。转身回头，才发现章得中已经溜出了村委会的大门，正踮着脚往远处跑。牛满田大喊一声，章得中仍装没有听见。他真想追上去，狠狠地踹他几脚。

要建砖瓦厂，牛满田的腰杆一下硬了许多，虽然子女仍不支持他承包林场，但他决心已定，林场绝不放弃。按他的想法，三十万承包林场即使不赚钱，也亏不了多少，如果真亏了，有砖瓦厂，他也不害怕。砖瓦厂半年就能建成，建成后轻轻松松生产一年，至少也要赚一百多万。上百万利润的大厂领导，往少说，一年也能挣六七万。有六七万的工资，即使林场不赚钱，他也要承包，赔钱赚个吆喝。但如果把秋和祥搞不臭，气焰打不下去，不仅林场的竞争会很激烈，连村主任这个位子也很难保住。如果村主任保不住，一切就都完了。

坐到办公桌前沉思，他觉得林场的竞争如果超过三十二万，他就放弃，把这个包袱甩给秋和祥。但村主任这个职务，他决不放弃，拼命也要争夺到手。按目前的情况，竞争村主任对他极为有利，因为他手里已经有了很大的政绩。砖瓦厂，就是他手里有力的武器，他现在就可以公开向村民承诺，他当了村长，不仅建砖瓦厂，还要滚动发展，还要建蔬菜加工厂、肉食品加工厂。而且从现在开始，就可以每年给每位村民发三千块钱，以后逐年增加。村民不是傻瓜，有这些许诺，能见到哗哗响的钞票，村民不会不举双手选他。

为了让章得中当会计，他费了不少心，出了不少的力，但现在只能忍了，等选举过后，再慢慢收拾他。

林场的竞拍由乡政府和乡林业站共同主持。竞拍采用自由竞价的方式。牛满田提出将起拍价定在二十五万。按他的想法，竞拍开始时他就第一个应价，在气势上压倒对手，如果有人竞争，争到三十万，他就停止。

但竞拍时，秋和祥的气势比他还大，竞争到三十万，秋和祥又叫了三十一万。简直是疯了。牛满田不由得急火上升，他止不住又叫了三十一万五千。秋和祥似乎没有犹豫，马上喊了三十二万。牛满田还想喊价，但还是止住了。他想，三十二万就三十二万吧，别看你现在嘴上痛快，我看你到时怎么交这笔钱。

竞拍是失败了，竞选村长绝不能失败。回到办公室，牛满田就给张九条打电话，说现在还不到十一月，离封冻还有一个月，抓紧时间施工，到明年春天就能投入生产。张九条却说还有许多东西没准备好，准备好了才能签约开工。挂了电话，牛满田的心里更急。这不行，村民们是最讲实际的，他们看不到施工，就不会相信。如果不能施工，哪怕开过来几辆车，有一个施工的架势，让村民看到也好。牛满田再次拨通张九条的电话，说现在村民们都闲着，如果别的没准备好，就先平整地基开挖土方，这正是一个使用便宜劳力的好时机。如果等到开春，大家都忙春耕，雇人干活也是麻烦。张九条也觉得确实是个好时机，他也想赶工期，争取明年夏天就能产出效益。但谁当村长更为重要，如果新村主任不同意原来的条件，随意刁难一下你，事情就很麻烦。张九条还是说没准备好，能不能合作，还没商量好。

挂了电话，牛满田感觉事情好像要有什么变化，来不来投资都很难说了。他想了半天也想不清为什么，但越想心里越没底，越想觉得这事越危险。牛满田把丁一二叫过来，要丁一二也分析一下，对方突然犹豫究竟是什么原因？丁一二慌乱地说，这么大的事，人家肯定要考虑考虑，说不定还要请专家论证一下。

人家办了那么多年的砖瓦厂，一眼就能看出的事情，还要论证什么？很可能是哪里出了问题，或者是人家另有了什么想法。牛满田觉得不能再被动死等。隆胜砖瓦厂离这里也不远，为什么不去看看？也不用暗访，明着去找上门谈，也没什么不好，至少表明村里确有办厂的决心。

第二天一早，牛满田到镇里租了车，然后直奔隆胜砖瓦厂。

砖瓦厂确实已经停了工，而且看样子停工已经多时，工地上已经没有了砖也没有了人，连机器也不知放到了哪里。牛满田心里一下有了底。牛满田清楚自己的优势，全县除了西川村，很难在别处找到这么大的黄土岗，而且还紧邻公路。他满怀信心找到张九条，张九条仍然支吾推脱。牛满田掏出中华烟，给张九条递一支，然后整盒放在张九条的桌上，恳切地说，我这么大的年纪了，当了半辈子村干部，还没给群众办成过一件大事，这件事我想办成，全体村民也想办成，因为我们村里最大的资源，就是那堆黄土。对于合作，我们是诚心诚意的，如果你还有什么想法，就直接说出来，能协商的咱们协商，我想，如果大家都诚心诚意想把事情办好，就没有商量不妥的事情。

这样的诚心也确实让人感动，从两次接触的情况看，牛满田也是个诚实而又能办事的人，和这样的人合作他心里也舒服。但如果村主任选举有变化，现在要做的一切很可能无效。张九条思考一阵，还是觉得把话说明了好，说明了牛满田也会理解。但真要说，还是有点不好意思，张九条不看牛满田，只简要说了大概的意思。

牛满田一下愣在了那里。他知道是谁给张九条通了风报了信，因为除了丁一二，别人不知道张九条的电话，而且这些天，他就觉得丁一二行动鬼鬼祟祟，整天往秋和祥家跑。他本想提醒他不要再去秋和祥家，又觉得他去是为了吃饭，再说一个小小的丁一二，和谁关系好也没什么关系。没想到出了这么大的事，他居然从背后捅他一刀！

这么小的人，就干这么大的坏事，牛满田简直无法忍受。他恨不得立即赶回去，将丁一二赶出村，让他永远也不能再进西川村。

牛满田没问是谁说的，牛满田也承认要换届选举。牛满田说，选举是任期到期的换届选举，并不是我有什么问题才提前选举，而且这次换届，我还要连任。按目前情况看，我连任没什么问题，如果办成砖瓦厂这件大事，连任就更是铁板钉钉。

反正马上就要选举，张九条考虑再三，还是觉得等几天出了结果再决定更好。这样的理由牛满田没法反驳，如果坚持，只能说明自己心虚。牛满田只好同意选举过后再说。

回到乡里，牛满田就找到乡党委书记，说丁一二道德败坏，搬弄是非，挑拨村干部和村民闹不团结，而且生活作风败坏，村里谁家有好看一点的姑娘就往谁家跑，以谈恋爱为名玩弄人家姑娘。

一个大学生竟然这样，书记听了十分吃惊。现在的大学生，怎么能如此无才无德。书记立即生气地说，我多次说过，有德无才，咱可以培养；有才无德，咱坚决不用。这种无才无德的人，退回去就退回去，你看着办！

回到西川村，天已经黑尽，看到家，牛满田才感觉肚子饿了，因为气恼，今天大半天都没吃没喝了。但他要先去村委会，要通知丁一二立即滚蛋，让他也别想痛快地度过今晚，这个吃里爬外的家伙！

丁一二不在办公室，也好，当面说也许会争吵纠缠。牛满田打通丁一二的手机，直截了当地要丁一二明天就卷铺盖走人，而且立即离开西川村。丁一二一下明白了为什么，看来张九条把什么都告诉牛满田了，但丁一二还是问为什么？牛满田大声说，为什么你清楚，我现在通知你立即走人，不要再问为什么，这是乡党委决定的，为什么你问乡党委去。

丁一二一时大脑一片空白。牛满田早挂了电话，他还把手机捂在耳边呆站着。

事情确实闹大了，这让丁一二做梦也没想到。这大半年来，他对自己的工作十分满意，也对自己的能力很是得意，觉得自己就是一块搞行政的料，照这样下去，别说有可能当乡长县长，到省里市里当个要职，也不是什么妄想。突然一下就全不存在了，而且是这么突然，这么彻底。

丁一二想哭，但他首先想到的是找秋和祥，看这事该怎么办。

秋和祥也感到吃惊，他说，你是上面派来的，他一个小小的村主任，哪有权想要你就要你，不想要你就不要你。丁一二说是乡党委的决定时，秋和祥也觉得事情麻烦了。

秋和祥想一阵，觉得还是先找找乡党委，如果真是乡党委的决定，就问清为什么要退回去。秋和祥估计，肯定是牛满田在乡党委领导面前说了什么，而且很可能编造了什么罪状，要不然不会无缘无故做出这样的决定。

丁一二早已没了主意，秋和祥这样说，也只能这样办了，但他有点害怕去见乡领导。他希望秋和祥去和乡领导说说，秋和祥毕竟是村蔬菜协会的会长，乡领导也都认识他。秋和祥一口答应，说，我明天一早就去，我不仅要问清楚为什么，如果牛满田造了谣，我还要追究他造谣的责任。

吃过早饭，乡领导就要下村或者外出。秋和祥一大早就骑了车往乡里赶，他要在早饭前赶到，把领导堵在宿舍里。

但乡长并不知道这件事，这让秋和祥感到吃惊，如果真是乡里定的，一般的副手也不敢做出这样的决定。只能再找一把手书记了。

书记刚起床，书记说是他决定的。秋和祥问为什么，书记反问说，难道你不知道吗，他乱搞女人作风败坏，还挑拨干群之间的关系，这样的坏人我们还能继续用他吗？

秋和祥觉得自己没猜错，就是牛满田在书记面前造了谣说了好多坏话。秋和祥立即说不是这样，但如何解释，如何说清，秋和祥倒是准备不足。但他清楚，必须要说事实，对事实部分，最好不要隐瞒。无风不起浪，一点原因也没有当然不可能，再说，如果正式处理，乡里也要调查清楚。秋和祥堆起一脸笑讨好说，事情还是丁一二得罪了牛满田。但秋和祥详细述说时，并没说自己要争村主任，主要说丁一二招商成功后，怕村领导变动后合作办厂产生麻烦，便通知厂方推迟签协议，这样就惹恼了牛满田。

没想到书记说，这样更可恶。书记生气地说，他一个村主任助理，不好好协助村主任，却自作主张越权搬弄是非。迟签协议早签协议是他管的吗？他一个助理，有权考虑这样的事吗？搞行政，最怕这种上蹿下跳自不量力的小人，这种人也最可恶，一个单位有一两个这种人，整个单位就不得安定，整个集体就没法团结。这种人，更应该立即就走！

书记竟然越说越生气，秋和祥一时不知该再说什么。他只能再解释。但书记立即打断他的话，问他为什么要来说情，和丁一二是什么关系？秋和祥只能说他觉得丁一二是个好青年，然后再说丁一二为瓜农跑销路为村里招商引资。书记再次打断秋和祥的话，说，我不相信有这样本事的人能得罪他的上司，能让他的上司不满意。不管怎么说，事情已经定了。再说，让不让他走，那是村里的事，你去和村里说去，如果村里不让他走，他就继续待着。

秋和祥清楚，再说什么也没有用了，因为现在的问题不是事实如何，而是人家认为你丁一二根本就不应该管什么事。这样的情况，如果再辩解下去，只能让书记更反感，而且是自讨没趣。来时，他还满怀信心，觉得可以揭穿牛满田的谎言，然后进一步说说牛满田的其他问题，让领导完全了解牛满田是个什么人。没想到是这样一个结果，人家官官相护，只相信村主任牛满田，而不相信他的任何解释。

回到村里，秋和祥不知道怎么去见丁一二，怎么和丁一二说这些。他决定先回家，等想好了，再和丁一二说。

丁一二却在家里等他，秋和祥更是不敢看丁一二。没想到丁一二却很平静，丁一二说，我从你的脸上就看出来了，你也不用难过，我早就知道会是这个结果。也没关系，不就是个村干部么，回去也好，回城找个工作，也比待在这里强。

秋和祥清楚，丁一二还是悲伤的。他来当村长助理，主要是为了将来的前途。

村长助理只是个锻炼过渡，按规定，表现好的，两年后可直接转为乡镇干部，一般的，考公务员时也可加十分。退回去，一切就都完了。秋和祥的心里也一下空落落的，仿佛失去了一切。

丁一二还是不能走，他走了，章叶怎么办？这个可怜的女儿。沉默悲伤一阵，秋和祥问丁一二章叶怎么办，和章叶的关系打算怎么处理？这也正是丁一二牵心的。他原打算是要让她幸福一辈子，为了她，他也要努力一辈子。可现在，事情还没开始，就连自身都难保了。见秋和祥等待他回答，他知道这个问题也必须得回答。丁一二说，还没和章叶说，我现在这个样子，也没资格再说什么，只能看她的态度，由她来决定了。

秋和祥说，林场归我承包了，我想搞多种立体经营，如果你不嫌弃，就留下来帮我经营一阵，赚点钱后，如果你不想再待，我就帮你和章叶在城里开个理发店，你们在城里过城里人的日子。

丁一二现在就想去见章叶，如果章叶责备他或者后悔和他相爱，那么他就立即离开，立即远走高飞，到省城或者到南方去找工作。

丁一二来到理发店找个地方坐下，等到没理发的人时，丁一二将门关死。章叶以为他又要上床亲热，看眼表，说不行，才十点多，正是做生意的时候。丁一二一下眼圈红了，他低了头，也不看她，然后从头开始，细说事情的全部过程。

可以看出，这件事对章叶的打击更大，还没等他说完，她就哭了，而且哭得很痛苦。丁一二也想哭，但他心里更多的是愤慨和不服，他不相信他的前途会更坏。他开始安慰她，但她却哭得更凶。丁一二心里一阵悲伤，转身想走，又回头站住，他用低沉的声音道歉，说对不起她，但要她放心，他绝不会连累她，他永远也不会再出现在这个地方。

章叶突然说，你倒好，稍不如意，拔腿就跑了，什么责任也不用负。你不是说爱我吗，要让我幸福一辈子吗，怎么说一句对不起就要跑？

丁一二问她该怎么办？丁一二说，只要你不嫌弃我，你说怎么办就怎么办。

章叶再哭一阵，终于抹干了眼泪，说，让你蹲在这里也不行，你得重找一个工作，但不许你离开县城。你到县城找一个工作，如果工作不顺利，咱们两个就一起租个地方开理发店。

这倒也是个办法，也只能是这样了。

十二

丁一二一天也不想在村里待了，也不想再让牛满田赶他，他将行李放到章叶的理发店，悲壮地来到了县城。

工作并不像他想的那么好找，县城的企业少，事业单位国营部门没有编制也不可能要他，只能寻找那些民营公司。但不少经理听说他是大学生时，说我们只需要干活儿的人，大学生我们也领导不了。有一家婚纱影楼招拉客员，拉来一位客，支付一元钱，拉来的客不一定照相，来坐坐看看喝喝茶就可以。丁一二觉得这倒不错，一天拉来三十位就是三十元，拉来五十位就是五十元。同时他也为老板的精明而折服。拉来的客人虽然不一定照相，但店里有坐人的地方，茶水也不值钱，人家坐坐看看，就会记住这个地方，如果自己照相或者亲友照相，自然会想到这个地方。丁一二满怀信心开始拉客，但拉客也没他想象得那么容易，不少人还以为他诈骗抢劫，吓得转身就跑。他改变策略耐心讲解，费尽口舌，一天才拉到了十几个人。

第二天的情形也差不多，中午时他一下拉到了五位客人，但客人走后，他却遭到了老板的一顿臭骂。老板说你瞎眼了还是故意捣蛋，你看不出那是几个又渴又累的外地乡下人吗，难道我这里是茶楼招待所吗？他走了还会再来吗？

回到栖身的招待所，躺在最便宜最简陋的床上，丁一二知道这不行，县城也不能久留，这里根本不可能有他要干的事情，唯一的办法是去省城。下了决心后，他又有点不甘心，也咽不下这口气。自己是市里派下去的干部，去时拿了盖有市委组织部公章的介绍信，怎么现在他们说一句不要就不要了？这不行，得找找市委组织部。

再细想，他觉得这是必要的，也是可行的，即使不解决问题，至少也要上级给他一个说法。他决定不越级，先到县委组织部申诉。

第二天一上班丁一二就来到县委组织部。他清楚，找别人也许不顶用，他要找部长。部长还是接待了他，部长静静地听完他的诉说，然后查了乡里的电话号码，拿起电话给乡党委书记打电话。

丁一二听不到书记说什么，但他能够猜测到，书记在解释并在说他的坏话。部长听一阵，突然说，他是市里派下去的干部，你们说不要，那也得有一个正式的手续，有一个正式的报告材料，怎么能一句话就打发一个人走。

书记说什么他听不清，但部长又不高兴地说，不管怎么说，你们派人下去调查一下，然后写一个报告送到我们这里，我们再送上去，最终看市里怎么处理，因为人是市里统一选拔录取后派来的，我们不能不声不响就让一个人消失，如果出了问题，谁来负这个责任？

放了电话，部长对丁一二说，你仍然回村里，等待乡里的调查，然后等上面的正式通知。

出了组织部，丁一二松了口气，但要他回西川村，他还是没有勇气。在街上徘徊一阵，他决定给秋和祥打个电话，说说刚才的事，听听秋和祥的意见。

秋和祥一连声说好，说只要调查，事情就好办，调查的人不会只听一面之词，还说最好让县委组织部的人来调查。丁一二知道这样的要求绝对不可能。说到回不回村里，秋和祥要他立即回来。秋和祥说，我已经想好了，你回来竞选村主任，我不当村主任了，你来当，我在后面给你使劲，你肯定能当上。这件事我已经问过乡人大的领导了，他们说你是上面派到村里的干部，完全有资格竞选村主任。

这也是个办法，这两年，国家正式干部也有派到村里当主任的，如果当了村主任，两年后就更有资格转为正式公务员。退一步说，即使不转，西川村几千亩土地，上千口人，又有林场、砖瓦厂，这么大一个舞台，也够自己施展的了。丁一二答应明天就回去。

回到西川村，丁一二也没到村里，而是住在了秋和祥家。但乡里并没派调查组来，也不再提丁一二的事。随着村级换届选举的日益临近，丁一二更加焦急。如果选不上，如果牛满田捣什么鬼不让他参选，那又怎么办？丁一二还是止不住向秋和祥说了他的担心。秋和祥说，这些我都替你想好了。选举由乡党委乡人大和村支部共同领导主持，我已经和乡人大主任说好了，他也支持你当村主任，说年轻人有文化又有干劲，当了村主任说不定能干出点名堂。还说现在村里就需要这样的年轻人。还有村支书，他已经接到乡里的通知提前回来了，我也和他说了，他更赞同你当村主任。你想想，有这么多人支持你，你还怕什么？

丁一二决定去见见村支书，村支书有个哥哥在大学当领导，那所大学所有修补栽种绿化的零碎活儿，就都包给了他。支书在大学多年，也许对大学生会有点感情，再说，自己是上面派来的村干部，也是党员，不主动去见村支书也说不过去。

丁一二的到来让村支书很高兴。说起大学生活，村支书滔滔不绝，说大学就是好，大家都文文雅雅，见了面也客客气气，哪里像乡村，说话粗俗，动不动就吵架。对丁一二竞选村主任，村支书更是举双手赞成，说农村人的素质要想提高，就得有一批高素质的村干部。

有村支书的支持，丁一二心里宽慰了许多。回到秋和祥家，丁一二决定参加公开竞选，而且要造成一种声势，要不然大家不了解你，投票时就可能吃亏。丁一二决定写一个竞选纲领贴出去，除了表明自己的决心，更要提出未来的工作设想，西川今后的生活前景，把西川村设计成一个美丽的人间天堂。

秋和祥赞同丁一二写竞选纲领，但他不同意现在就贴出去。他说，贴得太早，牛满田会加紧反扑，到竞选的前一天突然贴出去，既让群众了解了你，又打牛满田一个措手不及。

这倒也是个好主意，花费几天时间，丁一二写好了竞选纲领，然后到乡里打印了十份。选举前一天，丁一二将十份全部贴出。这份纲领在村里引起了极大的轰动。不少人看了很受鼓舞，说这么美好的事，别说全都实现，能实现一半，西川村就真的成了人间天堂。

在第二天的选举会上，丁一二以压倒多数的票被选为西川村村主任。

（选自《清明》2009 年第 6 期）

史生荣

祖籍甘肃武威，生长于内蒙古临河，现在甘肃农业大学人文学院任教。中国作家协会会员。已发表《所谓教授》《县领导》《所谓商人》《所谓大学》《大学潜规则》长篇小说五部，《空缺》《副县长》《教授不教书》《日子如波》《真的好郁闷》等中篇小说六十余部，短篇小说二十余篇，共计四百余万字。作品多次获奖或被转载。

撞得南墙咚咚响

和军校

一

交夏以后，老天爷似乎疯了，吝啬得连一颗雨点子也不朝下扔，大太阳把田野烤得呼呼冒烟。苹果园里炸开的口子像碎娃的嘴巴一样大张着喘热气，苹果树叶子蔫蔫地扭动着打起了卷儿，卷儿越抽越紧，越抽越细了。四通八达的小路像无数条绳索把村子捆得严严实实，路面上无一例外地铺上了麻钱厚一层面粉一样细腻的尘土，一脚下去，“噗”地蹿起一股白烟，又一脚下去，又“噗”地蹿起一股白烟。这样的时节是下不得地的——刚从树荫下走出去，裹着油的汗豆豆就从额头上滚下来了。

这时辰，最惬意的事就是躺在自家门前的树荫下，枕一块大青石，枕边放台戏匣子，眯着眼睛听秦腔，既过了耳瘾，还能避暑。眼下，赵六碗就躺在自家门前厚实的阴凉处，身下是一张露着几个大洞的凉席，枕着大青石，烟盒一般大小的戏匣子搁在他的光胸脯上。戏匣子里正在唱秦腔，铿锵作响。看似悠闲自在的赵六碗实在是不自在，脊背上像长了刺一样地躺得不舒坦。赵六碗睡不着呀！因为他快要把一个女人娶进家门了。另一件事是因为苹果园：再不喝点水，今年的收成恐怕就是一条光渠渠了。别人赔得起，赵六碗可赔不起啊，他等着用今年卖苹果的钱把家里仅有的这座草棚换成瓦房。这座草棚是20世纪60年代农村建筑的活化石。有一回，村长谢长安指着这座草棚对赵六碗说，六碗，泔河村的这张脸都让你这座草棚给丢尽了！在泔河村，赵六碗最佩服的人就是村长谢长安了。在赵六碗的眼里，村长谢长安是他的大恩人，也是泔河村人的大恩人。没有他，就没有泔河村的砖瓦厂和果汁厂，就没有泔河村的水泥路。赵六碗平时最听村长谢长安的话，日子过得没眉眼，他觉得对不起村长谢长安。

赵六碗是一个人过活，上没父母，下没儿女，炕上没媳妇。姑姑倒是住在同村，但也处于互不走动状态。因为没媳妇，才提不起赵六碗过日子的兴致。三十大几的人了，日子过得有一着没一着的，就像马尾串豆腐——提不起。关于媳妇的问题，不是因为赵六碗长得不体面，他有鼻子有眼，高高壮壮，四方大脸有棱有角。也不是因为赵六碗是一个实诚人——他实诚得有点半脑子。村长谢长安送给他一个绰号：脑养鱼。实在是因为赵六碗家里仅有的这一间草棚。在婚姻的问题上，农村的女人比城里的女人看得更为实际。赵六碗知道，只有把这座草棚换成瓦房，村长谢长安的脸才会舒展起来，媳妇才能从镜子里面走出来。可是，从二十出头，姑姑就托人给他提了亲，先后有十二个姑娘，十一个寡妇，可她们都让赵六碗家里的草棚吓跑了。现在，却发生了天翻地覆的变化，赵六碗就要有自己的女人了。亲事是村长谢长安提的。女方是南梁村一个叫小鱼的女人，带了一个女儿。小鱼的丈夫在城里打工，找了一个发廊里的小姐，就跟小鱼离了婚。见面那天，小鱼对赵六碗说，村长说你是个好人，我信村长的话。赵六碗眼泪汪汪的，恨不得立马跑到村长谢长安的跟前去，给他磕三个响头。赵六碗说，小鱼，我是个老实疙瘩。小鱼说，都毛四十的人了，人老珠黄的，还有啥脸叫小鱼呢，就叫老鱼吧。老鱼给赵六碗提了两个条件，一呢，永远不许去城里打工；二呢，把家里这座草棚换成瓦房。这二条都做到了，她就带着女儿过来跟赵六碗一搭儿过活。赵六碗看到了生活的希望，浑身的每一根汗毛都憋着劲儿。可是，老天爷偏偏不跟他好好配合，干得像盐一样。天不下雨，苹果园里就没有收获，没有收获，草棚换瓦房的计划就要泡汤，最少也要推迟。老鱼等得及吗？赵六碗爬起来，扣一顶缺了一角的破草帽，挑上水桶朝苹果园去了。他打算去泔河里挑水，一棵苹果树一桶水。三亩苹果园，二百六十八棵苹果树，也就是二百六十八桶水。赵六碗的脖子上挂着戏匣子，一路秦腔小调儿。戏匣子是村长谢长安送给赵六碗的，他爱不释手。

苹果园里很热闹。王爱羊正在咋咋呼呼地安排着各家各户浇苹果园。王爱羊小时候上树折榆钱钱，一脚没踩稳，掉了下来，摔断了一条腿，从此就一条腿长一条腿短了，泔河村人背后管他叫地不平。王爱羊的脑子跟他的腿不成正比，不但不残疾，还格外的发达。在泔河村人像没头苍蝇一样四处寻钱的时候，王爱羊在银行贷了一笔钱，在自家的责任田里打了一眼机井。泔河村没有机井，喝水都要从二十米深的井里一轱辘又一轱辘地往上摇。王爱羊说，我就不信谁能把嘴扎住不喝水。有了机井，泔河村的人再也不摇轱辘了，王爱羊再也不下地了，每天坐在机井旁，谁家来拉水，他就拧开大罐的闸门放水，一桶五毛钱。没人拉水的时候，王爱羊就把手指头在舌头上点一下，把手里的毛票数一遍，再把手指头放在舌头上点一下，再把手里的毛票数一遍。完了，用个小夹子把毛票夹好，躺在躺椅上，跷着那条跛腿，眯着眼睛听戏匣子，一边听，一边晃荡着他的那条残疾腿，那腿晃得一点也不吃梆子，有板有眼。眼下，天不下雨，渠里没水，苹果园却不管这些，张着嘴要水喝。水从哪儿来？只能从王爱羊的机井里来。独家买卖，不讨价，也不还价。王爱羊迎面走来了，他穿一件亮汪汪的瓦蓝色衬衣，胳肢窝里夹着一台计算器，一手拿着一个硕大的闹钟，一手拎着一瓶啤酒，走两步，喝一口，头仰得很高，酒下得却很慢。王爱羊说,六碗,浇不浇,再过几家水就走到你家地头了。赵六碗看不惯他那衬衣的颜色,也看不惯他那张狂相,压着肚子里的火气问,啥价?王爱羊喝了一口啤酒说,官价,一亩地128,是人一般齐。赵六碗飞快地在心里算了一笔账,一亩地128块,三亩地就是384块,384块就是500斤苹果的价,384块钱就能给老鱼打一个桐木大衣柜,384块钱就可以买十根椽,他的腿不争气地软了一下。他从帽檐儿底下斜睨了王爱羊一眼,恼怒着在心底骂,好你个地不平,你狗日的吃了蝎子尾巴?一亩地128块?难道那水是从你媳妇裆里流出来的?我的脑子又没有受潮,才不上你狗日的当呢!王爱羊不知道赵六碗的心理活动,继续问,问你话呢,要浇的话,就先排个队,交个钱,浇的人多得很。赵六碗心里很不服气了,水在泔河村的地底下,地底下的水也就是泔河村的资源,为啥你在地上戳个窟窿,泔河村的资源就变成了你王爱羊的?赵六碗说,能不能便宜一点儿?王爱羊说,便宜?你看谁家的水便宜用谁家的去!王爱羊的口气像铁一样,又冰又冷。

正说着,铃铛从苹果园里钻出来了。铃铛是福生的媳妇。早先,福生在村里的砖瓦厂当工人,后来跟村长谢长安犟了一回嘴,被村长开除了,他一气之下就跑到城里打工,把家里的一摊子交给了铃铛。铃铛是个大洋马,大屁股,大胸脯,两个奶子就像成熟的玉米棒子一样,把粉红色的衬衣撑得要爆炸。她往王爱羊面前一立,两个奶子刚好与王爱羊的嘴巴一般齐。王爱羊问,完了?铃铛说,再有牙长一截子就完了。王爱羊说,那我通知下一家改水。铃铛问,用了多长时间呀?王爱羊看了一下闹钟说,一个小时零十八分钟。铃铛拧着身子,用她的大奶子一下一下地蹭着王爱羊的嘴唇,边蹭边说,你是不是看错了?咋会那么长时间呢?我看才五十分钟。王爱羊伸嘴在铃铛的奶头上亲了一口说,明明是一小时十八分钟嘛。铃铛夸张地尖叫了一声,说时间长我受不住呢。王爱羊说,时间短了,你不舒服嘛。站在不远处的赵六碗实在看不下去,他在心里愤愤地说,哼,你还想上铃铛,也不看看你那拐腿,你够得着吗?难道还要给你搭个梯子不成?两个人打闹了一阵子,王爱羊拧头问赵六碗,你到底浇不浇?赵六碗还在迟疑的时候,铃铛接过了话茬说,六碗不用浇,站在地头尿一泡,那地也就浇完了。王爱羊和铃铛笑作一团。赵六碗的脸像炭一样烧,泔河村人有个说法:瓜(傻)子笑得多,母牛尿得多。这不是骂他赵六碗吗?

赵六碗没趣儿地走了,他的心里很不受活。突然,他觉得啥地方有点儿不对劲,他收住脚步,歪着脑袋,认真地想,终究没有想出个所以然来。就在他要走的时候,猛然又听到了铃铛"咯咯咯"的笑声。铃铛的笑声提醒了赵六碗。原来,王爱羊打井用的是村里的地,抽的是村里的水,却给自己赚钱,这不是不正之风是啥?泔河村的不正之风就是给村长谢长安的脸上抹黑,给赵六碗恩人的脸上抹黑,赵六碗自然是不答应的了。再一个,狗日的王爱羊还亲人家福生媳妇铃铛的奶头头,这也是不正之风,赵六碗咽不下这口气。赵六碗很有些得意了,村长谢长安还蒙在被子里头的事，他赵六碗一眼给看穿了。赵六碗越走越兴奋，一直想找机会报答村长谢长安，一直没有机会，今日这机会自己就飞来了。他要把王爱羊告到村长谢长安那儿去，他甚至连处理王爱羊的办法都替村长谢长安想好了。两条，头一条，把王爱羊的水井收回来，把打井的钱赔给他，水井归泔河村所有，往后，家家户户轮着浇地，一个子儿也不收。二是，给王爱羊糊个高梢梢帽子，脖子上挂两只破鞋，满村里游街。赵六碗想好了，等他浇完了苹果园，就去找村长谢长安反映王爱羊的腐败事。

先前走进自家苹果园，闷头闷脑地干一天，回到家里还是冰锅冷灶，所以他宁可去别人家苹果园干活，好歹也能落个热汤热水肚儿圆。久而久之，他家苹果园里的草比人还高了，苹果都长得像核桃一样。打自有了老鱼儿，赵六碗才恍然大悟，他的好光景就在他的苹果园里，苹果园才是他的亲大亲妈。赵六碗把王爱羊的事放下了，他又算了一笔账：从泔河往上挑水，挑一担水浇两棵树，一个钟头挑两担水，一天挑十个钟头，他就能挑二十担水，就能浇四十棵苹果树，如果每棵树浇半桶水，三天也就把树浇完了。如果老天爷还不下雨，他就继续挑。怕个屌，咱赵六碗别的没有，力气多得是！

赵六碗把手搭在眉骨上，闭着右眼，睁着左眼朝天河上乜着，天在“呼哧呼哧”地喷火，他恨恨地骂：“狗日的，欺负没钱人呀？老子就是不怕你，看你能把老子咋！”

赵六碗把草帽朝下压了压，低头看了看地，地也在“呼哧呼哧”地喷火，他踢了一脚干裂的土，蹿起一股白烟，他又恨恨地骂：“看你不争气的㞞样子，把嘴巴闭上，还能把你渴死？你是我爷行不行？爷爷，老爷爷，老太爷爷，我现在就给你挑水去。”

赵六碗挑着水桶朝泔河走去，两只水桶晃来晃去，吱呾作响。反正闲也是闲着。力气是啥？力气就是人身上的垢痂，没了还会长出来，你用得越快，它长得越快，你要是长年不用，它慢慢也就不长了，一个不长力气的人，离咽气也就不远了。

挑第十五担水的时候，赵六碗肚子饿了，仰头望了望天，太阳已经走偏了，他知道饭时到了。赵六碗并没有打算回家去，老鱼还没有嫁过来，家里冰锅冷灶的。他打算直接去找村长谢长安，先把王爱羊的事解决了，他不能容忍村长谢长安替王爱羊背黑锅。赵六碗懂得兵贵神速的道理，放凉就不好办了。如果村长谢长安后晌把水井的事解决了，他明天就不用挑水了，饿一顿就饿一顿吧。说不定还能跟村长蹭一顿好吃的呢。

村长谢长安果真在“香香农家乐”陪着乡里的领导吃饭。“香香农家乐”是泔河村唯一的一家餐馆，上头来了人，村长都在这里招呼着吃饭。老板娘香香的男人是泔河村最早外出打工的人，他一出去便成了肉包子打狗，再也没有了音讯，传说他发了，行走后头都跟着三个人，两个保镖一个女秘书。也传说他还四处混着打工，没挣下几个子儿，没脸回村。还传说他被人扔进海里喂了鱼。香香是一个好强的女人，在家里办了农家乐。由于香香的脸儿白，样儿俊，手儿巧，嘴巴甜，男人们都爱往这里凑，她的生意一直红红火火。尤其是村长谢长安爱往这里凑。泔河村人在背地里说，香香的奶子和身子才叫白呢，村长最爱吃的是香香的奶子。赵六碗听到闲话，骂了一句放屁，他知道村长不是那样的人。

八仙桌上摆着一盘凉拌地儿菜，一盘炒鸡蛋，一盆炖土鸡，一个土暖锅，一箱啤酒，村长谢长安脸膛红扑扑，脑门儿汗涔涔。

村长——赵六碗扶着门框叫。村长拧头问，咋咧？赵六碗说，我想给你说个事。村长戳过来一瓶啤酒说，喝了再说。

真是瞌睡遇着了热枕头，赵六碗正渴正饿着呢，接过啤酒吹了喇叭。喝罢了，抹抹嘴唇，把目光投向了那盆土鸡，村长心领神会地拧下来一只鸡腿递给了他。赵六碗先咬了一口，满嘴喷香，满心欢喜。他想尽快地把王爱羊的事反映给村长，否则，就对不住恩人的一瓶啤酒和一只鸡腿了。

村长，赵六碗说，狗日的王爱羊给你的脸上抹黑呢。

嗯——村长从鼻腔里发出了一个长长的音符，不慌不忙地问，咋咧？他咋给我脸上抹黑了？

赵六碗说，他在公家的地里打井，抽公家的水，给自己挣钱呢，这是不正之风呀，不是给你脸上抹黑是啥？

村长眉毛一挑，说六碗呀六碗，你真是咸吃萝卜淡操心，自家的糜子还碾不清呢，却操心起别人家的谷子了。

赵六碗说，村长，村里人都在骂呢，只有你蒙在被子里头，对了，他还对福生的媳妇铃铛耍流氓呢，亲人家铃铛的奶头头。

村长将手中的筷子有力地朝外一指说，啥地方热闹啥地方耍去！

一桌子人笑得东倒西歪。赵六碗说，村长，我咽不下这口气。村长手中的筷子更加有力地朝外点了一下，说滚！

赵六碗灰头土脸地走出了“香香农家乐”。他想不明白，他是为村长好呢，村长咋就不领情呢？再说了，村长翻脸咋比脱裤子还快呢？心下正烦闷着，听到了独眼龙沈文绪喊自己的名字。沈文绪正给自家的拖拉机换轮胎，抹得两手油腻，架在鼻梁上的大砣砣墨镜在太阳下放光。有一年大雪天，沈文绪去麦田里打野兔子，“砰”的一声枪响，兔子没打着，一只沙粒子飞出来，打瞎了自个儿的眼睛。从此以后，不管春夏秋冬，他都戴着一副墨镜，有时看着不伦不类，有时看着风度翩翩，不了解内情的人，根本不知道他是一个独眼龙。沈文绪在家里开了一个便民小卖部，生意整得红火。沈文绪问，谁在你家面瓮里伸勺子了，脸拉得比镢把还长？赵六碗原原本本地把刚才的事学说了一遍，沈文绪左右瞟几眼，见街道上没有人，把赵六碗拉进凉房下，一下一下地点着他的脑门儿说，你真是个脑养鱼！泔河村谁不知道，那眼机井，村长是有股份的，他占六，王爱羊占四，你却跑到谢长安那儿告王爱羊？真是老鼠舔猫屁股，没事找事呢。赵六碗唬了一跳，嘟哝着说，你胡说呢，村长咋能跟王爱羊穿一条裤子呢！沈文绪摆了摆手说，算咧算咧，给你说也说不清。赵六碗说，我饶不了狗日的王爱羊。沈文绪说，你就不要操那门子闲心了，帮我换轮胎，换了轮胎跟我去县里进货。赵六碗说，我还要挑水浇地呢。沈文绪说，一瓶啤酒，一包干吃面，去不去？赵六碗犹豫了一下，说不去。沈文绪说，那就去"辣嫂子"吃面吧，放开肚子吃，吃多少我都不会压锅盖，咋个样？

一句话说得赵六碗红了脖子涨了脸，他知道沈文绪又在揭他的短了。赵六碗的大名叫赵红旗。有一年，福生家里盖房，他去帮忙，午饭吃的是浇汤面。他说给我捞干的。一老碗，又一老碗……他一口气吃了六老碗。吃得福生他妈用身子压住了锅盖，喊着说喝面汤吧喝面汤吧。赵六碗由此得名。叫得久了，泔河村的人就把赵六碗这个绰号叫成了正名。赵六碗并没有生气，叫就叫吧，名字嘛，就是一个符号，叫啥还不一样呢？叫到现在，赵红旗也以为自己原本就叫赵六碗了。沈文绪提起了辣嫂子面，赵六碗的肚子又不争气地咕咕叫了，口水一个劲儿地往外涌。辣嫂子面馆在县城很有名儿的，碗大，面细，肉嫩，油汪，醋酸，辣子重，吃过一回，一辈子忘不了。沈文绪每次去县城进货，都要叫一个帮忙的，既可以搭手帮忙，还可以照应着车上的货，不至于让外人下了黑手。沈文绪叫得最多的人是赵六碗。赵六碗是一人吃饱全家不饿的主儿，又舍得力气，嘴也不挑食。这一天，赵六碗却不愿意去，沈文绪只有搬出辣嫂子了。

赵六碗问，你不压锅盖？

沈文绪说，一句话嘛。

敲定以后，两个人三棰棰梆子地装上车轮胎，"突突突"地奔县城去了。赵六碗做梦也没有想到，这一去，出了大事，也让他下半辈子生活变了样儿。

鸡零狗碎装满了车厢，沈文绪这才和赵六碗去"辣嫂子"吃面。食堂里的人并不多，有两个人靠窗坐着，面前摆着几样小菜，正在津津有味地喝啤酒。赵六碗看得直舔嘴唇子，忙了大半晌，臭汗流了一身又一身，他真的有点渴了。沈文绪把右手的食指和中指拧在一起打了响指，冲服务员喊，先来六碗。回头看到赵六碗的馋样儿，问，来一瓶？赵六碗说，算咧，费钱的。沈文绪说，钱嘛，花嘛，花完了再挣嘛，想喝了咱就喝，咱是谁？喝！赵六碗格外高兴，他也学着沈文绪的样子，把右手的食指和中指拧在一起打了响指，冲服务员喊，来两瓶啤酒。沈文绪一下子捂了赵六碗的嘴巴，冲服务员摆摆手，说不要啤酒。回头捏着嗓子对赵六碗说，你站着说话不腰疼呀？你以为我的钱是弹弓打来的呀？咱车上有的是啤酒，喝多少拿多少，这里的啤酒比咱的啤酒要贵两毛多钱呢。赵六碗抽了一口凉气，陡然明白，并不是谁都可以冲服务员打响指的。沈文绪在车上拎来四瓶啤酒，瓶盖儿往嘴里一伸，"咯嘣"一声，开了，一股白沫涌出来。两个人豪爽地碰了一下，开始吹喇叭了。一口气喝一瓶，沈文绪又要喝第二瓶，赵六碗说，你开车着呢，少喝点儿。沈文绪说，你赵六碗门缝里看人呢，我是谁？沈文绪的干活，一只手扶着车把，眼睛一睁，十里地过去了，眼睛一闭，又十里地过去了，屁事儿没有，咱要的是手艺。赵六碗就跟沈文绪又碰了一下酒瓶子，他知道沈文绪没有吹牛，他的手艺就是高。

太阳落山的时候，沈文绪开着拖拉机离开了喧闹的县城。路边的树厚绿着，风在耳边呼呼作响。沈文绪一边开着拖拉机，一边给赵六碗展示着手艺，他故意把一条腿搭在方向盘的旁边，一会儿用右手扶着方向盘，一会儿用左手扶着方向盘，絮絮叨叨地讲着，坐在车槽里的赵六碗一句话也没有听清。突然，从路边的苹果园里蹿出了一辆摩托车。开摩托车的是一个光身子小伙子，也戴着大砣砣墨镜，看见迎面的拖拉机，一个急刹车，翻到路边的水渠里去了。沈文绪也是一个急刹车，车头一拐，也翻在路边的水渠里了，车槽里的赵六碗像一个杂技演员一样在空中翻了几个跟头，落在一棵苹果树上，砸下一片枝枝叶叶和青蛋蛋苹果。惊魂未定的赵六碗从树上爬下来，发现沈文绪在路边的水渠里躺着，整个拖拉机压在他的身上。汗豆豆从他的额上往下滚，血线线从他的身体上往外流。

老沈——赵六碗拖着哭腔喊。

沈文绪吃力地举着手，朝路边指着，顺着沈文绪指的方向，赵六碗看到了他的墨镜，一只镜片碎了。他拿过来替沈文绪戴上，那只完整的镜片恰好遮住了他的瞎眼。沈文绪断断续续地说，六碗，我不行了。赵六碗说，我把你送到医院去。沈文绪说，没用了，我的身子被压断了，身上的重物一取，我就咽气了……六碗，我给你说个事。赵六碗抱着沈文绪的脑袋说，你说，我听着呢。沈文绪说，六碗，我走了，你把我媳妇照顾上。

赵六碗猛然觉得沈文绪的头是那么的沉，比一座山还沉，他断然拒绝道，沈文绪，我不管你媳妇，我还要管我的老鱼呢。沈文绪说，我知道泔河村好几个人都惦着我媳妇，说不定跟他老婆干那事的时候，叫的就是我媳妇的名字。赵六碗说，谁惦记你媳妇你叫谁管，我没惦记你媳妇，我不管。我有老鱼呢，我就要跟老鱼结婚了。沈文绪说，你点个头吧，你不点头，我的眼睛闭不上。赵六碗说，你爱闭不闭，跟我有尿的关系。走，我现在就把你弄出来送到医院去。

赵六碗试图把沈文绪从车槽底下拉出来，他听到了肉的撕裂声，却不见沈文绪的身子有丁点儿移动。沈文绪龇牙咧嘴地叫，六碗，你想把我撕成两半呀？快点头呀，我不行了。赵六碗说，行，我照顾着你媳妇，但你要坚持住，我这就到村里叫人去，你可要坚持住呀。说了半天，不见沈文绪吱声，低头一看，沈文绪咽气了。

赵六碗丢下沈文绪的头，破口大骂了，老沈，你个瞎屄，我日你先人！我日子过得好好的，我就要跟老鱼结婚了，你为啥要给我怀里塞只兔呢？

二

自打沈文绪出了事以后，赵六碗的心里一直很毛躁，谁也不想理，一句话也不想说，闷着头给苹果园里挑水，仿佛要把心里的那股闷气从一根一根的汗毛孔里排泄出去。可是，汗流了不少，盘踞在心头的郁闷却没有排遣出去。唯一让赵六碗欣慰的是，苹果园的长势不错，一点也不比别人家的差。王爱羊还是在地头咋咋呼呼地喊着，因为又要浇二遍水了。赵六碗在心里说，老子就是不用你机井里的水，老子的树长得照样好。赵六碗带了头儿，有几个身强力壮的也跟着赵六碗在泔河里挑水了，一路走着，洒下一路的荦段子。这一天傍晚，赵六碗发现水瓮里没水了，就从炕席底下找出五毛钱零钱，去王爱羊的机井上拉水。

王爱羊鼻子不是鼻子眼睛不是眼睛地说，你赵六碗不是日能得很嘛，还寻我的不是呢，小心我把你娃的粪拾了！赵六碗息事宁人地说，你给我放一桶水。王爱羊生硬地说，没水！赵六碗说，刚才还不是流着嘛，你咋说没水呢？王爱羊说，有水也不给你放。有本事，你把全村人都带到河里挑水去；有本事，你自个儿打眼机井去；有本事，你告去；有本事，你把嘴扎起来不喝。

打锣听声，说话听音。王爱羊这么一说，赵六碗就明白村长给王爱羊翻了窝子。他在心里埋怨村长说，村长呀村长，你是一村之长，我给你反映情况，你不处理倒也罢了，你咋能翻窝子呢？赵六碗心里不服气，他说，王爱羊，用村里的地，用村里的水，给你自己挣钱，本来就是你的不对嘛。王爱羊转过身子撒了一泡尿，然后指着尿水说，赵六碗，来，你在这尿里照照你自己，看你有没有说对不对的份儿？

两个人正僵着，村长来了。在泔河村，村长的衣着打扮很像一个文化人，他的皮肤光光的，亮亮的，脑门儿上一条儿皱纹也找不出来，雪白的草帽，雪白的衬衫扎在蓝色的裤子里，再热的天，他也是穿着袜子，袜子也是雪白的，黑色的带孔凉皮鞋，走起来四平八稳。其实，村长在不远处的墙拐角已经站过一支烟工夫了，争吵的来龙去脉他听得明明白白，他对王爱羊说，高喉咙大嗓子的，吵啥呢，也不讲个和谐共建。

看见村长，赵六碗慌忙关掉了挂在脖子上的收音机，然后用自己的草帽一下一下给村长扇凉，边扇边说，村长，他不给我放水。村长问，他为啥不给你放水呀？赵六碗装糊涂说，我也不知道他害啥病了。

村长又转身问王爱羊，你为啥不给他放水呀？王爱羊脖子一拧一拧的，气哼哼地说，机井是我家打的，钱是我家掏的，谁顺眼了，我就给谁放，谁不顺眼了，就给谁不放，看他能把我的㞗咬了！

村长拖着腔说，爱羊呀，这就是你的不对了嘛，咋说赵六碗也是咱泔河村的人，是人就要喝水嘛，你给他不放水，让他喝西北风不成？言罢，村长谢长安亲自拧开闸门，给赵六碗放了一桶水。赵六碗把五毛钱递到王爱羊面前，王爱羊接过钱，三把两把撕成碎末子，顺手一扔，漫天乱舞了。

村长说，你跟钱还有仇呀，真是的。

王爱羊瞪着赵六碗说，你娃把眼睛放亮，再胡说八道，别说没水喝，泔河村就没你娃下脚的地方。

村长和赵六碗一搭儿往村里走，他边走边说，六碗呀，最近去没去沈文绪家？

真是哪壶不开提哪壶。这也是赵六碗最近比较毛躁的主要原因。沈文绪被埋了，可他托付给赵六碗的事并没有埋。埋完沈文绪的当天晚上，赵六碗寻到村长家里，把沈文绪托付给他的话跟村长说了一遍。村长是泔河村拿事的人，是他赵六碗的大恩人，不找他找谁呢？村长当时说，一个村里住着，低头不见抬头见的，别说沈文绪托付过你，就算没托付过，咱也要帮一把嘛。事后，赵六碗又后悔了，他要不说，谁知道沈文绪托付过他这事呢？后来，赵六碗又不后悔了：人嘛，咋能哄死人呢？可是，咋帮呢？农家的活儿没个断线线的时候，总不能见活都搭一手吧？就算他赵六碗愿意，老鱼愿意不愿意呢？现在的赵六碗，凡事都要站在老鱼的角度上想一想。

赵六碗说，我还没顾上去呢。

村长说，你回去把水放下，咱两个一块儿去看一下。

赵六碗心里感动了一下，村长就是村长，把村里的每一个人都在心上搁着呢。

眨眼的工夫，沈文绪已经入土一个多月了。门框上的白对联少了半拉，拴在门椽上的孝布落了一层灰，有气无力地在风中摇曳着。沈文绪家的头门紧闭着，门前一片清冷。赵六碗不由自主地想起了沈文绪活着时的热闹景象。沈文绪脑子活泛，他家的房子里永远摆着两张麻将桌，白天晚上都有人在打麻将，也有看热闹的闲人。没烟抽了，买一包烟，渴了，来一瓶啤酒或者一瓶饮料，饿了，来一包方便面，沈文绪免费地给煮了。所以，他家的生意一直很红火。走到沈文绪的家门口，村长谢长安掏出了手机，摁了几个数字说，喂，我和六碗去沈文绪家里看看，一个村里住着，总要帮一把嘛，我给你说的那个事，你抓紧办吧。村长的嗓门儿很亮，惹得街道上的几个人都在看。

开门的是沈文绪的媳妇，名叫刘美莲，一副美人胚子，头发黑，皮肤白，条子正。她的头发不是一般农村女人常留的剪发头，而是烫成了大波浪，蓬蓬松松的，有一股洋味儿。平素，沈文绪像神一样侍候着她，不让她去苹果园里干活，不让晒太阳，甚至不让她做饭。这女人真是没福气，往后的日子可咋过呀？看见村长和赵六碗，刘美莲泪疙瘩就滚下来了。赵六碗也在心里叹了一声，才几天时间，这女人就瘦下去了一圈儿，寡白的脸上一点水汽也没有了。

村长说，别难过，人死不能复生，文绪走了，你还得活呀，你放心，我是村长，我不会撂下你不管的，从今往后呢，还像往常一样，凡是村里招待的烟呀酒呀，都在你这儿拿。

刘美莲抹着眼泪说，谢谢村长惦着我。

赵六碗不知道说些啥安慰的话，急得直搓着一双大手。村长到院子里转了一圈，对赵六碗说，小刘呀，你看瓮底都露出来了，六碗，拉桶水去。刘美莲说，村长，不用的，我能拉。村长说，让六碗拉去吧。赵六碗很感激村长能及时地把他从这种尴尬的环境中解救出来，“砰砰啪啪”把水桶装在架子车上，突然又想起了一个问题，红着脸，结结巴巴地说，村长，一桶水，五毛钱。刘美莲急着要去拿钱，村长摆摆手说，你对王爱羊说，就说我让拉的。赵六碗还想问，王爱羊不认账咋办？可村长却转了身子，去查看刘美莲的房子了。赵六碗只好硬着头皮走了，他思谋停当了，如果王爱羊不让拉，他就回来找村长，让村长拾掇他个碎狗日的。

王爱羊坐在井边和铃铛缠毛线，王爱羊架着线，铃铛在绕，手里捧着一个线蛋蛋，有说有笑的。铃铛的腿叉得很开，裙子底下的红裤头就在赵六碗的眼前晃着。赵六碗心里说，我非把你告给福生不可。望见赵六碗，王爱羊从鼻腔里哼了一声，说看见你，我眼里都是气。赵六碗把挂在脖子上的收音机的音量调大了一些，佯装没有听见。王爱羊扬了声说，你又跑来干啥呀？赵六碗说，村长让我给刘美莲拉一桶水。说来真怪，王爱羊啥话也没有问，一蹦一蹦地开了水闸，蹦得比蚂蚱还快。赵六碗心下奇怪，村长谢长安的名字比药还灵验呢。

走在泔河村的街道上，赵六碗时常有一种寂寞的感觉，年轻人呢，不是在城里打工去了，就是在村里的厂子里上班了，娃们都背着书包奔学校去了，老人们有的在炕上躺着，有的靠在麦秸垛上打瞌睡，狗也懒得叫了，鸡也懒得蹦了，整个村庄像死了一般岑寂。刘美莲家的门紧闭着，赵六碗又奇怪了，他刚才走的时候，分明是把门敞开着的，屁大个工夫，门咋就关上了呢？难道村长走了？赵六碗一推门，“吱呀”一声，门开了，赵六碗随即被眼前的景象惊呆了：村长正和刘美莲在院子里较劲呢，两个人就像驴拉磨一样绕着椿树转，一个绕到这边，一个绕到那边。村长的眼睛里喷射出来两道光。这两道光刺得赵六碗打了一个寒战，不由自主地想起了一件事。有一次，村长在“香香农家乐”喝酒，喝到高兴处，他说，再漂亮的女人也是男人的肉垫子！哪个女人拿不下？泔河村的女人，只要咱看上眼的，哪个跑得了？俗话说得好，好女怕三缠嘛，头一回，你拉她的手，她打掉了；二一回，你抱她的身子，她推开了；三一回，你亲她的嘴，亲上了，就正式宣告：拿下！对这些话，赵六碗并不放在心上，他知道那是酒话，酒话能当真吗？泔河村的人都知道，村长就好女人这一口，王爱羊的媳妇跟他有一腿，村西头刘大麻子的媳妇跟他有一腿，“香香农家乐”的女老板香香跟他有一腿。现在，村长又在沈文绪的媳妇刘美莲的身上下工夫了。

村长说，美莲，屋里去。刘美莲白着脸说，村长，使不得。村长喜眉笑眼地说，美莲，你喜欢在太阳下弄？刘美莲把自己的身子藏在树后说，村长，使不得。村长顺方向绕了一步说，美莲，脱。刘美莲也顺方向绕了一步说，村长，使不得。村长反方向绕了一步说，美莲，你还要我动手吗？刘美莲也反方向绕了一步说，村长，使不得。村长说，从你过门那天起，我就馋你了，馋了七八年了。刘美莲央求说，村长，使不得。村长说，美莲，咱们不要再耗时间了。刘美莲说，村长，按村里的辈分，我把你叫叔呢。村长说，都出了五服了，还有啥的叔味呢！刘美莲说，村长，要是传出去，我就没脸做人了。村长说，天知地知你知我知，再没有人知道了，就算有人知道，谁敢吱声？刘美莲说，村长，沈文绪的肉身子还在土里没化呢，我得为他守着身子。村长说，你那是老观念，女人就像切面刀一样，刀不用要锈，女人不用就要老，我就不动手了，你自己脱吧……

两行清泪顺着刘美莲的脸颊流下来，她拖着哭腔说，村长，使不得。

赵六碗的心里轰的一声响，村长的形象倒塌了。赵六碗不知所措，腿打颤了，手也哆嗦了，这个人不是别人，这个人是村长谢长安，他放个屁，能砸死他赵六碗；他吐口唾沫，能淹死他赵六碗。赵六碗想干脆抽身子走人，眼不见为净，装聋作哑，一了百了。可赵六碗的腿沉得挪不动。他答应沈文绪要照顾刘美莲的，可刘美莲现在让人脱裤子，他却站在一边袖手旁观。沈文绪是个死人，他答应了死人的事，就一定要办到，要是办不到，他赵六碗说话就是放屁了，沈文绪这个死人也会看不起他的，一个连死人都看不起的人，活着还有啥滋味呢？不行，他要出手阻止村长干坏事。你是村长，你是我的大恩人，就算你是我爹，你也不能脱别人家媳妇的裤子呀！赵六碗盯一眼墙角的镢把，又盯一眼墙上的镰刀，最后，他选择了一把笤帚——此时此刻，赵六碗认定村长必定是喝高了。村长经常喝高，上面的头头来了，村长都会喝高。如果村长不喝高，他怎么会干这种猪狗不如的事呢？赵六碗抄起笤帚，先在自己的脑门儿上敲了一下，“噗”的一声，他没有感觉到疼。他这才有力地咳嗽一声，扬着手中的笤帚说，村长，使不得！

两个人被突如其来的喊声吓得住了手，刘美莲捂着脸，哭着跑到厢房里去了。

村长谢长安脸上的五官全都错了位，他像饿虎一样扑过来，用食指一下一下点着赵六碗的脑门子。他边点边说，谁叫你进来的？谁叫你来的？村长谢长安一个字比一个字咬得重，一个字比一个字声调儿高。

赵六碗被村长点一下，朝后退一步，他一边退一边带着哭腔说，村长，求你了，你喝高了。

村长说，你忘你姓啥了？

赵六碗继续说，村长，求你了……

村长说，你忘你是老几了？

赵六碗说，村长，求你了……

村长说，给你的嘴上安个门！

赵六碗说，村长，没有不透风的墙。

村长说，再给门上加道锁。

赵六碗说，村长，人的眼睛是钥匙。

村长一口唾沫啐在赵六碗的脸上，拂袖而去。

一连几天，赵六碗都有一种有气没处撒的感觉，也没心思去苹果园里干活。毕竟疏果的季节到了，再不疏果，树上的苹果就会挤成核桃蛋蛋，只有当落果去卖了。老鱼捎了话来，让赵六碗疏完自家的果园，再去南梁村帮她疏果。早先，赵六碗有了闹心事，就寻姑姑去了，给姑姑家里干一通农活，姑姑给他做一顿好吃的，姑父会把他骂一顿，他的闹心事也就烟消云散了。可是，姑姑家的日子越来越好了，姑父当了泔河村小学的校长，大表弟在果汁厂开车，二表弟在县城开了一家果行，表妹也在果汁厂当副总，这样一来，姑父就有点拿眼角角看赵六碗的意思了。赵六碗是有自尊心的人，至少他自己认为是很有自尊心的人，姑父既然跟他见外，他也就不再拿热脸去贴冷屁股。路长时间不走，就会长出荒草，亲戚长时间不走，就会变得生分。后来，赵六碗有了闹心事，他就寻村长谢长安了，村长向来不拿赵六碗当外人，也不嫌他穷，笑眉笑眼的。他把闹心事一说，村长总会给他支一记妙招。现在呢，村长做下了瞎瞎事，他再不能寻村长出主意了。思来想去，赵六碗揣一包烟，夹一瓶啤酒跑到沈文绪的坟上去了。

坟场在泔河村的东北角上，很少有人来，草比人高。赵六碗靠在沈文绪的坟头上，点燃一支烟，插在沈文绪的坟头上，说，老沈，你先抽支烟吧。

一只乌鸦从头顶飞过去了，撂下几声凄凉的叫。

赵六碗说，老沈，你抽着，听我给你说说心里话。你不要嫌我烦，这事都是你给我惹下的，要不是你让我照顾你媳妇，我才不管这些破烂事呢。现在，村长要脱你媳妇的裤子，你说咋办？我总不能天天守在你媳妇的跟前吧？村长地里的活有人干呢，我家地里的活谁干？就算我啥也不干，守着你媳妇，我守了白天，晚上咋办呢？

赵六碗又从身上摸出一瓶啤酒，一口咬开盖儿，给沈文绪的坟头上洒了半瓶，然后他自己边喝边说，老沈，我知道你好喝几口啤酒，就给你带了一瓶，我本来想给你带两瓶，可我还要攒钱娶老鱼呢，所以只给你带了一瓶，你不要嫌我小气，对付着喝一点儿吧。老沈，我给你说实话，其实，我不想跟村长弄事，我能弄过人家吗？可是，我也不能看着他脱你媳妇的裤子呀，这不是人干的事呀！

赵六碗说，老沈，你个瞎种，为啥要把你媳妇托付给我呢，叫我的日子不得安宁，我日你先人！唉，骂你也没用，你都死了，再骂你，我就不是人了。谁叫我答应了你呢，答应了你，我就要替你把媳妇看好。

七七八八地说了一通，赵六碗心里松活了一些，伸手摸了摸挂在脖子上的戏匣子，心里又不是滋味了，像托着一只死老鼠。他三把两把在沈文绪的坟上刨一个坑，把戏匣子丢进去埋了，然后说，老沈，村长谢长安不是人，他的东西也就不是东西了，我把它埋尿了，再也不听了！

从坟地里回来，迎面碰上了铃铛，她胳臂上挂着一个篮子，篮子里是鸡蛋。看着鸡蛋，赵六碗心里又感慨了，现在的农村人真是越来越懒了，啥都学城里人的样儿，吃粮，在商店里买，吃肉，在集市上买，吃菜，在街道上买，猪也不养了，鸡也不养了，猫也不养了。没事儿了，就坐在街道上打麻将，还说这是社会主义新农村的新生活。但是，村长谢长安爱吃土鸡，也爱吃土鸡蛋，他说所谓的速成猪速成鸡还有洋鸡蛋，不是用激素喂出来的，就是化学用品造出来的，没味道，没嚼头，害人的嘴，害人的胃，害人的身子骨。上头来了人，村长谢长安就拿土鸡和土鸡蛋招待，很受欢迎。既然村长爱吃，就有人持之以恒地养着土鸡，铃铛就是其中之一。对这个铃铛，赵六碗很是想不明白，她为啥不跟福生去城里打工呢？她不是果汁厂的工人，为啥把村长巴结得那么紧呢？还跟着村长的狗腿子王爱羊醋一壶酱一壶，明铺暗盖着，让村里人嚼闲话。赵六碗问铃铛，给村长送土鸡蛋呀。铃铛眉飞色舞地说，刚才村长让王爱羊给我说，明天上头要来人，土鸡蛋没有了，我就送一些过去。听了这话，赵六碗当下取消了去找村长的打算，铃铛这女人话比屎多，屁股又沉，等她跟村长说完话，不知道要等到猴年马月呢。

赵六碗三步并作两步奔南梁村去了，他要去给老鱼疏果。往后，老鱼就是自己的媳妇了，不能累着老鱼。

晚饭是煎饼，玉米糁子，炒洋芋丝，赵六碗吃得很香。碗一撂，夜色浓得化不开了。

路上黑的。老鱼眼睛瞄着窗外，忧心忡忡地说。

我的眼睛是探照灯。赵六碗说。

明早赶一赶就完了，跑来跑去的，跑啥呢。老鱼的眼睛挪到了他的脸上。

牙长一截子路，不打紧。赵六碗说。

你看你身上的衣服都有味道了，我想晚上给你洗一洗。老鱼站起身，伸出手，做一副要帮他脱衣服的姿势。

我明日把换洗衣服带上了再洗。赵六碗双手抱了胸，向后仰着身子。

六碗，夜深了，不会有人到我家里来。老鱼的脸红得像正在跳跃的煤油灯的火苗。

累了一天咧，你也早些睡。赵六碗说。

老鱼把赵六碗送到了门外，趁着稠糊糊的夜色，一把抓住了赵六碗的手，说六碗，你真是个实诚人。

赵六碗一下子就瓷住了，幸福得一塌糊涂。

三

这一天，薛广辉给他父亲过三年，请来了县剧团唱秦腔。晌午，赵六碗逮着信儿以后，马不停蹄地跑了趟南梁村，想请老鱼来看戏，老鱼说，还没结婚呢，弄得张张扬扬的，惹人笑话。赵六碗说，那你趁天黑了再来。老鱼说还要看孩子做作业，就推托了。虽然没有把老鱼叫来，但赵六碗心里还是很快活。走进村口，赵六碗看见刘美莲开着拖拉机往外走，他吓了一跳。以前，从来没听说过刘美莲还会开拖拉机。

赵六碗侧着身子，慌慌地问，你，咋开拖拉机呢？刘美莲刹住了车说，我不开谁开，日子总得往前挪吧。赵六碗问，你做啥去呀？刘美莲说，进货。赵六碗问，要不要我帮忙？刘美莲说，不用了。说毕，刘美莲动作娴熟地换挡、轰油门，一溜烟儿地走了。

望着刘美莲的背影，赵六碗在心里把沈文绪骂了一句，捎带着把村长骂了一句。因为这两个人害得他长了四只眼睛，一只眼睛盯着自个儿，一只眼睛盯着老鱼，一只眼睛盯着村长谢长安，一只眼睛盯着刘美莲，哪一个不盯都不行，哪一个少盯一眼都不行。为了盯好村长，他在地里干一会儿活，就要隐匿在苹果树的后面，一动不动地盯着他家的大门，看他走出大门，朝工厂走去，朝“香香农家乐”走去或者朝王爱羊的机井走去，他才会安心地在地里干活。如果村长朝刘美莲家的方向走去，他就悄悄尾随，以防他再去纠缠刘美莲。他一直记着村长“好女怕三缠”那句话。好在刘美莲家的大门一直紧关着，有几个要买烟的人都没有叫开。晚上，赵六碗睡得并不踏实，他还是担心村长跑到刘美莲的家里去。刘美莲家的庄基背后有一棵老榆树，老得空了芯子，平常没有人搭理这棵树，眼下，赵六碗把它派上了用场。每天天压黑以后，村子里静谧下来，赵六碗神不知鬼不觉地溜出家门，爬上那棵老槐树。刘美莲的家便尽收眼底了，亮着灯的房子住着刘美莲。刘美莲去厨房倒了一杯水，刘美莲去茅房里撒了一泡尿，刘美莲在后院拿了一捆蒿子草，放在窗台上点燃了……这一切，赵六碗都看得真真切切。他要为自己说过的话负责，把刘美莲看牢了，谁要是敢翻刘美莲家的墙，他就会从树上跳下去，打断那个人的腿，包括村长谢长安。尽管如此，赵六碗还是有点儿不放心，他打算还是要和村长谈一谈，让他死了那条心。

后晌从老鱼家回来时，老鱼给赵六碗的手里塞了一个布袋，装着葱花油饼。老鱼也是个实在人，一下子烙了两个大葱花油饼。老鱼的手艺真是好，烙出来的葱花油饼黄而不焦，一层一层，纸一样的薄，香味儿大老远就往人的鼻子里钻。赵六碗一时犯了愁，吃是吃不完的，搁过夜，就馊了。想了一会儿，赵六碗把油饼一分为二,一半放在茶盘里,再把茶盘放在凉水瓮里。另一半呢,他拿着送给姑姑了,咋说也是自己的亲姑姑呀。姑父躺在门道里的躺椅上,眯着眼睛,似睡似醒,无精打采,脑门儿的正中央是一个拔火罐儿留下的深紫色圆砣砣,模样很是滑稽。赵六碗咬着嘴唇,把快要蹦出来的笑硬是给挤了回去,他知道姑父受了凉。泔河村的人感冒以后,并不吃药,也不打针,而是在脑门儿的正中央拔火罐儿,这是祖上传下来的土方法,灵光得很。姑父的眼皮张了一下,看见是赵六碗,眼皮儿又耷拉上了。

姑姑说,你留着吃嘛。

赵六碗说,给我姑父吃。

姑姑并没有问油饼是哪儿来的,赵六碗原本想给姑姑说油饼是老鱼烙的,但他咬了咬牙,终究没有说出口。

从姑姑家出来,太阳还没有落下去,秦腔戏的开场锣不停地敲起来。但戏台子那儿很热闹,卖油糕的,卖凉皮儿的,卖豆腐脑儿的,杂七乱八,一片吆喝声。赵六碗转了一圈,觉得正好利用这个空儿找村长谢长安谈一谈,村长死了心,他才能安了心。他想村长也是个灵醒人,他一点就明白了。

还没有进村长家门,赵六碗先嗅到了一股熟悉的香味儿。是啥味儿呢?赵六碗抽着鼻子狠劲儿地吸了一口气,他想起来了,是老鱼烙的葱花油饼的香味儿。日怪了,难道村长的老婆也烙了葱花油饼?难道村长老婆烙葱花油饼的手艺和老鱼一样的好?走进村长家,见村长的大孙子捧着一块油饼吃得津津有味。

你妈也烙葱花油饼了?赵六碗望着村长谢长安大孙子手里的油饼,似曾相识。

村长儿子说,是谷校长的老婆送来的。

赵六碗恍然大悟,怪不得他闻着这味道熟悉呢。谷校长就是赵六碗的姑父,谷校长的老婆就是赵六碗的姑姑。赵六碗一时很失落,老鱼好心好意烙给他的油饼,他好心好意地送给姑姑,姑姑却用来巴结村长了。

赵六碗把一口闷气咽回去,东张西望着寻村长,村长果真就从厢房里走出来了,穿得整整齐齐,脸板得很平。

村长,我想找你说个事。赵六碗躬着腰说。

我也正好找你呢。村长说。

村长,你找我弄啥事呢?要是出力的活你就张嘴,咱一句话,没麻达。赵六碗兴冲冲地表态。

走,我请你吃饭。村长说。

一说吃饭,赵六碗就知道村长谢长安"嘴里的味淡了"。上头不来人的时候,村长也时常去"香香农家乐"吃饭,他会说"嘴里的味淡了"。两个人说着话,一前一后进了"香香农家乐"。香香笑着迎出来,嗔怒地瞥村长一眼说,我还以为你把家都忘了。香香的声音压得很低,但赵六碗还是听见了。村长说,烩麻食。香香仿佛早就知道村长要来似的,拧个身,就端出了四样小菜:一碟泡蒜薹,一碟咸韭菜,一碟泡蒜片，一碟铡青椒。这四样小菜是村长最爱，每次吃面必不可少。而只有香香做的味道最合他的胃口。

刚放下面碗，香香又捧上来两碗热面汤，说原汤化原食。两个人喝罢面汤，打着饱嗝一前一后走出了“香香农家乐”。赵六碗问，村长，去哪儿呀？村长说，我听说刘美莲今日进货去了，你跟我去，给“香香农家乐”搬几扎子啤酒过去，明日上头要来人。

一听到刘美莲的名字，赵六碗的心一下子又揪了起来，他想这是一个给村长“敲边鼓”的好时机。

两个人各想各的心事，各说各的话，都想在对方的耳边敲敲响锣。村长说，六碗，我那天喝了一点儿酒，高了。赵六碗说，村长，树活一张皮，人活一张脸，瞎瞎事做不得。村长说，六碗，我一直对你不薄啊。赵六碗说，村长，寡妇门前是非多，村里人都眼巴巴地看着呢，沈文绪在坟里也睁着眼睛呢。村长说，六碗，我打算把你弄成低保户呢。赵六碗说，村长，我答应过沈文绪，要照顾好他媳妇的。村长说，六碗，在泔河村，还没有我弄不成的事。赵六碗说，村长，欺负寡妇就会被唾沫星子淹死了。村长说，六碗，以后我去刘美莲家里，你都要跟着，让村里人看见是我跟你一块儿去的，是给刘美莲帮忙的。

赵六碗把心里想好的话说完了，也到了刘美莲的家。刘美莲家的大门敞开着，她正在柜台前忙着算账。看见两个人，刘美莲冷冰冰地说，来了，要买啥？不等两个人开口，刘美莲又说，不过，从今日起，我家的麻将摊子没有了，要是打麻将的话，请到别人家去，我这里不欢迎。

村长笑着说，小刘呀，听说你今日进货回来了，我顺便让六碗来搬些货，明日上头要来人。

村长又对赵六碗说，你先搬几扎啤酒过去，我跟小刘说说话。

直到这时候，赵六碗算是清醒了，村长谢长安之所以要带他来，只拿他当了一块敲门砖，是用他来打掩护的，用他赵六碗的身子挡住泔河村人的眼睛，他的主要目的是和刘美莲“说话”。赵六碗思谋好了，你让我搬啤酒，我就搬啤酒，我一路小跑，放下啤酒就跑回来，让你啥事也干不成。赵六碗伸手要搬啤酒，刘美莲搭腔了，她说，等等。

赵六碗住手了。

刘美莲说，村长，啤酒有的是，你搬多少都行，不过呢，这账咋个算法呢？

村长说，老规矩，记账，年底给个整数儿。

刘美莲说，不成，账我已经给你算过了，你在我这儿记的账总共是六千八百二十六块，你今日先把这账结了，再说搬啤酒的事，否则，一瓶啤酒你也拿不走。

村长说，六碗，你去龚会计那儿拿一万元来。

赵六碗没有动，他的腿像是灌了铅，脚像是扎了根，他不想走。村长一张嘴，他就知道他要拉啥屎。他明白村长心里那点儿小九九。

村长黑着脸咆哮,你聋了?

赵六碗乜一眼村长,又望一眼刘美莲,拧身走了。赵六碗知道村长是一个不达目的不罢休的主儿,所以,他跑得很快。他明白自己要是跑得慢一点,刘美莲就被村长"拿下"了。赵六碗在村里跑了一大圈,总算在戏台下找到了龚会计。龚会计说,你说村长说的,村长要是没说咋弄呢?所以嘛,你得把村长的条子拿来,只要有村长的条子,别说一万,十万八万我都给呢。赵六碗牵心着刘美莲的裤再次被村长撕破,不敢跟龚会计纠缠,撒腿又朝刘美莲家里跑。

赵六碗最担心的事还是发生了。

虽然说赵六碗有充分的思想准备,但当他撞开刘美莲家的大门,眼前的景象还是把他吓坏了。刘美莲被村长牢牢地挤压在醋瓮上,她的裤子被脱掉了,露着短短的红裤衩,还有两条白光光的大腿。赵六碗从来没有看见过女人的大腿,刘美莲的腿真是白呀,就像悬挂在头顶的日光灯。两个人都用着劲,呼哧呼哧喘粗气,并没有注意赵六碗已经站在门口了。

刘美莲带着哭腔哀求道,村长,求求你……

村长谢长安说,美莲,有我罩着你,泔河村的家你就当了一半了。

刘美莲说,村长,我只想平平静静过日子。

村长往下扯刘美莲的裤子,刘美莲用手牢牢地压着裤子,长裤子褪到脚腕上,绊着她的脚,她跑不开。村长谢长安努着嘴,想去亲刘美莲的脸蛋子,刘美莲的头抵在他的胸脯上,拧来拧去。

村长说,我就爱吃这野味儿。

刘美莲说,村长,我还要活人呢。

"刺——"的一声,刘美莲的红裤衩被村长撕破了,刘美莲似乎用尽了全身的力气,软软地松了手,放弃了最后的抵抗。她仰起头,闭了眼睛,两行清泪迅速地滑入鬓角。村长开始解自己的裤子了。呆若木鸡的赵六碗如梦方醒,他信手拿起一桶"康师傅"方便面砸在村长谢长安的头上,"噗"的一声闷响。这一声响,把三个人都吓了一跳。刘美莲一把抓过醋瓮上的木盖子,仓皇地挡住自己的下半身,边哭边朝里屋跑去,她跑一步,膝盖就在醋瓮盖子上磕一下,洒下一路的哐当声。村长扭曲的脸先是白着,像刘美莲的腿一样,瞬间,又转换成暗红色,像瓮里的醋,最后就转换成铁青了,像乍出锅又泄了气的馍。赵六碗也被自己的举动吓瓷了,像根木头桩子似的一动不动,不知所措。村长很快镇静了,面目也恢复了常色,他不慌不忙地拉上裤子拉链,不慌不忙地拣起一块落在衣服上的方便面扔进嘴里,嚼出一片不慌不忙的"咯嘣"声。村长朝前逼了一步。赵六碗朝后缩了一步。村长又朝前逼了一步。赵六碗又朝后缩了一步。

村长说,赵六碗,我问你,屎壳郎能挡得住大马车吗?赵六碗说,村长,你不是

人！村长说，赵六碗，我问你，蚂蚁能摇得动老榆树吗？赵六碗说，村长，你不是人。村长说，赵六碗，我问你，鸡蛋能碰得过石头吗？赵六碗说，村长，你不是人。村长说，赵六碗，就算我不是人，你能把我的屌咬了？

赵六碗说，我咬不了你的屌，但你也不是人。

村长侧了侧身子，把目光挪向刘美莲的里屋，一下一下敲着手指头说，赵六碗，我告诉你，她，美莲，刘美莲，沈文绪的媳妇，迟早都是我怀里的兔，迟早都是我盘里的菜。

赵六碗说，村长，你不是人。

村长走到赵六碗面前，又一次一下一下地敲着手指头，叫道，赵六碗，赵六碗，我知道，我知道……

听了这句话，赵六碗的腿肚子不由自主地抽搐了一下，又抽搐了一下。在泔河村，人都知道村长谢长安是个好脾气，早晚都笑吟吟的，向来不发火，更不会跟人动拳头。但他会一下一下地敲自己的手指头，随后会说“我知道，你的皮害痒痒了”。只要村长说了这一句话，准会有人要倒霉了，不是折了胳臂就是瘸了腿，少说也要在炕上躺个十天半月。当然，村长谢长安肯定是不会对赵六碗动手的，因为他正在“香香农家乐”里喝酒呢，有一大群人为他做证。村长只需朝王爱羊摆个眼色，一切就妥了。王爱羊是村长的狗腿子，装了一肚子坏水儿，他的跟前有几个长毛小伙子，打人就像喝凉水，王爱羊一挥手，他们就像一群疯狗似的扑上去一通狂咬。有一次，果汁厂的小强喝高了，说泔河村最大的害虫就是村长谢长安，此虫不除，泔河村后果不堪设想。这话传到村长的耳朵里，村长一下一下地敲着手指头说，小强嘛，娃是个好娃，就是皮害痒痒了。这个夜晚，小强在村东头被人敲掉了三颗门牙，打断了两根肋骨。第二天，村长带人去看小强，买了水果，还买了蜂王浆。小强说自己不小心摔的。村长说，咋这么不小心呢，往后小心点。小强的眼泪就下来了。还有一回，村长让小民去镇上拉一副自动麻将机，正是雨天，小民心疼自己的三轮车，推脱说等雨停了再拉，村长说现在就拉，等着用呢。小民仗着自己的姐夫在乡政府做饭，就没有把村长往眼里放，顶嘴说，你以为你是乡政府的干部呀？我就不去，你能把我看两眼半？村长嘿嘿笑了，说小民呀小民，娃是个好娃，就是皮害痒痒了。这天夜里，小民被人敲断了一条腿，三轮车也被烧成了一把灰。小民心里镜儿一样明亮，他知道是村长差人干的，所以当村长拎着水果和蜂王浆来看他的时候，他把水果和蜂王浆扔出去了，说我要找我姐夫告你。村长嘿嘿笑了，说告嘛。小民让媳妇用架子车把自己拉到乡政府，姐夫一听，抽了小民一个大嘴巴，说老虎的屁股你也敢摸，活该！

赵六碗一直等着村长谢长安说“我知道你的皮害痒痒了”，村长却重重地叹了一声说，赵六碗呀，你真是个脑养鱼！骂毕，瞪了他一眼，反剪着手，一摇一摇地走了。

赵六碗一时愣了，村长咋没有说“我知道你的皮害痒痒了”这一句话呢？这究竟是怎么一回事呢？他使劲地想，把脑袋都要想炸了，他总算想出了眉目。从古至今，向来都是邪不压正的。在这件事情上，他赵六碗是正，他村长谢长安是邪。他的正压过了村长的邪，换一句话说，就是村长怕他赵六碗了。想到这儿，赵六碗已经兴奋得满脸通红了，他很想宣泄这一种幸福，他需要与人分享这一种幸福，天黑得扎实，秦腔的铿锵隐约而来，街道上狗大个人影都没有。思来想去，他又一次想到了沈文绪。沈文绪死了，在坟里躺着，他不可能看戏去，他百分之百的闲着，对，就找沈文绪去。

什么是死？夜晚的坟场就是死：一星一星的鬼火有一着没一着地闪着，招魂鸟儿的叫声凉得往骨头里沁，浓浓的阴气撞着他的脸，撞着他的胸。赵六碗打个寒噤。但他很快就镇静了，他想，我连村长谢长安都不怕，我还怕鬼？这么一想，赵六碗的腰板又挺直了，步子迈得稳了。

站在沈文绪的坟前，赵六碗想象着村长平素讲话的样子，一手插在腰间，一手在空中比画着，边比画边说，老沈，你个瞎㞞，知道我是谁吗？当然，你肯定知道了，因为你听出我的声音来了。你知道我深更半夜的来找你干啥吗？当然不是跟你扯闲淡了，我有话要跟你说。

赵六碗说，以前，我不知道你个瞎㞞为啥能把一个小卖部办得红红火火，现在我明白了，因为你娃的眼窝亮，认人认得准。就说你死的这一回吧，全村那么多人，你把你媳妇不交给别人，偏偏交给我，你的眼睛多毒啊！你在坟里肯定看见了，村长谢长安一直在打你媳妇的主意呢，多亏了我，才把你媳妇的身子护干净了。为啥？还不是村长害怕我！他要脱你媳妇的裤子，我就骂他，我骂他不是人。我还砸了他，不是用砖砸的，用砖砸的话，他现在就来给你做伴儿了。我是用方便面砸的。他呢，瓷了，瓷得像灯一样！后来呢，乖了，乖得像一只小绵羊，硬是没有在我跟前说“你的皮害痒痒了”这一句话。

赵六碗说，老沈，你好好在那边干你的事，你媳妇的事再也不用操心了。牛皮不是吹的，火车不是推的。他村长要是再敢动你媳妇的心眼子，我就不再是骂他的事了，我要抽他。“啪！”一个脖儿拐，“啪啪！”一个左右开弓。赵六碗一边说着，一边在空中做着动作，动作的力度很大，带着呼呼的响声。

赵六碗说，咋，你沈文绪还不信？不信你就等着看，我不光抽他，我还要踢他，“咚”的一脚，他跌个狗吃屎，“咚”的又一脚，他跌个四仰八叉。

说了一阵子，赵六碗觉得口干舌燥，关键是沈文绪一声不吭，不与他互动，他讲话的兴致低落了下去。最后，他降了降调儿说，老沈，你就放心吧，你媳妇的事就包在我身上了。天不早了，你早些歇着，我要回去了。

一路上，赵六碗都觉得不过瘾，也不解馋，他应当让全泔河村的人都知道村长谢长安怕他赵六碗。不知不觉的，赵六碗就拐到了唱戏的地方。唱的是《赵氏孤儿》，话筒就在台子前搁着，赵六碗很想冲上去讲话，最后他看见了他姑父，姑父也看见了他，他很想跟姑父打个招呼，可姑父把目光转开了，装作没有看见他的样子，他也只好作罢了，冲上戏台讲话的心情也没有了。但他想好了，明天一定要去找一找姑姑和姑父的，把他骂村长的事给他们学一遍，主要是告诉他们，村长也是个纸老虎，也是吃软怕硬的货色，往后不必害怕村长谢长安。

四

第二天，赵六碗去姑姑家的时候，姑父正在和女儿谷飞燕打嘴仗。姑父一家人，赵六碗最佩服的人就是这个小他一轮的表妹谷飞燕了，谷飞燕长得不像泔河村的人，粉嘟嘟的脸蛋子白得像面粉一样，从小到大都梳着两根油光闪亮的大辫子，戴副眼镜，文质彬彬。谷飞燕做事也不像泔河村人。她考上了大学，又读了研究生，城里好几家单位向她伸出了橄榄枝，但她却回到了泔河村。村长谢长安格外看重这个城里回来的研究生，让她在果汁厂当了副总经理。可是，谷飞燕的心思并不在果汁厂，她想在泔河村成立一个全县乃至全省最大的农民工培训基地。她说，我在城里看到了太多的农民工，他们没有文化，没有城市生活经验，没依没靠，打架的是农民工，盗窃的是农民工，讲脏话、粗话的是农民工，随地吐痰的也是农民工。农民工在城市里出的力最大，流的汗最多，挣的钱却是最少。她把报告递到村长谢长安的手里，村长扫一眼，笑一笑，说好好好，搁下了。村长心里念着另一本经，他要在泔河村盖一座全县乃至全省最大的农民电影院。谷飞燕认为盖电影院纯粹是劳民伤财，是多此一举，是形象工程。公说公有理，婆说婆有理。但泔河村人都知道，谷飞燕的小胳臂是拧不过村长谢长安的大腿的。心灰意冷的谷飞燕打算读博士去了。一听女儿还要念书，谷校长率先炸了锅，他说，你打算把书往老里念呀！

谷飞燕明白父母的心思，想让她早点儿嫁出门去，在泔河村，再没有她这么大的姑娘了。她也知道，父亲想托人把她介绍给村长的三小子。村长的三小子名叫谢铁蛋，在县农业局给局长开车，两个人年龄相仿。可是，谷飞燕压根就瞧不上谢铁蛋。现在，姑父和谷飞燕又一次谈到了谢铁蛋的事。

姑父先说人家这个家，方圆百十里，你能挑出第二个来？再说人家这个娃。人家铁蛋吃的也是公家粮，差鼻子还是差眼睛了？啥也不差嘛！你想想，要是没有人家村长，我能当上校长？你能当上果汁厂的副总？人要有良心嘛。咱要是跟村长家结了亲，不仅不愁吃不愁穿，依着你的学识，还不当了泔河村的半个家。

谷飞燕靠在躺椅上，捧着一本书，一副事不关己无动于衷的冷漠表情。

姑父有些动气了，他抬了抬腔调儿说，跟你说话呢，你听着没有？看，看，看，书里能有好婆家？

谷飞燕并没有把书本从脸前挪开，她平静地说，你再不要操闲心了。姑父说，啥叫操闲心？啥叫操闲心？谷飞燕说，你放心好了，我嫁给谁也会不愁吃不愁穿的。

赵六碗站在门口听了一阵子，见姑父还要急，他就咳嗽一声，踱到姑父面前，他要声援表妹谷飞燕。谷飞燕见赵六碗进了门，甜甜地叫了一声哥说，听说你要娶嫂子了。赵六碗说，还没有盖房子呢。谷飞燕说，哥，你坐着，我给你泡茶去。赵六碗有点儿感动。在姑姑一家人中，只有这个表妹不曾嫌他，拿他当人看。

赵六碗对姑父说，姑父，凭咱飞燕的模样儿和学识，啥样的人找不到？咱不找谢铁蛋，他配不上咱飞燕。姑父坐着没有动，目光很冷。赵六碗说，姑父，咱不怕他村长，我昨晚把他骂了一通，他乖得像羊一样。

姑父像是被蜂蜇了一样打了一个颤，把目光投向赵六碗的脑门儿正中，疑惑地问，你也着凉了？赵六碗说，没。姑父问，没发烧？赵六碗说，没。姑父说，那咋说胡话呢？赵六碗被问愣了，他知道姑父不相信他的话，他就想把昨晚的事给姑父学一遍，姑父却问，你最近肯定吃牛肉了？赵六碗说，没。姑父说，你肯定吃了，而且是疯牛的肉。赵六碗说，没。姑父说，咋能没呢？你都开始说疯话了，还能没吃疯牛的肉？赵六碗说，我没说胡话。

姑父站起身，仔细地端详着赵六碗。姑父问，你真骂村长了？赵六碗说，真骂了。

唉！姑父很重地叹一声，一掌击在自己的膝盖上，说脑养鱼啊脑养鱼，你真是个脑养鱼，我问你，你的皮害痒痒了是不是？

赵六碗说，村长是个纸老虎，我骂了他，他都没敢说我皮害痒痒。

谷飞燕捧着一杯茶从里屋走出来，逮了两句父亲与赵六碗的谈话，她问，谢长安又说谁的皮害痒痒了？我就不信泔河村还不是共产党的天下了，哥，你喝水。

姑父接过谷飞燕手中的茶杯，胳臂一扬，泼在院子里，又朝外一指，冲赵六碗吼，滚出去！赵六碗和谷飞燕都愣了。姑父又喊，滚！谷飞燕说，你太过分了！

赵六碗悻悻地走了。

苹果开始上色，地里的农活稀少下来。十天浇一回水，十天打一回药，再就是等着收获了。赵六碗却没有轻松，他给自己苹果园里挑完水，打完药，又要跑到南梁村，给老鱼家的苹果园浇水打药。这一天，赵六碗去王爱羊的机井上拉水，王爱羊并不理赵六碗，他仰头望着蓝瓦瓦的天河，好像自言自语地说，你的皮害痒痒了是不是？赵六碗心里"咯噔"了一下，这不是村长说的话吗，咋从王爱羊的嘴里蹦出来了？他说这话是啥意思？但他很快就不跟王爱羊计较了，暗忖，村长都没敢跟我说这话，你说了顶啥？还不等于放了一个屁？赵六碗正打算拉着水桶走，王爱羊又说，你的皮害痒痒了是不是？平素，赵六碗有点儿怯王爱羊，现在的他就有点儿咽不下这口气了，我赵六碗连村长都骂了，你王爱羊算哪盘菜，还敢给我亮耳朵？他放下架子车问，王爱羊，你说谁的皮害痒痒了？王爱羊不拿正眼看赵六碗，头依旧高扬着，他说，我在我家的机井跟前站着，我说天呢，我说地呢，我说我家的机井呢，谁家的婆娘大裤裆，露出这么个东西，为啥要安在自己的头上呢？赵六碗说，王爱羊，你把嘴巴放干净点。王爱羊说，我的嘴巴不干净，你把我的尿咬了！赵六碗的手颤了，扶起了他的架子车说，王爱羊，我还要到南梁村去呢，我不跟你干嘴仗。王爱羊"呸"的一声，一口痰朝赵六碗飞过来，落在了赵六碗的脚前。王爱羊说了一句电影《小兵张嘎》中的台词儿，别看你现在蹦得欢，小心以后拉清单！

路过刘美莲家门口的时候，赵六碗低了头，步子加快了，他不想看见刘美莲，这个女人害得他把戏匣子都埋到她男人的坟里了。赵六碗却听到有人在喊，六碗，六碗！赵六碗拧头一看，果真是刘美莲，她倚着门框站着，冲他招手。刘美莲说，六碗，你来，我给你说个话。

赵六碗的两只脚像是被钉子钉住了一样，他站在原地说，你说嘛。

刘美莲的眼睛像两根绳子，她的话像一根绳子，她说，你来。

三根绳子把赵六碗拉进了刘美莲的家。这个家收拾得干净利落，散发着一股淡淡的香味儿。货架子上的货擦得明光闪亮，摆得整整齐齐，不见一个顾客，冷冷清清。刘美莲的脸上落一层忧郁。赵六碗问，咋没有人呢？刘美莲说，资金周转不开，进的货少。赵六碗说，村里不是还欠着你六千多块钱嘛，你咋不找村长要去？刘美莲低了眉眼，喟叹一声说，村长不是人。赵六碗说，他还来缠你了？刘美莲说，我找他要钱，他说他没欠我的钱，我家账本上都是沈文绪自己记的账，没有村长的签字，他说他不认账，硬逼我呢。昨晚还来敲我的门，我没有开。赵六碗咬牙切齿地说，村长他不是人！刘美莲说，六碗，你看，现在村里的厂子也多了，人也变得懒了，都想吃点现成的，可咱村里只有"香香农家乐"一个食堂，所以，我也想开一个食堂，做点农家饭，你说行不行？赵六碗说，行啊，你炒菜的手艺又好，生意保管不错。刘美莲说，那你抽空过来给我盘一个灶，我明日去县里拉几张桌子回来就行了。赵六碗说了一声成，拧身就朝外走，走出去几步，又收住脚，回头对刘美莲说，村长不是人，他对你没安好心，你要提防着他，晚上用杠子把门顶了，睡觉也不要脱裤子，把裤腰带拴成死疙瘩。

刘美莲点了点头，点出了两行眼泪。

五

整个晚上，赵六碗都在炕上翻烧饼，他睡不着，眼睛一闭，满脑子都是刘美莲无助的眼神和两行房檐水似的眼泪。他心里被愤怒塞得满满当当，原以为自己把村长教乖了，没料到，村长贼心未死，一直还在打着刘美莲的鬼主意。这么一来，自己在沈文绪坟头上说的那番话不就是吹牛了吗？将来闭了眼睛，咋有脸去见沈文绪呢？不行，他得想方子把村长教乖。可是，啥方子才能把村长谢长安教乖呢？骂？他骂了，却没有把村长骂乖。打？赵六碗又不敢动手，村长的屁股后头跟着王爱羊，王爱羊的屁股后头又跟着一帮子打手，哪一个出来都能把他赵六碗撕成两截子。讲道理呢？恐怕也不行，村长谢长安就是靠耍嘴皮子吃饭的，他要谝起来，嘴皮子翻得土都扬不进去，他能把黑的说成白的，他能把死人说成活人。赵六碗思来想去，只有告状这条路可走了。可是，给谁告呢？在泔河村，天老大，村长谢长安就是老二，谁能管得了他？按理说，村书记老潘应该排在村长的前头，可老潘在县上没靠山，在乡上没关系，又是个病秧子，一来二去的，就被村长架空了。赵六碗紧跟着就想到了乡政府。对，去乡政府告他。但赵六碗很快否决了这一设想。泔河村的事情，就在泔河村解决算了，不要吼吼叫叫地弄到村外去，又不是啥光彩的事情，让外村人看着笑话，将来泔河村的小伙子讨媳妇，价码就得升一升，泔河村的姑娘要嫁出去，价码就得降一降。这么一来，赵六碗就想到了一个能管得着村长谢长安的人，她是村长的老婆宁冬麦。宁冬麦是个唱乐班出身的，大嗓门。在泔河村，她是一个横着走路的人。在家里，她是抱钱罐子睡觉的人。她想只要把钱罐子抱紧，谢长安就成不了啥精。所以，村长在泔河村的所作所为，只瞒着宁冬麦一个人。赵六碗躲在苹果园里，瞄准村长和乡里的几个人进了“香香农家乐”，他才去找宁冬麦。宁冬麦正在和三个女的打麻将。自从谢长安当了村长，宁冬麦就不下地了，她的主要任务变成了打麻将，每天早晨，就把麻将摊子撑好了，凑够四个人就开战，也打五毛钱平抬，也打一块钱平抬，偶尔来了乡上县上的人，五块钱平抬也是打的。宁冬麦往麻将摊子上一坐，心里眼里就没有别的事了。赵六碗站在外圈看了一阵，不知道咋样跟宁冬麦开口，就捂着嘴巴干咳，想引起宁冬麦的注意。当他第五次干咳的时候，宁冬麦发话了，她说，赵六碗，你要是想钓鱼就在谁跟前钓鱼，不想钓呢，就在外面耍去，不要在这儿咳咳咳的烦人，把人咳得心里毛搅的。

赵六碗说，我不钓鱼。

宁冬麦说，那你到外面耍去。

赵六碗说，我不想耍。

宁冬麦说，你硬要赖在这儿烦人呀？

赵六碗说，我想跟你说个事呢。

宁冬麦说，你跟我说事？你跟我有啥事说呢？

赵六碗说，是个大事。

宁冬麦呵呵笑了，说赵六碗，你还能有个大事？

赵六碗说，不是我的大事，是村长的大事。

宁冬麦果真不笑了，她说，村长有啥大事呢？

赵六碗朝门外指了指，说你跟我到外面来，我给你说。

宁冬麦说，装神弄鬼的，有啥事就在这儿说吧。

赵六碗说，你到外面来，我再给你说。

宁冬麦说，你没看见我正在忙着吗？说吧，这里没外人。

赵六碗挨个儿把每个人瞅了一遍，说，我还是想跟你一个人说，别人要是听见了，对村长不好。

宁冬麦重视了，把面前的十三张牌一一压倒，跟赵六碗来到了门外，问，啥事？赵六碗说，你要把村长看紧呢。宁冬麦说，村长咋咧，要看紧呢？

赵六碗把嘴巴朝宁冬麦的耳朵跟前凑，他一凑，宁冬麦往后一闪，他再凑，宁冬麦再闪，他只好用手在嘴巴做了喇叭筒。压低了声音说，村长，村长想脱刘美莲的裤子呢。宁冬麦一怔，主动把耳朵伸到赵六碗的嘴巴跟前了，她问，你说啥？赵六碗说，村长想脱刘美莲的裤子呢。

宁冬麦一伸手，在赵六碗的脸上抠了一把，赵六碗"啊"的一声尖叫，用手捂住了脸。房子里的三个女人冲出来，急着问咋咧？赵六碗松开手，脸上留下了五道血印子。宁冬麦说，你狗日的放屁也不拣个地方？我整天饿得哼哼，他还有劲儿去脱刘美莲的裤子？放你娘的臭屁！赵六碗说，我没放屁。宁冬麦说，你再敢胡说，我把你的嘴巴撕得挂到耳朵上。赵六碗说，老天爷在天上呢，我没胡说。宁冬麦说，我问你赵六碗，我家老谢给你祖坟上尿尿了还是把你家麦秸垛点着了，你给他身上泼粪？脱刘美莲的裤子，谁看见了？赵六碗说，我看见了，裤衩都撕成片片了。宁冬麦说，你，你是个脑养鱼，谁能信你的话？你说，还有谁看见了？赵六碗说，再没有人了。宁冬麦骂，狗日的赵六碗，我给你把话说清，你要是把这事说不清，我就叫你狗日的满脸开花。

宁冬麦的腔调很高，惹得村里的闲人都远远地站着看热闹。赵六碗还想争辩几句，三个女人连推带扯地把赵六碗弄远了，她们对赵六碗说，六碗，这话可不是随便说的，快回去吧。赵六碗心里很不服气，怏怏地朝回走。

身后是宁冬麦不依不饶的叫骂声。

脸上挂着血印子，这是不光彩的印记，是丢脸的印记，是耻辱的印记，这些印记把赵六碗闷闷地捂在家里出不了门。他不知道脸上的印子有多深多宽，想看一看，但是家里没有镜子，他看不到。太阳还是很大，在茅房里蹲上一袋烟工夫，脊背上的汗就滚下来了，汗水也在脸上淌，他的脸蜇疼蜇疼的，就像把辣椒面撒在眼睛里一样。睡在家里，赵六碗心里火烧火燎，他想得最多的是老鱼，不知道老鱼这几天过得好不好，唉，老鱼做的饭真是上胃口呢。赵六碗也操心自家地里的苹果园，苹果园里的水他是喂饱了，化肥也喂饱了，农药也喂饱了，他担心的是那些碎娃们，没事儿了会拿着小刀子在树上乱刻，嫩树干要是尝了生铁的味道，就荒了，这一年的收成也就没有了。赵六碗也想到了姑姑一家人，不知道姑父的感冒好了没有？如果拔火罐儿效果不明显，就吃些感冒药。赵六碗还想到了宁冬麦，越想心里越气，俗话说，骂人不揭短，打人不打脸，你为啥要抠我的脸呢？这臭婆娘真是不识好歹。墙角蹲着一袋麦子，赵六碗走过去，一手叉腰，一手指着粮食袋子，气咻咻地骂，你个臭婆娘，谢长安把你卖了，你还帮着数钱呢，眼睛真是让谷草戳咧！

院子里有一株老椿树，洒下一片荫凉，赵六碗走过去，还是一手叉腰，一手指着粮食袋子，气咻咻地骂，你个臭婆娘，我是为你好，你还抠我的脸，真是不识好人心！

来到厨房，赵六碗要做饭了，看见水瓮，心里的气又一次蹿上来，他还是一手叉腰，一手指着粮食袋子，气咻咻地骂，你个臭婆娘，按着我的性子，你抠我的脸，我非抽你几个大嘴巴不可，可是，你是女的，所以，我不抽你，我不抽你，并不是你不该抽。俗话说，有个再一再二，没个再三再四，你下次再敢抠我的脸，我就不客气了。

其实，赵六碗想得最多的人还是刘美莲。不知道村长还去没去敲她的门？想必她也知道宁冬麦抠他脸的事了。一想起刘美莲，赵六碗就在家里坐不住了，他怕村长脱了刘美莲的裤子，女人一旦被人脱了裤子，再往后，脱裤子就像握手一样顺便了。不行，他一定要阻止村长的行为，不能让他得手。出门前，赵六碗又摸了摸脸上的伤，还是很疼，他格外想照一照镜子了。在关中，镜子是女人的专利。可是，老鱼还没有进门，家里就没有镜子。刘美莲家里一定有镜子，可他不好意思去刘美莲家里照镜子，姑姑家里也一定有镜子，可他没有脸面去姑姑家照镜子。赵六碗想到了一个好办法，村长谢长安、王爱羊、姑姑、“香香农家乐”几家的房子外都贴了瓷片，平素，他们把瓷片擦得跟镜子一样。赵六碗决定去“香香农家乐”照镜子。

赵六碗戴着草帽出门了，他把帽檐儿压得很低。他没有径直向“香香农家乐”走去，他站在远处侦察了一会儿，发现“香香农家乐”的门口没有停小车，也没有停摩托车，走动的人也少，估计村长谢长安不在那里，他走过去，发现瓷片上落了薄薄一层灰，他用袖子擦了擦，把脸贴过去，还是看不真切，他又朝瓷片上哈了几口热气，又用袖子擦了擦，再把脸贴上去仔细端详，他把头偏向左边，又把头偏向右边，他终于隐隐约约地看到自己的脸上爬着五条蚯蚓。

六碗，我家墙上有美女吗？香香抱着胸，倚着门框，笑吟吟地问。

香香的声音把赵六碗吓了一跳，他慌慌地跳开一步，讪讪地说，我不是要盖房子了吗，我想看看你家的瓷片是啥牌子？香香问，你也要贴瓷片吗？赵六碗说，看看，我看看。香香说，六碗，你进来。赵六碗说，我刚撂下碗，肚子还鼓着呢，我不吃饭。香香说，我不叫你吃饭，我问你一个事。

赵六碗就跟香香进了屋，房子里弥漫着一股饭菜的香味儿，赵六碗咽了一口唾沫，喉结清脆地蠕动了一声，香香听见了。她先给赵六碗倒了一杯凉茶，返身进屋，又捧出来一碗凉面，黄瓜丝儿、芝麻酱、蒜泥、陈醋、红油辣子，闻着就叫人流口水。香香说，快到饭时了，吃碗面。赵六碗说，我真的刚撂下碗，肚子还鼓着呢。香香说，我是把面和多了，才给你盛了一碗，又不要你的钱。再说了，饭也调好了，你要是不吃，我只好端到后院倒在猪食盆里了。赵六碗说，恁好的面，咋能倒呢，我吃我吃。

赵六碗香喷喷地吃上了，面条真是做得好。上次去老鱼家里，老鱼也做了凉面，也是这个味儿。等把老鱼娶进门，天天就能吃上凉面了，天天就是过年了。面吃到一半儿，香香又给赵六碗续了一杯凉茶。香香说，六碗，不急，慢慢吃，你要是觉得香，厨房还有呢。赵六碗说，够了够了。香香问，六碗，听说你跟宁冬麦干了一仗？

赵六碗很不情愿说这件事，可吃了香香的面，总得回报她吧，于是，他就说了，那婆娘是一根筋，瞎好话都听不来。

香香问，我听说，你说村长想脱刘美莲的裤子？

赵六碗知道村长经常吃香香做的饭，所以他不想在香香面前提村长的瞎瞎事。当下就佯装没有听见香香的问话，把嘴巴拌得山响。

男人没一个好东西！香香甩出了一句话。

赵六碗再去看香香，他看到了香香一脸的泪，他说，香香，我啥也没说，你咋哭了呢？

香香没理睬赵六碗的情绪变化，按着自己的思路往下说，占着锅里的，吃着碗里的，盯着碟子里的，想着案板上的。赵六碗不知道说啥好了，重重地叹了一声。香香说，别以为我是好欺负的，有他娃好看的！

赵六碗想安慰香香几句，却听到了门外传来摩托车的突突声，香香一闪身进了里间，待再次出来，又是一脸灿烂地笑了。赵六碗心下说，这女人的上辈肯定是唱戏的，变脸比脱衣服还快。进门的是七八个学校的老师。原来，一个老师的娃娃过满月，他就在这里请学校的老师喝喜酒了。赵六碗看见了姑父谷校长。姑父的脑门儿正中央不见了拔火罐儿留下的印痕，想必姑父的感冒已经好利索了。一碗凉面正好吃完了，赵六碗抹抹嘴巴，走过去跟姑父打招呼，他说，姑父，感冒好了？

姑父的脸铁青着，他上下打量着赵六碗，嗓门儿拔得高高地说，你是谁呀？你咋把我叫姑父呢？你是不是认错人了？

姑父这么一喊，把赵六碗喊愣了，也把所有人的目光都喊到了他的身上。赵六碗怯怯地叫，姑父……

姑父说，今日正好有这些人在这儿做证，我正式宣布，从今天起，咱们断绝一切亲戚关系，你走你的阳关道，我过我的独木桥，老死不相往来。

赵六碗叫，姑父……

姑父说，赵六碗，我刚才已经宣布了，咱们没有任何亲戚关系了，你再也不用叫我姑父了，我丢不起那个人呀！你要是再叫，别怪我翻脸不认人。

赵六碗面红耳赤，无言以对。

直到后来，赵六碗才转过弯来。姑父跟他断绝亲戚关系是真心的，挑了一个人多的地方大声地宣布也是有意的，他是喊给泔河村人听的，更是喊给香香听的。他知道,香香听到了,村长谢长安也就听到了。

六

戏匣子埋在沈文绪的坟里了,屋里屋外格外的安静,只有鸟儿在枝头啁啾。赵六碗心里很憋屈,宁冬麦撕破了他的脸,姑父又在他的伤口上撒了一把盐,他咋有脸再走到街道上去谝传呢?他自己都懒得跟自己说一句话了。他躺在炕上生闷气。有好几回,他都不想再管刘美莲和村长的事了,这个事闹得他丢了面子不说,更叫他精疲力竭。想到最后,赵六碗觉得不管还是不行的,瞒得过天,瞒得过地,瞒不过良心呀,也瞒不过睡在坟里的沈文绪呀,睡在坟里的沈文绪必定把阳世上的事情看得真真切切,自己如果撒手不管了,沈文绪就会把他看扁了。他不能让沈文绪把自己看扁,在阳世上活着一张脸,将来走到阴间,活的同样是一张脸。等他赵六碗到阴世去的时候,沈文绪在阴世早就混得脸儿熟了,要是把他说话不算话的名声扬出去,他就没脸在阴世间活人了。这么想着,赵六碗在炕上又躺得不安生了,眼睛一闭,村长谢长安脱刘美莲裤子那一幕就在他的眼前晃开了。熬到天黑,村子里都睡得踏实了,狗也不叫了,猪也不哼了,赵六碗蹑手蹑脚地走出家门,溜到刘美莲家的后院墙跟前,"噌噌噌"朝那棵老榆树上爬。

"抓——贼——了——"

"抓——嫖——客——了——"

树下突然传来一阵纷乱的喊叫声,赵六碗还没有回过神来,就被人揪着一只脚拉下来了,紧跟着,拳呀脚呀,雨点般地落在他的头上、脸上、身上、腿上……赵六碗像一只虫子一样在地上滚着,惨叫着。后来,赵六碗啥也不知道了。

不知道过了多长时间,赵六碗感到口渴难忍,他想睁开眼睛看看此时此刻究竟是白天还是黑夜,可他的眼睛睁不开。他想张嘴要一口水喝,可他的嘴巴张不开。他想知道自己此时此刻身在哪儿,可他头疼欲裂。可他的听觉是好的,因为他分明听见耳边有人在呼唤。"六碗,六碗。"赵六碗听出来了,这是村长谢长安的声音。

"六碗,六碗。"赵六碗听出来了,这是赤脚医生薛广成的声音。

赵六碗还听到了压抑的啜泣声,好像是老鱼的哭声,又好像是表妹谷飞燕的声音,还好像是刘美莲的声音。到底是谁的声音,赵六碗又分辨不清了。再后来,赵六碗又发现他的思维是正常的了,因为他想起了事情的前因后果:他想爬到刘美莲家后院的大榆树上,好好地保护着刘美莲睡觉,可是,有人把他当成贼了,有人把他当成嫖客了,把他拽下来,一通拳打脚踢……赵六碗知道,这肯定是村长谢长安对王爱羊递了眼色,王爱羊带人把他收拾了。

我不是贼……赵六碗气息虚弱地说。我不是嫖客……赵六碗挣扎着补充了一句。

唉，总算醒了，把人都吓死了。这是村长的声音。赵六碗努力地撑开眼皮，影影绰绰地看到了村长关切的眼神。村长谢长安的身边站着老鱼，老鱼的眼睛红肿着。老鱼的旁边站着村里的赤脚医生薛广成，薛广成盯着他的胳臂，他的胳臂上挂着糖水瓶子。

薛广成说，我说过没有事的，都是皮肉伤，没伤着内脏。村长说，没事就好没事就好。

赵六碗眨巴眨巴眼睛，他看到了歪巴巴的杂木椽，还看到了一个燕子窝子，这下他彻底清醒了，他这是躺在自家草棚里的土炕上。他拧了拧脖子，把目光落在老鱼的脸上说，我不是贼……

村长谢长安说，六碗，都一个村里住着，低头不见抬头见，你咋能做那事呢？让乡长把我狠狠地批了一顿，说咱们泔河村不和谐。再说了，你把三十都熬过去了，咋就把十五熬不过去呢？眼看着就要把媳妇熬进门了，你却去爬人家寡妇的墙头，你让人咋说嘛？赵六碗继续盯着老鱼说，我不是嫖客……

老鱼用袖子在脸上眼睛上沾了沾说，六碗，不用说了，你们泔河村的人都看见了，我也看见了，你是从寡妇家里的猪圈里抬出来的，深更半夜的……

赵六碗喃喃道，不是的……

老鱼说，六碗，我被蛇咬了一回，到现在看见井绳都害哆嗦。

赵六碗拖着哭腔叫，不是的……

老鱼说，我不想在同一个沟里跌两回跤。

赵六碗喊，不是的……

老鱼说，六碗，出了这事，我本来不想过来，可村长硬让我来，来了也好，咱把话说在当面，从今往后，你走你的路，我过我的桥，咱们谁也不认得谁，就当没见过面。

说毕，老鱼朝门外去了。赵六碗叫，老鱼！老鱼越走越快。

赵六碗把目光挪到村长的脸上，他看到了内容丰富的笑。村长说，六碗，你歇着，过几天就好了。转头又对赤脚医生薛广成说，广成，我还要去乡里开个会，六碗就交给你了。

薛广成说，村长，你放心吧。

赵六碗觉得有两条虫子顺着他的鬓角往头发里爬，他想把虫子揪了扔到门外去，可他的胳臂动不了。他对薛广成说，广成，有两个虫子往我头发里爬呢。薛广成放下手里的书，说六碗，你咋哭了呢？说着，用毛巾替他擦了脸上的泪。他边擦边说，六碗，谁家的猫不沾腥？别人的老婆漂亮自己的娃乖是全世界男人的心里话，不难过了。

赵六碗问，老鱼走了？

薛广成说，走就走吧，旧的不走，新的不来，这二年，钱不好找，但大姑娘多得绊死人！

赵六碗猛地一扬胳臂，用一根镢把和一把木杈子撑起来的输液架倒了，糖水瓶子摔在当地，“砰”的一声脆响，粉身碎骨了，糖水流了一地，他指着薛广成吼，放屁！

薛广成懵懂着，想伸手去摸摸赵六碗的脑袋，赵六碗又吼了一声，放屁！赵六碗瞪着眼睛，很是恐怖。薛广成整理了自己的药箱，挎在肩膀上，原地转了一个圈，又转了一个圈，吭吭哧哧地说，六碗，你都这样了，按理我不该跟你谈钱的事，可是，我就指望着这药箱养家糊口呢，不谈不行啊，所以嘛，你把账记好了，统共是三百八十六块二。

赵六碗用被子捂了脑袋。

后来，赵六碗又睡着了，一觉醒来，他觉得肚子咕咕咕叫得厉害。眼前黑乎乎一片，啥也看不清，仄着耳朵朝外面听了听，也没有听到响动，起初他以为自己的眼睛瞎了，后来他真切地听到了狗的吠声，他知道这是夜晚了。他想爬起来到厨房里给自己煮一点儿稀饭喝，可他浑身酸痛，努力了几次都失败了。后来他放弃了努力，他想等到天亮以后，薛广成就会来给自己输糖水。想到薛广成，赵六碗又联想到了另外一个问题：不言而喻，薛广成是村长谢长安派来的。村长可以指示王爱羊打断人的胳臂，打断人的腿，紧跟着他就会指示赤脚医生薛广成来治病救人，他是不敢闹出人命的。杀人偿命的道理他比谁都亮堂。不知过了多久，赵六碗突然感到有人在摸他的脸，他毛骨悚然地一下坐了起来：深更半夜的，莫非是沈文绪从坟里跑出来了？

六碗，别怕，我是你姑。姑姑的声音很低。

赵六碗手摸到了姑姑的手，赵六碗小时候经常摸这双手的，这双手的每一根脉络他都熟悉，是的，这是姑姑的手，只是比从前越发地柴了。

姑，你把灯拉亮嘛。赵六碗说。

其实，赵六碗并不是怕黑，他只是想看一看他的柜盖上有没有吃的。泔河村村风淳朴，村民敦厚，要是有人害了病，家家户户都要来瞧一眼的，人来了，心就来了，礼也就来了：一把挂面，三五个鸡蛋，一张自家烙的油饼，一把干枣儿……此时此刻，赵六碗并不关心他的柜盖上有没有吃的或者吃的有多少，他只是想评估一下他在泔河村人心目中的分量。

姑姑说，不敢拉灯，灯亮了，村里人就知道姑来了。赵六碗说，害怕黄鼠狗子还不孵鸡娃了？姑姑叹了一声说，好瓜（傻）娃呢，你就是吃了这亏了，你咋就不长个记性呢？赵六碗说，姑，我不是贼，我也不是嫖客……

姑姑说，姑咋能不知道自家娃的脾性呢。赵六碗说，姑，真的假不了，假的也真不了。姑姑说，瓜娃呀，挨顿打，就等于买个教训吧，你没上过山，不知道山顶的风大。赵六碗说，树叶还能砸破头？姑姑说，瓜娃呀，你没下过河，不知道河底的水凉。赵六碗说，善有善报，恶有恶报，不是不报，时候未到。姑姑说，树叶都把你的头砸破了，你嘴硬得还像鞋帮子一样，你咋就不认个输呢？赵六碗说，姑，我一人吃饱全家不饿，我怕谁？姑姑说，好瓜娃呢，等你的伤好了，去给村长认个错，你记住了，石头大了，咱得绕着走，要是硬碰，就会碰得一头的血。

赵六碗不赞同姑姑的话，却也不再跟姑姑顶嘴，他感到肚子饿得厉害了。姑姑说，姑姑放心不下，瞒着你姑父，偷着跑出来的，你不要给旁人说姑姑来看过你。赵六碗本来想给姑姑说他肚子饿，想让姑姑给他做一点儿吃的，听姑姑这么说，他就把话咽到肚子里去了。姑姑说，你不要埋怨你姑父了，你姑父也是没有办法呢，在泔河村生活，就得看村长的脸色呀。赵六碗说，姑，你回去吧，我不怨姑父。

姑姑走了，赵六碗想接着睡下去，可他睡不着了，肚子饿得睡不着，心里的一团火烧得他睡不着。村长谢长安害了他，他眼看就要把老鱼娶进家门了，她却走了，连头也没有回一下。他把老鱼的心伤了，伤到了家。赵六碗想，谢长安，我不会放过你，你整不死我，我就叫你脱不成刘美莲的裤子！赵六碗正在思谋下一步的行动步骤，就听到了“笃笃笃”的脚步声，在泔河村，只有表妹谷飞燕能走出这种节奏、这种声响的步子。

哥——果真是表妹谷飞燕的声音。

燕子，你咋来了？赵六碗说。他想让谷飞燕把灯拉亮，又怕因此而影响了表妹的前程，就没有吱声。

“啪”的一声响，灯亮了。猛地被灯光一刺，赵六碗的眼睛流出了酸水儿，他用被子捂了头，悄悄地抹去了眼泪。

哥，你把人都吓死了，听说你清醒了，我赶紧给你送点儿吃的来。谷飞燕坐在炕边，揭去赵六碗头上的被子，扶他靠在墙上。然后，把她拿来的吃的一一摆到他的柜子上：饮料、面包、糕点、火腿肠、方便面、榨菜……花花绿绿一大堆。赵六碗勾头看了看柜盖上的吃的，装作不经意地问，燕子，都是你买的？

谷飞燕说，对，都是我买的。

燕子，快把灯拉灭。赵六碗心里在流泪，但他很快就想到了另外一件事，紧张地叮咛谷飞燕。

谷飞燕问，哥，咋咧？

赵六碗说，要是让人看见你到哥屋里来了，村长就要给你使脸子了。

谷飞燕说，哥，我不怕他。

说着话，谷飞燕剥开了一个糕点，一点一点地喂着赵六碗吃。

哥，谷飞燕打开一瓶饮料，喂着赵六碗喝，边喂边说，哥，你要坚强一些。

赵六碗说，哥的命大，死不了。

谷飞燕说，那些人下手也太狠了，我饶不了他们。

赵六碗说，燕子，哥不是贼，哥也不是嫖客……

谷飞燕说，哥是啥人我还能不知道？吃你的吧。

赵六碗笑了，他觉得他很幸福。

七

乡下人的身子骨就像自家门前的老槐树，风吹日晒，霜打雨淋，锤炼得格外皮实，受点儿皮外伤，在自家炕上将息几天，也就复原了。现在，快步走出村口的赵六碗就是活例子。赵六碗要去他的苹果园里看一看。在炕上躺的那几天，他心里燃着火，他想从家里走出，走到街道上去，走到太阳底下去。走出家门，赵六碗一时又迷惘了，他要往哪儿去呢？真是日屎怪了，这街道上咋就不见人影呢？赵六碗朝前走着，眼睛左右溜着。他溜见了谢文会的媳妇在扫门前的柴火和鸡屎，头上顶块花手帕。这女人经常叫赵六碗给她帮忙：拉一桶水呀，苹果园里掐个花呀，剪个枝呀。大老远碰见了，也要跟他打声招呼。赵六碗干咳了一声，谢文会的媳妇果真就拧了头，一见赵六碗，像看见一头瘟猪似的，登时白了一张脸，猛地一闪身，把自己的脸藏树背后，可她的屁股还撅在外面。赵六碗打趣说，你家树上藏着金条吗？谢文会的媳妇没有转出身来，只把撅在外面的屁股朝里面收了收。赵六碗这下明白了，谢文会的媳妇是有意在躲他了。赵六碗心下纳闷：我没有得罪这个婆娘呀，她咋变得这么难日呢？管他呢，走自己的路吧。赵六碗继续朝前走着，眼睛朝两边溜着。这一回，赵六碗溜见的是老傅，老傅正在用苹果树的枝条编筐。这两年，已经很少有人编筐了，老傅还在编，老傅家里不宽展。赵六碗问，老傅，忙呢。老傅一盯是赵六碗，把编了一半的筐高高地举起来，遮住了自己的一张脸。赵六碗又问，老傅，吃咧？老傅依旧用半拉筐遮着自己的脸，快快地站起身，快快进了自己的家门，“哐”的一声关了门。这会儿，赵六碗腾地一下灵醒了：他赵六碗在泔河村臭了！

不知不觉的，他走出了村子，走到了苹果园，这不是自家的苹果园吗？地头的小房子顶上用砖压了一块淡绿色的塑料布，塑料布在风中哗哗作响。可是，这还是自家的苹果园吗？树枝上的嫩枝条蹿出了一米多长，它把整个树上的营养都吮走了。地下呢，草蹿得膝盖那么高了，密得风都钻不过去……树荒了，地也荒了，一年的汗疙瘩就白滚了。赵六碗的心在滴血了。但他很快就镇静下来了。眼下，当务之急不是苹果园，而是要把他的名声洗干净。人活个啥？不就是一张脸吗？他要让老鱼知道，让泔河村的人知道，他赵六碗不是贼，不是嫖客。等他把自己的名声洗干净了，再一心一意地务果园，再谋划娶老鱼的事。赵六碗牙关紧咬，拳头紧攥，他再也不想曲里拐弯了，他要找村长谢长安当面锣对面鼓地“说事儿”。

迎面碰上了王爱羊。王爱羊拉着架子，一跛一跛地往机井那儿走，由于走得快，就像摇跷跷板一样，样子很可笑。望见赵六碗，他怪模怪样地嘻嘻笑着说，六碗，逛呢？

赵六碗恨恨地瞪着王爱羊，眼珠子通红。

王爱羊朝后退了一步，心虚地说，六碗，你瞪我干啥？又不是我打的你，你看我这腿，我打得过你吗？赵六碗说，天知地知你知我知。王爱羊说，我知道啥呀？我啥也不知道，你别给我身上揽。赵六碗说，等着，我要把你们一锅煮了。王爱羊说，你煮我做啥呢？我啥也没干。我不跟你说了，我还要给刘美莲家里拉水呢。王爱羊绕开赵六碗，顾自朝村里蹦着去了。

望着王爱羊的背影，赵六碗突然觉得啥地方不对味，心眼儿一转：对了，自家的瓮都见底儿了，要拉一桶水的。他冲王爱羊的背影喊，王爱羊，我要拉一桶水。王爱羊收住步子，回过头说，赵六碗，你爱在哪儿拉去哪儿拉吧，我那儿的水不卖给你了。赵六碗说，你为啥不卖给我？王爱羊说，我卖给你，泔河村就没有我喝的水了。赵六碗还想质问王爱羊，王爱羊却走了，头也不回一下。

泔河村没有我活人的路了？赵六碗悲凉地想。

这是哪儿呢？这不是坟地吗？这不是沈文绪的坟吗？自己怎么走到这儿来了？赵六碗一头雾水。短短个把月的天，沈文绪的坟上已经长出了新草，长出了寂寞。想一想自己的处境，看一看沈文绪的坟，赵六碗怒火中烧，指着沈文绪的坟茔说，老沈，你都看见了吧？村长的媳妇宁冬麦给我的脸上抠了五个深渠渠，村长又支使人把我打得睡了十几天，泔河村人看见我就像看见瘟猪一样。你把我害惨了！唉，破罐子破摔吧！告诉你，我不怕。俗话说，帮人帮到底，我还是要帮你，不能让村长脱了你媳妇的裤子。他要脱了你媳妇的裤子，泔河村的村风不答应，伦理道德不答应，你不答应，我也不答应！不过，现在的情况发生了一点儿变化，现在不光是你的事了，还有我的事，我和村长的事，他给我脸上抹屎，把老鱼从我身边熏跑了，他的心真狠啊，他想叫我断子绝孙呢，我能答应吗？你就等着看吧，我就不信这个邪，人世上还能没个讲理的地方！

说毕，赵六碗扬长而去。

这一天，泔河村的电影院搞奠基仪式，县里的头头来了，乡里的头头也来了，小轿车排成了一长溜，鞭炮炸得鸡飞狗跳，红绸子把半拉天都染红了。村长谢长安和乡里县里的头头们装腔作势地抡着铁锨埋一块石头，人人脸上都笑开了花。

赵六碗走到村长面前，直着身子说，村长，你给我脸上抹屎呢，把老鱼熏跑了！我没脸在泔河村活人了！

一句话，把闹哄哄的工地压静了：这不公开跟村长叫板吗？在泔河村，谁跟村长这么硬气过？这不是给村长难堪吗？这不是老鼠舔猫的屁股吗？

村长望一望赵六碗，又望一望领导们，意味深长地温和地笑着说，六碗，今日是泔河村的大喜日子，你是不是又没有吃饱肚子？

村长，我不是贼。赵六碗的话像是从凉水里捞出来的，冷得让人发颤。

六碗，有我在，谁还敢不给你吃饭？放心吧，我吃啥，你就吃啥。村长谢长安一点儿也没有生气，他脸上的笑容依旧灿烂着，依旧温和着。

村长，我不是嫖客。赵六碗的话变成了钉子，一下一下往人心口钉。

六碗，不要闹了，你看，县上乡上的领导都来了，你没看见忙着正事吗？村长伸手去摸赵六碗的头发，被赵六碗打掉了，村长的手顺势落在赵六碗的肩膀上，他轻轻地拍了拍。

村长，天在上，地在下，良心在中间，谁是嫖客谁知道！

村长谢长安转个身，脸色“哐当”一声就掉下来了，他把目光投向不远处的谷校长。谷校长西装革履，正在组织学校的军乐团敲锣打鼓。村长点点头，又招招手，谷校长心领神会地一颠一颠地跑过来。村长沉着脸说，给你说多少遍了，六碗没吃的，你领我家里去，六碗没花的，你也领我家里去，你就是不听话。

谷校长是个灵醒人，脑瓜子一转，明白了村长的用意，他立即对领导说，对不起对不起，那是我家内侄，小时候在树下爬着玩，让驴踢了一蹄子，踢到了门跟前，偏偏刮来一阵风，他的脑袋又让门给挤了一下，从此就落下了病根，说话没个准，办事没个准，村里人都叫他脑养鱼，噢，就是脑子里水多。领导们大人大量，千万别往心上去。

领导们不约而同地噢了一声。

村长立即换上一副笑脸，对领导们说，不好意思，让领导们受惊了，来来来，咱们继续“奠基”。

一片哄笑后，铁锹又扬起来了，锣鼓喧天，尘土飞扬。

谷校长对赵六碗说，走，跟我回。

赵六碗说，咱俩一刀两断了。

谷校长说，我是你姑父。

赵六碗说，咱们井水不犯河水。

谷校长又牵赵六碗的手，被赵六碗打开了，他自己甩开大步，扬长而去。

人们都奔着热闹去了，街道上很干净，很安静。赵六碗怒气冲冲地走着，他要去找书记老潘。突然，路边传来一声喊，六碗！六碗四处去寻喊声，却不见人，便以为自己听岔，正要走，又听到了一声喊，六碗！

这一回，赵六碗听真切了，是有人在喊他，他收住脚，看见香香站在“香香农家乐”的门帘后头，冲他一下一下地招手。赵六碗对这个女人没有好感，原本不想走过去，可是腿不听他的指挥，他还是走过去了。

上面的头头来了，你不给他们炖土鸡，喊我做啥呢？赵六碗问。

你看你，村里的啥事都不知道。人家现在已经不在我这儿吃了，挪到刘美莲家里去了。香香的声音像是醋泡过一样，酸溜溜的。

不可能。赵六碗说。

我哄你弄啥嘛，不信你自己看去？香香噘了嘴。

赵六碗拔腿要走，香香却喊住了他，说六碗，我刚看见你跟村长弄事呢。

赵六碗说，他的石头大，我绕不过去了。

香香指着远处的工地说，六碗，你看见那个穿枣红色西服的那个人没有，他姓黄，是乡里的书记，就是乡里最大的官，你有事就去找他。

半年后，赵六碗才回味出香香那句话的分量。

来到刘美莲家门口，果然看到了一番热闹景象，几个妇女杀鸡的杀鸡，择菜的择菜，擀面的擀面。刘美莲像个总指挥一样，指手画脚，吆五喝六，脸上一片阳光。赵六碗明白了，香香没有说谎，村长谢长安果真把招待饭挪在了刘美莲家。看见赵六碗，刘美莲手里的一颗鸡蛋“啪”的一声掉在地上，蛋清蛋黄糊了她一鞋，她骂了一句粗话，信手掩了门。

这时辰，老潘正半躺在自家的凉房下的躺椅上，塌蒙着眼皮，双手捧着一个玻璃茶杯，黄澄澄的茶。躺着不动，他是一个完好无损的人，一抬手，咳嗽一声，咳得脸红脖子粗，喘不过气的样子；一动足，也咳嗽一声，也咳得脸红脖子粗，也喘不过气的样子。赵六碗站在书记老潘面前，脸黑得像锅底。依着泔河村的辈分，赵六碗管书记老潘叫叔，他恭恭敬敬地叫了一声叔。

书记老潘欠了欠身子，指了指脚前的凳子说，六碗，你坐，我听说你前几天摔了一跤，叔本来想去看看你，可叔动不了，一动，肠子都能咳断了。赵六碗说，叔，村长给我脸上抹屎呢，你管不管呀？

书记老潘歪着头朝门外瞥了一眼，刚一直起身子，就猛烈地咳起来，地动山摇，待咳声平息下去，他才象征性扬起了手中的茶杯说，六碗，你喝茶。赵六碗说，叔，我不渴。书记老潘叹一声，意味深长地说，六碗，亏也是人吃的。赵六碗说，叔，没了老鱼，我不断子绝孙了？书记老潘说，六碗，气也是人受的。赵六碗说，叔，我背着贼和嫖客的名，我咋还有脸活人呢？书记老潘说，六碗，你知道吧，有一句话叫进一步山穷水尽，退一步海阔天空。赵六碗说，叔，文绉绉的话我不懂，我只知道，人活在这个世界上总得有人管吧，娃有娃他大管，娃他大有娃他爷管，可是，村长谢长安呢？他媳妇不管，你不管，难道没有人管他了？你给我撂句痛快话，你管还是不管？

书记老潘又咳嗽起来了，这一回是干咳，时间短，也没有面红耳赤，咳毕了说，六碗，不是我不管，你看我这身子骨，自己都管不来自己呢。

赵六碗说，叔，村里人说对了。

书记老潘问，村里人说啥了？

赵六碗往书记老潘的脸前凑了凑说，叔，村里人说你是个聋子的耳朵——摆设，说你是个傀儡，说你是个棺材瓤子，说你是个𪨊不顶。

书记老潘竟然没有生气，他心平气和地笑了，边笑边说，六碗，不是叔𪨊不顶，是叔的𪨊顶不起啊。赵六碗说，叔，你听着，我今日把话撂在这儿，不把村长谢长安拉下马，我不姓赵！书记老潘又咳起来了，咳得地动山摇。

八

太阳还没有蹿起来，泔河村还没有从睡意中清醒过来，赵六碗就出了村。空气湿漉漉的，苹果树的叶子爬着圆嘟嘟的露珠。赵六碗的心情是轻松的，他想这毕竟是一桩简单的事——因为他要去乡政府告状。村长谢长安在泔河村里牛皮哄哄，但他见了乡政府的人都是端一脸的笑，点头哈腰，满嘴只有三个字：是是是，对对对，好好好。乡里能人一发话，他村长谢长安还不软了蛋？赵六碗的目的有两个：一来是让村长当着他的面打个保证，从今往后，再也不脱刘美莲的裤子；二来是让村长在村里的大喇叭上喊一声，喊他赵六碗不是贼，也不是嫖客。离开家的时候，赵六碗把他的家当全拿出来了。他的家当藏在一只鞋里，鞋装在塑料袋里，塑料袋又藏在面瓮里：统共三千八百五十七元。这是他打算盖房的钱。赵六碗估计自己出门的时间不会太长，但他还是把家当带在了身上。

通往乡里的大路上干净得很，既没有人，也没有车。赵六碗走得大步流星，他知道夜长梦多那句老词儿，所以他不想软磨硬泡，他想速战速决。作为一个在土里刨食的人，赵六碗更懂得人荒地一晌，地荒人一年的道理。等他把这事搞定了，老鱼的气也就消了，又会给他烙葱花油饼了，又要跟他结婚了。

乡里永远是那么的热闹，人挤人，路两边摆满了小摊小贩的摊子，吆喝声此起彼伏。一个卖凉粉的冲赵六碗喊，来一碗？赵六碗咽了一口唾沫，拍了拍肚子说，还饱着呢。其实，他的肚子空着呢，咕咕叫着呢。在炕上躺了十几天，表妹谷飞燕一直给他吃着清淡的东西，嘴里的味早就淡得不像样子了，他谋划好了，等告状的事一了，他就去老李家吃一顿羊肉泡馍，打个牙祭解个馋。一个卖西瓜的冲赵六碗喊，来半个，甜掉牙呢。赵六碗又咽了一口唾沫说，刚吃咧。为了节省时间，赵六碗低了头，侧着身子，加快了步伐，不再去碰摊主们那火辣辣的目光。

这就是乡政府了。赶集的时候它一直在眼皮子底下晃着，村里的大喇叭早早晚晚地喊着，可赵六碗从来没有进过乡政府的院子，不知道里面是个啥构造。现在要告状，他不得不进去了。乡政府的大门外挂着两块牌子，一块牌子是白底红字，一块牌子是白底黑字。赵六碗心里有点别扭，他暗忖：都在一个院子住着，挂那么多的牌牌做啥呀，浪费！有多余的那一块木板，放张案板或者放一张床多实惠！赵六碗在大门外探头探脑，腿有点儿发软。他看着一个留着长头发穿裙子的姑娘仰着头走进去了，又看到一个戴眼镜的穿西装的人仰着头走进去了，他也仰着头往进走。

哎——门房里探出了一个秃脑门儿，鼻子不是鼻子脸不是脸地冲他喊，干啥的干啥的?

我? 赵六碗支支吾吾的,噎得他反不上话来,因为他的确不知道自己要找谁了。

是不是要找茅房呀? 告诉你,这里不是上茅房的地方,别处找去! 秃脑门儿自以为是地说。

我不是找茅房的,我要告状。赵六碗站得直了一些。

告状? 告谁呀? 秃脑门儿又问。

告村长谢长安,赵六碗说,他想这个秃脑门儿反正也是乡里人,干脆给他一说算了,省得再到里面去。村长谢长安想脱刘美莲的裤子,还支使人把我打得躺了十几天,还说我是贼,说我是嫖客。

你是说泔河村的村长谢长安? 秃脑门儿的眼睛瞪得像酒盅子。

是,就是泔河村的村长谢长安。赵六碗说。

秃脑门儿朝里一指说,你去找党政综合办公室龚主任吧,他管这事。

赵六碗问,你不管?

秃脑门儿一怔说,我? 我管不了我管不了。

赵六碗问,你是乡里的还管不了村里的?

秃脑门儿一指大门说,茄子一行,辣子一行,我只管这道大门,你去里面找吧。

院子里有两排平房,左边一排,右边一排,每个房子外面都挂着一张竹帘子,门框的边上钉着一块小牌子,白底红字,赵六碗不认得字。他不知道哪一个办公室是党政综合办公室,就敲开了第一间办公室。办公室里几个人正在吃西瓜,汤汤水水的流出一房子的甜蜜。一个皮肤白皙体态丰腴的女同志问赵六碗你找谁,赵六碗说他找龚主任,女同志和颜悦色地问他找龚主任啥事,他又七七八八地把告状的事详细地学了一遍。一席话把房子说得静谧下来,人人都忘了吞手上的西瓜,直勾勾地望着他,仿佛在看一个外星人。

女同志轻轻地掩上门,小声地问,你是泔河村的? 赵六碗说,我是泔河村的,行不更名,坐不改姓,名叫赵六碗。女同志把手上的西瓜放在桌子上,把桌面上的材料拢到一块儿,说,赵同志,你说你是找龚主任的? 赵六碗说,对,门口那个老同志让我找龚主任呢,他说龚主任管这事。女同志说,你看,龚主任现在开会去了,等他回来你找他反映吧。赵六碗说,我心里跟猫抓了一样,我的苹果园都荒了,再不锄草,今年就是一个光渠渠,你们给龚主任带个话不行吗? 女同志说,不行。赵六碗问,那龚主任几时能开完会? 女同志说,那可说不准,有时是一天,有时是两天,有时半天也就开完了。赵六碗说,行,那我后晌来。

走出乡政府大院,集市还旺着,满眼一片黑压压的人脑袋,闹哄哄的吵声搅得赵六碗备感骛乱。赵六碗暗想,先把肚子的问题解决了才是正事。走进老李家羊肉泡馍馆,吃饱了肚子,赵六碗觉得浑身上下的每一根神经都舒服得痒痒。龚主任他们上班的时间还早，干啥去呢？在炕上躺了十几天，躺得他浑身上下不得劲儿，就想干活，发一身透汗。赵六碗在自己的大腿上拍了一巴掌，心下说，唉，农村人的身子骨真是贱啊！可是，他在乡里人生地不熟，两眼一抹黑，有啥活让他干呢？赵六碗东张西望着，这一看，他的腿不由自主地软了一下。乡政府所在地就像一头巨大的怪物，四面长着四张嘴，正在大口大口地吞着四周的田野，人欢马叫，机器轰鸣，一座座新房子拔地而起。赵六碗走进一个建筑工地，见几个戴着安全帽、赤裸着上身的小伙子正在从汽车上把水泥卸下来，又搬到库房里去，他想也没有想，衣服一丢，就跟着一块儿扛了。别人一次扛一袋，他一次扛两袋，别人一步一步走，他是三步并作两步走，仿佛怕那些水泥被别人扛完了似的。一车水泥卸完，他的头发、身子都和水泥一个色彩了，只有眼珠子是黑的，骨碌骨碌转。但他的目的达到了：发一身臭汗，浑身上下的筋筋骨骨都舒服了许多。有一个大胡子一直站在远处观察着赵六碗的举动，这会儿走到赵六碗面前，拍了拍他的肩膀问，干啥的？赵六碗说，告状的。大胡子说，告状？你跑这儿告状来了？赵六碗说，我来这儿是卸水泥的。大胡子说，是不是想混一碗饭钱？赵六碗说，不是的，几天没干活了，身子痒，我就想发个透汗，不行呀？大胡子问，心里没别的小九九？赵六碗说，没。大胡子还想发问，赵六碗拍打拍打身上的灰，抽身子走人了。大胡子却从身后赶了上来，拦着赵六碗的去路说，你这兄弟，说走咋就走呢？赵六碗说，我还要告状去呢，这儿没我的事了。大胡子从口袋里掏出一包白沙烟装进赵六碗的口袋里，拍一拍说，兄弟，你真是个实诚人，咱们交个朋友吧，要是不想在村里干了，就来我这儿干，老哥绝对不会亏待你。赵六碗把烟掏出来拍在大胡子的手上说，我不抽烟，我也不来你这儿干，我有三亩苹果园呢，离不开人。大胡子说，兄弟，记住我，包工头大胡子，在乡里一问都知道，有啥事你尽管来找我。赵六碗说，我没有事找你，我也不会找你。大胡子说，兄弟，就是要走，洗干净了再走也不迟啊。赵六碗跟着大胡子来到一个水管子前，"扑噜扑噜"洗了一通，又接过大胡子递过来的一杯凉开水，"咕咚咕咚"灌了一气子，用衣服抹了抹嘴唇上的水滴，和大胡子握了手，大胡子硬把那包白沙烟装进了赵六碗的口袋里，说会用上的。赵六碗没有再推辞。

再次来到乡政府门口，秃脑门儿手一伸，又把他拦在了门外，问干啥的干啥的？赵六碗说我早上来过，你不记得了？秃脑门儿说，这儿的人跟蚂蚁一样蹿来蹿去，我都记得？我的脑子是计算机呀？赵六碗哑口无言了，手在腿上一拍，拍到了大胡子给他的那包烟，顺手掏出来丢在秃脑门儿的面前。秃脑门儿的脸色一下子舒展了许多，说龚主任还没有上班呢，你等一会儿来。赵六碗盯着院子里厚实的荫凉说，我坐在院子里等吧？秃脑门儿说，这可不行，有的领导在办公室午休呢，怕人打搅。赵六碗想说他不会弄出啥动静的，秃脑门儿朝远处一指说，在那儿等着去。赵六碗顺着秃脑门儿的手指望去，看到了一棵大树，树下坐着几个妇女，他悄悄地走过去蹲在树下，看一眼乡政府的大门口，再看一眼街道上的人潮。突然，赵六碗看到一辆红色的摩托车像一团火一样从街道上飞过去了，尖厉的喇叭声吓得行人纷纷躲闪，望着那人的背影，他觉得有些眼熟，仔细一想，这不是王爱羊吗？他是从那件瓦蓝色的衬衣上认出王爱羊的。赵六碗在心底骂道，开那么快干啥，后面有狼撵吗？你妈要咽气吗？你家的油瓮倒了吗？你家的麦秸垛着火了吗？碎狗日的，迟早要把你的另一条腿也碰断的！赵六碗并没有把风风火火的王爱羊和自己做丁点儿联系，直到后来的事情发生了，他才隐约地明白王爱羊为啥开得那么快了。

不知过了多久，赵六碗看见秃脑门儿站在乡政府的大门口朝自己招手，他跑过去，秃脑门儿朝一个人的后背指了指，赵六碗心领神会地跟上去了。正面一看，龚主任的一张脸也是熟悉的，他经常到泔河村来，和村长谢长安一搭儿喝酒吃土鸡，一搭儿打麻将，只是他从来没有和龚主任搭上腔。龚主任脸上一直挂着温和的笑，问了赵六碗的姓名和村名，给他让了座，给他泡了一杯茶，给他递来一支烟，赵六碗摆了摆手。龚主任自个儿点上一支烟，慢悠悠地抽着，拉家常似的说，老赵同志，我经常到你们泔河村去的，你见过我吧？

赵六碗连忙说，见过见过。

龚主任就站起来跟赵六碗握了握手，龚主任的手像是女人的手，白生生，软绵绵。龚主任问，老赵同志，你找我啥事呀？赵六碗说，我要告状。龚主任眼睛一瞪，抖擞了精神问，告状？告谁呀？

赵六碗又把告状的来龙去脉说了一遍。

龚主任没说赵六碗对，也没有说村长谢长安不对，他沉吟着说，老赵啊，你看呀，你们都一个村里住着，左邻右舍的，低头不见抬头见，何必撕破脸皮呢？你看这样行不行，我见着老谢了，好好说他一顿，再让他请你喝酒，在乡里吃羊肉泡馍，或者去县里吃辣嫂子面，咋样？我听说你特别爱吃县里的辣嫂子面。

赵六碗暗想这龚主任对自己的底细了解得还够仔细。他很干脆地说，这不成。为这事，我的苹果园荒了，老鱼不跟我了，我的名声在村里也臭了，我没脸在泔河村活人了。

龚主任说，老赵啊，俗话说，狗皮袜子没反正，一个村里住着，排来排去的都是转折亲，你告他个啥呀，对谁的名声都不好。我知道你在气头上，你看这样行不行，我给老谢说一声，让他把你苹果园的损失补给你，你就不要告了。

赵六碗想了想说，不告也行，但要他当面下保证，再不脱刘美莲的裤子了，也要在村里的大喇叭上喊一声我不是贼，也不是嫖客。

龚主任说，老赵啊，老谢的性格你是了解的，他不仅是一村之长，还是咱县里有名的农民企业家，是乡里连续十几年的先进，他咋能在大喇叭上喊那样的话呢？他要是喊了，县里的脸往哪儿搁？乡里的脸往哪儿搁？他往后在村里咋开展工作呢？

赵六碗犯犟了，他说，我管不着县里的脸往哪儿搁，也管不着乡里的脸往哪儿搁，更管不着村长谢长安往后咋开展工作，我只管他要是不在村里的大喇叭上喊，我的脸就没地方搁了。龚主任说，老赵啊，你咋是个犟人呢？赵六碗说，我跟谁也不想犟。龚主任说，老赵啊，你要不听我的劝，碰个鼻青脸肿的就找不到后悔药了。赵六碗说，我知道他村长谢长安的能耐大，他的手能扣住泔河村，我就不信他还能扣得住乡里？扣得住县里？我就不信这天底下还能没个讲理的地方？龚主任说，老赵啊，我也是为你好呢，你既然把话说得这么硬，我就不好说啥了，我也管不了你这事。赵六碗一头雾水了，他说，不是说归你管吗？龚主任说，老赵，你不知道，乡里的分工是很细的，我管的是纪检、监察、组织人事、宣传统战、人武、工会、共青团、妇联、文书档案这一摊子，你说的这事不归我管嘛。赵六碗问，那谁管呢？龚主任说，你去找综治办的方主任，他管这事。

按照龚主任的指点，赵六碗没费多大周折就找到了方主任。一见面，赵六碗就想起来了，他是见过方主任的。有一回，铃铛家的一头奶牛丢了，方主任骑着摩托车来村里办案，回去时没汽油，村长谢长安让他去找沈文绪家里要了一壶汽油。可是，方主任好像完全忘了这事儿，一副公事公办的派头。

听罢赵六碗的叙述以后，方主任问，你说村长谢长安脱刘美莲的裤子，谁看见了？赵六碗一拍胸膛，我！方主任说，你？你说脱了，村长谢长安要是说他没有脱怎么办？刘美莲也说没有脱怎么办？赵六碗说，村长他红口白牙的敢说假话？刘美莲她能打断牙齿往肚子里咽？

方主任从腰里抽出一副手铐，"啪"的一声拍在桌子上说，赵六碗，我问你，你说你不是贼，那你深更半夜地溜到人家刘美莲家里干啥？你是咋进去的？

望见手铐，赵六碗的腿肚子抽搐了一下，身子往下缩了一截儿，结结巴巴地说，我没进刘美莲的家，是村长谢长安支使人把我打晕以后抬着扔进去的。

方主任从身边抄起一根电警棍，"哐"的一声敲在桌面上说，你说你是被人打晕的，谁可以作证？

望见电警棍，赵六碗的腿肚子又抽搐了一下，身子又短了一截，他支支吾吾地说，我。

方主任说，我再问你，你说你不是嫖客，你深更半夜地翻人家寡妇的墙干啥？

赵六碗急得眼里涌出了泪，他说，方主任，你要相信我的话，我真的没有翻刘美莲家的墙，我要翻刘美莲家的墙，天打五雷轰！方主任说，那我问你，你有啥证据说是村长谢长安支使人把你打晕后扔到刘美莲家里了？赵六碗说，好我的方主任呢，你好好想一下，在泔河村，除过村长谢长安，谁还能做这没屁眼儿的事？方主任说，我问你，你知道啥叫诬陷吗？

赵六碗稀里糊涂地摇着头。

方主任用电警棍一下一下地敲着桌边子，边敲边说，我告诉你，诬陷就是给好人的头上扣屎盆子，诬陷也是要吃警棍的，也是要坐牢的，懂不懂？赵六碗说，我说的是实话，我没有给村长谢长安的头上扣屎盆子。方主任说，你坐在这好好反思一下,我先去开个会,回来再跟你说屎盆子的事。

随着“砰”的一声门响,方主任的房子里一时安静下来,静得有点儿怕人。赵六碗缩在角落里“反思”。方主任不见回来,他也就不敢走,傍黑时分,方主任依旧没有回来,但他“反思”出了结果:龚主任、方主任都是村长谢长安的朋友,酒桌子上的朋友,麻将桌子上的朋友。在乡政府,龚主任和方主任给他演了两出戏,一个唱红脸,一个唱白脸,一个给他吃了碗“软面”,一个给他吃了碗“硬面”,但他们的目的是一致的:不要告村长谢长安。翻搅清这个道理以后,赵六碗的胆正了,红脸的他不怕,白脸的他也不怕,有本事你就拿警棍敲我的头,把我敲死,有本事你就把我铐起来,你不敲我,你不铐我,你就不是你大的娃!直到这时,他才陡然想起了香香的话,在乡政府,最大的头头是那个穿枣红色西服的黄书记。对,明天去找黄书记。

九

乡里的夜晚很不像夜晚,街道上还明晃晃地亮堂着,人们还来来往往地兴奋着,烤羊肉串的摊子烧腾出一片冲动来。赵六碗盲目地走着,这个夜晚,他住在哪儿呢?从小到大,他从来没有到外面住过,现在,他必须要在乡里住一晚了。倘若要回村里去,来回花去不少时间倒在其次,村里人要是问起来他告状的事,他咋说呢?他不能这么灰头土脸地回去,他要把自己的名声洗干净以后抬头挺胸地走进泔河村。泔河村倒是有几个人在乡里的,马二旦开了一个杂货店,他去了,店门却关得死死的。马六哥开了一炒面馆,他去了,店门也是关得死死的。还有一个名叫桂芳的嫁到了乡里,他打听到桂芳的家里,桂芳家里的门上挂着一个铁将军。这下,赵六碗真的无处可去了。正走着,有一个胖女人拦住了赵六碗的去路,她声音低低地问,住店不?这不是瞌睡遇到了枕头吗?赵六碗有些放心了,但他没有立即回答住还是不住,出门在外,多个心眼儿没坏处。胖女人看穿了赵六碗的心思,解释说,老哥,你就放心吧,正规的标准间,有电视,有电风扇,有洗手间,有电蚊香,有饮水机,一晚十块。赵六碗问,能不能再便宜一点?胖女人咧了咧嘴说,大哥,你在乡里打听一下,看还有没有这么便宜的房子?算咧,你既然张了嘴,我就把你的人搁住,九块,跟我走吧。赵六碗跟着胖女人来到了这个名叫“春归”的小旅馆。走进房子一看,胖女人果真没有骗他,电风扇呜呜呜转出一屋子惬意的凉爽来,洗手间干干净净,床单、被子、枕巾也都白生生的干净。胖女人说,我没骗你吧。赵六碗说,好好好。胖女人说,那你早点儿歇着吧,需要啥吭一声。赵六碗连声说不需要不需要。

赵六碗洗了脸,又用凉水擦了身子,像扔一块石头一样把自己扔在了床上,沙发床咯吱咯吱地叫了几声。赵六碗打开电视,想放松一下神经。就在这时,传来了敲门声。

谁？赵六碗问。

服务员。门外传来一个嫩生生的声音。

咋咧？赵六碗继续问。

我给你送两片电蚊香。嫩生生的声音继续说。

赵六碗打开了房门，门外站着一个姑娘，二十岁模样，皮肤白皙，大眼睛，长得很好看，她穿得很少，半拉乳房露在外面，三分之一的屁股蛋儿也露在外面，她的身上散发一股浓郁的香味儿，不是洋槐花的香味儿，不是苜蓿花的味儿，也不是苹果花的香味儿，但是很好闻。她从赵六碗的身边挤过去，换上了电蚊香片儿。

大哥，按摩吗？姑娘娇声娇气地问，飞了一眼儿。

不不不……赵六碗从来没有遇到过这类事儿，但他知道自己不能干这种事儿。

按一下嘛，很舒服的。姑娘说着，就贴在了赵六碗的身上。

我不按不按！赵六碗推开了姑娘。

又不贵，按一个点儿十块钱。姑娘又一次贴上来。

我不按不按！赵六碗去推姑娘，这时姑娘的吊带裙落地了，他的短裤也不知怎么就脱落到了膝盖以下。

姑娘突然大喊一声，救命啊——

姑娘的话音一落，房门被一脚踹开了，门口站着穿警服的方主任和两名提着警棍的警察。赵六碗正想感谢方主任是及时雨呢，可嘴巴还没有张开，就被两名警察撂翻了。

方主任说，赵六碗呀赵六碗，再说你不是嫖客？

赵六碗脑门儿抵在地上，吃力地说，方主任，我真的不是嫖客，我真的我没有动她。

方主任说，赵六碗啊，想不到这时候了，你的嘴还硬得跟鞋帮子似的，我问你，你没有动？你的裤子是自己掉下去的？

赵六碗说，我真的没动她，你问她嘛。

方主任回头问那个姑娘，你说说，到底是怎么回事？

姑娘哭哭啼啼地说，我是这里的服务员，我来送蚊香片，他问我搞不搞特殊服务，我是正经人家的姑娘，靠力气挣钱，我咋能搞那种没皮没脸的事呢？我说我不搞，他就下硬手，撕下了我的衣服，还脱了自己的裤子，呜……我以后咋有脸活人啊！

方主任说，赵六碗，目前正在扫黄打非，你算是撞在枪口上了。说毕，朝两个警察很威武地一挥手，很严厉的一声断喝，铐上！

“咔嚓”一声，赵六碗的手腕上多了一副冰凉的手铐。

方主任……赵六碗眼泪巴巴地叫。

带走！方主任又是很严厉地一声断喝，又是很威武地一挥手。

赵六碗又一次被带到了方主任的办公室，这是他下午刚离开的地方，现在还弥漫着他身上的气味儿。可是，现在的他已经不是下午的他了。现在他被铐在暖气片上，站呢，直不起身子；蹲呢，蹲不下去，就那么佝着腰半站半蹲着。赵六碗清醒地意识到，纵然浑身是嘴，他也说不清了，纵然跳进黄河也是洗不干净了，混浊的泪无声无息地滚下来。

你说怎么办吧？方主任呷着茶，不紧不慢地说。

方主任，这真的不关我的事呀！赵六碗一脸哀求。

赵六碗，方主任一拍桌子，呵斥道，我看你是锅里的鸭子，肉烂嘴不软！

方主任，我没动她，一指头也没有动！

赵六碗，你是撞了南墙不回头啊！方主任的嘴角跳跃着嘲讽的笑纹。

赵六碗说，你要相信我，我是无辜的！

方主任说，赵六碗，你是背着牛头不认赃啊！

赵六碗说，我没背牛头，我认的啥赃呢！

方主任站起身，伸了一下懒腰，一下一下敲着手指头说，赵六碗，今晚，你先好好反思一下，明天再说如何处理你的事吧。

方主任走了，房子里一下子陷入了一片真空，街道上的喧哗声听不到了，大胡子他们工地上机器的轰鸣声也听不到了，静得让人心里发毛。后半夜，赵六碗尿涨得难受，可他不能尿到自己的裤子里，也不能尿到方主任的办公室里，他就硬憋着，真憋得脑门儿上往下淌汗豆豆。实在憋不住了，赵六碗就冲着墙壁喊，我不是嫖客！又过了一阵，赵六碗又喊，我不是嫖客！

天渐渐透出了亮色，树枝上的鸟儿欢快地唱起来。赵六碗实在憋不住了，再要憋下去，他的肚子就要撑破了。随着一阵钥匙的转动声，方主任和两名警察进来了。

赵六碗急赤白脸地说，方主任，快，我不行了，我要尿尿。

方主任不紧不慢地问，想清楚了？

赵六碗说，我要尿尿。

方主任说，把你的问题说清楚了再说尿尿的事。

赵六碗说，你让我尿尿我就认。

方主任说，你嫖娼没有？

赵六碗说，我，没有，我，嫖娼了。

方主任朝两名警察丢个眼色，两名警察在本子上记下了，方主任这才一挥手，带他去上厕所。

从厕所回来，方主任说，赵六碗，按照治安处罚条例，你先交两千元罚款，我们再通知你家里人把你领回去。

放了水以后，赵六碗觉得浑身轻松了，听了方主任的话，他觉得自己不能认账。要是背了这个名，他一辈子就没脸在泔河村活人了。要是交了罚款，娶老鱼的事只能变成一个梦了。

方主任说，交钱吧。赵六碗说，我一个子儿也没有。方主任说，让你家里人来交罚款。赵六碗说，我是光棍一条，没有家里人。

方主任拿起了电话，想了想，又放下话筒，摁下免提，拨了一串数字，电话响了两声以后，传来了村长谢长安的声音，你好，请问你找谁？听着村长谢长安的声音，他笑眯眯的模样跳跃在赵六碗的脑海里。

谢村长吗？我是乡政府综治办的方主任。

你好，方主任，这么早有事吗？

谢村长，昨天晚上我们在扫黄打黑行动中，抓住了一个嫖娼的人，他是你们村的赵六碗，你通知他的家人到乡政府交钱领人吧。

你说是谁？赵六碗？

对，赵六碗。

方主任，你们弄错了吧？赵六碗可是个老实人啊，我向毛主席保证，他不可能干那样的事，一千个不可能，一万个不可能。

谢村长啊，只有我们想不到的，没有他做不到的，他都承认了，你就不要护犊子了。

方主任，你们肯定弄错了。

谢村长，请你再不要怀疑我们的办事能力了，你赶快通知他们家里人拿两千块钱领人吧。

方主任，钱呢，我立马送来，但求你看在咱们多年的交情上，千万不要让赵六碗同志受一点儿委屈，该吃的给他吃，该喝的给他喝。

那我就等你了。

摁下免提，方主任向两名警察摆一下手，两名警察给赵六碗打开了手铐，让他坐到了沙发上，一名警察给他倒了一杯水。另一名警察出门给他拿了一个肉夹馍回来了。可是，赵六碗喝不下去，也吃不下去。

方主任说，你们的谢村长对你不错啊。赵六碗欠起身子，犟着脖子说，我不是嫖客。方主任从腰里抽出警棍在空中抖一抖，吼道，赵六碗，你再不老实的话，我就再把你铐起来！赵六碗打个战，抱着胳臂跌在沙发上，垂着头，一声不吭。他想把这件事的前因后果理出个头绪来，可他的脑袋里仿佛盛的全是糨糊，怎么也理不清。他只是想到，自己再要回到泔河村，泔河村的男女老少都会嘲笑他，都会唾弃他，都会看不起他，没有人愿意跟他说话，没有人愿意让他帮忙，往后的日子就是一个黑咕隆咚的无底洞。

晌午饭的时候，村长谢长安风风火火地来了，像往常一样，脸上挂着和蔼的笑容,他和方主任握过手,给方主任面前丢了两个信封袋,一个大的,一个小的。他指着小的说,这是罚款。又指着大的说,没啥拿的,给你带了两条烟。方主任感慨着说,泔河村摊上你这样的村长,一村人的福气啊。村长谢长安说,有啥办法呢,手心手背都是肉呢。说到这儿,把目光挪到赵六碗的身上,走过来,拍了拍他的肩膀说,六碗,别怕,现在没事儿了。赵六碗心里很复杂,想放声大哭一场。村长对方主任说,方主任,中午我就不陪你了,六碗昨晚受了一些惊,我想早点儿把他带回村里去,改天呢,你到咱泔河村里来,咱们不醉不休。方主任说,好好好,去你那里吃野味儿。村长谢长安正色道,方主任,野味的事好说,不过,六碗这事呢,我希望咱们就在你这房子里一风吹了,就像没发生一样,他还没讨到媳妇呢,这事要是传出去,就麻烦咧。方主任说,好说好说。村长又捉住方主任的手,边摇边说,方主任,你是忙人,我就不给你添麻烦了,这就回去呀。方主任说,路上开慢点。村长边退边说,谢谢,谢谢。

出了乡政府的大门,村长说,饿了吧?走,吃羊肉泡馍去。

赵六碗犟着脖子说,我没有嫖娼。

村长左右溜儿眼,压低声音说,好我的爷爷呢,你小声点儿行不行?你是不是怕别人不知道呀?我刚才跟方主任说过了,这事儿已经一风吹了,没发生过。

赵六碗固执地说,我就是没有嫖娼嘛。

村长咬牙道,真是个脑养鱼!

赵六碗说,我要找那个小妖精去,问她为啥要害我。

村长拉着赵六碗的手腕子不丢手,说你到哪儿找她去?她早就飞了,走,回!

在回村的路上,赵六碗说,村长,等我从小妖精那儿把钱要回了,我再还给你。

我跟你说钱的事儿了吗?村长一面转着方向盘一边说,咱两个谁跟谁呀?

赵六碗说,我不能让你给我垫钱。

村长谢长安说,再提钱的事,你就不是我的好兄弟了。

十

一连几天,赵六碗都窝在家里,他不想见任何人,也没心思去苹果园里看一看,长成啥样儿算啥样吧!他一直在琢磨怎么会那么巧呢?不对,这里面肯定有猫腻。一只老鼠在房梁上蹿来蹿去,鬼头鬼脑,无声无息。跑一阵子,它就站下了,定定地望着他,两只眼睛贼亮贼亮,好像在问:你想啥呢?若在平时,赵六碗会大喊几声,把老鼠轰出去,现在呢,他不想轰老鼠了,这房子里,只有老鼠是活物,只有老鼠在陪着他。赵六碗的思绪飞扬着,他由老鼠联想到了老鼠药,由老鼠药又联想到了老鼠夹子。陡然,赵六碗一下子从炕上蹦了起来,他转过弯来了:那个小妖精原来是有人放在他脚前的一只老鼠夹子。这个人是谁呢？是那个胖女人？不可能，他和胖女人远日无冤近日无仇，住店交钱，她为啥要害他呢？是龚主任？好像不可能，那样慈眉善目的一个人，咋会给他的脚前放老鼠夹子呢？是方主任？也不可能，人前人后，他向来没说过方主任一星半点儿的坏话，他还给方主任到沈文绪家里借了汽油，方主任为啥要害他呢？那么是村长谢长安？似乎也不可能，倘若村长要害他，为啥又要到乡里来救他呢？这不是脱了裤子放屁吗？突然，王爱羊跃入了他的脑海，就在他来乡里的那天下午，王爱羊也来到了乡里，开着他的摩托车像一团火一样在乡里疯窜，他必定是去花钱买通了那个小妖精。可是，王爱羊又是怎么知道自己到乡政府告状来了呢？赵六碗想到了乡政府看大门的秃脑门儿，想到了党政综合办公室那个皮肤白皙体态丰腴的女同志，想到了龚主任，想到了方主任，想着想着，冷汗就从他的后脊梁上滚下来：这些人不都穿着连裆裤吗？想到这儿，赵六碗心里腾地一下燃起一团火，烧得再也坐不住了，他还要告。这一回，他不光要告村长谢长安，他还要告龚主任，要告方主任，就找那个穿枣红色西装的黄书记去告。眼下，当务之急是找到那个小妖精，她是证人。

还没有出门，姑父却沉着脸进了门。赵六碗不想搭理这个势利的人，他说，谷校长，你是不是走错门了？

姑父说，你以为我想来呀，是你姑逼着我来的。赵六碗说，你跟我划清界限了，我跟你没关系了。姑父说，你做下了丢脸事，我想跟你划界限都划不清了，旁人在后头戳我的脊梁骨呢。赵六碗一愣，问，我做下啥丢脸事了？姑父说，你到乡里去嫖娼，让人家抓住罚了两千元，在村里都摇了会，谁不知道？

赵六碗的脸纸一样寡白了，村长谢长安和方主任不是说好这事一风吹了吗？怎么吹到沺河村来了？村长说话是放屁，方主任说话也是放屁了！他说，我没有嫖娼。

姑父说，我来只给你说一句话，在家里好好待着吧，再不要到处丢人现眼了。

赵六碗说，我的事不要你管。

打死你活该！姑父摔下一句话，气咻咻地摔门而去。

赵六碗一脚踢飞了一条小板凳，小板凳砸在墙上，"哐"的一声变得粉身碎骨。赵六碗又抓起一个脸盆摔到墙上，又是"哐"的一声，脸盆失了形状。赵六碗还想砸下去，屋里的光线一暗，门口出现了一个人，回头一看，是刘美莲。刘美莲说，六碗，我知道你是好人。赵六碗气鼓鼓地说，我不是好人，我在乡里嫖娼被人抓住了，罚了两千元。刘美莲说，六碗，我的事你再不要管了，会害了你的。赵六碗说，现在不光是你的事了。

刘美莲哽咽一声，泪流下来，她也不拭，任泪流着，抽抽搭搭地说，六碗，你不知道，寡妇的日子不好过呢，黑天半夜的，有人敲你的门，你不开，他就给你屋里扔死猫死老鼠，有人来买货，记下了账，就是不给钱，你去要，他就对你动手动脚……村长也是个好人呢。你不告的话，也就没啥事了，你一告，满天下都知道了，你，你叫我咋有脸再活人呢？

赵六碗不知道说啥好了。

求你了，六碗，别告了，让我过几天清静日子吧。刘美莲用央求的口吻留下一句话，轻轻地走了。

赵六碗软软地跌坐在地上，大脑像被水洗过一样。不知过了多久，他才回过神来，刘美莲在怨怪他狗拿耗子多管闲事了。可是，碌碡拽到半坡了，他丢不得手的。一旦丢了手，赵六碗就是一堆臭狗屎了！所以，他还要告下去。事不宜迟，就到乡里去，悄悄地埋伏在那个"春归"小旅馆的附近，抓住那个小妖精，揪到黄书记的跟前去。

有几个人站在书记老潘门前的树下说闲话，远远地看见赵六碗，指指点点着，目光怪怪的，表情也怪怪的。赵六碗猜得出来他们在议论啥话，只是不管他们，一径地走将过去，头扬得高高的：心里没害病，不怕凉西瓜。随着一阵摩托车的突突声，王爱羊从后面赶上来了，他绕着赵六碗转了一个圈儿，然后用车头拦住了赵六碗的去路。

六碗，红萝卜调辣子吃出看不出啊。王爱羊阴阳怪气地说。

赵六碗眼睛里喷着火，他想给这张不是脸的脸上啐一口痰。

洋妞的味道怎么样呀？王爱羊的脸上露出淫邪的笑。

跟你娘的味道一个样。赵六碗咬牙说。

到现在了嘴还硬？王爱羊说，现在知道阎王爷是六只眼了吧？

我日你先人！赵六碗骂。

你还敢骂人？告诉你，再胡骚情，有你的好果子吃。王爱羊威胁道。

赵六碗还想继续骂，王爱羊车头一拐，"噌"地一下开远了。

泔河村被甩在身后了，两面是苹果园，望不透的绿且厚且重，知了的叫声此起彼伏。悬挂于枝头的苹果还是青蛋蛋，但苹果的香气已经纷扬起来了。赵六碗越走越快，他恨不得一下子能飞到乡政府去，他开始小跑起来，呼哧呼哧——

六碗，六碗！有人在喊他的名字，回头一看，绿茵茵的苹果园里有一件红衬衫在一闪一闪，原来是香香。

香香，你不在"农家乐"里做饭，跑苹果园做啥来了？赵六碗疑惑着问。

香香叹了一声说，"农家乐"开不下去了，关门了，你是不是要去乡里呀？

赵六碗恨恨地说，我要去把我的名声洗干净。

香香从身上摸出一封信来，递到赵六碗面前说，六碗，我姨父在县政法委工作，你把这封信带给他。

赵六碗说，县上？我又不去县上，何况县政法委的门朝哪儿开都不知道，咋给你带信？香香说，那你在乡里的邮政局给我寄出去，邮票都贴好了。赵六碗从来没有寄过信，也没有人给他寄过信，所以，他也不知道邮政局在哪儿。

香香看出了他的窘相，说，就在乡中学的隔壁，绿门绿窗子。赵六碗想起来了，接过信，走了。

要去邮政局，必须从乡政府的门口经过。站在乡政府大门口，赵六碗朝乡政府的院子里看一眼，又看一眼手中的信，一时吃不准到底是先去找黄书记呢还是先给香香寄信。正犹豫着，却见表妹谷飞燕和一个人从乡政府走出来。两个人走得很近，有说有笑的，这个男人似曾相识，但他一时想不起来他究竟是谁了。赵六碗心里莫名其妙地闪过一个念头：他是不是表妹的男朋友呢？但他很快就否定了这一个想法，因为这个穿一件枣红色西装，扎着领带的人已经谢了顶，小五十岁的样子了。看着两个人快走出乡政府的院子了，赵六碗连忙跳到了一棵树后。只听男人对谷飞燕说，燕子，记着，乡政府的大门永远为你敞开着，你想啥时回来都行。谷飞燕说，谢谢。男人又说，燕子，你反映的问题呢，我也有耳闻，我会查个水落石出的。谷飞燕又说，谢谢。男人说，多保重。谷飞燕说，你也多保重。看着表妹一个人朝车站那儿走，赵六碗才从树后跳出来，叫了一声燕子。

看到赵六碗，谷飞燕一脸的怜爱，叫了一声哥。

一声哥叫得赵六碗满眼泪花，多久都没有听到这么亲情的呼唤了。

谷飞燕说，哥，你受委屈了。赵六碗说，燕子，他们给哥的脸上抹屎，哥要把名声洗干净呢。谷飞燕挎着一个小坤包，拉着一个小皮箱，她把小皮箱递给赵六碗说，哥，我要到城里去，你送送我。

兄妹二人慢慢地走着。

赵六碗说，燕子，你走啥呀，你当副总也挣不少钱呢。谷飞燕说，哥，人活着，不光是为了挣钱的，还有比钱更重要的东西。赵六碗糊涂了，但他不想问了，表妹读了那么多的书，做事自然有分寸的。谷飞燕看到赵六碗手中的信，问，哥，谁的信？赵六碗说，是香香让我帮她寄的。谷飞燕接过信一看，放进自己的小坤包里了，说，哥，我替你寄了吧。赵六碗说好。谷飞燕说，哥，说句良心话，村长谢长安是个好人，他让泔河村脱了贫，走上了富裕的道路，但他毕竟是个农民，没有多少文化。赵六碗一时吃捏不准表妹是在夸村长谢长安呢还是贬。

车来了，谷飞燕上了车，赵六碗说，燕子，出门在外，你要吃饱，穿暖和了，想村里了就回来逛一逛。

谷飞燕说，哥，等我下次回来了，你一定要给我娶个嫂子啊。

赵六碗的视线登时模糊了。车走远了，赵六碗在脸上拭了一把，陡然想起，跟表妹一起走出乡政府院子的那个男人不正是黄书记吗？他急匆匆地赶到乡政府，秃脑门儿还认得赵六碗的，他问，你还找龚主任吗？赵六碗说，我找黄书记。秃脑门儿说，你看巧不巧，刚走，下乡去了。赵六碗问，几时回来呢？秃脑门儿说，书记又不给我请假，我咋知道呢。赵六碗问，书记下乡一般是几天？秃脑门儿说，没准儿的事，有时一天半晌，有时十天半月，你过几天再来吧。

赵六碗发誓再不想“过几天”了，黄书记一天不回来，他就等一天，两天不回来，他就等两天，直到把他等回来。街道上闹哄哄的，没有一片安静的地方，赵六碗走来走去，不知道要到哪儿去了，他想，现在是不能去“春归”旅馆的。等到天黑以后，他再悄悄地去，摸索出那个小妖精的活动规律，等黄书记回来以后，直接把她揪到黄书记的办公室去。可是，现在又去哪儿呢？晚上又住在哪儿呢？思来想去，赵六碗想到了建筑工地上的那个大胡子。没费多大周折，就找到了大胡子，大胡子呵呵大笑，学着城里人的样子，抱了抱赵六碗，说，兄弟，我就知道你会来找我的。赵六碗说，我去找人家黄书记，可黄书记下乡去了，我没有地方去，想在你这儿寻个住处，当然，我不会白住你的地方，我可以给你干活。大胡子说，咱们都是兄弟了，你说话还这么生分？住处有的是，就是条件差一点，只要你不嫌弃，没麻达。赵六碗急忙说，不嫌弃不嫌弃。后晌，赵六碗和一伙民工一起运砖，晚饭时，大胡子把赵六碗叫到自己的房子，从口袋里摸出一个塑料袋，塑料袋里是油炸花生米，又从床下摸出一瓶酒，拧开瓶盖儿，两个大老碗，一人一半。几口酒下肚，赵六碗说，你张口兄弟，闭口兄弟的，你是属啥的？大胡子说，兔子。赵六碗呵呵笑了，说，我属老虎，我是老哥。大胡子说，行行行，你是老哥，来，咱两个算是有缘分，来，走一个。两只碗碰在一起，“哐”的一声脆响。喝到最后，赵六碗说起了自己为啥告状的事，大胡子听得怒火万丈，他说，告，告狗日的，告不倒不罢休！

第二天，赵六碗去乡政府问秃脑门儿，秃脑门儿说黄书记还没有回来呢。

第三天，赵六碗去乡政府问秃脑门儿，秃脑门儿说黄书记还没有回来呢。

不知不觉的，半个月过去了，赵六碗还没有逮着黄书记的踪影。这一天，大胡子请赵六碗去老李家羊肉泡馍馆吃饭，却见门上贴着一张喜字，鞭炮的碎纸屑扬得到处都是，空气中弥漫着火药的味儿。两个人知道又有人在这里办酒席了。现在的农村人也学城里人的样儿办红白喜事，在乡里找个饭馆，把要好的亲戚朋友招来一块儿吃个饭，事也就算过完了。酒席只摆了一桌，新郎新娘正在敬酒，一片喧闹声。赵六碗坐下以后，听着新娘的声音有点儿耳熟，定睛一看，他的脸就没有血色了：正在敬酒的新娘是老鱼。这时候，老鱼也看见了赵六碗，她大大方方地走过来，说六碗，今日是我的大喜日子，我给你敬杯酒。赵六碗愣着，不知说啥才好。大胡子急忙站起身，替赵六碗接过了酒杯，对老鱼说，我这老哥不爱说话，我替他说吧，恭喜恭喜。大胡子一回头，赵六碗已经没了踪影。

赵六碗疯了似的在乡里的街道上狂奔，突然，他被一个人一把抱住了，回头一看，是铃铛。

铃铛说，六碗，你在这儿疯跑啥呢？

赵六碗喘吁吁地说，我心里有一只猫，抓得我难受，你干啥去呀？

铃铛说，唉，福生那个犟货，把村长谢长安得罪了，人家不让他在水泥厂里干了,我把人家的屁股当老碗一样舔,就是想让福生回来。可村长他不是个人,他不让福生回来倒也罢了,还想占我的便宜。好在福生在城里干得还不错,如今租了一节柜台卖菜呢,叫我也去,我再也不想回泔河村了。

赵六碗说,福生是个福蛋蛋呢。

铃铛说,对了,六碗,我都忘了告诉你了,你知道了吧,前天晚上,你家草棚被一把火烧光了。

赵六碗大惊失色,他问,铃铛,你骗我吧?谁点的?

铃铛说,我骗你干啥嘛,火是半夜烧起来的,谁知道是谁点的呢。

正在这时,汽车来了,铃铛跳上车。

赵六碗的头脑里乱作一团,无论如何,他先要回到泔河村去,看一看他的房子。刚抬起脚,手腕被大胡子攥住了。刚才,他和铃铛的对话大胡子听个一清二楚。

大胡子说,老哥,就算你长着翅膀飞回去,顶啥用呀?该烧的都变成灰了。

赵六碗说,兄弟,那可咋办呀?

大胡子说,老哥,喂肚子吧,把肚子喂饱,我开车送你回去。

大胡子有一辆QQ,二手车,他平时总开着乱转。

老李羊肉馆是不能再进去了,两个人来到一个小面馆,要了一盘凉拌黄瓜,一盘猪头肉,一盘花生米,一瓶辣酒,喝上了。喝到最后,赵六碗“哇”地放声痛哭了。

赵六碗说,兄弟,哥没房子了。

大胡子说,老哥,你跟兄弟干,两年给你盖一座大瓦房。

兄弟,哥没媳妇了。

老哥,你跟兄弟干,好媳妇随你挑。

兄弟,哥的名声被屎糊了,再也进不了村了。

老哥,心里干净,夜里就能睡得着。

兄弟,哥不告了,哥怕了,哥再要告下去,小命儿就保不住了。

老哥,血债血偿,咱绝不放过那些狗日的!

兄弟,哥不告了,真的不告了,再也不告了。

老哥,来,喝酒。

对,喝酒。

赵六碗就着眼泪喝完了最后一口酒,身子一歪,“哐当”一声,酒碗掉在地上,“扑通”一声,人倒在地上。

第二天,大胡子开着他的QQ拉着赵六碗回泔河村了,刚进村口,就见几名警察把村长谢长安从家里“请”出来,他的手腕子上戴着手铐,明晃晃的。

警车启动了,王爱羊带着十几名村民从苹果园里冲出来,抡着铁锨镢头,边追边喊,留下村长,留下村长……

警车不慌不忙地驶出了村口。警车后的村民有人突然跑掉了一只鞋,就弯下身子穿鞋，穿好鞋以后，前后左右溜几眼，发现并没有人注意自己，倏地拐了个弯，消失在苹果园里了，其余的人，或者跌了个“狗吃屎”，坐在地上，一面表情万分痛苦地“哎哟”着，一面夸张地揉着膝盖，又或者有人一头撞在路边的苹果树的枝条上，双手捂了脸，蹴在地上，“哎哟哎哟”地喊着，然后，这些人一个接一个，都也倏地拐了个弯，消失在苹果园里了，警车后很快就一个人也没有了。

赵六碗把目光转向他的家，家变成了一片黑黢黢的废墟。

大胡子望一眼废墟，再把目光投向远去的警车，感慨着说，善有善报，恶有恶报，不是不报，时候未到。

赵六碗打个激灵，撒腿朝警车追去，他一边疯了似的跑着，一边扬着手喊，村长——不是我告的你——村长——不是我告的你——

（选自《小说月报原创版》2010 年第 3 期）

和军校

1963 年出生，陕西礼泉人。1982 年毕业于长庆石油学校物探系。历任长庆油田地调处调度员，长庆油田团委干事，长庆油田职工医院宣传干事、政工师。1984 年开始发表作品。1997 年加入中国作家协会。著有长篇小说《千万别说我爱你》，中短篇小说集《和军校小说选》《人心朴实》《寻找一个人的一句话》，短篇小说集《一不小心》，报告文学集《石油人的家》。电影文学剧本《小村无故事》《欣逢佳节》（均已拍摄发行）。中篇小说《欣逢佳节》获甘肃省第四届文艺奖、第二届敦煌文艺奖。

县长搭台

肖建国

一

那山原本叫奶婆山，如今被人们喊作了万金坳。

山是两座，遥遥相对，却又近在咫尺，弹指可及。两座山都圆圆滚滚，肥嘟嘟的；都没有大树，触目净是大岩头。那岩头是真多，真大哎。一头挨着一头，大的竟有半间屋大，远看像一团一团白云，裸晒在阳光底下，缝隙间有岚烟升起。岩头底下淤积了厚厚的潮泥，偷长着茜草、车前草、马鞭草、蛇莓、仙茅、石蒜、野葱、马齿苋，勾出一点点一线线些许绿意。春天，打雷了，一场雨水过后，岩头上平地生出了好多雷公屎。雷公屎状如木耳，却比木耳更肥大，茸茸的撒满在岩头上。就有妇女小孩拥上山去，攀高爬低，遍地捡拾。夏天，秋天，常常能看到小女孩在山上刨马齿苋，扯野葱，摘蛇莓，割仙芽。冬天，山上被大雪覆盖，上下一团白，少有人迹。这两座山的形状、植被，跟周围的山完全不同。山上没有树木，也没有灌木，自然也不会有草庐杉皮屋之类。早年间倒是有过一座道观，一个炼丹炉，现早已无存，只在山顶那块平地上留下一方道观的遗址，和一堆烧炼过的，红红黄黄黑黑绿绿各色杂陈的灰砾。山上也没有野物，没有野兔，没有野鸡，没有野猪，没有野麂子，也没有蛇，连蚯蚓都没有。据说这都是因为山底下埋藏有锑矿的缘故。所以在民国初年，有人在那里开过矿，梦想发一笔大财。可是轰轰轰折腾一年多时间，巷道开挖到了地底一百多米的深处，什么矿石也没有见到，只好撤退。至今半山腰上还遗留着一个黑洞洞的大坑口，那个残存的坑道后来藏过红军，也躲过土匪，给后世制造了一些传说。有周边村里的小把戏偷偷进去探过险。他们回来说，在里头看到有干硬的粪便，有糟朽的禾草，有松木，还有红军拿木炭写在墙上的标语。他们说里头很干爽，就是太黑了，黑得心里发虚。

奶婆山的山底下，夹着一条土马路。马路中间有两道深深的车辙印，裸露着铺路的小石子。太阳光打在小石子上，反射出一线一线贼亮的光波。马路上不久就有一辆大货车轰地开过，扯起漫天的灰尘，久久不散。马路的一头伸进山里，一直进到雷坪锑矿的矿庄。另一头出山，经麻塘乡、东冲乡、春陵江，直达县城。

奶婆山终于热闹起来了。那时候已经到了二十世纪的八十年代。原来那山下面果然埋了锑矿。首先有人在那里探了路。开挖三月，矿苗一露头，立即就成了万元户。于是，远远近近的村民蜂拥而至，占一个洞口就亡命地往地底下打钻。他们没有技术，没有机械设备，完全靠力气和运气。可是居然也有一些人挖到了矿石。挖到矿石的就发财了。他们背上的蛇皮袋里，经常兜着一摞一摞的人民币。好多人都换作抽纸烟了。

他们不再叫那里奶婆山，喊作了万金坳。他们相信换个叫法会带来更好的财运。

打矿的一色都是男人，大多还是后生。袋子里装了钱，要做的无非四件事：砌房子，睡女人，喝酒，赌钱。周围的一些村子外面，一下子砌起了好多新房，砖墙、钢窗、水泥铺顶、大门都刷了红油漆。两山夹峙的马路边，搭起了十多间杉皮屋。屋外头垒灶炒菜，屋里头设桌喝酒。灶膛里的柴火烧得毕毕剥剥，从早烧到晚。屋里的客人也早晚不断。村里的狗和外乡的女子都闻着香味嗡过来了。杉皮屋后面，又搭了杉皮屋。人在屋里撕扯人，狗在外面撕抢猪骨头。他们当然少不了要赌钱，但不会天天赌，那是要洞子里出了旺火，一下子收到了很多钱以后的事情。那里有句俗话：是男人都有三分赌性。蛇皮袋里重甸甸地兜了钱，不喝，不嫖，不赌，那留起做什么？他们赌得很特别，不是麻将，不是纸牌，也不是弹子棋，那些都是小打小闹，不过瘾。他们玩的是扑克。一次一百副扑克，用箩筐抬到山上。打法却是惯常所谓的“拖拉机”。这“拖拉机”是设“炸弹”的，只要三张以上相同的牌，就可以成为“炸弹”。而按规矩，四张牌的“炸弹”可以炸三张牌的，五张牌的炸弹又可以炸四张牌的……依此推下去，一百副牌可以出现多少炸弹，以大炸小又能有好多个回合。他们那时也把钱不当钱了，一张一张的过来过去嫌麻烦，都带了米尺上去，把十元的票子摞成一摞（那时最大的票子只是十元），以寸为单位，过量。那赌钱的场面真是很壮观的。奶婆山上遍地的大岩头，上面平平整整，光光溜溜，天作幕，地作场，比什么赌场都更气派。他们到了山上，就分作了几伙十几伙，各自盘踞一个岩头，把箩筐里的扑克往中间一倒，就定了场子。中间赌钱的六个人盘腿而坐。裆里窝着装钱的蛇皮袋。每个台子上都有跟来的看客，或蹲着，或站着，颈根都伸得很长，围了一圈。十几只手探进扑克里像揉猪潲一样乱揉过一阵，就把扑克分作六垛垛起来，用划拳按先后分别拿到一垛。然后各自清牌。清牌自然是个漫长的过程。他们得把各式相同的牌清理、归拢，一叠一叠拿橡皮筋箍好，再依大小排列在脚跟前。一叠扑克牌，就是一颗“炸弹”。每个人手里都握有无数颗“炸弹”。这时候每个人的神情都很专注。清牌的目不斜视，旁观的也都屏息凝神，都不说话。天上的太阳也鼓圆了眼睛定定地看着，岩头脚下的小草也都挺直了梗子静静地待着。天地间都没有了声响。那真像大战之前的沉静。然后，战斗就开始了。每个人的情绪都霎时激烈起来。动作很大，吼叫声也很大。抓起牌尽量高尽量高地举起，啪一声砸在石头上，随即迸出一声："炸！"砸一手牌吼一声"炸"，吼声一轮一轮地接下去，气焰很快就高涨了，就有人一挺身站起来，甩掉上衣（那衣服都是很旧，巴满泥垢的），站着往下炸。这时候旁边的人也都激动起来，也一齐敞起喉咙跟着喊：炸！炸！炸……到后来，那些看的人比赌的人显得更忘形。一声炸追着一声炸，吼得歇斯底里，吼得咬牙切齿，吼得全身舒张。他们自己都不明白，自己怎么会吼得这么凶。

他们也都不知道，这样赌钱是违法的。

终于有一天，招来了公安局的人。

那天，公安局的都没有穿警服，着的便衣。几十个人分作几路上山，分别守住岩头，等上面的人察觉时，已经无路可跑，只得束手到凹地上集中。他们互相靠着，拥作一团，一个个都像给水猛然浇熄的柴火，塌着脸，了无生气。他们不知道会遭什么灾。

忽然一阵喧闹，从岩头背后转出一群人来。打头的穿了警服。他们认识，那人是公安局治安股长陈德生，是个让人望着就怕的角色。后面是一个身材粗壮十分精神的干部，再后面跟着的是县政府办的廖主任。

有人拉住廖主任的衣角，朝前面一努嘴，小声问："那个是什么角色？"

廖主任拍掉那人的手，扬起下巴，大声说："你们不认得？这是钟县长！"

其实无论钟县长，无论廖主任，都是副的。但那里的人称呼人的时候都喜欢把"副"字去掉。众人都一凛，一齐抬头，跟着钟县长望过去。都想不到县长也那么年轻，也就三十岁样子吧，穿一件红底细格汗衫，还剪个平头，脖子粗短，脚步十分矫健。一行人到了一块悬空的岩头下，钟县长紧走一步，脚一蹬一纵身，就蹦上了岩石。他弯腰拨了拨那堆扑克牌，又挨个撑开蛇皮袋口子瞭了瞭，挥手叫了一个后生过去。

钟县长问后生叫什么名字。

后生抬手抚住后脖颈，疑疑惑惑地不知该答不该答。旁边的治安股长陈德生就喝一声："问你名字哩！"

后生就一梗脖子说："我叫曹初九。"

钟县长笑起来说："你叫初九，那你前头还有初八初七？"

后生说："报告县长，我真的叫曹初九。我是腊月初九生出来的。我父亲没有文化，顺口就给我取名叫初九。"

钟县长一踢那堆扑克牌，说："你们一次打好多副牌？"

"不多，也就一百副（牌）。"

"你只有两只手吧？"

"我当然只有两只手。"

“两只手抓得拢这么多牌?”

“县长,这你就不晓得了。一百副牌,手手都是炸弹,哪消手抓,一手一手都拿橡皮箍箍起,挨着摆地上,一通乱炸。”

“看来你还蛮里手啊。”

“里手谈不上,晓得一点。”

“你晓不晓得赌博是犯法的?”

“晓得。呃,不晓得。可是县长,我没有参加赌博啊。我们那洞子打不到矿砂,没的钱赌,我是跟着看的。”

“看的也犯法!”

“那我真的不晓得是连看都看不得的。早晓得看也犯法,以后我再不得来了。”

“你这话当真?”

“县长,我给你发誓——”

钟县长看了几眼他身上脏旧不堪的衣服,说:“我就信你一回,不要你发誓。那你指给我看看,哪些人参加了赌博。”

曹初九望着那边的人群,眨了眨眼睛,摇头说:“那么多人,我不知道,我也分不清楚。”

接着又对着钟县长哀哀地说:“县长,我们都是些蠢子农民,不懂政策,不懂法。你不晓得,我们有多辛苦。每天在那几十百把米深的洞子里,脱光了衣服,掉胯叮当地爬进去爬出来,膝盖骨都磨出血,你看看我这手掌上的血泡,是天天吊大锤磨出来的。真的好造孽哩。县长,你大人大量,你前途无量,你洪福齐天……”

“呔!”钟县长打断曹初九的活,皱了皱眉,然后一挥手,大声说:“扑克和钱没收,人都让他们走。”

一旁的陈德生股长顿觉不妥,待要发话劝阻时,一坪的农民已经四散跑开。跟前的曹初九也一挫屁股滑下岩头,眨眼间跑得没了影子。

陈德生顿足说道:“县长,不能这样就给他们走了。”

钟县长一时语塞。他刚才听了曹初九一番话,心里也隐隐有点痛,没有多想就挥手放他们走了。现在看来是草率了点,但人都已经走散了,不可能再追回来,也就不必再说。

他冷着脸,道了句戏文:“收兵回营!”

一行人返回到山下,马路边上顺着排了四辆汽车。三辆吉普,一辆面包。面包车的顶上扛着通栏标一样的警灯,车身上刷着两个蓝色的粗体字:公安。钟县长走到吉普跟前,司机已经打开车门。他一脚车里一脚车外,却不急于上车。刚刚收缴了这么多赌具和赌资,心里很得意,他想好好看看名声很大的这两座奶婆山。

刚一抬眼,就见一个乡干部从山上跌跌歪歪地跑下来,好远就大声喊道:“县长,不得了,打起来了,又打起来了。”

钟县长一直等那人走到跟前，才问道："什么事？慢慢说。"

原来，一个农民在洞子里打到了精矿砂——是那种成色很高的精矿砂，捡满一蛇皮袋背着，兴冲冲地往山下走。刚走到山半腰的十字路口上，有人从背后下了手，一钢钎把他砸倒在地下，抢起蛇皮袋就跑。十字路口到处有人，里头就有那农民同一个村里的兄弟，看到抢劫，追上去就打。那边也是有同伙的，也围上去帮忙，棍棒钢钎铁管子，就打作了一堆。乡干部人单力薄，拢不得边，只好飞跑下山向钟县长告急。

钟县长一听，气得脖子都粗了，瞪眼怒道："光天化日，还有这种事？"

钟县长叫乡干部和政府办廖主任赶紧上车，跟他一起上山。陈德生跑过来，问他要不要把公安的警车也一起调上去。钟县长摆摆手说："不必。这样多公安上去还不吓死他们啊。"

钟县长让县政府的吉普车单独上了山。他不相信自己一个副县长制止不了几个打架的农民。

上山的路是条土路，两丈来宽，刚好容得下一辆汽车单行。土路坑坑洼洼，路面很松，汽车驰过，就有灰尘像蚱蜢一样蹦腾起来，在空中扯起一溜灰云。

车到十字路口，打架的事情早已经平息，被抢的和抢劫的都走了，不见踪影。钟县长下了车，往四处一看，完全是一幅太平景象。路上过来过去的人很多，差不多每个人身上都遗留着打洞放炮肩扛背拉的痕迹。都一身的土，头发上有土，肩膀上有土，膝盖上的土积了厚厚一层。脚下的解放鞋张了口，还都没有鞋后跟，只趿拉着踢踢踏踏地走。手却都不空着。肩上扛了钢钎、铁锤，腋下夹了衣服、蛇皮袋。有人把长手电筒像冲锋枪一样握在胸前。路边的漫坡上，摆了几担青菜，一个用两根木棍撑起来的横杠上，用铁钩吊着小半腿猪肉，猪肉下面盘着一条吐舌仰望的大黑狗。右手边的大岩石上用土白布铺了个地摊，凌乱地摆放着扳手、钳子、手锤、铁丝、雷管、手电筒、碘酒、红药水、口罩、花短裤。地摊过去是个卦摊。小桌上孤零零地戳了个签筒，一个穿长袍留短须的小老头煞有介事地坐在小凳上。再过去是一个炸糍粑的油锅，香味一阵阵地撞过来。

钟县长驻眼看众人，众人也偷眼看县长。山里很少有小车上来，来的听说还是副县长，不免好奇。路两边聚了很多人，都张嘴瞪眼地望过来，脸色漠然，目光里却满是疑惧。钟县长感觉倒像是一脚踩在热牛屎里，浑身不自在。

钟县长默默地上了车，招呼司机回去。

土路上的行人似乎又多了些。迎面来的，过去的，横着走的，站在路中间抬头看天的，都有。偶尔有人靠拢来，拍拍车头，拍拍车窗玻璃，临了还吐出舌头做个鬼样子。这让钟县长感到窝火，却也无奈，只好催促司机把车开快点。

司机不停地摁响喇叭，眼睛只在前方和后视镜里来回转，走走停停，停停走走，把车开得比太阳下的影子还慢。司机有经验，知道这时候千万急不得躁不得，只能慢慢推。

吉普车终于开出十字路口了。路上的人少了，钟县长暗暗松了口气，车上的人也都把身子坐直了。

忽然听到司机“哎呀”一声。一踩油门，汽车猛然蹦起来，蹿出好远一截路。

就听到车后面一声爆炸：

“砰——”好响。

几个人一惊，没等汽车停稳，从两边拉开车门跳下去，跑到后面察看。

汽车倒是毫发无损。不知什么人从后面丢过来一颗土炸弹，如果不是司机眼明脚快，猛然加速，土炸弹就落在汽车上了。

土路上一地的碎玻璃。

钟县长阴着脸问：“土炸弹是拿什么做的？”

一起来的乡干部说：“在啤酒瓶里装炸药，装引线，这里好多农民都会做。”

“他们从哪里搞来的炸药？”

“打洞子要放炮，都有门路搞到炸药。”

乡干部告诉他，有的土炸弹里是填充了铁片钉子的，炸得死人。今天还好，啤酒瓶里灌的只有炸药，响声大，杀伤力不大，但很吓人。

钟县长心里怦的一响：这些人不会不知道这是县政府的车，也能想得到车上坐的是什么人。为什么会冲这里丢炸弹呢？

他抬眼朝前面望过去。不远处的路边上、岩石上、杉皮屋门口，还站了很多人，衣衫不整，头发蓬乱，都神情漠然地望着这边。

他们脚下都踩着自己浓重的阴影。

钟县长忽然感觉有什么东西格外刺眼睛。他勾下头，看到满地的碎玻璃闪闪烁烁地弹跳出反光，竟变幻出一道五颜六色的光网，十分炫眼。

钟县长捡起一粒碎玻璃托在掌心上。淡蓝淡蓝，小如蚕豆，尖角峻峻。他闻到了碎玻璃上散发出来的硝烟味。

钟县长转身往汽车走去。

回到车里才看到，廖主任早已坐到车上了。神情委顿，一脸煞白，眼睛都抬不起来。

车子飞快地到了山下。就在这短短的时间里，钟县长决定不回县城，先到雷坪锑矿的招待所住下，再去万金坳，细细地看一看。

廖主任一听就急了，连呼吸都变得短促起来。他说：“县长，我身上好像发病了，很不舒服。我不能陪你在这里。”

钟县长盯他一眼：“怎么突然就病了呢？”

“这病来得陡。我也不晓得怎么一下子就这样难受，难受得要命。”

廖主任说着就哼了起来。

钟县长挥挥手说:“那你跟公安的车回去吧!”

廖主任说:“我回去就喊办公室的小李过来陪你。”

钟县长没再说话,叫司机掉头往山里的雷坪矿开。他在矿招待所找间房子住下来了。

一住三天。

二

钟海龙当副县长还只有半年。

他是三月里从省城下来挂职的。

钟海龙那时还很年轻,不到三十岁,一头黑发溜青的,脑门子光洁得像瓷砖。钟海龙读大学时学的是建筑设计。他本来是省建筑设计院的工程师,刚刚还做了一个项目的负责人,忽然一纸调令,把他抽调到县里当了副县长。这让他有点惶惑,也有点兴奋。在他的老家,称呼县长不叫县长,叫“太爷”。他读到中学了,见过的最大的官不过是“太爷”。“太爷”是很威风的。据说太爷们身上的证件是打了皇封的,连鬼见了都怕。他从小就对太爷十分敬畏,见了还躲。万没想到自己现在也当太爷了。他拿到那纸调令的时候,还发过一阵呆。他不知道这太爷该如何当。

初到县里,不免到处走走,看看。他看了一些农户。那些农户真穷。几块杉木板架起来做了床,一领破席,两口土砖便是枕头。他也看了几家冶炼专业户(炼银的,炼铜的,炼锡的),看了几家煤矿老板。那些人家真富,高宅大院,红漆门柱,碗镶金边,筷子的两头都镀了银。他看了油茶林,看了砖瓦窑,看了万头猪场,也看了冷浸田。看一处地方,感慨一回。他让人弄了一叶小舢板,顺春陵江而上,漂了十几里。他专程下了趟板梁村。那里有上百栋过了百年的老屋。老屋皆砖墙青瓦,柱头很粗,檐头飞翘。很高大,很宽敞,可是很幽暗。那里的公祠堂很气派,别具风格。他还爬上高高的南山牧场。站在山口上,浴着猎猎山风,望着起伏翻腾没有尽头的草浪,他心里也热热的,汹涌不止。他觉得应该可以做很多事情。

跑了几个月,情况有些熟悉了,他开始分管实际工作。接到的第一件事就是上奶婆山抓赌。

钟县长在山上待了三天,早出晚归。白天,在奶婆山调查,晚上,返回雷坪矿招待所住。他不再带车上山。让车送到山下,徒步上去。他找了很多人谈话,矿老板,挖洞子的农民,洗砂厂的工头,收矿砂的广佬。卖菜的,卖酒的,开饭店的。他还钻到几十米深的洞子里,亲身体验打洞挖砂的艰辛。他随身带着一个黑皮本子,随时记录。他在本子后面勾描了一幅矿洞分布的简图,上面做了很多别人看不懂的记号。

三天时间，他记满了一大本子。

然后，连夜回城，直奔县长杨树高办公室。

那时已交子时，杨县长还在灯下喝茶，批文件。办公桌上伏了只灯蛾子扑腾扑腾地跳。

“杨县长，我回来了。”

杨县长伸脚踢开座椅，从背后柜子底下捧出一个大酒瓶子。酒瓶里泡着大半瓶药材，枸杞、当归、黄芪，红红黄黄的透着浑浊。杨县长好酒，又常常熬夜，他老婆就泡了药酒，放到他的办公室，给他当夜宵。他常常在办公室里，看一阵文件，抿一口酒，看一阵文件，抿一口酒。他的办公室时时飘荡着一股酒气。

杨县长顺过两只茶杯，倒满酒，摆到茶几上，招呼钟海龙在沙发坐了。

“先来一口？”

“好，先来一口！”

看到钟海龙一口就下去了小半杯酒，辣得耸鼻子嘬嘴巴的样子，杨县长高兴得开怀大笑。他不喜欢那种喝口酒都扭捏的人。

“听说在奶婆山差点挨了土炸弹？”

“那还差很远。不过是蛮危险的。”

钟海龙就把那惊险的场景又说了一遍。

杨县长听后哈哈大笑说：“你们真是命大哩！”

钟海龙说：“搭帮司机反应快。”

“后来查了没有，什么人丢的炸弹？”

“当时那么多人，哪里好查？”

“应该查！跑不脱就是那些挖矿洞的农民。”杨县长沉下脸来，又说，“这才开放了好多年，这些人就变得这样大胆，县长的车都敢炸，还有王法没有！要是让我逮到了，看我不整死他！”

看来杨县长真是十分愤怒，本来就黑的脸上，更黑了。

钟海龙说：“我也很不明白，事情怎么会严重到这个程度呢？所以我才在山上留了几天。我找了一些人谈话，还开了座谈会。现在大致理出了一点头绪。”

“你说说看。”

钟海龙就把黑皮笔记本摸出来摆在茶几上，却并不翻开。显然他早已整理过，归纳过，想好了的。他首先介绍了奶婆山上挖洞的情况，大致是一半对一半。一半的洞子挖到了矿砂，一半的洞子劳而无获。挖到矿砂了，发财，挖不到的就急眼。去偷，去骗，甚至明抢，什么歪路子都用了出来。山上热闹的时候聚集有几千人。那么多人成了堆，又有那么多资金在底下流转，却没有人管理，就完全乱了套。

杨县长打断说：“怎么会没有人管理呢？乡政府不是派了人驻守在上面？”

钟海龙说：“那个乡干部我见到了。就是他坐在我车上那次，有人丢了炸弹。

我也了解过了，这个人收钱倒是很负责，哪个洞子打出矿砂，他即时就知道了，立马会去收税金，收管理费，收土地金，收保护费……”

“怎么还有保护费这一项？”

“我也不清楚，一些洞主就是这样反映的。问题是他收了这么多费，山上出了事情，他却不管，哪里都找不到他，躲开了。只收费，不管事，不帮人家解决问题，如今的山上完全没有安全感，老百姓的怒气就大了。”

杨县长气恼地说：“通知麻塘乡政府，先把这个人换了。还要查一查，怎么会收保护费的！这些钱都到哪里去了！”

钟海龙说：“不过这是第一步，更重要的是马上组织力量，对奶婆山搞一次整顿。不然任其这样发展下去，那地方会出大问题。”

“有没有具体的想法？”

“我想了一下，是不是要成立一个综合治理办，最好有个县领导牵头，具体工作由县政府办廖石湘副主任负责……”

“是不是廖石湘最合适？”

“我想他是最合适。他不是分工联系麻塘乡么？他对那里的情况熟悉。”

“你不要考虑他。”

“——怎么了？”

“他另有安排。”

杨县长就告诉钟海龙，县里打算筹备搞一个“锑砂节”，利用“锑砂节”搞招商引资，考虑成立一个招商办，两件事情都由廖石湘负责。

“这个廖石湘脑瓜子活，‘锑砂节’的创意就是他提出的。他还一下子拿出两套方案：一套策划方案，一套宣传方案。他还在搞一个招商方案。三套方案连起来，配了套，是可以大搞一下。”

钟海龙疑惑地问：“他不是病了么？”

杨县长说：“我看他精神好得很。”

钟海龙心里咯噔一响，明白了：廖石湘没有病，他是给奶婆山上的土炸弹吓出病来了。

他想起有人告诉过他廖石湘的诨名：廖滑头。他想这人真滑啊！

正说着，门口一黑，进来一个人。

这人正是廖石湘——廖滑头。

廖石湘大约没有想到这么晚了钟海龙还在县长办公室，一怔，忙说：“钟县长回来了？”

钟海龙淡淡地答应了一声。

廖石湘给杨县长送了一锅鸡汤来。鸡汤搁在茶几上，一揭盖子，一股香味冲出来——嗬，好香！

杨县长皱眉说道:“你怎么又给我送鸡汤来。”

廖石湘嬉笑着说:“你为县里的大事天天熬夜,送点鸡汤给你夜宵,好好补一补。你身体好,健康,就是我们的福气。”

钟海龙身上的鸡皮坨一下就起来了,他冲口说:“你不是病了么?你应该留着自己吃。”

说完,他有点后悔,他觉得这样说不厚道。

廖石湘却并不在意,仍然嬉着脸说:“谢谢钟县长的关心。我们年轻,得点病怕什么,睡一觉,顶一顶就过去了。”

钟海龙知道刚才的话题是无法继续了,就站起来说:“杨县长,我明天再向你汇报。”

“可以。你准备一下,明天开县长办公会,作为一个议题给大家讨论。今天就不谈了,现在,喝酒,喝鸡汤。”

钟海龙端起酒杯,仰脖干了。

钟海龙喝了酒,没有喝鸡汤。

三

钟海龙第二天没有参加县长办公会。

他一早就又去了奶婆山。

奶婆山上又出事了。这次出的事大了,事情还是因矿砂而起。在奶婆山北边,有一扇高大的崖壁,崖壁旁边,开了两个矿洞:一个六号洞,一个八号洞。六号洞洞主姓曹,东冲乡人;八号洞则是麻塘乡王姓开的。两个洞的洞口相隔很远,下面的巷道却挨得很近——八号洞是斜着打过去的。有时那边挥锤开石,这边都能听到。这边放炮炸石,那边的巷壁上直掉泥土。有经验的都知道,这很危险,随时可能出事。而且,一出事就是大事。可是,下面有矿砂哩。矿砂是什么?矿砂就是厚厚实实的人民币。这是可以让人发疯,可以让人不顾一切的。他们把人分作四班,不舍昼夜,轮番下到里头劳作。那天深夜,六号洞子终于打到矿砂了。而且,矿一露头,就是“旺火”。精砂堆积,矿脉很深。他们是打到一口富矿了。可是,第一袋矿砂背出洞口,就给八号洞子的人发现了。原来他们一直派了人,早早晚晚守候在六号洞口旁边,随时探察。八号洞子的人真是歪邪,当即在洞壁上掏个洞,放一包炸药上去,点燃雷管。那天也是活该出事,轰隆一声炮过后,洞壁那边刚好坐了个人,一下就炸死了。山上出了人命,电话飞快就打到了县里。钟海龙是给办公室的人从床上喊起来的。

钟海龙匆匆赶到县政府大院时,天还没有大亮。空坪里已经到了好些人。政府办小李、公安局治安股陈股长,都在。他没有看到廖石湘,他以为今天廖石湘应该一起上去的。可是,没有,他心里暗暗有点恼火。

杨县长一脚踏在汽车踏板上,早已到了。他盯着钟海龙的眼睛说:“你呀,马上带人过去,在东冲乡吃早饭。我已经要他们安排了。吃完早饭,东冲乡的副乡长许绍平和治安员跟你一起上山,麻塘乡的干部已经上去了。这次事情牵涉到东冲和麻塘两个乡,是哪个乡的人,就由哪个乡的干部出头去管,牵涉到公安,就让公安管,你只要把握好全局。这次不能手软,该抓的就先抓他几个再说。走吧!”

杨县长把脚从踏板上收回去,一行人各自上车,呜一声喇叭,呼一下出了大门。

车到东冲乡,太阳才刚刚出山。早饭很简单,一钵米饭,一钵酸菜豆腐脑汤。钟海龙想着山上的事情,无心吃饭,只把酸菜汤喝了,赶紧又招呼大家上车。

清点人数,少了副乡长许绍平。

小李站在院子里大声喊:“许乡长!”喊了几声,才听到后头灶房里应了一声。又等一阵,却还不见人出来。钟海龙急了,下车亲自去找。

许乡长还猴在灶台下面的矮凳上,端着一钵子酒在喝。灶台很大,他身体很小,倒像贴在上头的一个小孩。钟海龙一脚跨进门,着急地说:“许乡长,大家就等你了。”

许乡长瞟过来一眼,把酒钵子往上举一举,意思问钟海龙要不要也来一口。他看到钟海龙摇头,就不再让,仰起脖子喝干了。

许乡长啧着嘴巴说:“县长,我相信一句老话:早酒一冲,一天都有威风。我就好点这个。早上不饮杯酒,一天都没有神气。”

许乡长喝过了酒,却还不起身。从凳子底下摸起一根长烟杆,填上烟丝,欠身探进灶膛里去点燃火,再又坐回原样。他一口咬着烟嘴,眯细了一只眼睛,嘴里吧吧有声,神情专注而迷离,眼前视若无人。

钟海龙瞪眼望着他,不知道他这是什么意思,心里早已气饱了。他真想吼他一声,训他几句。话到嘴边,硬给吞了回去。听说许乡长当了三十几年乡干部了,比自己年龄还大。头次见面,游龙不必跟地头蛇斗气。

钟海龙索性把手背在身后,定定地看了许乡长两眼。此公五十开外年纪,脸上比老农民还粗糙,还黑,瘦得简直不成样子,屈腿坐在小矮凳上,猴胸伛背,肩胛骨耸起好高。他眼前的烟雾一团一团地升起来,纠结而浓重。

许乡长终于把一锅烟抽完了,磕掉烟灰,慢慢站起身来,朝钟海龙咧嘴一笑,说:“县长,让你等久了。”

钟海龙终于憋不住,说:“许乡长,山上死了人哩!”

许乡长说:“我晓得。死都已经死了,也就不限定急不急了。我们早到几分钟晚到几分钟都差不了好多。”一边说,一边不紧不慢地往外走。

钟海龙觉得这人的心太冷酷,不愿再说。到了前院,他紧走几步,一下跳上车,

叫司机开起就跑。许乡长只好挤到后面车上，屈身蹲着。

汽车弯到麻塘乡时，拐进乡政府停了停。守门的告诉钟县长，曹华美副乡长带着在家的乡干部，清早就坐卡车到奶婆山去了，现在乡政府都空了城。

钟海龙转身上山，果然在六号洞口见到了曹华美副乡长和乡干部们。

他们已经把洞口封锁起来了。

曹乡长正站在崖壁的一头岩石，见到钟海龙过来，忙一蹦而下，脚一点地，再又一蹦，眨眼间到了钟海龙跟前。曹乡长不到三十岁的样子，肥团脸，面色红润，气色很好，声音很嘹亮。他伸长双手抓住钟海龙的手握着，连声说："县长，县长，你们这么快就到了。"

钟海龙正要搭腔，就见跟随在后面的许乡长一缩腰，钻进洞子里头去了。

过一阵，许乡长又一头拱了出来。一出洞口，许乡长就恶声骂道："曹乡长，你们怎么净做些没得屁眼的事！"

曹乡长绯红了脸问："我们做了什么没屁眼的事？"

许乡长就说了两件事情。

"里头的人死了大半天了，你们都不给人家拿块布把脸盖上？人家平白无故丢落一条命，还要让人家的魂魄都归不得乡？"

钟海龙知道人死得马上把脸盖上是此地风俗，晚了一点，也没有什么大不了的。

但是第二件事情就很离谱了。

八号洞子麻塘乡的人放炮炸出了人命，赶走东冲乡的，自己却占住了六号洞继续挖矿。

曹乡长忙问："你看清楚了是麻塘乡的人？"

许乡长说："不光看清楚了，我们还讲了话，搭了白，你们会不知道？"

"我们真的不知道。我们还没有下到洞子里去。"

"现场都不去看，那你们来做什么？"

"我们是要等到县长，等到你们一起去啊！"

"等个鬼哟。这样的事情就不能等！"

许乡长斜了曹乡长一眼，找个岩石坐下来，摸过烟杆，兀自装烟点火，抽得吧吧地响。烟杆有拇指粗，两头镶铜，喷出来的烟好粗。

钟海龙也觉得曹乡长到底年轻，没经验，就说："我们都下去先看看，出来再研究。"

许乡长喷着烟说："我不去了，我在这里等你们。"

钟海龙一挨近洞口中，就感觉有一股阴风扑来。他怔了怔，下意识地动手捂了捂裤口袋。他的工作证就揣在那里头。工作证上面是打了钢印的。古时叫皇封，如今叫钢印，有皇封在兜里，可以百无禁忌。他一脚跌了进去。

六号洞子洞口很大，巷道很窄，很矮，仅可弯腰容身。里面黑漆一团，曹乡长在前头打着手电筒，不时地把亮光晃到他的脚下，提醒走好。一行人趺趺爬爬走不过数十米，眼前的巷道开阔起来，可以直腰行走了。这时候钟海龙就看到地下仰躺着一个人，脚前点了一盏油灯，头上盖着件灰布衬衣。钟海龙忽然想起东冲乡的许绍平副乡长就是穿的一件灰布衬衣。这件灰布衬衣许乡长进洞子前还穿在身上的，出洞子就不见了，身上只穿件背心。钟海龙明白是许乡长脱下衣服盖在死者头上了。他心里一阵感动，觉得这个乡长蛮有人性。

一行人这时都站直了身子，贴身靠着，都摁亮了手电筒，七八根光柱在黑暗中乱舞。钟海龙注意地察看过一遍。他看到洞子的尽里头堆了一堆矿砂，一只装了一半的蛇皮袋；蛇皮袋旁边有一顶矿工帽、一条澡帕、半截钢钎，周围散着很多烟蒂。他看到左手边紧挨着死者的巷壁上有一个板凳大的洞眼，应该就是八号洞子那边的人放炸药炸开的洞眼了。

洞眼那边黑麻麻的。钟海龙接过一支手电筒，过去俯着身子往里头照了照。洞眼坎上撒了硫黄，一股硫黄味很呛鼻子。洞子里头太暗，手电光一探进去，立即被消融成半束黄光。他什么都没有看到。但他知道，那边的人要过来，必须越过死者，抢得了矿砂，再又得从死者身体上头横过去，就是他们刚才仓皇逃跑，也必得弯腰从死者头上躬身爬过去。他计算了一下，从出事到现在，至少有七八个小时了。这么长的时间，在这么黑的地方，旁边就横着一具死尸，那些人却照样挖砂、运砂，忙碌不止。他忽然打了个寒战。

钟海龙带着人默默地回到洞口。

许乡长还坐在岩石上抽烟。太阳光照在他只穿一件背心的身上，骨棱棱，显得愈发瘦小。钟海龙过去小声说："洞子里头除了死人，没有看到活人哩。"

许乡长睁起一只眼睛说："死人不晓得跑，活人还不晓得跑？他们看到我，晓得是县里也来了人，我一转背，他们就从八号洞子跑走了。"

"我想也是这样的。"

"不用想，就是这样的。"

"那我们一起商量一下马上要做的工作?"

"不用坐下来商量了。县长，我先给你几条建议。"

许乡长磕掉烟灰，站起来。他站到一个低洼处，半仰着头，对钟海龙说："县长，这人命关天，头一件事要把死人搞出来，运回乡下去。这死人在山上多停一时，就多一分麻烦。停得越久，以后的麻烦越大。但这死人又是不会轻易给运走的。不光是他的家人不得答应，他的亲戚不得答应，只怕他们曹姓一族都不得答应。死者我认得，姓曹名开田，曹家湾人。曹家是大姓，曹家湾又是大村。这事很卵扯，很卵扯哩!"

钟海龙知道"很卵扯"就是不好办的意思。可是再难办也要办啊。

“我知道再难也要办。曹开田是我们东冲乡的人,这个工作由我去做。”

“那好,老将出马,一个顶仨。相信你会有办法。”

“县长先莫给我戴高帽子,我的脑壳小,帽子大了我会戴不稳。这还有第二条。六号洞子是麻塘乡的人炸的,矿砂也是麻塘乡的人抢的,麻塘乡要负责把肇事凶手捉拿归案,还要负责把抢去的矿砂如数归还。运走好多包,还回好多包,一包不能少。”

钟海龙就用眼睛询问:“怎么样?”

许乡长又红着脸说:“捉拿凶手是公安局的事吧?”

钟海龙就再用眼睛打到公安局治安股长陈德生。陈股长举了举手里一个塑料袋,点点头。他已经在洞子里把一些物证捡起放在塑料袋里了。要破这种案子,不难。

钟海龙问:“还有什么补充的?”

陈德生说:“六号洞子和八号洞子都要派人守起。每个洞子一个警察、一个乡干部,轮班值守,这事由我安排。”

又有人提了几条诸如安定民心、维持治安之类的建议,方案大致就定了。诸事议妥,钟海龙心里稍稍松弛一点,感觉没有那么紧张了。

他把人四处撒出去,各司其事,自己下到麻塘乡政府,在一间客房里住下来,等候回音。

四

钟海龙等到的第一个消息就让他心里一紧,许绍平副乡长在曹家湾挨人打了。

那时已是半下午时分,太阳光还白晃晃的,屋里十分闷热。钟海龙坐在藤椅上,还眯眼凝神。脚跟前放了一铁桶井水,幽幽地散着凉意。他听到政府办小李跑来报告这个消息,头皮一炸,眼睛一下子睁开了。霍然起身,叫上司机,开车直奔曹家湾。

他在村委会找见了许乡长。村委会设在一座祠堂里,四面没有窗户,光线很暗。许乡长和村支书各自坐在一张长条凳上,低头抽烟。许乡长抽烟杆,村支书抽纸烟。祠堂上空积聚着厚厚的烟雾,显得低沉而空荡。

钟海龙闻到了刚刚过去的硝烟味。他看到地上有几张歪倒的长凳,还有一地的烟蒂子。

钟海龙急急地叫了声:“许乡长!”又低声问村支书,“这里情况怎么样?”

村支书站起身,干咳几声,耸动着鼻尖,不知如何回答。

许乡长抬了抬眼皮,说:“县长放心,事情都解决好了。死者的亲属已经同意把尸体先运回来。县长你等等，我去找人开拖拉机上去。”

钟海龙说：“你让村支书去找吧。”

许乡长说：“他是这里的土地菩萨。我去找，比他去更好开口。”

许乡长站起来，往门口走去。钟海龙想了想，追过去说：“我同你一起去。”

出得门来，光线一下子明亮了。钟海龙看到许乡长肩背上有几个清晰的鞋印子。

钟海龙紧走几米，扰住许乡长的肩，说：“你真的挨了打？”

“挨了几下鞋板子。”许乡长一边走一边说，反手拿烟杆在背上挠了挠。“不过我想得通。人家家里的主要劳力给打死了，心里的火气好大，不找个人出气，这工作怎么做得通。”稍停，又咂着嘴巴说：“娘卖拐的她们不该脱下鞋子打我。”

原来这里的人都相信挨了女人的鞋板子就是要背时的。宁挨男人刀，不挨妇娘鞋板操。许乡长感到特别晦气。

钟海龙一时不知该说什么好，脚下一踌躇，许乡长却已经走到村巷尽头，拐弯进去了。

钟海龙紧忙跟过去，一拐弯，看到里边一块禾坪，有个后生还在埋头摆弄拖拉机，地下乱着一地的钳子扳手。

许乡长说：“初九，吃饭没有？”

那后生头都没抬说：“你请我吃？”

许乡长就说：“我请不起。有县长请。”

那后生忽地抬头，一眼看到了后头的钟海龙，眉头扬了起来。

许乡长侧了侧身，介绍说：“这是县里钟县长。”后生说：“我晓得。”许乡长讶异道：“你怎么晓得的？”后生诡异地说：“你讲出来我就晓得了。”

许乡长就举起烟杆要敲他。后生躲闪着说：“乡长，我真的认得县长，老熟人了。”

钟海龙认出来，这是在奶婆山抓赌时打过一回交道的曹初九，就笑道：“对对，老朋友了。”

曹初九就张着手说：“是吧，我没扯乱弹吧！县长都讲了跟我是老朋友哩！”

许乡长诈他说：“那你总是在哪个做坏事的场合给县长抓到过。”

“乡长，黑天冤枉哩！我一个小老百姓，从来规服规法——不跟你说了。今天县太爷到来，我家门庭光耀。坐坐坐，我即时就去烧水。”

许乡长拦住他说：“不坐了，也不喝茶了。等办完事再过来找你喝酒。”

“未必今天还找我有事？”

“你即时开起拖拉机同我们去一转奶婆山，把开田拖返来。”

“开田不是在洞子里给麻塘乡的人炸死了么？”

“就是人死了才要你去拖。”

“这种事都做得的？我不去！”

“我们今天就定了要你去！”

“我就是不去，你奈得我何？我禾草扁担两头尖，一个衣槌打得十二间房，你敢把我怎样？”

“哦，给你轿子不坐，你要坐土箕。今天县长都来了，你在我面前说不去？”

许乡长在凳子上慢慢坐下来，顺过烟杆，装烟，用力刮燃火柴点上，深深地吮了一口，又吮了一口，才说：“初九后生啊，你说你做事从来规服规法，不要以为你做的那些赖崽头的事情我不清楚。你说你是不是找人到家里打‘拖拉机’赌过钱？起码有七回。赢的时候你赢过一千二百六，输得惨的一回你输过一千六百三。这叫聚众赌博罪。你说你是不是偷过别人的一袋锑砂？就在今年初，晚边子，在奶婆山二号洞子侧边，偷的锑砂卖给一个桂阳那边过来的矿砂贩子，到手五千七百块钱。这叫盗窃罪。你再说你是不是骗过一回救济？前年冷天你说你没得棉被盖，让村里担保报到乡里，我心里晓得你这人不靠实，还是给你批了。你出了乡政府的门，转背就把棉被卖了。还即时到墟上买了一条红橘烟，买了一瓶虎骨酒，砍了两斤猪颈肉，把一床棉被钱一下花得泠光。这叫诈骗罪。你是有狠，是一个衣槌打得十二间房，我是不能把你怎么样，但是你信不信只要这几宗罪就马上可以喊公安把你抓起来，你自己撑起脑壳好好默一下吧！”

曹初九傻傻地听着，两眼发直，慢慢靠到拖拉机背板上，神情黯然。钟海龙心里也一阵紧一阵松。他不知道许乡长突然说这些干什么。

良久，曹初九软下声来说：“乡长，不是我不听你的调摆，实在是去不得哩！”

“你讲讲去不得的理由给我听。”

“乡长，你也知道，开田是在山上洞子里平白无故给麻塘乡的人放炮炸死的，开田家里老婆崽女一大窝，开田的兄弟亲戚一大堆。再加上我们曹家和麻塘乡的王姓早一百年前就有旧仇，如今出了这样大的麻纱，他们会轻易松口答应把死尸拖回来？我要跟你去，不是自己寻死？”

“讲你人蠢没药医，猪蠢没胞衣，你还不服气。这些内情，我会不清楚？我一清早就到了你们曹家湾，我是来做什么的？我不把工作做通，我会来喊你开车？”

“他们那一兜子人真的松口应承了？”

“我几十岁的人了，好歹还是个副乡长，我会跟你空口打哇哇，信口捏白？不信你问你们曹支书——咦，曹支书人呢？”

几个人的眼睛都在禾坪里乱找，都没有看到村支书的影子。

钟海龙想起，村支书一直陪着自己，可是一拐巷口，就没有看到人了。他是溜了。

许乡长知道，村支书是本湾里的人，他不好出这个面，他这样喊一声，是喊给曹初九听的。

曹初九这点乖巧还是有的，忙摆手说："有你乡长大人开了金口，我还会不信？我跟你们去。到哪里开车？"

"你这不是明知故问，当然是开你的拖拉机。"

"乡长，这就是你老人家为难我了。"

"我哪里为难你了？"

"那开田是给麻塘乡的人平白无故炸死的，是个冤死鬼，我拿拖拉机去拖他返来，我不会背一世人的时？"

"我说你这细崽好不明事理。假如说开田是个冤死鬼，那也与你无关。再假如说人有魂魄，他那魂魄在山上归不得家，不是成了游魂野鬼。现在你一个不相干的人，开起拖拉机把他拖返来，给他有个归宿，是做了一件天大的好事，是在积德哩。你晓不晓得我们乡里有句老话？"

"什么老话？"

"叫作：砌塔七层，不如暗点一灯。"

"真是这样的？"

"不是蒸(真)的还是煮的？你要不信，明天天亮了你到湾里访一访老前辈，看是不是有这种讲法。"

曹初九搔头一想，笑说："乡长，要我开拖拉机深更半夜去拖人，不是出义务工吧？"

许乡长横起烟杆点着他说："我晓得你狗脑壳只晓得屎。无非就是工钱问题噢。你把事情做完了，明天到乡政府来拿。"

"不会是白条子吧？"

"我要在你脑壳敲一丁根，哪里这样不晓事。县长都在这里，我会讲话不算数？"

曹初九就叹一声说："唉，天大由天，人大由人，你喊我去，我就去做一次好事。"又堆着笑低了低声音说，"我曹初九人蠢有坨肉在，心里清白得很。我晓得乡长你从来是维护我的。今天也是你出面来喊，别个，任是天王老子也喊我不动。"

"晓得就好。晓得就好。"

这时候许乡长已经把两锅烟都抽完了，拿烟嘴在地下嘣嘣地磕几下，站起来，又说："你多找点石灰、雄黄，在车头上、车斗里多撒一些，砍根桃树枝子压在方向盘前头，这些东西都是避邪的。你准备一下，即时就走。"

钟海龙一直袖手站在一旁，看着许乡长和曹初九打嘴巴子仗。他看着许乡长埋身坐在凳子上，口里始终咬着烟杆，始终没有抬头。烟嘴上的烟火明明灭灭。许乡长的每句话都是伙同烟雾一齐吐出来的。但是，每句话都很清晰，而且很沉稳。他看着曹初九一直靠住拖拉机斜着身站着，一直是惴惴不安，时而屈起一条左腿，时而屈起一条右腿，不住地抓耳挠腮。这明显是一场斗智，是一场心理战。许乡长始终占据着说话的制高点。钟海龙无法判断他说的话是不是句句实在，但他感觉到许乡长很有一套办法。

接着，许乡长让钟海龙先走，到村头的小车上去等着。他自己还要到湾里招呼人，随后过去。

钟海龙回到小车上坐下不久，曹初九就开着拖拉机轰轰隆隆地出来了。许乡长并排坐在驾驶室里，抽着烟，把烟杆伸出到车窗外面。后头车厢里有七八个人扶住车板站着，中间一个女人想必是死者开田的老婆，哀哀地哭着，哭声很大，很悲戚。

钟海龙让司机招呼许乡长到小车上来。许乡长摇头谢绝了。他生怕拖拉机上的人中途变卦，他要亲自陪他们上了山才放心。

曹初九还懂礼性，挥手让小车走前面。

小车开得很慢，时时同后面的拖拉机保持一定的距离。钟海龙仰头枕在座椅背上，还在想着许乡长。想着他的神志，想着他说话的语气，琢磨着他的问话答话。他觉得这个乡干部真是成精了。他不喜欢他待人接物的那种神态，可是佩服他处理事情时的精乖老到。他不知道全县能有多少这样的乡干部。

到奶婆山脚下的时候，天已经黑透了。司机看到后头的拖拉机停住了，也忙刹车停下。钟海龙跳下车，路边的饭店有一抹灯光打过来，还罩在他身上，他看到一排好多个饭店，人进人出，正是忙碌。

许乡长走过来说："县长，在这里吃点饭吧！"又诡秘地小声说："给他们上山的人都喝点酒，冲一冲，壮壮胆，好有力气搬死尸。"

钟海龙心想：怕莫是你自己想喝酒了吧？又想他辛苦奔波了一天，还不知道中饭吃到口里了没有哩。忙点头答应了。

果然，到了饭桌上许乡长把住了酒壶就不再松手。他给后生们每人倒满一碗酒，再给钟海龙和自己倒上，他领着后生们一口就把一碗酒给吞下去了。盛酒的壶是茶壶，一壶酒能有七八斤。喝过一轮，壶里剩得还差不多一半，许乡长却不给他们再倒了。他知道要尽他们的量喝，再上两壶也不一定够。但那时候就莫想做事了。他一手把住酒壶，口里只是劝众人吃菜。这种场合中，上的菜碗是有规矩的，只能七菜一汤。许乡长点的是一盆大肥肉，六个青菜。几个人像饿狗抢食一样，只几筷子就把几盆菜夹得精光。最后曹初九还端起肉盆把汤喝光了。一阵风卷残云，几个人都打起了饱嗝，满头油汗。有人很响亮地擤着鼻涕，揩了鼻涕往桌脚下抹。

一顿饭吃了不过十分钟。钟海龙没有动筷子，看着。看得心惊肉跳。

饭毕，许乡长安排他们自行上山，约好一个小时后在这门口见。他催他们即刻动身。

那些人一走，许乡长又叫了两个菜，一个炒猪肝，一个酸萝卜炒猪肚，几个人慢慢吃。

许乡长夹了一筷子酸萝卜,咕吱咕吱地嚼着,咕——一声吞下去,然后长长地舒了口气,全身很松快的样子。

钟海龙笑问:“中午没喝酒?”

“喝酒?饭都没有捞到一口。”

“那里的人就这样做得出?”

“其实他们做了我的饭,是我没有时间坐下来吃。”

“那不是一真饿到现在?”

“自然是饿到现在。”

“哎呀哎呀,辛苦了!”

“也谈不上辛苦不辛苦,我们做基层工作的就是这样。中心工作一来,一餐饭两餐饭不吃是常事。一天两天不吃饭的时候也有,都习惯了。”

“来来,我跟你喝一口,一大口,这碗酒一冲,明天更加威风。”

许乡长省悟钟县长是拿他早晨的话换了个意思说,不禁一笑。钟海龙一天都没看他这么笑过,很高兴,便接连喝下几口酒。一碗酒喝干了,又添一碗。

许乡长可能是喝急了,忽然猛烈地咳嗽起来。好一阵才平息,脸却有点白了。

钟海龙忙说:“喝慢点,喝慢点。吃点菜。”

许乡长喘着说:“没关系。这酒是农民家里自己做的米酒,度数不高,不上头。我都喝了几十年了,我晓得。”

“许乡长好大年纪了?喝酒都喝几十年了。”

许乡长就举起一个巴掌,说:“虚岁五十二,实岁五十,年过半百了哩。参加工作都三十年整了。”

“嗬,是老革命了。”

“老革命不敢当,老油条还差不多。”

钟海龙笑道:“油条逗人喜欢哩。”

“老百姓喜欢。”

“我也喜欢。”

“那是你入仕不久。等你在官场混长了,就不得说这个话了。”

钟海龙一时想不明白这句话的深意,不免结舌。

许乡长就又自说自话道:“一个人先生八字后生命,强求不来。我能够当到副乡长,已经是祖坟开了坼了,知足了。乡干部过了五十岁,就算到头了。我不求还有什么上进,稳稳当当干满后头几年,干到退休,就等到回去抱孙子,喂头猪种点自留地,安享天年。”

钟海龙半开玩笑地说:“你这思想不对哩!”

“对也好,错也好,我心里这样想就这样讲,直肠子。我这一世就吃了直肠子的亏。生成的眉毛长成的痣,改不了。”

钟海龙心想,他可能喝得有点醉了。

“没有醉。这点酒还醉不翻我。这我心里有底岸。等下曹家湾的人下来了,我还要跟他们送到湾里,喝醉了酒会误事。”

“哦,你还要跟他们同去?”

“我是一定要跟。从这里到曹家湾的路有这么远,路上还要经过他麻塘乡的乡政府,这些人鬼得很,路上头脑一热还不晓得会搞出什么事来。我一定要跟到岸上才放得心。”

钟海龙端起酒碗,敬了许乡长一大口。

许乡长用手背揩着嘴巴,说:“县长,我这边的事情都会给你做妥帖,就不晓得那几件工作做得怎么样了?”

许乡长指的是缉拿凶手和追回矿砂的事。

钟海龙说:“八号洞子的人都跑散了,公安局的人兵分几路在找;麻塘乡的曹乡长也带了人下到了村里做工作,很快会有结果。”

许乡长巴着烟,一脸凝肃,若有所思,说:“但愿事情都能顺顺利利,把工作做到家。县长,不瞒你说,我是很担心。这次的事情,麻塘乡的人是做得太没有道理,太离谱了。要是我们处理得哪怕有一点点不好,会出大事的。”

钟海龙真诚地说:“许乡长。你老工作时间长,经验多,所以拜托你多做工作。”

“多做工作没问题。”

“还要多给我参谋。”

“好,有你这句话,我就给你参上一本。县长,我是边喝酒边黑脸的角色,讲错了你莫怪。我要说的也是这奶婆山。从奶婆山到万金坳,七八年时间我是看着一天一天怎样变过来的。拿文件上的话说,这是改革开放的成果。改革开放好不好?好!真的好!起码我们乡里的农民都有饱饭吃了,也不限定到过年边子才买得起新衣服穿了。在奶婆山开矿好不好?也好。团转几个乡的农民好多都在这里赚了钱,发了财。那么多新屋不是用矿砂换来的啊。可是这里开矿一开始就没有管理好。怎么能让私人随随便便就上去开挖呢?你没有看到早几年的乱象。乱糟糟,一哄而上。没有组织,没有管理,没有秩序,狠者为王。挖到了矿的做老爷,挖不到矿的做土匪。真是八仙过海,还仙孽仙都出来了。我们乡里也有好多人过这边来找钱。有本事的,找这边的亲戚出面拿到了开采权,没有路子的,来这里开个饭店,做点小生意,还有好多是到这里背脚的。这些人一个个多少都赚到一点钱,起码肚子的油水是比以前足得多了。可是这些人肚子里的怨气也比以前大得多了。我都搞不明白,怎么怨气也会那么大。三句话不对,就起高腔吵架,就动刀动棍拼命。所以这山上经常闹纠纷。一有纠纷,县里、乡里也会出面处理,也不过是就事论事,做的皮毛功夫,没有从根子上治理。这样一天天下来,问题越积越多,老百姓的怨气也越积越大。如果不赶紧从根子上治理，全面地治理，理顺一些东西，说不定哪天爆发了，就难收拾了。”

许乡长说的这些，钟海龙这几天也听到过一些，也有了些想法。他一边凝神听，一边在脑子里回忆和印证。他觉得治理奶婆山确实是一件刻不容缓的事情了。

钟海龙忽然问：“以前处理纠纷你参加过么？”

“怎么会没有参加过呢？只要牵涉到我们东冲乡的人，哪回都是我出面。不过老实讲，哪回我都做得很憋气。”

“怎么呢？”

“你想想，奶婆山是麻塘乡的地盘，如今奶婆山挖金涌银了，外地人来这里都是来捞钱，来抢钱的。首先就矮了几分。出了纠纷，不管有理无理先打我们三板屁股。不过话说回来，哪个土地菩萨又不护着自己人，我倒也受得。”

“县里不是有人来么？”

“有。哪回都是政府办廖主任来。这里是他的联系点嘛。那个主任太滑头，浮头鱼。嘴巴能讲，做不成事。”

“那你担心的是——”

“我担心抢走的矿砂还不回来。我还担心事情处理得不公正。”

“我会主持公道的。”

“那就好。”

“等这件事处理完了，我打算专门开个会，研究下一步治理的问题。到时候你也来参加。”

“你喊我来，我就来。”

正说着，拖拉机回到门口了。停在路边轰轰地响。有人大声喊：“许乡长，许乡长。”

许乡长收起烟杆，出门，大声问：“都搞好了？”一边说，一边攀住车厢板爬上拖拉机，验看过了，再又让人扶住滑回地下。

许乡长走到钟海龙跟前，说：“县长，我就同他们的车走了。”

钟海龙抬了抬头。他看到夜幕很高，很蓝，月亮像一痕指甲样嵌在上面。奶婆山的阴影浓重地压过来，压得一切都朦胧了，变形了，压得人呼吸急促。

钟海龙忽然说：“我也去，你坐我的车。”

许乡长这次没有推辞了，就跟拖拉机上的曹初九打声招呼，让他在前头走，自己跟钟海龙上了小车，在后面跟着。

可能是怕惊着车上的死者，拖拉机开得比来时更慢了。拖拉机突突突地喘着，裹着一团黑影，在前面慢慢蠕动。马路像一节一节枯树枝接直来，镶嵌在大山夹缝中的，拐弯很多，沙尘也很多。夜很深了。无边无际的暗夜中，只有这辆拖拉机和吉普车在山间行驶，噪声刺耳。钟海龙坐在小车前面，凝眉肃脸，盯一阵前面的拖拉机，又瞟眼看看旁边的山野。他的手死死揪住门把手。

天上的月亮也在跟着他们行走。一时被云层遮住了，一时又挣出云层了，照得山野阴一阵明一阵。

走着走着，前面的拖拉机忽然停下，不动了。“突突突”的声音也消失了，天地间就突然沉寂下来。小车迟疑一下，忽地蹿了过去。

钟海龙推开车门，双脚刚一触地，一股阴风卷过来，掳掠而过。

钟海龙强自镇定下来。

他看清了曹初九也已经跳下拖拉机，扶住机头察看。他听到曹初九哭哭咧咧地对许乡长说：“拖拉机一路都走得好好的，到这里陡然一下子就熄了火，怕莫是碰了鬼啊！”

许乡长哑哑地说：“你检查一下机器。”

“检查过了，什么毛病都没有。”

许乡长前后看了看，“哦”一声说：“这里已经到了麻塘乡的边界，过去就是东冲乡了，开田不肯走了哩！”

曹初九就大叫一声，凄厉地说：“真还是碰到鬼了啊！”

恰在这时，一堆云絮涌过去，将月亮裹住。山野间更暗了，马路边，山坡下，松树和刺蓬浸泡了黑暗，狰狰狞狞地黑作一团。几只萤火虫在黑影前飞舞，忽上，忽下，忽左，忽右，交织出一片暗绿的萤光。路边沟里的流水忽然哗哗地喧响起来。

钟海龙头皮又紧了一下。流水声让山野更空旷了。

小车唰地开亮了大灯。两道白光像两匹白练抖擞向前，驱散黑暗。

钟海龙镇定了一下，小步走过去。

曹初九在暗影里大声说：“这拖拉机我不开了！”许乡长接着怒声道：“你敢，香棍大的卵，尿泡大的胆，你还跟老子耍脾气！上去再开！”

曹初九就踢了一脚轮胎，骂骂咧咧地说：“开田前辈，我曹初九今天是送你归家的，老子是帮你做好事。我们两人前世无怨，后世后分，我从来敬菩萨一样敬着你，你不要为难我。你要是为难我，搞得我卵扯，老子就把你丢在这野岭上，要害得你尸魂归不得家！”

曹初九一边骂，一边攀回到驾驶室里。

许乡长也拍着车厢板说：“开田老者，我是副乡长许绍平。你认得我，我也认得你。今天县里钟县长也在。我跟你讲，你要有冤情，政府会给你做主。你不要在这里捣鬼！”

话一落音，静了一霎，曹初九忽然打着火了，拖拉机猛然吼扯起来，搅得天地间充满喧响。这时月亮也挣脱云层，露了脸，大地一片清明。

钟海龙回到小车里坐下，心里还绷得像鼓一样，一路上都想着刚才的情景，他想着怎么也得把奶婆山的事情处理好，神鬼都在盯着哩，万不敢半点差池。

钟海龙快天亮时才转回麻塘乡政府。曹华美副乡长在大院门口等着他。

曹乡长告诉他:矿砂没有追回来。

五

钟海龙清早就被电话召回了县里。

政府办通知他:上午开县办公会。

钟海龙到底年轻,身体好,一夜未睡,又坐了两个小时汽车,说来也是长途奔波,却没显一点倦态。在县城边上,他在小店里吃了碗酸辣米粉,把头探到水龙头下面浇了两分钟。水把衣领子都打湿了,却也让他更加精神焕发。

他直接进了办公楼。

他在二楼迎面碰到廖石湘。廖石湘比他更精神。白衬衫,黑西裤,打了领带,头上抹了发胶。这县城里抹发胶的人很少,县政府的干部尤其少,所以猛一见给人一种滑稽的感觉。

廖石湘一见钟海龙就拉住往办公室里让。

原来是招商办已经成立了。杨县长特别关照,安排了二楼靠楼梯的第一间办公室。办公室很醒目,很大。办公室里头,还连着一间会客室。办公室里拼放着两张办公桌,桌上摆了一部电话机,一部传真机,和各种资料。

招商办的第一件事情是操办"锑砂节"。

"说干就干,动作好快啊!"

钟海龙心里暗暗称奇,随手拿起一份材料。那是"锑砂节"的宣传口号,挑头第一句就是:

县长搭台,百姓唱戏。

钟海龙觉得这口号有点怪怪的。可是怪在哪里,一时也想不清楚。

"怎么样?这口号还响亮吧?"

"唔,唔。"钟海龙含混地应着。可他到底还是憋不住,说:"办'锑砂节'不是你出的主意么?怎么变成'县长搭台'了?"

其实他想要说的是:"山上现在一团糟,你这里却要举办什么'锑砂节',这不是乱弹琴么?"

钟海龙的脸是板板的。

廖石湘并不看他的脸色,说:"钟县长这你就领会错了。主意是我出的,但到底还是要杨县长拍板,要你们各位副县长点头同意呀。我不过出力跑腿,主角还是你们县长。"

"怎么主角是县长呢?你这里不是说'百姓唱戏'么?"

廖石湘讪笑着说:“那是口号。口号也就是那样喊。”

“哦,是这样的啊!”钟海龙不想跟他争论,有个台阶,顺势下了。

廖石湘却绊住他不放,说:“这个口号我给县里好多领导都看了。‘县长搭台,百姓唱戏’,都说好,有创意,有气魄。”

“好好好。创意。气魄。”

钟海龙转过话头说:“我应该祝贺你由副转正了。”

廖石湘笑着说:“感谢领导们的栽培。还请钟县长以后在工作上多支持。”

廖石湘希望他等下在县长办公会上多讲好话,多出点子。今天的会议主要研究“锑砂节”问题。

钟海龙有点奇怪,怎么会他都还不知道县长办公会的内容,廖石湘却知道了。

果然县长办公会只有一个议题:研究“锑砂节”。除了县长、副县长,列席的还有政府办主任、财政局长、乡镇企业局局长、宣传部副部长、招商办负责人。衣冠整齐,围桌而坐。

每次会议,他也只听,只记,很少发言。他清楚自己的身份,多少有点作客的意味。

这天的会议钟海龙有点走神了。他听杨县长说到“锑砂节”的意义,就想,农民挖矿,只限于麻塘乡一隅,虽然收入很多,加大了政府各种指标的分量,难道比种田、造林、改造水利设施还重要吗?他听杨县长说到“锑砂节”的组织架构,就想,把这么多县领导、科局领导都放在这里头,到底是挂个名,还是都要出力出钱?有这么多人出马,只怕奶婆山不用半个月就治理好了。他听杨县长说到要派人分赴长沙、北京、广州招商引资,就又想,锑砂再多也不愁销路,人家早就有合同,有渠道,还用得着这么兴师动众花钱费力跑那么远去招商……他忽然意识到自己是在跟杨县长唱反调,背上沁出一片冷汗。张眼看看其他人,都低了头在记录,便也赶忙拿笔往本子上画拉。画了一阵,笔记本上没有字,却现出了一个台子,台上站了一个挥手的人。挥手的人没有脚,双腿是站在虚空里的。画完了一看,台子很专业,很规矩,人物是涂鸦,不觉笑了,忙翻过一面,写下:县长搭台,百姓唱戏。

后来杨县长说到了费用预算。杨县长说,大概要用到一百万元。

钟海龙一惊,暗想,我们县有那么大的财力么?

静默一会儿,财政局长把他的疑虑问了出来。

杨县长说:“你是财神菩萨,你想办法。”

财政局长说:“我们那点家底,你比我更清楚,我能想出什么办法来?”

“天亮不打鸣,要你这只公鸡做什么?你一定要给我想出办法来。”

财政局长抓耳挠腮,觑起一对小眼睛在众人脸上转了一圈。他忽然说:“账上是刚刚有一笔款,不过挪动不得。”

“什么款?”

“油茶林改造款。”

“好多?”

“六十五万。”

“先挪过来用起。”

“县长啊,那是规定了要专款专用的。”

“这个我还不比你懂?专款专用,用到哪里都是用,哪里急哪里先用,不用白不用。”

钟海龙睁大眼睛,听得都呆了。

“这个款不会挪用好长时间。办完‘锑砂节’,招商引资搞起来了,有了资金,马上填回去。这个事就在这个会上定了。”

大家都点头,眨眼睛,算是通过。

杨县长又说:“有了六十五万,只是有了个基础,缺口还蛮大,财政局还要想办法,各位也都想想办法——钟副县长,你正好在奶婆山抓案子,这个‘锑砂节’也可以说是为他们办的。你找一找那些洞主,让他们多少挤点奶出来。”

钟海龙一脸茫然,点头应了。

钟海龙本来还想会后找杨县长谈谈自己的看法,见到事已至此,估计再说也没用了。何必空费口舌,还可能自讨没趣。散会后,到小食堂买份饭吃了,匆匆又赶回到了麻塘乡。

六

钟海龙又在麻塘乡遇到了惊险。

他们得到消息,小坑村的王明喜分到一袋精砂,收在了家里。钟海龙立即点上治安股长陈德生,让曹华美副乡长领着,一起去上门收缴。股长和乡长都叫他不必亲自出马,他不听,坐上车就一起去了。

小坑村在一处土坡上,离马路还很远,一条田埂路直直地通过去。路边栽了杨树,柳树,隔几步就一蔸。这些树有年头了,可是都不高,枝叶稀疏,叶片上沾了薄薄的灰尘。路两旁是大一丘小一丘的禾田。稻谷快熟了,稻秆都还直直的,叶子很青。一只青蛙躲在禾蔸底下“呱、呱、呱——”地叫。听到脚步声,陡然噤声。脚步声一远,又叫起来“呱、呱、呱”,叫声聒耳。

这里的村子很小,有的三五户,有的七八户,可是隔得很近。站在这个村头,可以喊应那个村尾。隔邻村子的炊烟天天在空中搅作一团。王明喜家在小坑村村头,上坡就到。

王明喜家是幢老屋,泥墙青瓦,单门独户。正门旁边的房柱子带点倾斜了,支了根杉木斜斜地撑住。杉木的半腰附了块条石，顿显出日子的沉重。老屋真是有年头了，窗户上蒙的塑料薄膜扯得一条一缕，门口的木门槛踩出了两洼凹槽，木板门敞开着。

钟海龙跟在曹乡长后面，一脚踏进屋里，眼前便一暗。他很快借助瓦缝里筛下的阳光，看清了一个蹲在堂屋中间剁猪菜的女人。那女人很瘦小，蹲在地下像一只青蛙。女人的头发在脑后盘了个髻，用一根削短了的竹筷子绾着。女人当然知道家里来了人，但她脸都没有偏一下，照旧埋头剁着猪菜。即便后来曹乡长问了一通话，她也照样剁猪菜。

曹乡长大声问："你男人明喜呢？"

"不晓得！"

"他在不在屋里？"

"你自己找，看在不在屋里。"

"他到哪里去了？"

"脚杆子长在他身上，他到哪里去了我哪里晓得。"

"有人看到他背一袋精砂落屋里了，收在哪里？"

"他上山挖矿大半年了，几时回来过寸布寸金？我不晓得什么精砂粗砂。没有！"

"有人亲眼所见。"

"这是哪个背时倒灶绝蔸子的害我们家？我要晓得了，灌他的大粪！"

女人"朵朵朵"把猪菜剁得更急了。

这时陈德生股长抢前一步，厉声道："你耍什么泼？等下我们搜到了，看你还有什么话说！"

剁猪菜的刀停住了。一个声音飘上来：

"你们敢搜！"

"我们就搜给你看！"

女人忽地起身，抓过一只脸盆，夺门而出。接着就听到闷重的敲脸盆声，女人尖厉地喊着："有人打抢啊！土匪蛮子啊——"

几个人也都冲出门外，搭眼一看，上村下村都有了动静。有人站在门口往这边张望。田里做事的人拔脚上坳，倒提着锄头往这边奔跑。村子后面响起了汹汹的人声。狗叫起来了，狂吠着，急促的狗爪子像骤雨敲地，由远而近。

曹乡长说："赶紧走！"就护住钟海龙下了土坡。陈股长捞了根木棍，横在胸前，且退且走。

打头的黑狗被吓住了，止步停在村口，只是吠叫得更凶了。

几个人很快走远了。

女人还在土坡上敲着脸盆，跺脚骂着：

“有人打抢啊！土匪蛮子啊——”

声音在田峒里传得很远。锣声破碎，喊声凄厉。上村下村也都响起了敲脸盆的声音，一声递一声，向远处渗透过去。

钟海龙走到小车旁边，心才定了下来。他回头望了一眼嘈切的田峒，心里满是怅然。

回到麻塘乡政府，钟海龙感到很累，一身酸痛，十指麻冷，坐在木凳上好久都没有言语。曹乡长打来一瓶开水，给他泡好一杯绿茶，就掩门退去了。

钟海龙在屋里枯坐着，把一瓶水都冲茶喝了，身上的汗一直在细细密密不停地往外渗。他怎么也想不明白，他们怎么会这样呢？我们有哪里做得不好么？

天色不知什么时候暗下来了。曹乡长到附近村里搞了只大脚鱼，在镇尾的小饭馆里红烧了，单独约钟海龙过去喝酒。

脚鱼用一只瓦罐盛着，堆尖一盆，放了很多大蒜和整只的干红辣椒，香气撩人。包厢很小，灯光很黄，但是窗户很大。推开窗户，可以看到一大块田野。田野已经浸浴在夜色里，只见浑浑浅浅的暗影中，一片蛙声漫过来，笼着十分的湿意，让人非常凉快。

曹乡长给钟海龙敬了一杯酒压惊。酒是农户家里搞来的黑豆酒，纯粹粮食酿就，巴酽巴酽的，很醇，很好下喉。一杯下去，舌底生津。

曹乡长夹了一块裙边放到钟海龙碗里。说：“县长，下午的事情不要去想它了。你是没有在乡镇干过，见得少。我们经历的就多了。”

钟海龙说：“那王明喜的老婆可能是不认得我。但是认得你呀！应该知道你是副乡长，还敢那样对我们撒泼。”

“为不敢？不要说对我一个小小的副乡长，若是真知道你是县长，只怕会更放肆。”

“为什么？”

“我看她家里十有八九肯定藏有矿砂。一袋精砂就是一袋钱啊！为了保住这笔钱，她管你县长乡长，天王老子都敢撒泼，命都可以不要。”

“未必她心里就一点不怕？”

“她怕个卵！她又不要我们开工资，也不要等我们提拔，如今田土都分到个人了，自己种田自己吃，怕我们做什么。”

“说起来农民不怕官也是一种社会的进步。”钟海龙想起看过的一些议论农村农民问题的文章，就摆了几条。他想听听这位副乡长的看法。

曹乡长喝了口酒，停停，说：“你讲的那些文章，我也看过几篇。有的讲到了点子上，也没有完全讲到点子上。为什么？这些文章都没有注意到一点，就是农民跟官府官员天然有一种对立情绪。我就是农家子弟出来的，我晓得，农民一看到干部就会想，你是人，我也是人，为什么你就可以吃吊手饭，我就要在田里土里出汗出力死做蠢做。他们认为干部就是不劳而获的人。当然我们国家前面几十年在政策上有些偏差，加上有些乡干部确实素质不高，滥用职权，作风粗暴，贪污索贿，大吃大喝，顺带说一句，农民是最看不得乡干部下到村里去大吃大喝的。但是反过来，站在乡干部的立场上，又是很为难的。国家的政策要执行，硬性的任务指标要完成，又不能不霸蛮，不能不过火。不霸蛮是肯定做不好工作。光讲计划生育这一项工作，我就得罪过不少人。一霸蛮，一过火，关系会不紧张？所以我们乡干部好难做。”

“但是这十几年已经好很多了吧。”

“是好了很多。要彻底转变，难！”

“还是难，才需要我们努力啦！”

钟海龙感叹一声，心情已经平复了很多。他对曹乡长有了些好感，问过，才知道他读过师范院校的大专，毕业就抽调到了乡里工作。

“来乡里几年了？”

“满打满算五年。”

“哪年提的副乡长？”

“也快有两年了。”

“三年就得到提拔，进步蛮快啊！”

“不算快，人家有两年就提了的哩。”

钟海龙想起东冲乡的许乡长，就说：“也有二十年才提到副乡长的哩。”

曹乡长知道他说的是谁，便道：“那是怪他自己不会做人。”

钟海龙诧道：“我看他做事很行啊。”

曹乡长叹一声说：“在官场上行走，会做事是一码事，会做人又是一码事。他那人太实在，死卵不晓得拐弯。说笑了，说笑了。你都当到副县长，这些事肯定比我懂。”

钟海龙阴了阴脸。心想，曹乡长这么年轻，怎么就这么世故了？

他看到曹乡长的娃娃脸上一脸真诚。

曹乡长又筛满酒，喝了，转过话头说：“钟县长，我感觉你特别平易近人，特别理解下属，特别肯帮忙……”

“曹乡长你这是说的哪国话？我怎么听不懂？”

“我想请钟县长帮个忙。”

“哦哦，今天这还是鸿门宴啦。”

“不是不是，跟吃饭无关。”

“什么事情你说吧。如果帮得到忙，我一定帮；如果帮不到，这个脚鱼和酒钱都由我出。”

“县长这样讲我还敢开口？”

“我也是开句玩笑。你讲吧。”

曹乡长请钟海龙把他调到县里去。

“这里不是蛮好么?”

钟海龙问了句。其实他早知道,乡镇干部大多不安心,都想调进县城,实在不行,退而求其次,县城周边的乡镇也可以。他只是没有想到,曹乡长刚跟他认识就提想法,急了点。

曹乡长解释说,急是因为他老婆在县城教小学,结婚一年多了不敢要小孩,老婆说了,要等他调回城里才要。

“那就把老婆调过来嘛。”

“那她宁可离婚也不得答应。”

“这样厉害?”

“在这个事上她就有这样倔。”

“但是你晓得的,政府不管干部。”

“但是我晓得你跟县委李书记关系好。你说话有用。”

钟海龙还是不敢轻易答应,摇摇头。

曹乡长就接连灌了三杯酒,算是敬钟海龙的。他看看钟海龙没有表示,就又喝了三杯。钟海龙还是没有点头,他再又三杯。

他的脸变得寡白的了,汗水淋漓。

钟海龙终于伸手摁住了酒杯。

他把酒全部倒在茶壶盖上,分两口喝了。

钟海龙含混地说:“我——尽力吧!”

曹乡长忽然脖子一软,一头扎在桌子上,哭了,哭得像老猪婆吃潲。“喝!喝——喝!”一声高了一声低,一绺头发在脚鱼汤罐里乱摆。

钟海龙没有想到他这样就醉了。他觉得曹乡长的状态有点不堪。他把瓦罐挪开,拿纸巾擦掉他头发上的汤汁,让饭店老板叫了伙计,扶他回乡政府。

钟海龙喝得也有点多了,脚下直打拐。他觉得那晚上的月亮特别远,脚下的路特别不平。

回到乡政府,夜已经很深了,办公楼的房间都黑了灯。钟海龙叫住一个在树荫下撒尿的乡干部,让他把曹乡长送回屋,便独自顺着花坛边的砖道,拐进办公楼后面的客房。

客房是一栋狭长的楼房,三层。他扶住栏杆走上二楼,才发觉头一个房间里亮着灯,炽白的。灯光像一床棉絮一样从敞开的房门里铺出来,摊在走廊上。他钻进灯光时,往里面瞥了一眼。他看到几个干警正在审一个人。

里面的人也看到他了。陈德生股长忙走出来,随他走出几步,在另一个门口站住。

钟海龙手抓扶栏，脸朝外，问道："那人是谁？"他怕陈股长闻到自己的酒气。

陈德生小声说："王明喜！"

钟海龙一下扭过脸来："抓住他了？"

陈德生说："我们公安真要想抓的人，没有跑得脱的。"

"招了没有？"

"他妈的，是个吃白米屙黑屎的角色，死不肯讲。"

"继续问！"

钟海龙就叫陈股长进去把靠走廊的窗户打开，自己挪过几步，在暗影里站着，一边吹着夜风，时不时把头看看屋里。

屋里很亮，灯光炫眼，陈股长和一个警察在正面的桌子旁边坐着，王明喜背对窗户坐在一张高凳上，腰背佝偻，双脚无法着地。

他听到陈股长一声喝："王明喜，坐直了！"王明喜忙耸耸背："好，好，我会直。""两条腿放平！""我放不平呀！警察同志，这腿杆子都麻得不是我的了。""放不放平？""好，好，放平，放平。""再抬起！""好，再抬起。"

陈股长又喝道："王明喜，你要老实。""我当然老实。""那你说，你是不是在八号洞子挖矿？""我是在八号洞子做事。""做好久了？""算起来有五个月饱的了。""挖到矿砂没有？""没有。卵都没有一条。""问你什么答什么，不要讲多余的话。""我晓得了。""你讲你们五个月都没有挖到矿？""是的。""所以就起了心要去抢别个的矿？""我没有那样想过。""你没有想过？你还做过。那炸药是不是你放的？""没有，真的没有，警察哥哥哎，这人命关天的事，乱讲不得的。""你还不老实是吧——"

陈股长一巴掌敲在桌子上，"啪！"好响。

钟海龙一惊，酒意全消，忙转过屁股，倚靠在扶栏上，屏住气息望着屋里。

陈股长站起来，慢慢走到王明喜面前，站定了，忽然起手，高举到王明喜头顶上。只见一道黑影一闪，那手却在王明喜的下巴边上陡然收住了。

王明喜早已惊叫出声：

"啊啊啊——"

陈股长轻快地敲拍着他的腮边，问："叫什么叫什么？我打你了吗？"王明喜抖着嘴巴说："没……没有。""没有你叫什么？""我以为……我没有看清楚……""好，那让你看清楚点。"

陈股长就把电灯线拉过去，挨住王明喜的头顶吊着，灯泡很大，霎时把王明喜的脑袋罩进一团光亮里了。王明喜呀呀呀地直喊热。

钟海龙看着也在身上暴出一层热汗来，他伸手在光影里捞了一把，感觉到那灯光灼手。

陈股长恼了，抬脚踢在凳子脚上，一下把凳子踢飞好远。王明喜跌坐在地下，双手抬住屁股，仰脸望着上面。脸上的眼睛鼻子搓扭成一团，到处走了样。

王明喜哭着问:“你们到底要我说什么?”陈股长说:“你还装宝!”王明喜说:“我都搞蠢了。真的不清楚了!”“那个——炸六号洞子的事情。”“我说。我知道好多,都兜给你们。”

陈股长走回到长桌后面,坐下了。眼睛仍然默默地威凛地瞪着。

王明喜滚爬起,扶正凳子,坐好了。

王明喜说,六号洞子出事那天晚上,他没有在场。那天他做夜班,半夜两点钟接班。晚上他和一帮人在村子里的酒铺喝酒,喝到十二点钟,才往这边来。走到奶婆山下,才听说山上出事了。他没有管它,继续走。一路又碰到有熟人,才知道是八号洞子的人放的炸药,还炸死了人。他自己在八号洞子做事,一时不知道还要不要上去,还在拿不定主意,头顶山崖上忽然滚下一只蛇皮袋子。一摸,硬邦邦的。解开袋口一看,一袋精矿砂。他没有多想,背起就跑。回到家收好,又连夜跑到亲戚家躲起来了。

“你讲的都是实话?”

“句句靠实。我都可以找出证人。”

陈股长让他说出八号洞子上一班做事的人,家在哪里,他都一一招了。

忽然陈股长又沉声说道:“王明喜,你知道不知道你拿那袋矿砂是犯法的?”

王明喜说:“我是捡的,怎么犯法了?”

陈股长说:“捡的也还是人家的东西,应该交给政府,私自拿回家就是犯法,就可以定你盗窃罪。”

“这我是头一回听说。”

“我们抓你没有抓错吧?”

“这样讲就没有错。”

“那你可以回去了。今晚上好好睡一觉,明天白天把那袋矿砂交到乡政府来!”

然后,拿笔录给王明喜看过,签字,摁手指印。蘸一次印泥,摁一次印。摁完了,他拿手指伸到腋窝下揉了好久。

王明喜走出门的时候,钟海龙看到他脸色像在腌菜坛里泡过。蜡黄,脚下十分不稳,走三步,退一步。时刻要倒。钟海龙心里哽了一下,招手叫过陈德生,让他叫醒司机,开车送一送王明喜。

陈德生的惊讶是很明显的,但一闪而过。大步过去把司机住房的门擂得砰砰地响。

打发走王明喜,陈德生股长回来看到钟海龙还伏在走廊扶梯上,就挨过来,说:“县长,你心太善了。”

钟海龙说:“你意思是不该让车送王明喜?”

“也没有什么该不该的。只是刚刚抓他问过话,还派小车送他,会惯使了他。”

“我是怕夜半三晚,还有那么远的路。”

“他们平常天天走夜路。”

“平常是平常，今天是今天。”

“县长你是看他好像好可怜吧？你忘记了今天白天到他家里，他妇娘胎那个恶啊。若是换个地方，他也一样，这些蠢子农民，惯使不得。你对他好心，他反倒会觉得你好欺。”

“不至于吧！”

“肯定是。我长年跟他们打交道，办过好多案子，我了解。”

“再怎么讲他也是个农民，样子老实巴交的，又没有做什么坏事。”

“到了我们这里都一样。”

钟海龙忽然感到很累，十分累。就回到客房，接桶冷水洗了洗，倒头睡了。

七

早晨天色只亮了一会儿，很快就有大堆大堆的乌云从四面八方聚拢过来，层层堆积。霎时把天地遮掩得密密实实，漆黑成一团。大雨哗一声浇了下来，接着雷也响了。

第一声雷就把钟海龙炸醒了。这里的雷特别响，特别密，让他惊异万分，远处的闪电一扯，跟着雷声就炸响了。那雷仿佛就打在屋顶上，轰轰震耳。那雷不是一个一个地打，是一串串，一丛丛，一堆堆，滚地而来。钟海龙恍惚中觉得自己是陷在地雷阵中了，耳朵里灌满了一片炸响。他心里很快起了一种恐惧，轻轻下了床。他不敢开灯（他怕雷闪触电），只能借着远处闪电的光影，打量房间里的陈设。房里只有一床、一桌、一椅、一中柜。雷声中的房间，显得无比阔大。闪电一闪而逝，又一闪而逝，将房里的物件撕裂揉捏成了幢幢鬼影。他头上像顶了根金属，那雷一声一声追着他炸响。坐在凳子上在凳子上头响，靠到柜角边在柜顶上响。轰嚓嚓——轰嚓嚓——每声炸响都带着金属的颤音，震得全身发紧。后来钟海龙感到了深深的恐惧，无助地靠住床头坐在地下，心里哀哀地想：老天爷，我没有做过坏事呀！

（钟海龙好多年后还记得那个惊魂夺魄的雷雨天。他也是后来才知道是山下埋藏了很多金属矿，雷声才会那么近，那么响。）

雷雨一直搅到半下午才停歇。也奇怪，雨一住，雷声跟着远去，云层却一下破裂开了，阳光随即斜射下来。那阳光白刺刺的。

钟海龙开门出来，扶栏上、墙壁上，到处湿浸浸的。院子里积了有半尺深的水，几个乡干部拿了锄头在疏通水沟。钟海龙一跳一跳地避开积水，一直走出乡政府院子。他在一个土堆上站了一会儿。雨后初晴，万物新鲜，他忽然想到奶婆山上看看，就跳下马路，踩着路边的草丛慢慢往里走。

路真难走。走一阵，就得停一停，喘喘气。把鞋子上粘的泥团刮掉。走到半山上时，钟海龙已经出了几身透汗，裤脚上都沾满了泥水。

半山上的土坪刚刚经过雷雨洗劫，一片狼藉。山水分作好多股细流冲刷下来，浑黄的，在坪地里像水蛇一样横冲直撞。雨一停，人就都出来了。上工的，卖菜的，摆摊的，挑担的……匆匆来去。钟海龙来过几次，有人都认识他了。走过他身边时，都会扭头看他一眼。他们都很奇怪：副县长这时候上来做什么？

钟海龙其实没有目的，就是想上来看看。他想看看在那样大雷大雨的时候，山上的人在做什么。他看了一个洞子。洞子里好紧张，一声炮过后，一行人就鱼贯钻了进去。紧接着就有一筐一筐的石头运出来。他看了窝棚，一堆人围坐在草席上打扑克。他看了饭铺，里面只有零落的几个人坐在敞亮处抬头望天。后来他绕到奶婆山背面，那里有一道小溪蜿蜒流下。傍溪建了几个洗砂场。洗砂场很简陋，几根杉木柱，几捆杉树皮，搭起一个人字棚，就成了洗砂工地。这样的工棚哪里经得起风雨。雷声一响，风一刮，最上头的一座工棚立即垮了。还好没有伤到人。只是把机器，把衣服被褥带蚊帐，全部浇得透湿。雨一停就赶紧出来收拾残局，捡开杉皮，搬出衣被晾晒在岩石上，重新挖洞竖木柱，乱糟糟忙作一团。

钟海龙上去看了看，见无大碍，便叮嘱了几句要注意安全之类的话，转身刚要离去，一抬头，看见山上走下一个小妹子来。

小妹子挎着一篮子雷公屎(地衣)，蹦跳着下山。忽然踩在一块岩石上，仰天滑倒了。小妹子十分麻利，不等钟海龙过去帮她，已经翻身爬起，把撒在地下的雷公屎捧回篮子。

钟海龙关切地问："跌到哪里了没有？"

小妹子走近几步，在工棚下面的一堆锑矿石旁边站住了，摇头答道："没事。"

小妹子瘦精精，一双眼睛清亮，像水洗过一般。钟海龙逗她："小妹妹几岁了？"

"快满十岁了。读三年级了，就在下面的麻塘湾小学。你呢，几岁了？"

钟海龙没想到一句话逗起了她的一串话，顿觉有趣，便道："我呀，大你两倍。"

小妹子转动黑眼珠算了算，说："咦，你三十岁，比我爸爸小，比我姆妈也小。"

"爸爸姆妈是做什么的？"

"打工，在广东打工。"

"哦，你一个人在家里？"

"哪里是一个人，我家里还有爷爷奶奶，还有弟弟。我弟弟也读书了，读一年级。弟弟比我会读书，成绩比我好。"

钟海龙往前跟了一步，说："小妹妹，你年纪还这么小，一定要发狠读书，学好文化知识，才会有出息。"

小妹子一脚把一块锑矿石踢得往前一滚，说："不会有出息，不会有出息的。"她的嘴巴往旁边一努，说："你看那些赚到大钱的老板，那才是出息。"

钟海龙扭头望了望还在洗砂场废墟上忙碌的几个男人，都赤膊短裤，合抬着一根杉木往地上竖，个个身上黑汗水流。

他再转回脸来时，却忽然怔住了。

他看到小妹子飞快地弯下腰，捡起那块锑矿石，一把塞进篮子里，扭身走了，很快就不见了踪影。

钟海龙好久没有转过气来。

钟海龙傍黑边子才回到乡政府。院子里每间房门都开着。下了大半天雨，打了大半天雷，天老爷给乡干部和干警们自动放了假。食堂里已经开过了饭，只有中间一张饭桌上还坐了一圈人，陈德生股长和乡里几个主要领导在等着钟海龙，桌上的菜都冷了。

钟海龙一边落座，一边问道："今天这样大的雷雨，乡里会不会出现灾情？"

曹乡长抢着答道："不会。我们这里每年都会来几场大雷雨，有时候比今天还吓人，很少听说有灾情的。"

"万一出现灾情呢？"

"你放心，村里自然会报上来，那我们也早出动了，不会还坐在这里等饭吃。"

钟海龙说："山上倒了一间厂棚。"

几个人"啊"一声，同声问道："伤到人没有？"

"没有，只把棚子里的东西都打湿了。"

"那就没问题，他们自己会把厂棚再搭起来。"

钟海龙问起案子的情况。他特别问到王明喜送回锑矿石来了没有。

"没有。"陈德生股长很快地接嘴答道，"鬼影子都没有看到。"

"他不是答应今天一定交回来么？"

"那个话信得的？昨晚上那样给他走了，我就晓得他今天不得来。"

"明天到他村子里找他。"

陈德生嘀咕说："还不晓得找不找得到他哩！"

"想办法找，一定要找到。"

第二天清早陈德生就带了人赶到小坑村，果然扑个空。王明喜的老婆倒反过来跟他们要人。那天她是看着王明喜给警察带走的，一去不回，她还以为王明喜给关起来了。

陈德生只好回来先给钟海龙交差。

到了晚上，乡干部带回来一个消息，小坑村，还有小坑村周边几个村子的王姓人家都在议论，王明喜给东冲乡的曹姓抓走了。村民们一个传一个，火气都很大。

曹乡长立即报告给了钟海龙。钟海龙一听也有点恼火，怎么可以抓人呢！

曹乡长说："这事是有可能。那边的人把死尸运回去几天了，这边抓凶手追还矿砂的事情又没有结果，那就抓人啰，拿人质来逼我们。"

钟海龙越发意识到事情的严重，便叫曹乡长接通东冲乡政府的电话，找到了许副乡长。

钟海龙只交代了两点：马上下去做工作，马上把人放回来。他强调，随时等候回音。

钟海龙在乡政府办公室的电话机旁边坐下来。曹乡长要他回房间休息，这里派人值班，随时叫他，他不同意。曹乡长要替他，他也不同意。他一定要自己坐这里守着，心才定一点。他拿过报夹胡乱翻着。

翻着翻着，他就听到办公室里响起了急骤的电话铃声，脚下一紧，一把抓起电话听筒。

办公室已经有人点起了蜡烛。烛光把他的身影放大了几倍，布满整扇墙壁。

东冲乡的许绍平在电话里向钟海龙报告：曹家湾的人没有抓王明喜。

“你到湾里调查过了？”

“我是调查过了才向你报告的。”

“他们没有跟你讲老实话吧？”

“这样大的事情，谅他们还不敢哄我。这我心里有数。县长，我一路去一路回都在心里默这件事情。我觉得曹家湾的人不可能抓了王明喜。”

“你的理由是什么？”

“理由其实好简单。现在是麻塘乡的人炸了洞子，抢了矿砂，什么理都在曹家湾人这边。他们若是抓了人，一下变得没有理了。有理做得没有理，他们不得那样蠢。”

钟海龙想想，是这个道理。

“小坑村的王明喜的确是失踪了，依你的分析，是什么原因？”

“我想原因可能两个。一是王明喜害怕，不敢回家，到哪里躲起来了；二个哩，是小坑村人的一个计，把人藏起来了，反咬是曹家湾抓了人，赖到和尚吃狗肉，这样他们就好有理由做手脚。”

“他们会做什么手脚？”

“这个我还想不到。只是县长我给你提个醒，不赶紧查实这个事情，只怕会激发更大的矛盾，会好难收拾。”

“许乡长，我再问一问，曹家湾没有抓人，你敢拍胸脯？”

“我当然敢拍胸脯。”

钟海龙知道许乡长是个有一说一不打诳语的人，就问：“那边村民情绪怎么样？”

“不瞒你讲，情绪有蛮躁。他们那边翻起是面锣，覆起是面鼓，阴里阴气唱阳戏，做得太不通情理。抢了别个的洞子，本来理亏，就认个错，把矿砂还给人家，凶手等政府去法办，犯到哪里，办到哪里，事情可以很好解决。现在这样一搅，村民哪里吞得下这口气，直喊搞卵扯了真的会抓人，以血还血。”

“你们一定要做好工作，不能让他们乱来。”

“我晓得事情的厉害。今晚上我就住在湾里，不走了。”

“那好，有什么情况随时跟我通气。”

“我还讲句过头的话。”

“快讲，快讲。”

“请县长你在那头也看紧点，锤打锉，锉钻木，乡里头要出马做工作。”

“当然，当然。”

挂断电话，钟海龙马上把曹乡长和陈德生股长招呼过来。他把东冲乡那边的情况一说，曹乡长就叫起来了：“这不可能——这怎么可能呢?”他显得很气愤。

钟海龙眯起了眼睛问：“为什么不可能呢?”

曹乡长说：“这是摆明摆白了的，王明喜人不见了，不是曹家湾的抓走了还是鬼打起的?”

“你调查了?”

“小坑村的人都这样说。”

“口说无凭，要有证据。”

“证据在曹家湾人手里。”

“谁看见了?”

曹乡长直瞪瞪地望着钟海龙，答不上来。

这时候陈德生股长说：“钟县长分析得有道理，这种时候，曹家湾的人不可能抓王明喜。”

曹乡长反问陈股长：“那你说王明喜到哪里去了?”

“我想十成有八成是躲起来了。”

“我再问你，躲到哪里了?”

“我只是推测。我要知道王明喜躲在哪里，早把他抓回来了。”

“你是推测，我也是推测，凭什么你就对我就错?”

“不是什么对错的问题，凡事要揆情度理，看哪种推测更会符情理。”

“你还是没有说出个所以然来吧!”

钟海龙看看手表，已是夜里两点钟了，就挥手打断他们说：“你们这样争到天亮也没有用。今天太晚了，先休息。明天一早，乡里干部都下到村里去，公安的也都分头下去，一定要尽快找到王明喜的下落。另外还要做好安抚工作。”

躺在床上，钟海龙一身松松垮垮的很疲倦，却没有多少睡意，暗夜很黑，黑得真是十分紧密，黑得没有一丝缝隙。他无法设想王明喜到底躲起来了还是给绑架了。他不知道东冲乡的许乡长是不是还在喝酒。不知道奶婆山的矿洞子里是不是都在开工。也不知道被雷雨击垮的洗砂场的棚子搭起来了没有。后来他又想起了廖石湘还在操办的“锑砂节”,身上一阵燥热。他不知道廖石湘是要干什么。

他就那样蒙蒙眬眬地躺着,翻过来,折过去,意识恍惚。他心里总不踏实,一弹一弹地跳着,不知道接下来会出些什么变故。

八

接下来的变故,真是钟海龙没有想到的。

小坑村集合了百十个青皮后生,手持棍棒、鸟铳、铁锤,趁夜上山,守候在几个洞子旁边,等到半夜时分,举火为号,一声吆喝,结伙冲进矿洞,把里头的人统统清出来,赶下了奶婆山。这几个洞子的矿主,都是东冲乡人,都姓曹。这几个洞子里的人开始也都不服,试图反抗,可是看到对方黑压压的人头,看到松明火把下一扇一扇像门板一样光裸的上身,脚肚子就都软了,丢下锄头箩筐,抱头而逃。曹初九还算是里头有狠的角色,只骂出半句:“鸟你娘——”就被兜脚一棍,扫趴在地下,再不敢出声,择路走了,只一顿饭的工夫,曹姓洞子的人就被清驱得干干净净。

麻塘乡的人留下一句话:奶婆山山是麻塘乡的山,地是麻塘乡的地,外乡人一个不能留!

东冲乡的人连夜回到村里,叫起许绍平副乡长,把事情一说,许乡长不由大惊。他不敢怠慢,点了五个村民做代表,随他直奔麻塘乡政府。天刚亮就敲响了钟海龙的门。

钟海龙这才想到一夜的辗转反侧都是有预兆的。他的脑门子嘣嘣跳,又惊又恼。

钟海龙把村民们安顿在会议室休息,着人把曹乡长和陈德生股长叫起来,同许乡长一起到他的客房里,关上门。

几个人很快商定,由曹乡长马上带人去奶婆山,劝说麻塘乡的人撤出洞子,一块矿石、一条布筋都不能带走。许乡长说,虽然山是麻塘乡的山,但是人家是跟乡政府签了合同,交了管理费的,现在赶人走,就是违法。许乡长心细,把五份合同、管理费缴款单都带过来了,交钟海龙一一验看过。

于是又回到这件事情的起因。还是老答案:六号洞子被炸没有及时处理。只是这次麻塘乡人有了理由:他们的王明喜给曹家湾人抓了。不把王明喜找到,问题还是很难解决。钟海龙叫陈德生股长把人都撤出去,挨村找,无论如何要把人找出来。

出门时,许乡长提议钟海龙和曹乡长去会议室跟五位村民代表见一面,说几句话。

钟海龙知道这些村民都还在火头上,不知说点什么才能对上他们的铆榫,正思虑着，却已经到了会议室门口。几个村民刚吃过面条，头上滴着热汗，下巴上都沾了油星，清鼻涕流起好长。见他们进去，都偏起头望过来。

曹初九怪异地冲曹乡长一笑说："曹乡长，我们以为你躲起在家里床脚下，做缩头乌龟，不敢见我们哩。"

曹乡长冷冷地说："我有什么不敢见你们的？"

"你们麻塘乡的人太恶了。"

"我们麻塘乡的人哪里恶了？"

"抢我们的洞子，还打人。一棍子横的扫过来，差点把我的脚打脱。"

曹初九抬脚搭在凳子上，捋起裤脚。他的脚拐上好大一块紫痕。

曹乡长动了动嘴巴，好像是想说："活该。"终是没有出口。他说："哪个打的你，你去找他。"

曹初九悻悻地说："我会找到他。我会要打回来。"

许乡长喝道："初九，你是找县长乡长反映情况的，不是来吵场合的。"

曹初九火气上来了，不依不饶地叫道："我晓得你姓曹名字叫华美，你也配跟我们曹家湾人的姓。你不要以为我们真的是趴在你们的地皮下粘饭吃，就可以为所欲为。水牛打架角对角，公鸡打架啄脑壳。你们犁得丑，我们就耙得丑。你们无情，我们也会无义，不要逼起和尚吃狗肉……"

曹初九声气激昂，一口浓痰翻上来，"噗——"一口啐在跟前的面碗里。

钟海龙一阵恶心，把眉头攒得死紧。

许乡长也有点恼了，一声断喝："初九赖崽，你是来求财的，不是求祸的。"说着就挥着竹烟杆，把几个人推着扯着，送出会议室。

几个人穿廊越院，走出门去了。

曹乡长一脸涨红，眼睛盯着那碗面汤，好久，才喃喃地压抑不住地说："若是换一个场合，我一定让他把这碗面汤吞到肚子里去。"

钟海龙摇头，觉得他不能这样说。

许乡长返回来，双手捧着竹烟杆，连连作揖道歉。他脸上的皱纹一扯一扯的，似笑非笑。

钟海龙忽然想起以前看过的一出双簧戏。

他们这出戏是做给谁看的呢？

许乡长这个人真是有狠拐。

不过，钟海龙心里却是越发滞重了。他看出来，曹家湾的人接着就会动手报复了。

他特别叮嘱许乡长，一定不能扩大事态。

许乡长说："我一定做工作。"

"你要给我做保证。"

“那我保证不了。”

“你若是真正落力做工作,我相信没有做不好的。”

许乡长把烟嘴在自己腿上磕得噗噗响,涨粗脖子说道:“县长哎,我怎么没有落力做工作啦?曹家湾人吃那样大的亏,我做好多工作,让他们忍了。那里事情还没有解决,这里又来一回更狠的。一而再,再而三,是木脑壳人都会惹出性子来。这里的百姓要讲好管也好管,要讲难管又好难管。都是跌到地上都要咬口泥的狠角色,个个脑壳上不是七个眼,是八个眼。我们乡政府统共三十多人,全乡有三千多户人家,就是全部下去住到村民家里,也远远不够。何况若是把别个搞毛了,即使一个陪一个天天守着也守不住。”

许乡长看钟海龙凝神不作声,就缓口气,又说:“县长,我说这话的意思你明白。事情出在两个乡的农民身上,两个乡的干部都要落力,都要公道。不要以为农民蠢,其实心里透亮的,分明得很。哪里歪一点偏一点,他们都清楚。我们作为乡干部,其实是不应该有立场的,都是在为政府办事,我们办不好事,老百姓就会怪政府,那样大家都会难做。”

“讲完了?”

“讲完了。不对的地方你批评。”

钟海龙已经听明白了他这番话是冲麻塘乡曹乡长来的。他想想这些日子,曹乡长好像也是在十分落力地工作,可是一件事情都没有解决。他心里暗暗有点生气。

从此他就留了心,看曹乡长到底是怎么工作的。

一连几天,曹乡长都是早出晚归。每天,天还是灰灰亮,他就起床了。他站在乡政府院子中间,大声地、一个一个地叫着乡干部的名字。然后,到办公室拿到钥匙,哗啷哗啷地穿过院子,打开大门。接着就带领一群乡干部大呼小叫地出了门。一去一天。晚上很晚回来,他总是走在最后面,关了大门落了锁,照例轻轻敲开钟海龙的房门,汇报一通一天的工作。有一天钟海龙比他回得还晚,他就赶紧返回去打开大门,站在路边上等着。他每天汇报的工作都很多,很丰富。可是都没有结果:王明喜没有消息,奶婆山上的人也不肯撤离矿洞。

到第四天,出事了。

从麻塘乡通往县城的大马路给人挖断了,而且一下挖开了三个口子。

马路就断在东冲乡的地段上。很明白,这事是东冲乡人做的。他们没有偷偷摸摸,是在光天烈日之下挖的。

原来经过东冲乡的那段马路,在一片田峒里。马路两边是稻田,各有几十亩。马路在一处缓坡上,右边高,左边低。遇到雨天,右边的雨水排泄不出,常常积涝成灾。马路施工的时候,就在那个路段底下埋设了三条泄水管道,解了积涝之忧。谁知一场雷暴雨,山水裹挟泥石滚滚而下,一时把三条管道都堵死了,眼看着近百亩丰收在望的稻田就要成为泽国，东冲乡火急往县交通局送了报告，请求挖开马路，调换管道，排泄积水。

批复很快带了回来，经乡政府，过给曹家湾(那处田峒属于他们)。一通锣声响过，男女老少拥出湾来，麻雀一样落到了马路上，不到一上午，就挖开了三个大口子。从县城到麻塘乡，交通顿时瘫痪。

事情还是雷坪锑矿报告给县里的。他们有很多材料要运进去，有很多矿石要运出来，每天来往都有二三十辆车。这天下午，他们的大卡车被阻在路上，电话打回到矿里，矿里向县里告急，县里再把电话传到麻塘乡。钟海龙听到消息，火速赶到了断路现场。

现场好狼狈。马路被挖开了一道两米来宽的断口，深可三米。起出的泥巴在路边堆成了一座山。几截粗大的水泥管道丢弃在断口下头，一股巴掌大的水流绕着它们淌下去。

马路上看不到一个人影。

钟海龙下去走了一圈，看到一截水泥管子后面露出一双脚，忙弯下腰，把目光射进去一探，里头躺了个人正睡觉。

钟海龙抬手在水泥管子上拍了拍，里头“嗯”一声，滑出一个人来。

钟海龙一看：曹初九。

钟海龙板起脸问道：“这马路是你们挖的？”

曹初九抬起左手，啪地敬个礼说：“报告县长，马路是我们挖的。”

“你们胆子大啊，敢挖马路。”

“有批文，有批文。”

曹初九从口袋里拿出报告，连同批复，双手敬给钟海龙。他是早有准备的。

钟海龙飞快地瞄了一眼报告，又仔细看了一遍批复。钟海龙说：“你们看了批复没有？”

“看了。”

“上面怎么写的？”

“记不得了。”

“这上面要求是晚上施工，连夜完成。”

“等不到晚上，水好大，都浸到稻禾的脖子上了。若是还等到晚上，这一片稻禾都没得救了。等不到哩！”

钟海龙扫了一眼田峒。峒里的稻子快熟了，一半青，一半黄，已经开始勾头。他也知道，这时候的稻禾千万水浸不得。浸过水，禾秆倒伏，这一季就基本上没有收成了。可是，积水真的有曹初九说的那样大么？

“还有人呢？”

“回湾里去了。”

“这时候怎么回去了呢?”

“回去吃饭啊!”

“什么时候返来?”

“不知道!”

“那打算什么时候把路修好?”

“不知道!”

“你们村委主任呢?”

“不知道!”

“你怎么一问三不知,什么都不知道?”

“我是什么都不知道啊。我们去找麻塘乡领导的时候,他们不是也什么都不知道么?”

钟海龙一下给噎住了。他看到曹初九眯笑着,嘴巴的笑纹里分明掖着狡诈和强硬。他明白了曹家湾人是在打阴拳,冷不防挨了窝心的一拳,你却还恼不得。

太阳顶在头顶上像一盆火,田野上到处在冒着热气。钟海龙感觉到一阵一阵的燥热。

曹初九捡了顶草帽递上来,钟海龙扬手打掉了。草帽飞起来,悄悄地滑落在一丛稻禾上。

“你们许副乡长呢?”

“我更加不知道了。我一个小老百姓,要知道乡长的行踪,那不是怪事?”

这句回答也是无懈可击。这已经很明显了,都是谋划好了的。钟海龙还是有火也发不出。

这火烧得他的牙龈哏哏地酸。

他不想再多说什么,挥挥手,转身朝汽车走去。他把脚下的泥土踢起好高。

“县长慢走,有空再来!”

曹初九在后面大声地招呼。

九

钟海龙没有想到,王明喜竟然会撞到他的手里。

那天傍晚,钟海龙离开东冲乡政府,坐着汽车在山野里乱窜。马路被挖断了。司机知道另外有条山路可以通清溪乡,路很窄,能走拖拉机,走小车。晚霞灿烂,山野里很寂静。山风拂在脸上,十分松快。

司机忽然停住了车。他们同时看到,一只野兔蹦到山路上,略一停顿,耸身几跳,跳到了另一边山坡里。野兔跳在空中的时候,前腿弯曲,身子拉直了,两条后腿也拉直了，一身紧绷绷的，十分健硕。野兔刚刚没入草丛里，从另一头蹿出一个人来，风一样地扑过去。

钟海龙扫眼一看，那人好熟！

钟海龙跳下车，大喊一声："王明喜！"

王明喜听到喊声，略一迟疑，没有回头，更快地往山坡上跑去，疾如脱兔。

钟海龙拔腿就追，一边大喊："站住！站住！"

王明喜不听，只管没命地奔跑。跑着跑着，猛然一拐角，站下了。

司机抄了近路跑过去，堵在了他前面。

钟海龙跑拢去，喘了喘，问道："还认得我吗？"

"认得！"王明喜偏了偏脑袋壳，声音很硬，脖子很倔。

"那你说，我是谁？"

"县里的干部。"

司机大喝一声："你有眼眶没有眼珠啊。这是钟县长！"

王明喜顿时软了，脖子松下来。

"那我不知道，真的不知道。"

"若是知道了还跑，我打脱你的脚。"

"你给我说说，这些日子躲哪里去了？"

"你要老实讲！"

"县太爷在这里，我不敢不老实。"

王明喜磕磕巴巴地说了一气，总算说清楚了。原来那天晚上王明喜坐县政府的车到了小坑村村口的马路边，没有走田埂路回家，却掉头走另一条路钻进山里，找个山洞睡了一觉。醒来后在山里转了半天，后来看到一座石灰窑冒烟，就给人家帮了几天工。每天搬柴，挑石头，查看漏眼，脸上烘脱了一层皮。几天劳作，得到一百块工钱。这让他很高兴。这天兜了钱往家里走，走到半路，忽然蹦出一只野兔，他以为又有一笔横财，正满心欢喜地追赶野兔，不想会碰上钟海龙，给拿个正着。

钟海龙把这番话在心里淘洗了一遍，还是不落心。这段时间真是把他的神经都搞紧张了。

"那天夜里你为什么不回家？"

"我还是怕。"

"怕什么？怕鬼啊！"

"鬼倒不怕。我怕又抓我。"

"不是讲好不会抓你了的？"

"夜里讲的话，信得的？"

"你走这几天，就没有给家里搭个信？"

"搭什么信？我这样躲起来，就是不想让别个晓得。"

“可是你晓不晓得，你这一躲，给我们的工作造成好大的麻烦。”

“那我不晓得。土地爷不管城隍庙的事。”

钟海龙看他一脸无辜浑然不觉的样子，气不打一处来，真想踢他一脚。

“上车，跟我们回乡政府去。”

“又抓我干什么？”

“我说了抓你么？”

“那我可以不去么？”

“不行！”

王明喜看看钟海龙，又看看司机，头上的汗粒豆子一样暴出来。鼻子吸溜几下，他抬手抓掉一把鼻涕，一撇一捺揩在脚后跟上。王明喜喉咙里嘶啦嘶啦地响着说：“我讲过我没有做坏事。”

钟海龙缓和了口气说：“你放心，我们不会让你作难。”

“真的？县长讲话要作数的啊！”

王明喜挪动双腿，望一眼前面的草丛，说：“好可惜，快到手的野兔子跑脱了。”

三个人上了车，王明喜坐在后座上。他一定是几天没有换洗过衣裤，车门一关，汗臭味就在车子里弥散开来。

钟海龙直催司机：“快开！快开！”

车到乡政府，天色已经浓黑了。听到汽车喇叭，曹乡长忙从办公室迎出来。一看有王明喜，他箭步上前，怒狠狠地说道：“你还活在世上啊！”就叫乡干部先把他带走了。

钟海龙说：“先给他吃饭。吃完饭通知小坑村村委会来领人。”

随后曹乡长告诉他，县政府办下午来了电话，叫他连夜赶回县里。

钟海龙说：“连夜赶回县里？马路都挖断了，怎么走？不管他。晚上先开会，明天早晨回去。”

钟海龙匆匆吃点饭，马上召集开会。会议开到好晚。好不容易把几件事情定下来，形成决议，鸡就叫了。

钟海龙睡了一小觉，急急忙忙又坐车往县城里赶。虽然只是眯了一会儿，但工作有了很大的转机，他心情很好，精神也很好。

早晨的风非常凉爽。

车到马路的断口处，稍稍停了停。曹家湾的人早到了。他们抬了几块门板过来，在三个断口处搭建了简易的桥，让小车通过。

小车缓缓地，一摇一摆地过了三座“桥”。

钟海龙没有坐车，跟在后面慢慢地一步一步地走。门板很厚，他的脚下很稳当。村民们很细心，把装有铁门闩的一面都朝向外头。门板上的红油漆被汽车碾过的泥尘涂污得稀糟一片。他忽然很感动，觉得这些村民还是很朴实、很听话的。

（然而钟海龙没有想到的是，他的小车一过，村民们立即把“桥”撤了，人也撤了，一走了之，好多天没再来。）

钟海龙回到县里，杨县长给了他一件临时任务：带两个人去省城，活动几天。“锑砂节”很快开幕，需要请几位领导下来压台，需要请媒体过来报道。另外，还要争取拉一两个项目、拉一点经费回来。杨县长以为，钟海龙是从省里下来挂职的，在省城工作多年，一定有很多关系，有很多资源，相信他能把事情办得漂亮。

其实杨县长想差了。钟海龙所在的建筑设计院，是个专业性很强、相对较为封闭的单位，跟外界少有来往。而钟海龙则是个比较内敛、比较沉静，甚至有点孤僻的人。建筑设计院是个大院，办公楼、宿舍楼都在里头，有食堂、篮球场、卫生所、招待所，还有小卖部，各色齐全。大小事情，不用出门就都办了。他每天上班都很早，下班很晚。星期天也常常待在办公室。从他家到办公室，慢慢走，五分钟就够了，他的工作不需要跟外界打交道，所以，熟人很少。可是杨县长把“锑砂节”看得很重，已经提到了要举全县之力办好这次活动的高度，他也只能尽力去做了。

杨县长派了辆小车，送他们去省城。汽车在路上要跑大半天。钟海龙一直眯眼坐着，把在省城的同学朋友都搜索出来，逐个琢磨，看谁对他的这次活动能有帮助。他还是头一次做这种事，没有经验，心理压力很大。

到省城时已是傍晚，他让司机开车直接到建筑设计院，一起到家里吃了晚饭。然后，安排几个人到招待所登记了，自己回家里住。

钟海龙没有想到，事情会很顺利。他的一位大学同窗在省政府办工作。这位同学很热心，带了他们一家一家去拜访。所去之处，无不爽然应允。几天下来，答应前往“锑砂节”参加活动的计有：省人大、省政协各一位领导，省矿产局一位副处长，省科协一位科长，省精神文明办一位调研员，省乡镇企业局一位科长，省人防办一位办公室副主任，还有省社科院一位研究员。人数不少，虽然不是十分显赫，却也差强人意。电视台和报社也有回复，届时定派记者前往。同学还拉一家贸易公司的经理同他见了面，经理答应下去看看，尽量做成生意。钟海龙马上打电话向杨县长做了汇报。杨县长指示他，先把协议草签下来，到“锑砂节”时再现场正式签字。钟海龙不解，事情八字都还没有一撇，怎么好拟协议呢？杨县长说，现场签署合同不过是做做样子，为的是把气氛搞上去。钟海龙还是不明白，但不明白也得执行，他让同学说服那位经理先草签了一份合作协议。这件事情就算有了着落。到最后申请经费的事情就很难办了。跑了几个部门，请了几次客，都没有收获。钟海龙急得头顶冒烟，后来还是建筑设计院的领导表现仗义，给了县里五万块钱，聊补不足。

诸事办妥，钟海龙心里很高兴，请同学和几位同僚到家里喝了顿酒，喝到很晚。

第二天，他让两位同僚坐小车先回县里。设计院这边有个工程需要他帮忙搞一份图纸，他还得在家里待几天。

这天晚上，他刚回到家，有人敲门进来。

客人竟是麻塘乡副乡长曹华美。曹乡长后面跟了个女子。圆脸，细眉，刘海很长，穿得很整洁，满脸笑意。

曹乡长介绍说："这是我老婆。"又给老婆介绍钟海龙："钟县长。"

女子细细地称了声："钟县长！"

钟海龙忙给二位让座，泡茶。他老婆也出来打个招呼，就又回厨房去了。

曹乡长给钟海龙带了一大包东西：腊干的野兔、野鸡、鹌鹑，一腿果子狸和一包野山菌。曹乡长解开绳子给钟海龙看了，再又小心包上，捆好，放在桌子底下。

钟海龙一时有点蒙，推让说："你这是干什么？"又探身要把礼物拿出来。

曹乡长忙按住他的手，说："钟县长，一点山货，都是不值钱的，我们乡里多的是，你们城里人难得看到。再说，我这不是带给你，是带给嫂夫人和侄女儿的，让她们也尝一尝。"

曹乡长又说，他老婆有几天假，想到省城逛逛，他就陪着坐车一起来了。顺便找到建筑设计院，认个门，看看领导。曹乡长环顾一下房间，说，真没有想到县长的住房这么小，厅小，房间小，厨房更小，还不及县里一般干部的住房。可是安排得很好，还很巧。柜子，桌子，凳子，都摆放得恰到好处，特别是墙角弯里的这个书柜，设计得真是很巧妙，实用，美观，一看就知道出自县长这种行家的手笔。

"那你错了，这就是我老婆搞的。"

"喔——嫂夫人跟你是同行？"

"同什么行？她是学文科的。"

"啧啧啧——"曹乡长咂一阵嘴，对着厨房大声说，"我一看嫂夫人就是又贤惠，又能干。"

钟海龙笑着点头："能干，是能干婆哩！"

曹乡长就对老婆说："你看，学着点。"

老婆偷偷一掐他的胳膊，龇着牙说："你哩，也学着点。"

钟海龙无声地一笑，说："曹乡长，我想你肯定有事找我。"

"是有件事要请县长帮忙。"

"我能帮你什么忙？"

"你肯定帮得到忙。"

"你说，什么事吧？"

"县长，听说政府办要调个副主任进去？"

"我没有听说。"

"县长瞒我。"

"瞒你做什么？我真的不知道。"

"是真的。我都听说了。"

“这事找我没用,你要找杨县长。”

“我找过杨县长了。但是还需要你出面。”

“你不是不知道,我是挂职锻炼的。”

“正因为你是挂职锻炼的,你的话才起作用。”

“这我就不明白了。”

“县长逗我哩!”

钟海龙皱眉摇头,真的参不透其中的玄机。

“看来县长还没有真正进入到县里的官场。”

“那你说给我听听。”

“我也只是听说一点点。”

“就说说你知道的那一点点,我也学习学习。”

“几十年了,县里的干部都是分作两派,以春陵江划界,分作水东派,水西派,两边干部都有自己的代表人物。两边的干部都有沉浮,一时你起来了,一时他起来了。两边的干部也一直在斗,有时明争,有时暗斗,没有歇过憩。”

“你呢? 属于哪一派?”

“我哪派都不派。我们副乡长这个级别的人,还没有资格进到那个里头。”

“这还讲资格?”

“当然讲资格。起码要在县里当了副科局长一级的人才有资格。”

“书记和县长不都是外地人么?”

“当然是外地人。每届党政一把手都是从外面调来。”

“他们是哪一派?”

“他们都不会明显地站在哪一派,只搞平衡。”

“那不是书记县长也当得很辛苦?”

“是不容易。”

钟海龙想了想,说:“我认识一些水东的干部,也认识不少水西的干部。我看他们在一起都是说说笑笑,打打闹闹,喝酒就喝酒,抽烟就抽烟,不像是有隔阂的呀。”

“那是没有利益相争的时候,当然都一团和气。一到了有关利益和权力的关键时刻,绝对是阵线分明,生死相争,哪方都不得放让。”

“现在就是到了你说的那种关键时刻了?”

“正是,你想想,县政府办副主任是个好敏感好重要的职位,哪一派不想自己的人上去? 现在已经争得一塌糊涂了。地区领导那里也有他们的势力,都在给县里打招呼哩。”

“那你何苦还去凑这个热闹?”

“我有我的优势啊。我年轻,学历高,有基层工作的经历,我写材料的水平高。政府办副主任的工作不主要是写材料么?”

“这些组织上都掌握的吧!”

“钟县长怎么也打官腔了?我记得你从不打官腔的啊。”

“咳咳,我意思说你要相信组织。”

“我若是相信组织,就不会来找你了。”

“我的意见起不了什么作用的。”

“有作用,一定会有作用。我知道你跟书记关系好,他很敬重你。”

钟海龙还是不想掺和到复杂的人事纠葛中去。他知道人事关系是最严峻最微妙的,扯起这件事他就头痛。他喜欢过单纯的生活。

曹乡长忽然就急了,两行眼泪滚落下来,带哭腔说:“县长,你一定要帮我。这次刚刚在奶婆山跟你不久,就撞上了调城里的机会,这都是老天爷安排好的。你要不帮我,又不晓得要到什么时候才有机会了。我不能失去这次机会呀。我是同我老婆一起求你来了!”

他老婆也低头小声说:“县长,帮帮我们吧!”

钟海龙看到曹乡长居然一下子哭了,很是意外,心里有点着恼。可是曹乡长的眼泪又让他心慌。他抬了抬脚,不经意间就触到了桌子底下那包腊干野物。他幽幽地叹了一声,说:“我试一试吧。到县里见到书记,我会跟他说。”

曹乡长双手抱拳,乱摇着说:“县长,我全家先谢谢你了!以后到了政府办,我就是你的人了,我一定会为你服务好!”

钟海龙说:“我真的没有把握哩。”

“不管成不成,我都感谢你!”

钟海龙不想再纠缠在这个极无意思的话题上,就转过去问:“我出来有十天了,不知道奶婆山的纠纷处理得怎么样了?”

“一言难尽!一言难尽!”

曹乡长乱摇着头,一拉老婆,起身告辞。

钟海龙把他们送到院门口的公交车站上,看着他们挤上了车,才挥手道别。

钟海龙傍住墙边,踩着暗影慢慢地往回走。他没有想到县里会那样复杂。他不知道再回县里后,是该深入进去还是更加疏远。他的心有点乱。

第二天,县里一道急电,紧急把钟海龙召回到了奶婆山。

十

奶婆山已经处于一种战争状态,山上的人稀少了很多。算卦的,卖菜的,摆地摊的,都不见了,见不到妇女,见不到小孩。饭店也关了两家,门上挂一把大铁锁。路上还是不少行人,肩上扛的不是铁锤、蛇皮袋,是木棒、茅钎、扁担,有一个人还找了把鸟铳。擦肩走过，都无言语，目不斜视，行色匆匆。钟海龙上去走过一圈，就明显感觉到这里弥漫着火药味，一触即发。

山上清一色都是麻塘乡人，都姓王。

原来钟海龙走的那天，把村民王明喜带回乡里，现了真身，所有的传言都不攻自破，麻塘人就理该退让一步了的。谁知他们不退反进，加派了人守牢各个路口，不准外姓人进山。

曹家湾人哪里吞得下这口恶气。你有初一，我有十五，他们绝不含糊。他们已经把马路填平修好了，可是麻塘乡的车子过不去。他们都认识麻塘乡的汽车。明明前面有雷坪矿的大卡车过去了，可是麻塘乡的汽车跟着过来，马路的虚土里不知怎么就生出了很多三角形尖铁，扎住轮胎，“噗”一声就破了，再也挪动不了。他们还在马路两边的田野里到处布了人，一见麻塘乡的人过身，就蜂拥而起，呐喊追赶。他们也做得绝，只呐喊，只追赶，并不拢身，那声势是十分吓人的，让人心惊肉跳，无处躲藏，屎尿都出来了。麻塘乡的人这段时间都不敢出远门了。他们还开了会，准备跟王姓打家门，给方圆十几里的曹姓村子都发了帖子，联络他们到时候一起出动。

王姓人不示弱，也挨村发了帖子。他们的人不比曹姓少。

两种帖子都被呈送到了县里。领导们一看急了，要出大事了，紧急召回钟海龙。杨县长亲自交代他:无论如何要平息事态。

钟海龙把人分作两拨，一拨到麻塘乡，一拨到东冲乡，挨村做工作。钟海龙带着许绍平副乡长，还有几个乡干部，几个民警，一行人翻过奶婆山，抄小路下到一条土路上，到了东冲乡的地盘。他们顺着土路，一直往前走。一只红蜻蜓跟在他们头顶上，一时飞开了，一时又飞拢来，不即不离。路两边都是稻田。稻谷熟了，稻穗弯垂下去，互相挤靠着，一层层堆积，结成一块板，黄灿灿地伸展到远处。太阳光像一床白色的棉絮，安静地铺盖在稻谷上面，让稻谷变得十分明亮，十分寂寞。钟海龙觉得这时候不该这么寂寞的。这时候的田野里应该有很多人，割禾的，捆禾的，搬运禾草的，应该非常忙乱。可是现在田野里看不到一个人，也看不到一头牛，一条狗，一片寂静。

一行人都不说话，都静静地急急地走着。很快看到一个村子了，村头上有一棵大樟树。树后面是黑的瓦，白的墙。墙上有笔画很粗却已斑驳的大标语。

红蜻蜓还在头顶上跟着，不离不弃。

村口上看不到一个人。一个村子都死静死静的。他们只听到自己脚步声沙沙地轻响。

钟海龙不自觉地收了收脚步，同大家走成一团。他的呼吸有点紧了。

一团人齐步走进了村子。

走进村子，经过一道门。两边各有一个巷口。忽然悄没声息地，巷口上就拥出了一群人。一群年轻后生，身穿迷彩服，脚蹬解放鞋，手里都拄了木棍，都不作声。钟海龙注意地看了看他们的眼睛，那些眼神都是漠然的，有点发直。

钟海龙的心里猛然弹跳一下，他努力把稳了两条腿，让脚步走平稳了。

他听到许乡长在后面"啐"的一声，大喊道："做什么？这是做什么？"

许乡长举起电喇叭，慢慢走着，大声喊话。他用的是本地土语，钟海龙只能大致听懂一些意思。许乡长说，县里有令，不得闹事。谁闹事，谁犯法。许乡长说，国有国法，乡有乡规。地方有事，自有政府。谁要硬起卵子往墙壁上撞，鸡飞蛋打概由自己负责。许乡长说，天下农民是一家，曹姓有王姓的亲戚，王姓有曹姓的女婿，手心手背都着肉。许乡长说，隔山不隔水，隔水不隔心。许乡长说，秋收季节，谷粒如金，赶快抢收，再莫拖延。许乡长反复说，吃靠粮，穿靠棉，要吃要穿靠种田。晚稻不过秋，过秋没的收。快快下田。快快下田哎……

许乡长一路喊着，从村头喊到村尾，一口气都没有歇。钟海龙边走边听，心里想，这老家伙还蛮有宣传才能。

村路两边的门洞里，窗台边，巷子口，聚着一丛一丛手持木棍扁担的人，都静静地木然地望着他们走过，不出一声。

到了村尾，一栋大屋里忽然又闪出七八个后生。这些人拿的不再是木棍，是鸟铳。他们把鸟铳都扛在肩上。

他们眯眼望着这一行人走出村去。

到了村外，钟海龙才发觉背上已经被汗水浸透了。他反手拎着后背衣领，蓦地跳出一个大念头：那些扛鸟铳的后生会不会从后面放一枪过来？他顿时觉得后背凉飕飕地打战，忙紧走几步，夹到了人群中。

不知什么时候，一只红蜻蜓又飞在了他们头顶上。钟海龙抬头望了望，猜想是不是先前的那只红蜻蜓。他很奇怪红蜻蜓是不是有什么感应。他没来由地朝红蜻蜓扬了扬手。

红蜻蜓一振翅膀，飞到旁边菜地里去了。

钟海龙问许乡长："村子里那么多人，怎么没有看到一个老人和小孩？"

许乡长说："都走了，住到外头亲戚家里去了。你还没有发现，连鸡和猪都带走了。"

钟海龙一想，村路上真是没有看到鸡。

许乡长说："他们真的要打家门了。"

"以前打过没有？"

"打过。十几年前有过一次小打，一百年前有过一次大打。"

"小打怎么打，大打又怎么打？"

"小打是一个村子对一个村子打。大打就厉害了，整个一个姓的人都要出动，起码是几千人的场合，几个山头都是人，黑麻麻一片。"

“男人都去?”

“有规定的。十六岁以上,五十岁以下。”

“若不去呢?”

“赶出村子,掀瓦毁屋。”

“这样厉害?”

“厉害。厉害得恶!”

“干部也都去?”

“干部不去。早都躲出去了。”

“听说杀架子出发之前还要举行仪式?”

“我也听说。”

“听说仪式在公祠堂举行。烧一炉大火,架一口大锅,锅里熬一头猪和仇家死尸的肉,旁边摆一缸米火酒,是这样?”

“是这样。”

“听说出征的人都要喝一碗酒,吃一块肉?”

“是这样。”

“听说夹肉的筷子有两尺多长,闭着眼睛夹,夹到什么吃什么?”

“那当然。”

“若是夹到人肉呢?”

“吃!”

“夹到人头发呢?”

“也吃!”

“夹到脚指甲呢?”

“统统吃!”

“——他妈的!”

“所以说这人有时候是很恶哩。”

“打家门会打死人么?”

“十几年前那次我参加了处理,那次没有死人。若是大打,肯定会要死人。听说一百年前那次打家门,双方都死了两个人。”

“死了人怎么办?”

“这个早有准备。假如因为打家门而伤,而死亡,而被抓到坐牢的,一概由村里筹钱负担,死人除了丧葬费,家里人还给补贴。”

“钱从哪里来?”

“每家每户出。”

“是自觉自愿的?”

“自不自愿很难说,但是都很自觉。摊到好多钱出好多钱。没有钱就拿谷子抵，拿猪抵。”

“这次千万不能让他们打起来！”

“这是无论如何的事！”

“我们赶紧走。”

“赶紧，赶紧！”

一行人就走得更快了。唰，唰，唰——像风一样。他们走着走着，忽然听到前面山里砰的一声炮响。举头看时，有一缕轻烟飘向天空。钟海龙和许乡长对望一眼，说：

“快，上去看看。”

山窝里有三个人还在埋头察看什么，看到有人上去，跳起来就往山那面跑。

许乡长眼尖，一下就看清了那几个人。许乡长举起电喇叭喊道：“曹初九，你给我站住。”

曹初九站住了，慢慢返回来。

山窝里丢弃着一杆抬炮。

抬炮由生铁铸成，碗口粗细，五尺来长。直直的炮筒底部是封死的，一侧开了小口（引线就从那小口里捻进去）。抬炮刚刚用桐油擦拭过，在阳光下闪着幽光。

许乡长问：“你们在这里做什么？”

曹初九说：“试抬炮。”

“打得响？”

“你们不是都听到了。”

“这抬炮打算打家门用的？”

“不是，打野猪用的。”

许乡长拿着竹烟杆在他的屁股上一敲，恼道：“曹初九你学歪栽了，晓得骗起我来了啊！”

曹初九说：“你晓得还问我做什么。”

“你晓不晓得这抬炮是会打死人的。打死人是犯法的，是要抵命的。”

“是王家的人先犯法。”

“他犯法你也犯法，他吃屎，你吃不吃屎？”

“他吃屎，我也吃屎。我还趴倒去吃。”

曹初九的回答逗得一群人都笑起来。

钟海龙没有笑，他肃着脸说：“曹初九，你不能去参加打家门。”

“那我只怕做不到。”

许乡长喝道：“曹初九，县长的话你都不听？”

曹初九苦着脸说：“县长的话我不是不听，实在是那边欺人太甚。湾里的老辈人都讲了——”

“讲什么?”

“——讲什么我不告诉你。”

曹初九嘻嘻一笑,趁人不备,捞过抬炮,一颠一颠地跑走了。

许乡长望着他的背影,磕着下巴说:“县长,他们连抬炮都翻出来了,只怕最后都收不了场。若是出了人命,你我都跑不脱会去坐牢。”

“有那么严重?”

“出了人命,我们就是制止不力啊。不坐牢都会要撤职。”

“撤吧。撤掉我的职吧!”

“先莫讲气话,我看现在这样一个村一个村地走肯定不行,来不及了。必须采取特殊的措施,要有杀伐。”

“你有什么想法?”

“我暂时没有好办法。我们不如现在就打道回府,大家碰一碰情况。建议你回一趟县里,给杨县长汇报,请他做决策。”

“非要杨县长做决策?”

“我看是这样。”

钟海龙望着山下夕照中的田野里,有一笼雾障升起来,漫过村庄,漫过道路,漫过小树林,朝远处流过去。雾障受到夕晖的渲染,一时斑斓起来,显得迷幻。钟海龙感觉脚下也变得迷幻起来,一扭头,抿嘴往回走。

碰头会开到下半夜才结束。钟海龙回到客房,加垫了一个枕头,仰脸躺在床上,却没有半点睡意。他想起空无一人的田野,想起沉默的村庄,想起肩扛鸟铳阴沉着脸的年轻后生,想起关于打家门的种种说法,还想起那只不即不离的红蜻蜓,思绪飘忽。他很担心村民们晚上就会动手,不时地侧耳谛听远处的动静。外面的蛙声长一下短一下地鼓噪,扰得心烦。后来他干脆起床,赤脚爬到屋顶的平台上,向外面眺望。平台上夜风很大,把他的头发吹得都倒卷了起来,让他精神一抖,心情倒舒解下来。

四面都安静。小镇、山峦、河流、马路、电线杆,都睡熟了。睡得死沉死沉,似乎还有细微的鼾息。夜空怎么那么高远,还迷离,还澄澈,有一种静谧的气息。

蛙鸣也没有了。院子大门口的路灯寂寞地亮着。那亮光很微弱,差不多要融进夜色里了。露水下来了。原来露水是这样下来的,完全是无声无息,无色无臭。等你感觉到有一种粉尘一样的东西拂在面颊上时,头发已经是湿漉漉的了。

钟海龙轻轻回到房间,摸到床铺上,倒下去就睡着了。他只睡了一小会儿,忽然一惊,醒了。看看窗户,已经灰蒙蒙的有点发白。

钟海龙赶到县城时,正好是上班时间。

杨县长已经在办公室。钟海龙给他把情况一说,他也感觉到了事情非常严重。

杨县长说:“我马上过县委那边,跟李书记商量一下。你还没有吃早饭吧?先去吃点东西，完了回办公室等我。”

钟海龙到大院门口的小店吃了碗粉，回到办公楼时，杨县长也跟着就到了。

杨县长传达了三条决定：一把在县委、县政府两座大院工作的曹姓和王姓干部，全部调集起来，回麻塘乡和东冲乡做工作。上午动员，中午上车，吃晚饭以前把人都要下到村里。二增派公安干警过去，以防不测。三奶婆山停止开采，所有矿洞一律炸毁。

钟海龙以为自己听错了，忙问：“把奶婆山的矿洞全部炸毁？”

“全部。一个不留。”

“县里不是马上要办‘锑砂节’，那边把矿洞都炸了，这节还办不办啊？”

“矿要炸，‘节’照办。两码事。”

“这是两码事？”

“就是两码事！”

“那里的农民都不得同意。”

“这由不得他们同意不同意。钟副县长，这事我们反复商量了，奶婆山上的矿洞只要存在，就是不稳定的根源。要保稳定，保平安，就必须停止开采，从源头上堵死。当然，这会断了一部分人的财路。但他们可以开辟另外的财源嘛。我晓得，这个工作不好做。不好做也必须做。我马上给麻塘乡打电话，让他们积极做好工作。另外，一定要保证安全，不能出任何事故。炸洞子之前，要派人到每个洞子进行检查，把人一个不留地撤出来，才能点火。事情就这样定了。绝不能马虎，也绝不能含糊。”

“我照办吧！”

钟海龙陡然记起一件事，就又说：“奶婆山炸六号洞子点火的凶手，我们已经查实了线索，跑到广州去了，要派人去追捕回来。”

“马上派人，一定要抓回归案。”

“这回要请你出面调人。”

“这事你定就可以。”

“我不行，要你才行。”

“要派谁去？”

“县公安局曾局长。”

“有必要劳动曾局长的大驾么？”

“只有他去了，我才放心。他去了，才能十拿十稳。”

“那就派他去，我等下就喊他过来，当面交代任务。”

“谢谢！——那我先走了！”

杨县长送他到门口，握住他的手说：“钟副县长，拿点杀伐出来，硬起心肠，干净利索。”

钟海龙点点头："知道了。"

十一

钟海龙把事情想得简单了。他返回麻塘乡才知道，自己给杨县长的承诺有点轻率。

他没有想到首先麻塘乡的干部思想就不通。曹乡长在乡政府门口接住他，圆圆脸涨得通红，见面就问："县长，真的要炸洞子，不给采矿了？"

钟海龙看到他的样子和口气，忽然有点着恼。他想起曹、王两姓就要打家门了，那么严峻的时候，他却带起老婆跑到省城，求自己为他的事情做说客，现在又着急成这个样子，让人太难理解。他大步地往院子里走，干巴巴地说："杨县长不是有电话来吗？"

曹乡长跟在后面，巴巴地说："杨县长是有电话来。事情就没有商量的余地了吗？"

"怎么，你还有什么要商量的？"

"不是我，是我们都有想法。"

"是哩，是哩！"

跟在后面的乡干部都附和他。

钟海龙回转头去，说："什么想法？"

曹乡长说："奶婆山的矿业是我们乡财政的主要来源，这几年麻塘乡的工作有起色，日子还过得去，主要靠的它。这一封闭，我们就会熄火哩。"

钟海龙心里一动，觉得这倒是个很实在的问题。

乡干部们也乱纷纷地说：

"奶婆山一死，我们又要变作穷困地区。"

"县里不能图一时安逸，一盆水把一灶火都浇灭。"

"农民不会肯走哩！不能断人家财路。"

也有人发牢骚：

"也好，也好，一了百了，白茫茫落得大地真干净……"

钟海龙知道这时候不能在这里论理，一拉曹乡长进了房间。钟海龙关上门，说："曹乡长，这是县委、县政府的决定，我们一定要执行。思想通要执行，思想不通也要执行！这是原则！"

他见曹乡长还要张嘴，忽然灵机一动，冲口说道："这次回县里，我专门去了县委书记的办公室，汇报了公事，也提了个人的事。"

曹乡长惊喜地问："是我拜托你的事？"

钟海龙说："我个人又没有事情要找李书记。"

"李书记怎么讲?"

"他问你的表现怎么样?"

"你怎么回答的?"

"我当然拣好的说。事实上你也是有能力，有工作积极性，领导要你做什么就做什么，再困难的工作也能有办法完成的嘛。是不是?"

"是是是，当然是。"

曹乡长兴奋得脸又红了，红成了绛紫色。他垂手在两边大腿上猛搓了一阵。说："县长，你先喝点水休息休息，我出去安排一下。"

"抓紧点。"

"我会抓得比拳头还紧!"

钟海龙倒了杯水，慢慢喝着。他很惊讶自己那么顺嘴就把假话说出了口。他不知道怎么会学到了这个本事。他有点谴责自己，觉得这样太下作，也有点对不起曹乡长。他想着再回县里时，第一件事就是找李书记补上那番话。

他当然还要看曹乡长这次表现得怎么样。

曹乡长表现得十分卖力。

曹乡长组织了一支上百人的队伍上奶婆山。他把乡干部，还有乡的下属机构的人都叫起来了。商店、水电站、农机站、畜牧站、乡法庭都关了门。是他亲自一个一个打的电话。谁不去，砸掉谁的饭碗。他一下子就集合了好多人。

这支队伍是中午时分上的山。人数不算很多，但气势十分逼人。前面一辆宣传车和一辆推土机开道。宣传车上插了红旗，用红布围了横幅标语，随后一大群乡里的干部职工，最后是二十多位穿了警服的公安干警。

钟海龙的小车拥在乡干部和警察的队伍之间。他从车窗里看到，沿路的墙壁上、橱窗玻璃上、电线杆上，都贴起了整治矿山的标语。墨迹淋漓，糨糊都还没有干。

钟海龙不觉感叹:曹乡长做事还真利索。

此时曹乡长正高高地坐在推土机上，一手叉腰，冲在最前面。推土机咔咔咔地嘶吼着，挟带着一种摧枯拉朽的气势，带着队伍，冲决到镇外，漫向奶婆山，一直漫到山半腰的平坦地带才停住。

坪地上空很快拉起了一条横幅，一头系在饭店的瓦楞上。一头系在电线杆上，横空而起，字迹鲜亮，很远就看得见。

横幅上是一句口号:坚决执行县委县政府的决定，彻底整治奶婆山。

坪地的小屋门口，贴起了"整治指挥部"的纸牌牌，墙壁上贴了"整治通告"。宣传车就在这块弹丸之地来回逡巡，高音喇叭反复广播停止采矿的叫嚣，把气氛渲染得十分热烈、紧张。一座山都乱了。

曹乡长让钟海龙在临时做了整治指挥部的小屋里坐镇，把人员分作十拨，自己带了一拨人到八号洞子去做工作。

到傍晚时分，传来消息，曹乡长挨打了。原来曹乡长到了八号洞子，亲自守住洞口，只准人出，不准人进。越来越多的人围到了洞口上。火气见涨。几个后生仗着人多，冲过去扳住曹乡长，往外就拖。曹乡长一下仰倒在地下。后生们几双手揪住他的两条腿，倒着拖出几丈开外，才松开手。谁知曹乡长一撑地爬起来，弓着腰蹿回去，又把住了洞口，几个后生再又把他倒着拖出去，丢在更远的地下。他还是一站起就返回到了洞口。后生们就又再拖。他又再返回。如此几回，他的背脊已经在地下刮擦得血肉模糊，额角上也撞开了一条口子，几条血迹污红了半边脸。钟海龙赶过去的时候，听到他嘶着喉咙说道："只要我不死，还有半口气，你们就莫想从这里进到洞子里去！"

看到钟副县长和警察过去，几个后生慌忙顺后山跑走了。围观的人往后退了几步，又挤着往这边观看。

钟海龙让医生给曹乡长包扎好头部，又撩衬衣看了看他的背脊。上面的血迹和尘土搅混在一起，像糊了一层牛屎。他心痛得直吸冷气。

钟海龙扶他在岩石上坐下，问他："那些后生那样霸蛮，你就让他们进去，另外再想办法做工作，何必也要霸蛮呢？"

"不行！第一步就退让了，后面的工作更难做！"

"你做到这样，真难得！"

曹乡长小声说："县长，我是坚决执行你的指示哩！"

"我知道。"

"他们那样狠，我都做到了打不还手，骂不还口，没有出一句声。"

"我都知道。"

治安股长陈德生在一旁烦躁地说道："曹乡长，打你的那几个人都认得吧？"

"我当然都认得。"

"你把他们的名字告诉我，我们马上到村里给你一个一个抓回来。"

曹乡长望了望不远处的人群，忙说："没有哪个打我。"

"这就奇了怪了。你背上的伤怎样来的？"

"是我自己在地下刮伤的。"

"你说得更蹊跷了，没有人动手，自己会伤？他们妨碍执行公务，还打人，这是犯法的！"

曹乡长凑过头来说："我个人受点伤就受点伤，没有什么大不了的，现在最主要的是把人清走，再横生枝节对完成任务没有一点好处！"

钟海龙点头说："好，要顾大局，抓主要矛盾，我们按计划进行。"

他要曹乡长回乡里去休息，到医院看看伤。曹乡长说："这时候我走不得。乡干部和农民都在看着我呢，我必须要顶在这里。”

他接过一瓶矿泉水，喝几口，剩余的浇在脸上洗了洗。水洗过的脸上容光焕发。

钟海龙心里又多了几分愧疚。他暗暗叮嘱自己：过几天回到县里，无论如何先去找李书记，好好跟他说一说曹乡长。他打算力荐。

自此钟海龙在奶婆山待下来，坐镇指挥，满山巡走。每次清空一个洞子，他都要深入到矿洞底下，再查看一遍。他看着洗砂场的棚子一个一个拆除，他也看着山上的人一天一天减少。事必躬亲，不遗余力。他有几天没有洗澡了，他的眼睛挂了黑圈。

一待十天。眼看最后一个洞子的人终于撤离出来，他暗暗松了口气，在临时指挥部正收拾东西，门口一黑，进来一个人。

来的竟是廖石湘——廖主任，廖滑头。

“钟副县长，没有想到我又到山上来了吧？”

“那还真是没有想到。”

“杨县长要我来向你求援。”

“什么事这样郑重其事？”

“跟你要一块锑矿砂。”

县里的“锑砂节”筹备工作已经就绪。廖石湘忽发奇想，要搞一块锑矿石，上面刻出“锑砂节”三个字，摆在会场的入口处，让每一个进场的人第一眼就能看见。他把想法报告给杨县长。杨县长很高兴，称道这是点睛之笔。开会在即，事不宜迟，他就亲自上奶婆山来了。

“要好大的矿砂？”

“当然越大越好。”

“你只说最小要多大吧。”

“至少吧——也要有一张办公桌那么大。要放得进三个大字，要让人好远就能看得到。”

“说得轻巧。你看到过那样大的锑矿石没有？”

“事在人为嘛。只有想不到的，没有做不到的。”

“这事也只有你想得到，难办哩，主任。”

明摆着的事情有两难。采矿使用的都是炸药，一炮过后，矿砂都崩碎了，人们见过的最大的矿石也不过箩筐大小。这是一难。而现在费了九牛二虎之力，刚刚把挖矿的农民全部清出撤走，再找谁挖矿？就算找到人挖矿，给农民知道了，造成误解，以为政府赶走他们，是为了自己挖矿赚钱，那样后果就真是很难想象了。这事更难。

“杨县长再三要我转告，这事有难度，一定请钟副县长全力支持。”

“这是工作，能做的我会不做吗?”

钟海龙还在沉吟，一旁的曹乡长搭话了。“我来给领导分忧吧。”他说。他表示可以从乡干部和职工中挑几个年轻人，找一个顶大的矿洞，不用凿眼放炮，只轮班进去使钢钎甩大锤，悄悄地做，应该可以。他说干部职工都是农民出身，好多人挖过矿，挑个十几二十人出来，不难。

“可是时间要求很紧哩。”

“你好久要?”

“一天，行不行?”

“可以。不过我也提个要求。这都是职工额外的工作，乡里也要承担风险，那只能是有偿服务。招商办要拨点款子给我们乡政府。”

“你打算开好大的口?”

“给个八万块钱吧!”

“五万元。”

“五万元哪里够?”

“就是五万。这我还要找杨县长特批。”

“五万就五万。你给我写张条子。”

“写什么条子? 你还怕我讲话不作数?”

“不是怕你不作数，是怕招商办不作数。”

“我不就是招商办，招商办不就是我。”

“那就更要写。”

“一定要写?”

“一定要写!”

“几天不见，你还变歪栽了。”

“跟你打交道，不能不歪栽一点。”

“你是要讨骂吧!”

“挨骂我也要拿到条子才开工。”

廖石湘无奈，只好给曹乡长写了条子。

曹乡长接过去兜好，赶紧出门招呼人去了。

这里钟海龙也交代陈德生马上把警察都撒出去，分头把住各条路口，不让走漏风声。

风声还是很快走漏了。奶婆山那么大，那么多人，这样大的动静，怎么保得住密呢?

消息是东冲乡许乡长带过来的。他摸黑上山，一找见钟海龙就问:“麻塘乡的干部自己采起矿来了?”

钟海龙很奇怪:“你问这个干什么?”

“是不是有这个事?”

“是有。”钟海龙就把事情的来龙去脉说了一遍。许乡长低眉听着，捏了烟丝往烟杆嘴上摁了半天，嚓一声刮火柴点燃了。

许乡长说:“事情不是这种做法。”

许乡长骂道:“廖滑头净做些没有屁眼的事!”

许乡长告诉钟海龙，山上一动工，麻塘乡的人就知道了，还派了人过东冲乡通风报信，商量要一起到山上来讨说法。

许乡长又建议:“若是天亮以前能把矿石凿出来，就赶紧运走;若是凿不出来，就不凿了，把洞子堵死，不要留痕迹。我就不明白，拿一块木头写几个字和拿一块矿石写几个字会有好大的区别?硬要冒这样大的风险来搞块矿石。”

钟海龙沉吟地说:“听说杨县长很重视哩。”

“你又没有亲耳听到杨县长说。如今假传圣旨的事多哩!即算杨县长真的说过，你凿不出来也是没有办法，还能拿你怎么样?钟副县长，到时候我陪你一起去见杨县长。”

许乡长沉着脸说完，敲掉烟灰，把竹烟杆握在手里，一冲一冲地下山去了。

钟海龙转身上山，进了六号洞子。

洞子里聚集了十几个年轻乡干部，皆赤膊短裤，身上横一条竖一条涂着黑砂印渍。一人掌钎，一人甩大锤，轻声地嗨呀嗨呀地喊着。其他人等在一边随时轮换，有人靠墙睡着了。

钟海龙叫过曹乡长说了东冲乡发现的情况。

曹乡长惊讶地低声说:“天亮以前绝对凿不出矿石来。”

钟海龙问:“还有没有别的办法?”

“你等我想想。”

曹乡长就转脸问掌钎的人洞眼有多深了。掌钎的人比画了一下，回答说有两尺多深了。

曹乡长张开拇指和无名指在脚上量了一阵，忽然扬起脸说:“只有碰碰运气了，灌炸药!”

钟海龙惊问道:“还是要放炮?”

“只有华山一条路了。我相信你钟县长洪福齐天，能够一炮炸出一坨大矿石来。”

钟海龙想想，一咬牙说:“好，也只好这样一搏了!”

曹乡长扯过一件衬衣披上，立即安排人跟钟海龙去搬炸药雷管，一边指点其余的人几根钢钎一起上，在炮眼四周再敲出一圈长方形的圆点子。

深夜两点钟，一切就绪，一声炮响，闷哑而震撼，崩落一堆砂石来。钟海龙冒着浓烟冲进去一看，大喜过望。一块办公桌大小的矿石，横躺在一堆碎砂石上面，十分打眼。

矿石被连夜搬运出山。

六号洞子也立即给填死了。

十二

钟海龙是两天以后离开奶婆山的。“锑砂节”将如期举行，县政府办通知县里的领导们都要在头天晚上赶回县城。钟海龙算了算时间，两天里头，把剩余的三个洞子清理干净，再统一装上炸药，应该都来得及。

诸项事情在下午就做完了，钟海龙还不放心。此事人命关天，山上任何一个角落躲了一个人，都会酿成大事。他又下到每个洞子察看了一遍。他把炸药引线也都理过了。

钟海龙让公安局陈德生股长留守在奶婆山，叮嘱他到晚上十二点点火放炮。那时候村民都睡了，不至于有太大的动静。

钟海龙坐车到了奶婆山下，停车，下来站了一会儿。此时暮色已经紧紧地裹住了两个山包，浓黑成一团。云朵贴着山尖缓缓拭过，擦出了一线一线的亮光。想到奶婆山从此安静下来了，钟海龙心里忽然一阵感伤。

从到奶婆山抓赌开始，一晃两个多月过去了。他有点留恋这个地方了。

坐在汽车上，好远就看到县城上空灯火辉煌，亮了半边天。一进县城，嗬，县城好热闹。街道两边插上了彩旗，一面彩旗下一盆鲜花，霓虹灯管上都缠了彩条，街道上空的大红横幅，排挞而过，横幅上面，系满了一束束彩色气球。红色的、黄色的、紫色的、蓝色的，各色气球在县城上空汇成了一条河，不知从什么地方打过来的探照灯，巨大的光束从夜空中一闪而过，又一闪而过。

钟海龙让司机把车直接开到了宾馆。上次由他在省城邀请的贵宾，都依约到了。他挨个房间看望他们。小坐一会儿，寒暄几句，把礼节做到。他把相同的话说了十几遍，到后来自己都觉得有点假，寡淡无味了。

看完客人出来，路过宾馆大厅，一眼看到廖石湘坐在沙发上。廖石湘脸上泛着油光，西装衣服上提前别了几朵红色绢花。廖石湘笑呵呵地迎过来说：“钟副县长，到底等到你了。”钟海龙站住了说：“廖主任还找我有事？”廖石湘说：“有件小事要通知到你。明天出席开幕式的县领导一律都穿西装，打领带。”钟海龙说：“这样的小事都要你亲自通知？”廖石湘说：“杨县长交办的事，我都要落实好。”钟海龙说：“我从来不穿西装。”廖石湘说：“明天的场合不同，钟副县长就请你破一次例吧！”钟海龙说：“我也没有西装。”廖石湘说：“能不能找人借一套？”钟海龙说：“这么晚了，到哪里去借？我穿中山装吧。中山装我的箱子里倒是有一套。”廖石湘犹疑地说：“那不行吧？个个穿西装，你一个人穿中山装，不是太特别了？”钟海龙反问他：“穿中山装有什么不好？”廖石湘忙说：“当然不好。我看这样吧，我找人借套西装等下送到你房里去？”钟海龙忽然烦躁地说：“不消你劳神了，我自己想办法。但是我告诉你，我不会打领带。硬要我打领带，明天我就不参加开幕式了！”说完，拉开旋转门走了出去。

出了院子，再出大门，廖石湘从后面追上来说：“我刚刚请示了杨县长，同意你明天不用打领带。”钟海龙没有回头，只冷冷地说：“你要记得给麻塘乡写过条子的，尽快把五万块钱打过去。那是正事！”

钟海龙顺着马路回城里去。他的脚有点发飘，感觉到一种从来没有过的疲惫。他慢慢地，带点迟钝地走在路边草地上，深一脚浅一脚。

他走出了好长一截路。走到一个岔路口，他站下了。路口竖了一块巨大的关于“锑砂节”的招牌，一个指路箭头指向另一条马路。马路的那头，连着春陵江。钟海龙知道，那一头的春陵江边，有一块平滩地，依着一座山包。山包前面有几块山岩突出来，正好可以搭主席台。临水依山，廖石湘很会选地方。

一辆警车滑过来，在钟海龙身边停住了。从车上跳下公安局曾局长，跟他打招呼。

钟海龙啊了一声，问道：“你从广州回来了？”

局长说：“回来半个多月了。”钟海龙又问：“炸矿的凶手抓到了？”局长说：“没有。刚到广州，当天县里就打电话通知我回来负责‘锑砂节’的保卫工作，我就先回来了。”钟海龙嗯了一声，没有再问。

曾局长说：“我回来就忙得不可开交，还没有来得及向你汇报。奶婆山那边的工作结束了吗？”

钟海龙点点头，又摇摇头。他忽然抬腕看了看手表：十二点。他想，这时候奶婆山上陈德生他们应该点燃导火索了。几十根导火索冒着蓝荧荧的火花一往前蹿，该会是怎么样的情景？

那爆炸声会很响吗？

又有几辆警车驶过来，鸣一声喇叭，鱼贯拐向岔道口，往春陵江开过去，一直开进了灯火阑珊处。钟海龙睁着眼睛跟住警车望过去，望了好久。忽然河边上一串炮响，几束焰火蹿上半空，炸开来，散出一片火树银花，照亮了半边天空。

就在烟花辉煌的一瞬间，钟海龙看清了对岸山壁上的一行大字标语：

县长搭台，百姓唱戏。

烟花接二连三地往夜空冲去。一时很高，一时很低。一时亮了，一时又灭了。焰光烈烈，流星如雨，璀璨无比。

明天那里一定会十分热闹。

（选自《中国作家》2010 年第 11 期）

肖建国

1952年10月生于湖南郴州。先后毕业于湘潭大学、鲁迅文学院、北京大学。现为广东花城出版社社长。中国作家协会会员。1972年开始发表小说。已出版长篇小说及各类作品集17部。主要作品有《左撇子球王》《上上王》《中王》《男性王》《血坳》《净水无形》《短火》《中锋宝》等。曾获首届庄重文文学奖、首届湖南省优秀文艺作品奖、《青春》小说奖、《人民文学》优秀作品奖、广东省鲁迅文学奖等20多个奖项。

野猪林

罗尔豪

一

王宗娃进来时，村主任陈响马正端着大海碗喝苞谷粥。王宗娃说，村主任，你不能不管了，我家“花花”被那野畜生糟蹋了，现在肚子都起来了，将来给我生一窝野东西我可咋办！

陈响马的头从大海碗里升起来，嘴角挂满了黄黄的苞谷糁子，像是小孩拉下的黄黄的粪便。陈响马说，你说啥，你家“花花”被人糟蹋了，肚子都起来了？陈响马说着咚的一下放下大海碗，里面没有喝完的苞谷糁子天女散花一般四散飞溅。几只眼尖的鸡子飞奔而来，但被陈响马撵跑了。陈响马说，出恁大事你快去派出所报案哪，你找我干球？让派出所的老张带人带枪把那个畜生抓起来，送到牢子里。说到这里，陈响马猛然住了口，有些疑惑地看着王宗娃，你家“花花”，你家啥时候有个“花花”？你不就一个掉蛋儿子，也去广东了，啥时候又冒出来一个“花花”？

王宗娃说，我不是说的闺女，我说的是我家那头老母猪，让那头红毛野猪给骑了，眼看就要生崽了，这野猪的事你不能不管了。

陈响马半抬起的屁股又坐了下来，看着王宗娃，你他娘的就不能给我说句囫囵话？说一半留一半的，吓我一跳。陈响马说着，重新端起海碗，呼噜呼噜喝起来，一边喝一边说，这粮食不能糟蹋的，这王八蛋野猪已经把粮食糟蹋得差不多了，人再糟蹋连苞谷糁子都喝不上了。

王宗娃还没有走，看着陈响马。陈响马说，你看着我闹球，我又不是野猪，又不是我糟蹋了你家“花花”。

王宗娃说，你是村主任，你得想办法，这野猪把咱村搅得日子都过不下去了。

陈响马抬起脸，我有球办法？咱又没长四条腿，撵咱撵不上，打又不让打，我有啥办法！

王宗娃说，那我家“花花”就白白让那畜生糟蹋了。说到这里，王宗娃鼓起了眼睛，那个挨千刀的红毛野猪，“花花”正赶上受孕期，偏偏让那畜生给摸着了，现在一窝小猪都是好几千呢,错过一窝就是半个季节呢。再说,将来给我弄一窝子野猪娃我可咋办!

王宗娃愁眉苦脸的样子倒让陈响马笑了,陈响马说,你小子占便宜了还愁个啥,连配种的钱都省下了,到年底给你生一窝野猪崽,活蹦乱跳的。听说现在野猪的价钱比家猪要高得多,到时候你小子说不定还发了,你还得感谢人家野猪呢。后山王秃子不也养过一窝子野猪吗,听说一头小野猪都卖了六百多,一窝下来都快上万了。

那是他们胡说,王宗娃说,王秃子就卖了一个猪崽,其他的都跑了,跟着一头大野猪跑了,好像是它们的爹,这些死东西倒是不忘本。听后山的人过来说,这窝野猪一到收秋季节就回到王秃子家,先是啃他家的庄稼,庄稼啃完了,就趁没人在家,登堂入室,强盗似的把屋子里的粮食洗劫一空。王秃子的媳妇整天坐在地头骂,骂王秃子是野猪托生的,变成人野猪还来找他。

陈响马吃惊地张大嘴巴,竟然有这种事!

王宗娃说,所以我才找你呢,你说我该咋办,我也不想养一群白眼狼。

陈响马说,你问我我问谁去,问野猪,叫它们不再去找你家"花花"了?

王宗娃说,我不管,反正你是主任,咱村出了事,你不管谁管?

陈响马说,我只管人,没人让我管野猪。

王宗娃却说,你人都管了,野猪咋就不能管,你是不想管。

陈响马说,我不是不想管,是咱没法管,这野牲口来无踪去无影的,又是保护动物,国家把枪都收了,不让打,咱能有啥办法?

王宗娃说,我不管,这事你得给我个说法。

陈响马有些烦,他知道王宗娃有个麻缠劲,是个一根筋,不给他个说法,这个上午就别想离开。陈响马被缠得实在没有办法,就说,这事也好办,母猪么,不也跟婆娘差不多么,不想要了,去买点药一吃,流了不就完了。如果不想花这个钱,去十二道沟采点打胎的药草,像红花药草、竹叶老根、蛇莓草等,后山上到处都是,采些让猪吃了,不就结了。

王宗娃说,行吗?

陈响马说,咋不行,不信你去试试。

两人正说着话,看见张书臣从田里回来,顶了一头的露水和草叶子。张书臣是副村主任,兼着村里的文书,是野猪林村委会成员之一。到了跟前,张书臣说,宗娃现在有事没?王宗娃说,咋了?张书臣看着村主任陈响马说,村主任,晚上我请你吃野猪肉,咋样?

陈响马一下子站起来,说,你把野猪咋了?

张书臣说,还能咋了,它拱苞谷地,触了我设的电网,给电死了。

陈响马看了下四周,说,小声点,这猎杀野猪可是犯法的,让人家知道可不得了。

张书臣撇了撇嘴，违球法，人偷庄稼违法，它野猪偷咱庄稼就不违法？它野猪能比人还金贵？

陈响马说，这话可不是你那样说的，国家有法的，你没看看？说着指了指前面七喜家住房的墙上，墙上刷写着捕杀野猪违法的宣传标语，这都写得清楚的。

张书臣说，那咋办，咱这庄稼就来养它们这些畜生吧？这算哪门子的道理，不说它了。村主任，你给我找个扁担，还有绳子，今儿整倒的这头野猪大，足有百八十斤，这下能好好打打牙祭了。

少顷，两个人的身影就出现在村边，身后跟着一大群刚放学的孩子。野猪被反剪四条腿绑在扁担上，两个人抬着，晃悠着往村里来。经过陈响马跟前，张书臣说，你看这头野猪大不大？我都守它一个星期了，今儿总算把它捉住了。陈响马说，你守它干啥？它又不是你婆娘，你守它干球。想了想又说，你说你都守几天了，这么说你是在有意捕杀野猪哩。张书臣索性放下野猪，说，我可不是要守它，上个星期我到地里转，听见地里面苞谷秆子哗哗响，就奔了去，看见这王八蛋正发威呢，踩倒了一大片苞谷，就把它撵跑了。我知道它还会来，不是有句话叫“老野猪摸住萝卜窖”嘛。站在边上的王宗娃纠正说，不是老野猪，是老母猪，“老母猪摸住萝卜窖”。张书臣说，管它野猪家猪的，反正都是它们一家子的事。我就天天蹲在地里守着。你看，张书臣指着自己的衬衫，衬衫被露水打湿了，贴在他瘦骨嶙峋的骨架上，跟个撑衣架似的。可这畜生简直是成精了，我在地这边守着，它就从另一边钻进去，在我眼皮子底下把半亩的苞谷给糟蹋了。我真的生气了，就在地头架设了电网，这王八蛋，一头撞上去，就回老家见它老祖宗猪八戒了。

野猪边围了一群人，指着野猪啧啧不已。陈响马走到野猪边，脚在野猪身上踢了几下，野猪的头居然动了动，似乎还发出一声低沉的号叫，把陈响马吓了一跳，后退得太快，差一点坐到了地上，引得几个人嗤嗤地笑。等站稳身子，再看野猪，野猪躺在地上一动不动，分明是死透了。再看边上捂着嘴的大庆，意识到是大庆搞的鬼，伸过手要打，大庆早跑开了。陈响马又在野猪身上踢了一脚，然后看着身边围着的村里人，觉得自己作为村主任是应该说几句啥的。想了下，就说，这野猪是个害东西，不但祸害人，连它们一家子都不放过，居然把王宗娃家的老母猪给骑了，确实有些太不像话了。陈响马的话引得大家都去看王宗娃。王宗娃的脸红红的，嘴里发出气咻咻的声音。陈响马接着说，可上面有政策，有法律，野猪是国家保护动物，这猎杀野猪是违法的。不过，这已经杀了就杀了，以后咱可千万不能再杀了，让上面知道了，弄不好还要罚款坐牢呢。我前两天看报纸，一个人捕杀了头大熊猫，结果咋了，被抓住枪毙了，严重得很。站在边上的七喜说，村主任你说得严重了，那大熊猫是国家一级保护动物，野猪连三类都算不上，根本不能往一起扯。陈响马说，不管它是几类的，反正是国家保护的，国家要求保护的就不能乱杀，乱杀就是违法，这总没错吧。所以，大家一定要小心，野猪害人的事，我再向上面反映反映，看镇上能不能再想想办法，他镇上总不能看着咱百姓让野猪给困死，是不！

二

陈响马提了十斤野猪肉，嘴里哼着《野猪林》的唱段，去了镇上。

镇的名字叫野山镇，他们村的名字叫野猪林，都带了个野字，不知道是啥原因。前些年，招商引资热，镇上出去的人回来，嫌这野山镇的名字不好听，鼓动着书记镇长改名字。据说改名方案已经报上去了，可最终也没改成，野山镇还是野山镇。

陈响马在山乡金黄清澈的阳光下，走过碧绿的桑林、酸枣树丛，穿过散发着青熟苞谷香味的苞谷地。村边就是座座相连的大山，巍峨的山体和无边的绿色，仿佛一片云压过来，把野猪林给覆盖了。这座山叫牛尾山，是秦岭山脉的一个支系，看上去就像是牛拖在地上的尾巴。野猪林坐落在牛尾山的山脚，周围林木茂盛，空气清新。偶尔有风吹过，便有呼啸的林涛声穿过来，虎啸熊嚎一般。陈响马喜欢这个地方，也喜欢村子的名字，野猪林，倒是名副其实的。他记得一出戏的名字也叫《野猪林》，只是不知道这里的野猪林是不是林冲罹难的那个野猪林。但陈响马很喜欢这出戏，没事总喜欢学着里面林冲的样子，哼几声里面的曲子。

村子离镇上有三十里，但山里有句俗话，“看山跑死马”，说是三十里，上山下坡，一个山头兜半天，下来恐怕四十里都不止。好在这两年农村搞“村村通”，野猪林虽然地处偏僻，还是有条蚯蚓一样的路蜿蜒伸了进来。每星期还有一辆叮当作响的公共汽车从前面的百树崖前经过。但陈响马去镇上从不坐汽车，他跑，啥都不为，就是跑习惯了，三十里山路，抄近路就是两个时辰，沿途走走歇歇，很快就到了。在这方面，他有些看不起那些出门就坐车的人，生两条腿是干啥的，出门都坐车，往后这人都不会走路了。

陈响马抄的是近路，走近路就是钻林子，蹚河水。这些年，山上的植被恢复得很快，槐树，黄栌，槭树，白蜡树等，高高低低地盖满了山坡，地表覆盖的是葛藤，酸枣树，猪笼草和苍耳草。蒲公英是到处都有的，它们聚合在一起的小小绒球，被风吹开了，一个个花籽仿佛小小的降落伞在空中飘荡，然后降落在树枝上、土地上、羽衣草的怀抱中。树木稠了，野草密了，野生动物也多了，主要的是野猪，这些年跟疯了似的，强盗一样，成群结队到村子里打劫。除了野猪，还有豹子，狼，狗獾子，但它们的胆子要小得多，很少到村子里去。即使在山里和人遇上了，也是它们落荒而逃，可能是它们的历史学得好，知道前辈都是让人给整没的，人是最不好惹的。可现在，人倒是让野猪给欺负上了，真是有点“三十年河东三十年河西”，江山轮流坐的味道。

为野猪的事，陈响马不知道跟镇上县上反映过多少次。不但是陈响马，附近的旧县、车村、白河等村子，都在这一片，都让野猪给祸害得过不下日子了。可到镇上县上，人家都抱着一个老调弹，野猪是国家保护动物，不能杀。有一次，陈响马实在忍不住了，说，野猪是保护动物，人是不是保护动物，咋这法律只保护动物不保护人？敢情这野猪比人都金贵呢。说得接待他们的多副镇长红着个脸，不知道该咋回答。那次，附近几个村的人都认识了陈响马，说，这话有道理，野猪把人都糟践得过不下去了，政府也不给想办法。又说，陈响马好样的，敢说敢做，响马性格，可以领着大家干大事的。以后附近村子再想跟镇上说这事，就联系陈响马一起去说。但人多也不一定力量大，说了也就是说了，反映也就是反映了，还是平平地放在那儿。倒是去年，下来一个调查组，说是省里的，下来调查野猪数量，和对农民造成的损失。附近的村民跟遇着救星似的，跟调查组诉说野猪的罪恶。村子里的杨老太说得痛哭流涕，比过去忆苦时还要伤心。杨老太是个孤老婆子，一年的生计就靠着那二亩苞谷，可一夜之间那二亩苞谷全让野猪给拱了，杨老太的日子可咋过？调查组的人说，野猪糟蹋粮食，国家是给予补偿的，你们咋不向当地政府要求赔偿？陈响马疑惑地说，竟有这事？我们咋不知道！调查组的人说，野生动物保护法上有写的，你们应该找当地政府要求赔偿。再到镇上，陈响马就把调查组的话当令箭，跟镇上要赔偿，可被主管农业的副镇长多为民一句话就给堵了回来。多为民说，镇上工资都开不出来，哪有钱赔偿你们，谁糟蹋的让谁赔。陈响马不气馁，拿出了专门在书摊上买的《野生动物保护法》，指着自己专门画线的文字给多副镇长看。可多副镇长把纸片划拉到一边，说，你在瞎糊弄个啥，逗我玩呢。陈响马说，那你就跟吴镇长说说，允许我们成立一个捕猎队，给野猪清清苗，叫它们不再恁张狂。多副镇长说，你就打消这个主意吧，这犯法的事你也别指望镇长能帮你。

这一次，恐怕比以前好不了多少，可好不了也得去说，不说他们才不会当回事呢。这眼看就要秋收，又该是野猪成群结队下山的时候了，操心伤神的时候又到了。

穿过凤凰峪时，陈响马歇了会儿，他坐在一块条石上，倚靠一棵碗口粗的柿树。树上的柿子已经黄熟，一阵风吹来，吹落几颗熟透的柿子，砸在地上，柿子破裂，露出里面金黄的果肉。空气中弥漫着柿果甜蜜的味道，如同打开瓶盖的美酒，香味在秋天的阳光里流淌。

陈响马甩了甩胳膊，手上拎的十斤野猪肉坠得胳膊生疼。野猪肉是陈响马专门问张书臣要的。开始张书臣还舍不得，知道是给镇上领导送的，让人家帮助解决野猪的事，就同意了。陈响马缓过了劲，起身准备赶路，回头却发现野猪肉不见了，急忙四下里看，看见一头大狗正叼着猪肉往前跑，陈响马急忙站起来追，追到一排房子面前，狗才停下来，站在门前，看着陈响马汪汪叫。叫声引出来两个人，一个是女的，看看狗，又看看陈响马手里的棍子。陈响马指着狗面前的那块肉，两人似乎明白了是啥事，把肉还给了陈响马。那狗还是不依，追着陈响马跑了一段路，才折回去。

陈响马走了很远，还是忍不住回头看，他想不起来这里咋会突然有了一座房子，以前这里是没有的。还有那些人，明显是城里人，来这山旮旯里做啥子？那些房子，盖得很小巧，就跟积木似的，不像长久住的。陈响马一边想一边摇头，终于在晌午前赶到了镇上。

陈响马没有直接去镇长办公室，而是先去了镇长吴铁牛的家里。镇长是本地人，家就安在镇上。陈响马拎着已经清洗干净的野猪肉敲响了镇长家的门。果然，镇长不在家，镇长的媳妇和他们这些村主任都熟得很，一边让陈响马进来，一边责怪陈响马来了就来了，不该带着东西。陈响马就说，不是啥稀罕东西，就是山里的野猪肉，很新鲜的，就是想让镇长尝个鲜。陈响马在镇长家坐了一会儿，说自己还有别的事，就起身告辞。镇长媳妇嘴上说着慢走，身子却没动。陈响马在肚子里骂了句，十斤猪肉连两步路都换不来，恐怕这次真的要白跑了。

果不其然，下午见到了吴铁牛，吴镇长有些酒意，看人的目光都有些直。陈响马说，镇长，这几天野猪又下山了，这眼看就要收秋了，弄不成这庄稼又要让野猪给糟蹋了，你给想个办法吧。吴铁牛说，又是为这事，你来找我就不会说点别的事，整天野猪呀野猪呀，好像你这村主任不是管人的，是专管野猪的。陈响马说，野猪能让我管就好了，问题是它们不服我管。镇长打了个酒嗝，说，那有什么办法，我可是管人的，管不到野猪那边去。陈响马说，只要你答应就好了。吴铁牛说，答应啥？陈响马说，我以前跟你说过的，让我们成立一个猎捕队，给我们发几支猎枪，给野猪间间苗。吴铁牛说，你的手是不是又痒了？几年不打猎就急了，除了这个办法，你还有没有别的办法？陈响马说，没有了。吴铁牛说，那就算了，至于你刚才说的，以前我答应不了你，现在也答应不了你，将来也答应不了你。你是在让我犯法呢，还让我给你发猎枪，你当我是啥了，你当你们是啥了，亏你想得出。陈响马说，我也是没办法，这样下去，村里人的日子真是过不下去了，百十口人百十张嘴巴，现在很多村里人都住不下去，都到外面去了，啥原因，是野猪给撵走的，政府也不管，这不是把百姓往绝路上逼吗？还有，陈响马想了下说，现在村里人都设电网防野猪，弄不好就会出人命，这事不管真的不行了，一旦出了事谁负责？吴铁牛皱了眉头，说，当然是你负责。可能觉得自己的话过于严厉，吴铁牛软了声音，这野猪的事确实不像你说的那样简单，你说的情况我们也在逐级向上反映，你知道这野猪的事也不全由镇上管，捕杀不捕杀最终还是人家林业管理部门说了算，你让我给你发猎枪，我哪有那么大的权力。再等一下，办事总要有个过程。陈响马苦着脸说，这野猪可不等你们研究好了再下山呢！

话说到这个份上，似乎已经没有继续说下去的必要了。陈响马起身要走，但突然被吴铁牛喊住了。吴铁牛离开老板椅，对回过头的陈响马说，你就没有想想别的办法？陈响马说，还有啥办法，下套子、设电网这能想的全都想了。吴铁牛在屋子里转了个圈，说，你们就没有想过离开那个地方。离开哪？陈响马愣了愣，一时没有听明白吴镇长的话。我是说，你们就没有想到把村子搬出来，野猪林那地方山高路险，穷山恶水的，有个啥球待头！干脆搬到别的地方，平坦的地方，也不用整天跟上楼似的爬高上低了，也不用愁那啥野猪了。陈响马说，往哪儿搬？吴铁牛说，最近县里在搞一个新农村建设计划，就是把居住在生活环境恶劣地方的农民整体搬出来。我知道你们那里的情况，本来全县第一批没有你们村子的，我把你们的情况跟县里说了，尤其是遭野猪祸害的事，县里领导很重视，就把你们村子也列了进去，计划把你们村子作为第一批移民整体搬出去。陈响马吓了一跳，说，我咋不知道？吴铁牛说，这不正跟你说呢，这也是县上才定下来的，昨天我才接到通知，刚才只顾跟你说野猪，都差一点忘了跟你说这事，这下子不就解决问题了。陈响马说，那恐怕不成吧！野猪林虽然不好，可毕竟住了几辈子了，现在让搬走，村民们恐怕不一定愿意。吴铁牛说，这不都是为你们好，也是一个难得的机会，我先把信露给你，你回去先给乡亲们做做工作，就这么说了。

事情没解决成，却得着了这么条消息，陈响马有种吃了苍蝇的感觉，路都走得趺趺撞撞。这住了几辈子的地方，咋能说搬就搬呢，镇长他们不想着咋解决野猪的事，却想出来这样一个主意，乡亲们肯定不会答应的，这算球啥事儿，让野猪给撵得背井离乡，这野猪算是老大了！

三

王宗娃家的老母猪“花花”死了，是吃流产药死的。

那天回去后，王宗娃就按陈响马说的，去后山找了兽医王瘸子，向他讨要给猪打胎的药。王瘸子拎着箱子正准备出门，去给旧县村的一头老公猪做节育手术，听了王宗娃的话，王瘸子张大了嘴巴，说，我只听说给人流产的，没有听说过给猪流产的。王宗娃说，人猪不都是一样吗，咋能没有呢？王瘸子说，真的没有，我干这兽医几十年了，还是第一次听你说这事。王宗娃说，真的没有？王瘸子说，真的没有，给猪安胎的药我倒能给你找些。王宗娃有些生气了，说，我是要打胎的药，给猪打胎的药，我不要安胎的药。王瘸子说，那你到镇上兽医站去问问吧。

王宗娃又去了镇上，找到了兽医站，把自己的想法说了。接待他的是一个年轻女子，看着王宗娃，以为遇着变态狂了，趔着身子就要往外走。王宗娃以为她没听明白，把自己的想法和要求又说了一遍，并呈报了自己的地址，才使女子安静下来。可女子说，我们这里只有让母猪受孕的药，没有让母猪流产的药。王宗娃说，那不对吧，既然有让母猪受孕的药，咋能没让母猪流产的药呢？女子说，真的没有。王宗娃固执地说，那不会，你们一定有给猪流产的药，你就卖给我吧，很重要的，不然，将来让“花花”生一窝野猪崽可咋办？不行，我一定要让“花花”流产。王宗娃说着眼睛发红，又像一个变态狂了，女子又想着往外溜，可这次王宗娃守住了门口，女子说话的声音都变了调，女子说，真的没有，我们这儿真的没有。想了想，又说，我给你说个地方，城西吴家诊所，专门做打胎生意的，那儿人药兽药都卖，说不定他那儿有你要的药。

王宗娃跑了去，可人家也说没有，还把他当成了神经病，毫不客气地撵出来。王宗娃站在大街上，就傻了眼，总不能就这样回去吧，“花花”的问题还没有解决呢。王宗娃在大街上走着，就想到了陈响马的话，母猪跟婆娘不都是一样吗，王宗娃脑子一下子开了窍，去了计划生育辅导站，买了流产药，就回家了。

一个星期过去，“花花”还没有动静，药早已拌到猪食里，让“花花”吃光了，可那肚子仍是一天比一天大，每天在王宗娃面前示威似的晃来晃去，晃得王宗娃的头直发晕。王宗娃又去了后山，采了些专泻的红花药草，煮了拌在猪食里。又一个星期过去，“花花”一病不起，又过了几天，竟然一命呜呼了。

王宗娃就去找陈响马，要陈响马给他赔“花花”。

陈响马刚从地里回来，他在给苞谷地围栅栏。他也种了几亩的苞谷，牛粪饼似的散布在山坡上。现在苞谷穗子都戴了顶花，再有大半个月就能收了。可如果照顾不好，让野猪钻了进来，一晚上就毁完了。除了围栅栏，陈响马还在地边搭了棚子，准备晚上搬过来睡，山坡上像他这样的小棚子已有十多个，都是专门用来防野猪的。

陈响马看见王宗娃站在地边等他，就知道没好事，避开也来不及了，只好硬着头皮走过来。王宗娃的眼圈红红的，说，主任你赔我家“花花”。陈响马有些摸不着头脑，说，你说清楚点，你家“花花”又咋了，不是又让野猪给骑了？王宗娃的眼睛就红了，说，这次比上次更严重，“花花”没了。陈响马说，没了！王宗娃说，死了，“花花”死了。陈响马说，死了你找我干球，你让我赔个啥？王宗娃突然哇的一声哭了，边哭边说，“花花”死了，“花花”是你害死的。陈响马说，是我害死的，咋会是我害死的？总说些没头没脑的话。王宗娃说，你让我给它吃流产药，我就给它吃，它就吃死了，呜呜！陈响马吓了一跳，你真给老母猪吃流产药！王宗娃说，我按你说的去给它弄流产药，又去后山采了打胎的药草，它一吃就死了。陈响马说，我顺嘴说说，你就真去喂了，你这个苕货！王宗娃说，我不管，你得赔我家“花花”。陈响马说，我赔个球，你是个猪脑子，给猪吃打胎药，连这事都做得出来！王宗娃委屈地说，这不是你说的吗？陈响马没好气地说，我让你去死，你死不死，真是一个猪脑子！

两个人站在土坎边，吸着闷烟，草叶上的露水很重，把陈响马的衣服都给打湿了，风一吹还有些凉。陈响马说，死就死球了，免得生一窝野猪接着害人。王宗娃说，“花花”买来时都花了一千多呢。陈响马说，那你只能自认倒霉，找根还是去找野猪去，不是它骑了你家“花花”，哪还有这些事。

王宗娃就住了嘴，嗓子呼噜呼噜响，抽风机似的。

太阳从云层里艰难地爬出来，周围的一切瞬时明亮起来。阳光照射下的野猪林半卧在山脚，仿佛一个世外桃源。这样好的地方咋能说搬就搬呢？陈响马回来后，还没有把镇长的话跟乡亲们说。看着王宗娃，他突然说，让你重新找个地方去住，那地方没野猪祸害，还是平地，房子是政府给你盖的，你去不去？王宗娃说，啥？陈响马又重复了一遍，王宗娃这次听清楚了，说，你是说搬迁，我才不搬呢，“金窝银窝不如咱这穷窝”，说完了，看着陈响马，说，主任你咋想起说这？陈响马把镇长的意思大致说了。王宗娃说，看来是真的要搬，前一段我就听旧县、西河村那边说搬迁的事，还以为是说着玩的，看来是真的要搬迁呢！

两人说着话往村里走，路过陈大庆家的地边时，看见电网下边卧着一只兔子，睡着了一样。王宗娃手脚并用，爬下土坎，直奔兔子过去，就在他手要接触电网时，被陈响马拽住了。王宗娃指了指草丛里的兔子。陈响马说，我看见了，恐怕是电死的，说着找了一根干木棍，在电网上轻轻碰了下，立时闪出一溜火花，手上的棍子也被打得老远。陈响马揉了揉发麻的胳膊，说，陈大庆这个混蛋，天亮了也不知道把电闸合上，这白天上地干活，娃们上学，还有家畜乱跑的，碰上这电网还不要了命。说着，就对从边上经过的七喜说，快去喊陈大庆，叫那兔崽子来见我。

一会儿，陈大庆呼哧呼哧跑来了，说，村主任，你找我？陈响马说，你小子这电网天亮也不知道合闸，电住人咋办！陈大庆拍了下脑袋，说，昨天晚上打牌打得时间长了，早上一下子睡过了头，我这就回去关去。陈响马说，你小子还是快点把这电网撤了，弄不好要出人命的。陈大庆说，撤了，我这几亩地还不让野猪给糟蹋完了？陈响马说，你就不会晚上到地里看着，村里人不都是在地里看着庄稼。陈大庆搔了下脑袋，晚上要打牌呢。就知道打牌，打牌打牌早晚要打得你倾家荡产。陈响马说着伸过手要打，陈大庆抽身就跑，一边跑一边说，大爷，你给我弄支猎枪，我上山去打野猪，给村民除害，我就保证不打牌了。

王宗娃头上冒了一层冷汗，连说，好悬，好悬！陈响马说，我救了你一命，老母猪我就不赔你了。

王宗娃想了想，说，我一定要抓住那头红毛野猪，给“花花”报仇。

四

这天，陈响马正在地里看庄稼，听见后边传来啪啪的几声响，还没反应过来，感觉有个黑东西呼地从胯下飞过，几乎把自己撞个跟头。陈响马摇摇晃晃站稳身子，左右四下里看，原来是一头野猪从自己身边跑过，已经钻进前面的密林里。可野猪弄不了那么大的声响啊，陈响马正自纳闷，后面的树林里钻出来两个人，一人手里拿着一杆猎枪，枪口前指，慌里慌张就跑过来了。看见陈响马站在那儿，就说，看见了吗，看见了吗？陈响马说，看见啥？野猪啊，看见野猪了吗？

陈响马看着这两个人，穿着打扮和说话的语气明显是外地人，就是眼神里的慌张把他们弄得不那么尊贵。陈响马把始终朝向他的枪口抬起来，说，兄弟，平时拿枪不是这样拿的，应该是这样。陈响马说着做了个标准的持枪姿势。那人看了看陈响马，说，你会打猎！陈响马说，我爷会打，我爹也会打，我当然也会打；不过，很早政府就不让打了，猎枪都收起来了。说到这里，陈响马突然想起一个问题，说，你们是哪旮旯的？跑到这儿打猎，这可是违法的。那人说，我们有持枪证，在狩猎区打猎咋能说是违法的呢。陈响马端着那杆猎枪爱不释手，说，你这杆猎枪不错。那人说，当然了，虎头牌的，威力大，瞄准了，一枪就能结果一头大野猪。说着，忙四下里看，问，那野猪呢，我感觉好像是打住了，野猪呢？陈响马往前努努嘴说，早跑了，你不是打着野猪，是差一点打着我了，不是我反应快，早被你们当野猪打了。那人坚持说，不会的，我们打了那么多枪，应该有一枪打中的。

陈响马猫下身子，看了看野猪留下的脚印，说，你说对了，这头野猪是受伤了，不过不是你们打的，是以前的老伤，看它留下的蹄印，一边深一边浅的，一条腿应该是拐了，它不会跑远，应该就在前面那个林子里窝着。

那人说，看样子你真是一个老猎手，确实如你说的，这条野猪一条腿坏了，我们都追它半天了，不然我们也不会下恁大的本的。你领我们到前面去，这杆枪你拿着，看看你的枪法。

陈响马端着猎枪，眼睛忽一下子就明亮起来，脸上的肌肉也一下子绷紧了，久违的那种感觉又回来了。他说，那我就领你们去看看，这些个混蛋，这些年把我们给害苦了，不是收枪禁猎，我早把它们打发回老家了。

三人说着进了那片林子，是一片茂密的榛树林，地表覆盖着刺梅枝和苍耳草，崎岖难行，的确是个藏身的好地方。陈响马跟个鹰似的，各个器官都警觉起来，他对后面两人做着手势，示意他们安静。陈响马往前走了一段，抽了几下鼻子，在一丛葛藤前，他停下来，把枪给了那人，对着前面那片更茂密的葛叶丛，努了努嘴。那人端着枪还在犹豫，葛叶丛里一阵响动，那头野猪钻了出来，往山上奔去，野猪的一条腿果然是瘸的。

陈响马站起来，拍了拍手，说，多好的机会你们错过了。那人也自懊悔，说，你咋不直接开枪呢？陈响马说，那可不成，村民是不允许打猎的，我是村主任，更不能打。那人连说，可惜了，可惜了。就问，你咋知道那畜生藏在那葛叶丛里？陈响马说，我也说不上来，就是感觉。那人说，这话我听过，很多猎人都说过这样的话。

下了山，山路边停了一辆越野车，里面放了两只瘦小的野兔。陈响马突然就想到一个问题，说，你们不是偷猎的吧？正在上车的中年人说，啥偷猎，不是给你看过我们的持枪证了吗？我们这是名正言顺的打猎，可惜手艺不是太好。边上的人说，也不后悔，那头野猪如果真让我们给打死，得掏三千元呢。中年人说，也是，也是。唯独陈响马听得一头雾水，也有些听偏了，脖子梗了起来，说，啥三千，你打一头野猪我们得给你三千，我们哪有恁多钱，一亩地的苞谷才卖几个钱！想了想又说，这野猪是害人，你们打猎给我们除害，是帮我们，可也不能要那么贵呀，再说我们也没有请你们来打。陈响马的一席话把两人说得有些摸不着头脑，陈响马又嘟囔了几句，两人总算明白了陈响马的意思，捂住肚子笑了，说，不是问你们要钱，是我们给你们钱。陈响马仿佛是听错了，不相信地看着两个人。中年人说，是真的，在狩猎区都是这规定，打死野猪归你自己，但要出一笔费用。今儿没打中野猪，只弄了两只小兔子，这两只小兔子也花了上百元呢。陈响马说，啥叫狩猎区？那人见陈响马纠缠不清，就上了车子，扭过头对陈响马说，下个星期天我们还来，到时候我们来找你，帮我们打头野猪。陈响马说，你还没告诉我啥叫狩猎区呢？那人说，回去问你们镇长就知道了。话还未说完，车子轰隆一阵响，很快就没了影。

陈响马闷着头往回走，感觉这些天事太多，太稠，很多都是让人弄不懂的。像去找镇长反映野猪的事，镇长却说让野猪林村整体搬迁。还有刚才那人说的啥狩猎区，狩猎区是啥东西，为啥人家打野猪为民除害还要人家掏钱，人家贴了工夫还要贴财，这不是“老母牛卖×倒贴皮”。既然这样，干脆让村里人打算了，可为啥又不许村里人打？这些事太深奥了，想得陈响马脑仁疼，也没想出个所以然来。

到了村边，却看见村会计福前正满地打转，看见陈响马急忙迎了过来，说，主任，你上哪儿了，让我好找。陈响马说，有啥事？福前说，多副镇长来了，都在你家等一个小时了。陈响马说，他来干球，是不是又想吃野猪肉了，你没有安排去弄点？福前说，这野猪不让打，哪有新鲜的，只剩点腊肉了，杨老太太还舍不得拿出来。不过，这次看来好像真有事，不然他们等不着，早走了。陈响马说，他们都说些啥。福前说，他们没跟我说，一个劲催我快点找你，说有重要的事说呢！

陈响马进了家门，看见多大肚和县林业局宣传股麻股长正坐在堂屋里，还有两个不认识。陈响马上前敬烟，说，让各位领导久等了。多副镇长说，你跑球到哪儿了，是不欢迎咋的？让我们在这儿老等。陈响马连说不敢，不敢，把自己刚才的遭遇说了一遍。陈响马说，他们也叫打猎，那手艺，恐怕连个野鸡毛都逮不住的，他们还找我帮忙。多副镇长说，你给他们帮忙了，把野猪打死了！陈响马说，开始我也想着，这野猪太让人恨了，可举枪时，我还是犹豫了，让那头野猪跑了。多副镇长拍了下陈响马的肩膀，说，这就对了，我们这次来就是专门跟你说这事的。这野猪可不能打，国家有法的，《野生动物保护法》在那儿放着。前几天，县上专门为这开了会，研究建立保护野猪林自然保护区的事，自然保护区保护谁，当然是保护野猪了。会议专门发了文件，我给你带来了。多副镇长说着在包里一阵翻，翻出了一份红头文件，你看，上面说得多明白，一是野猪坚决不能打，要像保护眼珠子一样保护野猪。二是要加大宣传，让村民增加保护野猪的意识。第三点呢，多副镇长顿了一下，说，县上镇上准备对辖区内交通闭塞的村子实施整体搬迁，镇长给你说过的，叫啥，对，叫人给野猪腾空间。陈响马说，搬迁，真的要搬迁？多副镇长说，当然是真的，这么大的事谁跟你开玩笑！陈响马说，啥叫人给野猪腾空间？多副镇长说，就是人搬走，让野猪住下来。陈响马说，野猪成主人了，这野猪比人都金贵了，让人给它腾位置，他妈的想得美。多副镇长愣了一下，不知道陈响马是在骂野猪还是在骂他，脸色有些不对。陈响马忙补充说，我这是说给野猪听的。多副镇长的嘴难看地咧了咧，说，老陈你这就不对了，好歹你也是个基层干部，共产党员，认识要比村民觉悟高，可你这样说，往后还让我们咋做工作？陈响马说，你让我咋说，这野猪都要吃人了，要撵得我们背井离乡了。多副镇长说，现在不都是在讲和谐吗，人和野猪之间也要讲和谐。再说，建立自然保护区，让你们搬迁是市里县里的决定。陈响马撇撇嘴说，开始不是说是啥新农村建设才让我们搬迁吗，咋又成建立自然保护区了？多副镇长说，都是一码事，这叫一举两得，领导们考虑事都是多方面综合考虑的，有的还是经过专家论证的。像你们住的地方，专家们就说，叫不宜居住地，才决定让你们搬迁的，这不正好赶上新农村建设吗，正好市县要建立野猪林自然保护区吗？陈响马突然说，啥自然保护区，是不是就是狩猎区？多副镇长愣了下说，狩猎区，啥狩猎区，你听谁说的？陈响马说，今儿个听那两人说的，他们说咱这要建狩猎区。然后又疑惑地说，这一个是保护，一个是狩猎，似乎不是一回事吧？多副镇长忙说，你可别听人家瞎说，然后又指着边上坐着的麻股长说，麻股长今天带来了一些建立生态保护区和保护野猪的宣传资料，你现在就找人把它们贴到家家户户的墙上，还有标语，一家都不能少，你看安排谁去。陈响马说，等吃完饭让福前去吧。多副镇长说，事情完了我们就回去，不在这儿吃了。陈响马嘴角抖了下，说，啥话，这都晌午了，让你们饿着肚子回家，让人家戳我的脊梁骨呢。不过，咱这穷乡僻壤的，也没啥好吃东西，只能随便做点了。多副镇长说，随便点好。陈响马就回头问福前，宗娃是不是早上刚猎了一只兔子，你去要了来，看还有野猪肉没有，我家还有一只山鸡。然后转过来对多副镇长说，晌午咱们就来个红烧野兔，清蒸山鸡，野猪肉拌蘑菇，咋样？多副镇长说，好，都是野味。陈响马说，可惜野猪肉不新鲜，如果让打猎，我立马去给你弄一头新鲜的来，那肉才叫香呢！

五

陈响马从镇上回来，看见老伴站在自家的地前发呆，地里快成熟的苞谷大都趴在了地上，折断的，倒伏的，半熟的苞谷棒子滚得到处都是，仍挂在玉米秆子上的，也被野猪啃下了半拉，青色的苞谷壳外翻着，耷拉着脑袋，就像一个被强暴的女人。

陈响马头就嗡了一下，这野猪也真成精了，知道他去镇上办事要隔一晚上，鬼子似的就悄悄摸来了。

陈响马进到地里，巡视一下战场，顺手把被野猪踩倒的苞谷扶起来，把已经踩折的苞谷秆子清理出去。估摸一下，糟蹋的有一半多。陈响马把一根折断的苞谷秆子横端在眼前，对着远处的一个地方，嘴里模拟着扣动扳机的声音，枪响了，一头野猪应声倒地。

几个在地里干活的村里人围过来，陈大庆就说，主任，我让你围电网，你不围，这不，中了野猪的招了。你看我，电网一围，啥心都不用操，还怕它不来了。说实话，几天不吃野猪肉，嘴巴都淡得流清水。陈响马收起枪，看了看狼藉的庄稼，又看了看大庆，觉得自己还是不能掉链子，就说，你他妈少在我面前说风凉话。想了想又说，你那电网还是早些撤了，上次县上镇上来人宣传，不叫打野猪，不叫私设电网，你这让人家知道了，弄不好还要罚款进牢子呢。陈大庆说，球，不叫捕杀，把它们都养着，干啥？来糟践咱庄稼，哪世界的道理？管球它的！陈响马说，那可不行，今儿在会上，领导专门讲了这事，就是不能杀，要建保护区，要把这些野猪养得胖胖的，让人们来看，市里领导都来了，说得严肃得很。晚上，咱也要开个群众会，把上面要求保护野猪的事再跟大家说说。

考虑到晚上男劳力要到地里看护庄稼，陈响马只得把会议提前，吃过中午饭就在大喇叭里说了。可到了三点人还没聚齐，陈响马就让福前一家一户地去说，四点钟，人总算差不多了。陈响马清了清嗓子，把镇上会议的精神跟大家说了说，陈响马总结说，就是两件事，一个是保护野猪，县上来了大领导，说得很严肃，严肃到啥程度，陈响马指了指墙上用白灰刷出来的标语，就跟那上面说的一样，“打死野猪，血债血偿”，“打头野猪，罚款三千”，“私造枪支，坐牢一年”，这里面包括不让私设电网、下套子等，反正你把人家野猪弄死了就算违法。第二个事就是咱这旮旯要建立自然保护区，区内的人要搬迁，咱村也要搬，地方已经给咱找好了，那地方好，一马平川，连个石头蛋都没有，想栽个跟头都不行，咱搬过去就不用整天爬高上低了。还有，房子都是人家给造好的，汽车都能开到屋里，大家回去准备准备，县上说，过完这个年就要开始搬。

话还没说完，村民就嚷嚷开了。张书臣说，这建啥保护区，这是野猪撵人走哩，他娘的，这野猪也太欺负人了，糟蹋咱庄稼不说，现在干脆要把咱们撵走，这算啥事，主任，你给说说。陈响马说，我说个球，是上面这样说的，你去找上面问去。七喜说，我就是要去问一问，我们这地方咋了，谁说是害地方，这青山绿水的，哪儿找去。再说，住习惯了，我还不想搬哩。陈响马说，人挪活，树挪死，或许这也是一个好事。在这，这野猪整天闹得人不得安生，到那边去，就不用和这些畜生打交道了，也不用害怕野猪爬家猪了。陈响马说着看了眼站在边上的王宗娃，王宗娃鼻子哼了一声，嘴唇噘得能拴个老叫驴。

晚上，陈响马思忖着还去不去地里看庄稼了，以他的意思，那苞谷已经让野猪糟践得差不多了，干脆不管它算了。可老伴不同意，说，不去看，剩下的也会让野猪拱了，看你到时候喝西北风去。陈响马想想也是，夹着铺盖卷上地了。

十月的天气，不热也不冷，白亮亮的月亮挂在天上，照得地上银白银白的。露水很重，草地里的虫鸣也带着湿漉漉的味道。风吹过来，清凉的，温润的，携带着青草和庄稼成熟的气息。陈响马站在地头，看看天，又看看地，还有面前的庄稼，这么好的地方咋能让给野猪呢？想着不久就要离开这个地方，忍不住唏嘘慨叹起来。

晚上出来看庄稼的村里人很多，时间还早，一会儿就聚过来几个人，王宗娃，张书臣，七喜，还有杨兰英。杨兰英的丈夫在外地打工，没有人看护庄稼，又不忍心看着到嘴的粮食被野猪白白糟蹋，就自己夹着铺盖进了地。为了防备野猪，还有人，杨兰英手边放着把菜刀，磨得明晃晃的，让人看着心里就一颤一颤的。

张书臣看见了王宗娃，就说，你家"花花"真是吃流产药吃死的？王宗娃吸着烟，不吭声。张书臣说，你可真是，咋想起来给猪吃流产药，这猪又不是婆娘。说着自己忍不住笑了起来。坐在边上的杨兰英也笑了起来。王宗娃看了眼陈响马，说，你问村主任，还不是他给我出的主意。陈响马没好气地说，看看你那脑筋，就跟个榆木疙瘩似的，一点弯都不拐，我还不是随便说了句，你就当了真，叫你上茅坑淹死你去不去？王宗娃叹了口气说，我不也是没办法，想着"花花"给我下一窝野猪崽，我的头皮都发麻，实在没有别的办法，也只能那样做了，没想到"花花"连命都搭上了。那个红毛畜生，我一定要它血债血偿。

几个人呱嗒了一阵，就说到了搬迁的事。王宗娃说，主任，莫不是真要搬迁？陈响马说，那还有假，县上镇上开了会都定下的，下午不跟你们说了，你们那耳根子是做夜壶用的。王宗娃说，总觉得不像真的。陈响马鼻子哼了一声，说，那你这次听真了，我们真要搬迁。王宗娃说，我不想搬，这地儿住习惯了，"金窝银窝舍不下穷窝"。陈响马说，那有啥办法，咱这要建保护区，不搬不行的。张书臣突然说，我咋觉得有些不对头。陈响马说，咋不对头！张书臣说，我前些天进山，见有些人在盖房子，跟豆腐块一样的小房子，我去制止他们，可人家跟我说，这里建成狩猎区了，人家建房是县上镇上同意的。问他们为啥，他们说要建啥狩猎区，这狩猎区就是生态保护区么？好像有些不对的！

陈响马心里咯噔一下，他低着头，没有把自己也遇过打猎人的事说给大家听。

陈响马两半脑仁打了半夜的架，眼睛才闭上。懵懂之中，他看见成群的野猪从山上下来，有几千头，浩浩荡荡，跟支军队似的，把他们的村子给包围了。一头像是领头的红毛野猪站出来跟他们谈判，要村里人快点搬出去，把野猪林归还给野猪们。陈响马不同意，成群的野猪便鼓噪起来，大声地嚷嚷着，大意是要他们快点滚出去，如果不听劝告，它们就要实施强攻了。说着，那些野猪就把身子弓起来，身上的毛也竖起来，做出强攻的架势。陈响马吓出一身冷汗，一下子就醒了，他擦了擦额头上的汗,支起耳朵听了听,前面确实有声音,好像是从杨兰英那边发出的,声音凄厉,短促,陈响马一骨碌坐起来,倾身再听了听,确实是杨兰英的声音,尖厉,带着恐怖的呜咽声。陈响马抓起身边的钢叉就往那边跑,一边跑一边想着是咋回事,是有男人摸门了?听那声音不像。是遇着大牲口了?想到这里,陈响马的头发嗖地就直起来了,这一带近来常发现狼、豹子、豺狗,莫不是遇上它们了。陈响马的手心出了汗,不到五分钟就赶了过去。可到了眼前,虽是见过些世面,也被面前的景象给吓坏了,只见十几头野猪围着杨兰英嗷嗷叫着,杨兰英手里举着火把,疯了似的挥舞着,围在身边的野猪不时后退,然后又逼上来。边上的苞谷地里,则传来苞谷秆子被踩断的咔嚓咔嚓声,间或有头野猪从地里冲出来,奔向附近的地里。陈响马抹了抹头上的冷汗,回过头,看见张书臣和王宗娃他们也过来了,可他们似乎也被面前的景象给吓坏了。陈响马说,还傻站个球,快去帮她啊,别让野猪把她给撕了。陈响马说着哦的一声冲了过去,把钢叉朝最近的一头野猪叉去,在野猪的屁股上叉出一个窟窿,野猪尖叫一声跑开了。趁着野猪们犯愣的瞬间,几个人冲过去,把杨兰英拉出来,可没等他们离开,野猪又成扇形围了过来,陈响马挥舞着手里的钢叉,嘴里骂着,这些扁毛畜生是要翻天了呢,不给它们点颜色看看,还真把我们当病猫了。说着把钢叉向一头野猪叉去,可这次叉到了野猪背上,钢叉打了个滑,落到一边。没有枪,野猪们似乎一点也不怕他们,越逼越近。陈响马说,快点火把。王宗娃这才想起掖在腰上的火把,点燃了,朝野猪的身上扫去,一头野猪的毛被烧着了,号叫着跳到一边,但其他的野猪还在嗷嗷叫着往前逼。陈响马左右看了看,忙说,进棚子,快进棚子。几个人架着杨兰英,边战边退,钻进了棚子。

站在棚子里,几个人跟做梦一样相互看着,有些不相信眼前的事是真的,可外边的野猪却在告诉他们不是在做梦。陈响马说,这些野猪是不是疯了,连人都攻击。几个人都没有说话,有些傻愣愣的,脑子似乎还没有转过来。陈响马有些急,说,傻站个球,快点火把,别让火把灭了,灭了就麻烦了。可王宗娃说,火把快烧完了。陈响马看了看左右,说,拆棚子,能燃着的,都点上。几个人急忙拽棚子的苞谷秆,燃着了,丢到棚子外,野猪看见火,稍稍退远一点,可火一着完,它们又围了上来。

咋办,这时候,几个人都有些害怕了,连陈响马也有些害怕了。他活这大半辈子还没遇到过这种事,当猎人那阵,只知道这野猪看见自己没命地跑,只恨爹妈少给自己生两条腿,从没有见过它们敢围攻人。更让他想不到的是,这山里的野猪竟然会这么多,比他想象的要多多了,就跟自己梦里梦到的差不多,足有上千头。看着七喜他们惊慌的眼神,陈响马也没了主意,他说,还有柴草没?七喜说,只剩下些木棍子了。陈响马看了看棚子,蒙在棚子上的柴草被拽光了,只剩下些木棍子在支撑着,他们站在四壁露风的棚子里,就跟剥光了衣服站在大街上一样。外面,那些野猪还不远不近地站着,敲锣打鼓地鼓噪着。地里,苞谷秆子被踩倒的声音不时传

过来，他妈的，要是有杆猎枪多好，他保准一枪一个，杀它们个片甲不留。他下意识地把手里的钢叉端起来，可又放下了。

这野猪分明是不让咱们走呢，它们把咱困在这里，好让别的野猪吃庄稼，这些畜生简直是成了精了。张书臣说，我看过了，它们不断交换，轮流站岗。王宗娃说，比人都能了，再不收拾它们，恐怕真要把咱们给撵走了。一边骂着，手在身上掏烟，却摸出一挂鞭炮。王宗娃看着鞭炮，笑了，这一慌张，咋把这东西给忘了，这东西对付野猪最有效，噼里啪啦的，跟机关枪一样。说着，就把鞭炮点燃，朝野猪身上扔过去。野猪受了惊吓，这才退散开去。

早上，几个起得早的村民看见糊得看不出人样的陈响马他们傻傻地坐在四面漏风的棚子里，还有面前乱七八糟的苞谷秆子，就有些奇怪，说，你们这是咋了？陈响马站起来，拍了拍屁股上的灰土，说，咋了，差一点让野猪给吃了。村民们又看了看其他几个人，几乎都是一个样子，说，昨天晚上我好像听见这边呼天抢地的，还以为是做梦呢，原来是你们在这折腾呢。陈响马白了一眼说话的人，不是我们折腾，是野猪折腾。想了下又说，听到了你们也不来看看，等你们家明年种了苞谷，你也等着野猪来帮你家忙吧。村里人说，看把你们弄成这样，有多少头野猪？王宗娃把手在脸上抹了抹，多少，一百多头，把我们给包围了，差点都要了我们的命，这些野猪一定是疯了！

六

王宗娃来找陈响马，说要借他的枪，把陈响马吓了一跳。

陈响马正在跟镇长汇报工作，王宗娃旁若无人地走进来，说，村主任，你出来，我找你说个事。

陈响马看了看镇长，又看了看王宗娃，王宗娃执拗地站着，一副不达目的不罢休的样子。陈响马只好跟着王宗娃走到外面。王宗娃说，我看见那头红毛野猪了。陈响马说，啊！王宗娃说，早上我起来，看见它站在我家后面的土梁上，对着猪圈叫，它以为“花花”还在呢，我说过我要打死它，为“花花”报仇。陈响马还是有些不明白王宗娃为啥来找他，就说，那你去打呀，打死它给“花花”报仇。王宗娃说，村主任，我想跟你借枪。陈响马差一点没从地上蹦起来，四下里看了看，说，你说啥，借枪，我哪儿有枪？枪都交人家公安了，你又不是不知道。王宗娃说，我知道你家有杆猎枪，是你祖上传下来的，你上缴的只是一杆土枪，我知道。陈响马看着王宗娃，目光有些狐疑和冷漠。王宗娃说，村主任，你放心，我借枪只是为了打那头野猪，这野猪把咱村折腾惨了，把我也折腾惨了，再不教训它们真要把我们撕吃了。你不知道，从那天晚上过来，杨兰英就不正常了，看见猪就大惊小叫，把七喜家刚下的一窝小猪崽都给砍死了，这都是野猪惹的祸。可没有枪，我只能看着它从我眼皮子底下跑掉。陈响马说，宗娃，你这是在把我往悬崖上逼呢。王宗娃拍了下胸脯，说，你放心，我不会把你家有猎枪的事说给别人的，十来年我没跟别人说，以后我也不会给别人说。陈响马说，可你拿着枪明火执仗地去打野猪，村里人哪个不长眼睛，传到派出所那儿，还会有个好！王宗娃说，主任，我都想好了，一旦让人家知道了，我就说那杆猎枪是我的，我已经给你准备了一千元钱，枪让人家收了，我就赔你一千元钱，我知道你那杆猎枪可能不止值一千元钱，可我能拿出的就这点钱了。陈响马顿了顿，说，你一定要借枪？王宗娃说，我一定要借，我一定要打死那头红毛野猪，我恨死它了！

陈响马把一束狗尾草咬碎，吐出一嘴绿汁，然后说，那你晚上到我家来。

陈响马恹恹回到屋子里，镇长一脸不高兴，啥事去恁长时间，那人是谁，没一点礼貌，没看咱们正在说事吗？陈响马说，他就是我给你说过的王宗娃，他家的老母猪让野猪给骑了，后来猪也死了，他就来找村里，让村里赔他损失，黏缠得不得了。镇长秘书说，这些野猪也过分了点，竟然跑来和家猪搞关系，真是得管管了。镇长看了眼秘书，秘书不说话了。陈响马接着秘书的话说，可不是，村民都气愤得不得了，你们不知道这野猪多猖狂，上个星期，从山上下来一百多头野猪，把我们给围住了，那样子就跟要吃人似的。庄稼就更不用说，几乎被它们糟蹋光了，人看护着都不行。镇长的眼里闪了亮，说，真有那么多？陈响马说，当然是真的，这野猪跟老鼠似的，一窝能生十几个，你想想，一年这山上要生多少小野猪，还不跟老鼠一样，泛滥了！真是该给它们剔剔苗了。这人都搞计划生育，野猪也得跟它们搞搞计划生育。镇长摆摆手，说，以后不要再跟我提打野猪的事，现在说的是保护野猪，不但不能打，还要把他们养得胖胖的。至于村民的反映，以后也不要说了，村子马上就要搬迁，你们马上就要成为新农村建设的受益者了。说到这里，镇长看着陈响马，这些天村民的工作做得咋样了？陈响马说，村民都不愿意搬，说住习惯了，不想搬。镇长的脸色有些不好看，说，不想搬，你这工作是咋做的？这么好的事村民咋能不想搬呢？一定是你们的工作没有做到位，没把道理跟大家讲清楚。陈响马想到那个一直淤积在心底的疑问，就说，村民们有些反映，说不是为了让他们住上好地方，也不是为了建生态保护区，是要建狩猎区。建这狩猎区，也不是县里建的，是广州那边的一个叫猎杀公司来……话还没说完，镇长就拍了桌子，你听谁说的，是谁在造谣？陈响马说，大家都在这样说。吴镇长霍地站起来，说，这些话都是别有用心的人在造谣生事，这是市县定下的项目，是建立生态保护区，是保护野生动物，让你们搬，也是为你们好，非要住在这兔子都不愿待的地方。陈响马忙说，镇长你这下可说错了，我们这里兔子多得很，兔子最喜欢住这里了。吴镇长看着陈响马，嘴角难看地咧了下，说，不管咋说，一定要搬，时间就在那儿放着，村民的工作还由你们村委来做，到时候出了问题你陈响马提头来见。镇长说完，中午饭也没吃，坐车走了。

提个野猪头来见呢！陈响马看着镇长的车在山路上消失，咕哝着说。

七

王宗娃在枪里装了霰弹，带了口粮，弯刀，上了牛尾山。

王宗娃对这一带的地形很熟悉，以前跟着陈响马打猎，沟沟壑壑的都跑遍了。即使不让打猎后，偷闲时也上牛尾山下个套子，布个陷阱逮个兔子野鸡啥的，打打牙祭。所以，他熟悉牛尾山，也知道野猪的习性和聚集地。王宗娃就直奔牛尾山后的十二道沟。

十二道沟地处牛尾山的阴坡，位置偏僻，沟大林深，人迹罕至，根本就没有一条正路，相互交错的十二道沟把这里弄得如同一个迷宫，外面进来的人，不找当地人做向导，很难出去。位置的偏僻，使这一带成了很多野生动物的乐园，一些平时很少见的动物在这里也能看到，像豹子、狼、獐子、獾子等，至于野猪、野羊几乎就是成群结队在林子里出没。王宗娃想，那头成了精的红毛野猪一定就藏在十二道沟里。

王宗娃披荆斩棘，艰难行进。算了算，这深山里面恐怕也有四五年没有进来了，那些栒树，榛树，柏树犬牙交错，错落有致。地表，那些喜欢顺地爬的藤蔓植物把手脚尽情舒展开来，肆意躺在地上，在它的身子下面，胳肘弯里，风铃草和羽衣草开着一朵朵粉红色、紫色的小花。茅草、锯齿草的叶片像一把把柳叶刀，把王宗娃裸露的皮肤划得一道一道的。还有野山枣树，山里果树，仿佛好客的主人似的，牵着人的衣襟不让走。山坡上的草很密、很厚，不时有兔子从脚下跳出来，吓人一跳，使人觉得是不是踩着它们了。它们跳开后，并不走远，而是站在前面不远的某个地方，两只红红的眼睛盯着你看。王宗娃晃了晃手里的猎枪，可它们似乎对那种叫猎枪的东西已经不认识了，只是眨了眨眼睛，直到人走近，它们才蹦跳着，没入草丛里。

路上还遇到一只獾子，它们几乎是一样的表情。在小河湾的地方，他还遇到一只獐子在水边喝水，离得那样近，他端起猎枪，可想了想，还是把枪放下了。

已经过了六道沟，可除了见到几只小野猪外，几乎没有见到大野猪的影子。王宗娃有些累，毕竟有些年没有爬山了，他坐在岩石上，揉搓发困发麻的脚腕。解开衣扣，让山风把身子吹清凉些。大山歇息了似的沉静，空气中弥漫着野果成熟的清香。已近中午，如果再往里面走，晚上肯定赶不回来的，他就只能在山上过夜。犹豫了一阵，他决定还是继续往前走。

在枫垭口，他发现了一个窝，里面有一窝野猪崽，数了数，竟然有十五只小野猪，还不到一个月大，可已经有野猪的凶狠和蛮劲了。王宗娃拨拉它们时甚至被一个野猪崽咬了一下。他抓起小野猪，就想摔到地上，把它们一个一个摔成肉饼，看它们以后长大了还咋害人。可他很快就改变了主意，他离开了窝，找了一个隐蔽的地方，架好枪，等待老野猪回来。

半个小时后，草丛里一阵响，一头野猪出现在面前。王宗娃有些失望，不是那头红毛野猪。野猪的到来，引起窝里小野猪的一阵骚动，小猪崽们从窝里爬出来，向大野猪跑去，跑得东倒西歪。王宗娃把枪口又瞄了瞄，野猪就在他的准星中央，他相信只要他一扣扳机，那头野猪就会立刻毙命。可他还是放弃了，他对自己说，我找的是那头红毛野猪，这个不是红毛野猪。再说，它还有一窝崽呢，如果老野猪死了，那些小野猪肯定活不成了。山里人打猎有个规矩，不打怀孕的野物，不打带崽的野物，虽然自己现在不算一个真正的猎人，可这规矩还是要遵守的，他不能做造孽的事。

王宗娃离开枫垭口，跑了大半天，也没有见到红毛野猪的影子，连其他的野猪也没有遇到几只，更不用说那天晚上成群结队的野猪群了。野猪都到哪里去了？他想，是不是自己的思路出了问题？这样一想，脑子仿佛闪开了一条缝，是啊，现在快到秋收季节，野猪们都急着找食呢，它们咋还会待在这深山里呢，它们肯定从深山里跑出来，就藏在离庄稼地不远的地方，昼伏夜出。等晚上一到，它们就会跟强盗一样，成群结队出来掠食庄稼，肯定是这样的。

王宗娃吃了点干粮，沿着来路往回走，专往山脚下有苞谷地和红薯地的林子里钻，这一下还真找对了，他开始看到三三两两的野猪在林子里游荡。他尽量避开它们，他知道，这些野猪也不是好惹的，惹毛了会和人拼命的，他只有一杆猎枪。再说，他要找的是红毛野猪，是那头害得“花花”死于非命的红毛野猪。

到了下午五点多，王宗娃有些走不动了，他靠在一块岩石上，吃了点干粮，喝了点水，阳光暖暖地晒着，风缓缓吹过来，树林中，山鹊子不时翘起长长的尾巴，长一声短一声地叫着，仿佛是催眠曲。他有些困，头靠在石头上，想稍眯一会儿，可眼睛一闭上，竟然睡了过去。

他是被一阵浓重的咻咻声惊醒的，他一下子醒过来，抓起靠在怀里的猎枪，目光往前面望去，只见一块高起的岩石上，一头野猪站在上面，居高临下地看着他。没错，就是那头红毛野猪，王宗娃的心一阵惊慌，手也有些哆嗦，连枪也拿不稳了。他深深吸了口气，目光迎着红毛野猪，野猪也看着他，目光里似乎有些调戏的味道。王宗娃骂了句，你这个畜生，还敢笑话我，今天就是你的死期了。他稳定一下情绪，把枪端起来，可前面已经不见野猪的影子。王宗娃放下枪，往那边看了看，岩石上空空的，红毛野猪已经走掉了。

王宗娃收起猎枪，他知道，今天他们已经接上招了，他从那头野猪的眼里看出来，它一定知道他是在专门找它了。他们之间的战争才刚刚开始。

八

早上起来，陈响马的左眼就咚咚跳个不停，陈响马的心里正自忐忑着，西边福禄家传来一阵阵哭声，村里人都闹哄哄地往福禄家拥去。陈响马拉住七喜，问，咋了，出啥事了？七喜说，不得了，出大事了，福禄家的小孩石蛋子死了。陈响马的心里一震，忙问，咋死了？七喜说，咋死了，让电野猪的电网给电死了。

陈响马最担心的事还是发生了，事儿就出在陈大庆的电网上。

原来，早上福禄两口子等石蛋子放早学回来吃饭，左等不见影，右等不见影，两口子就着了急，问别的孩子，都说没见到。也有的孩子说，回来走着走着就没影了。福禄两口子就沿着孩子们上学的路往前找，一直找到学校，也没见孩子的影子。福禄就又去问村里的孩子，张书臣的孙女丫蛋说，我们回来时看见石蛋沿着村边的那条小道往北去了，也不知道他是去干啥的，我们还喊过他几声呢。问是哪条道。丫蛋说，就是往大庆叔那片地的路上去的。福禄两口子的心抖了下，急忙往陈大庆家的苞谷地跑去。到了那里，人一下子就瘫了，石蛋就躺在铁丝网下面，胳膊焦黑。铁丝网上挂了一只兔子，在风中荡来荡去。

陈大庆也来了，眼睛还肿着，一定是昨天晚上打牌熬的。他看着躺在地上的孩子，也傻眼了。

福禄就这一个儿子，福禄媳妇春粉都哭晕过去了，捶胸跺足的，扑到陈大庆的身上，要陈大庆赔她的孩子。陈大庆跟个傻子一样，任凭春粉撕扯他的衣服，抓他的脸，连动都没动。

围在边上的村民开始埋怨陈大庆，不该只顾玩牌，早上连电闸也不关。然后又埋怨到野猪身上，都是这些该死的野猪，折腾得人不得安生，现在连人命都闹出来了。这一切都是野猪的错，如果没有这些野猪，就不会发生这么多事了。

陈响马没有立即到现场去，也没有让人劝开福禄夫妇。出这样的大事，不让他们哭，不让他们闹，不让他们发泄是不行的。陈响马解决这样的问题，有自己独特的办法，他提前把福前找来，福前是福禄的哥哥，福禄啥事都听他哥哥的，他得让福前帮他把阵脚稳住。

福前进来时，眼窝里也汪着一窝泪。两个人蹲在门前的土坎上，陈响马说，出了这事，你们咋办？福前带着哭腔说，咋办，一命偿一命，告他让他偿命。陈响马递给福前一支烟，说，这你可得想清楚了，这事至多是个过失罪，根本说不到一命偿一命，至多就是坐几年牢。福前说，那就让他坐牢。陈响马说，他坐牢你们能得着个啥？都是一个村子的，平时你们和大庆家关系也不错，出这事也是偶然，还不都是为了对付野猪。现在孩子已经没了，你即使让他坐牢能起个啥作用？福前吸了口烟，说，那这孩子就这样白死了？陈响马说，你听我把话说完，我有个想法，你看合适不，让大庆赔个几万元钱给你弟弟，不管咋说，赔点钱总算自己落下了。如果告了官，大庆去坐了牢，这俗话说，打了不罚，罚了不打，福禄家连一分钱也得不着。大庆去坐了牢，过几年后还是要回来的，还是要做邻居的，还是要低头不见抬头见的，到时都弄得心里跟揣个酸菜疙瘩似的，多难受呢！

当然，陈响马跟福前这样说，有更深层次的考虑，可他没说出来，那就是，如果告了官，野猪林围捕野猪的事让上面知道了，而且因此死了人，镇上县上一定会来追究村委的责任的。陈响马并不在乎他的这个村主任官帽，他只是不想招惹麻烦，尤其是现在这个节骨眼上。

福前低头不说话，目光盯着面前的几只小蚂蚁，手里的小木棍把蚂蚁拨过来拨过去，蚂蚁们惊慌失措，择路而逃，但就是逃不出棍子划定的范围。

陈响马继续说，这归根到底都是让野猪给闹的，这设电网下套子谁家都干过，去年福禄设下的套子还把人家七喜的脚给夹住了，差一点把脚踝给弄断了。那事人家七喜就处理得好，只是让福禄出了点医药费，象征性地赔几个小钱。我在想，等这个事过后，咱们村委得议一议，这套子、电网不能再设了，隐患太大了。福前却说，那野猪咋办，庄稼咋办？那不等于把庄稼送给野猪吃呢。陈响马闷了一会儿，摇摇头，说，我也不知道，说实在的，这些年我还没有遇到过这么麻烦的事呢！

福前站起身，陈响马目光迎着福前，说，我刚才说的你是咋想的？福前说，我回去跟福禄说。陈响马说，那好，大庆这边由我去说。不过，你们放心，一定要让这小子多出点血，叫他赔个倾家荡产，看他以后还去赌不！

事情竟是出奇的顺利。福禄夫妇同意陈大庆赔他们五万元钱。开始，陈大庆还不愿意出那么多钱，只愿出四万。陈响马不跟他纠缠，只是说，一边是五万元钱，一边是坐牢，你自己想，想好了来找我，明天早上前没信，福禄家就去派出所报案。陈大庆想了一个晚上，同意了赔偿数额。

陈响马嘘出一口气，总算没有报案，顺利解决了。陈响马按照自己的想法召集了村委和几个小组长，还有几个德高望重的老人，跟他们商量禁止私设电网和下套子的事。可一开始，大家的想法就跟那天福前的说法一样，这不让设电网，下套子，那野猪还不翻了天，这庄稼干脆送给它们吃了得了，人喝西北风去。陈响马搔了搔头皮，说，这已经出了一起事了，再出事可咋办？张书臣说，这都怪陈大庆他自己，早上早些把电闸合了就不会出这样的事了，他一坐到赌桌上就跟迷了似的，不出这事才怪呢。陈响马说，那也不一定，我前些天还听车村出这样一个事：一个在外打工的村民回家，想抄近路，当他从一块地里穿过时，被电死了。张书臣不说话了。陈响马接着说，这人带腿的，晚上出来找个牲畜，或者查看庄稼，都容易出危险，最根本的办法就是不能再私设电网了。再说，这事让上面知道，可不得了。张书臣说，那庄稼咋办，你有啥好办法，我们就把电网撤了。陈响马老实地说，我暂时也没有办法，给上面打过报告，可人家一直不管。张书臣说，要不咱们再试一试，干脆来个全村人联名上书，全村人都在请愿书上签字，然后到县里去，这样能把动静闹大些，或许就把问题解决了。坐在一边的福前说，我看恐怕悬，人家在动员咱们搬迁，还要保护野猪，咱们想让人家打野猪，这都合不到一个拍子上，人家会愿意？张书臣说，谁搬？我是不搬，恐怕村里大多数都不会搬。不搬，就还要解决野猪的事，咱顺便把村里人不想搬迁的事也写上去，让他们知道知道。陈响马忙说，搬迁的事就先不说了，至于说请愿书的事，就按你说的办，反正是死马当成活马医，我这次去找县长，看他们能不能给个说法。

陈响马把联名上书的事交给张书臣去办。张书臣过去是民办教师，后来民办教师清退，他就回家种地了。张书臣写好了请愿书，挨家挨户让村民都签了字，字是红笔写的，密密麻麻，红刷刷的，一片血一样，很吸引人的眼球。

全部弄好后，陈响马带着联名上书的材料去了县上，直接把请愿书给了县长。

三天后，镇上来电话通知陈响马到镇上去开会，陈响马心里有些忐忑，是不是请愿书起作用了，就硬着头皮去了镇上。

到了镇上，却没见一个村主任，问秘书，秘书说，没听说开会呀。陈响马就有些发毛，秘书看了看陈响马，突然说，吴镇长正找你呢，你去镇长办公室吧。陈响马进了镇长办公室，吴镇长坐在老板椅上，屁股都没抬。陈响马感觉气氛不对，就没话找话说，不是开会吗？吴镇长看了他一眼，说，开会，今天就给你一个人开会。陈响马脸上堆着笑，想以笑容来化解镇长的怒气。可吴镇长只是冷冷地看着他，突然从抽屉里拽出一沓子纸片扔到陈响马的面前，正是他们的请愿书。镇长指着请愿书说，你竟然把状告到县里了，你陈响马的能耐是越来越大了。陈响马看着可怜巴巴躺在地上的纸片，说，我们不是告状，我们只是在反映问题。吴镇长说，这镇上都盛不下你了，非要到县上，显着你能耐是不？陈响马哭丧着脸说，镇上我们反映过多少次了，可谁给我们解决？镇长撇了撇嘴，你以为你反映到县上，县上就能给你解决吗？我都不知道你们脑子里整天都在想些什么，跟你们说过多少次了，你们村子要搬迁，整体外迁，为啥外迁？就是要建立野生动物保护区。保护谁？当然是保护野猪，还有其他野生动物，可你们却要让县里帮你们打野猪，你们这脑子是不是进水了，短路了，这车咋净往岔道上开呀？今天我就犯个错，让你看看县领导是咋批的。陈响马捡起请愿书，只见眉头上写了一行字，"野猪林村要搬迁，不再考虑捕猎野猪一事，请当地乡镇做好搬迁移民的思想工作，争取早日搬迁。"陈响马放下请愿书说，村民们都不愿意搬迁，才写这封请愿书的。镇长抬起头，不愿搬，为啥不愿搬？这么好的事为啥不愿搬迁，一定是你们的工作没有做好。今儿我也给你丢句见底的话，这次搬迁事关大局，是县上统一组织的，可由不得你们说了算。陈响马说，村民们也不懂得啥大局，他们没有考虑过搬迁的事，他们说他们住得好好的，如果把野猪打跑就更好了，他们考虑的是打野猪的事。镇长厉声说，不要再跟我提打野猪的事，这野猪坚决不能打，打完了还建啥保护区，保护你们了？陈响马听着这话有些生气，我们就是没有野猪有福气，野猪有生存权，我们就没有生存权了？如果没有人管，村民们就只好自己想办法了。

说完，把请愿书往兜里一塞，气呼呼地离开了，后面秘书喊他的声音都没有听到。

九

王宗娃最终把那头红毛野猪打死了。他把红毛野猪扛回村里时，脸上满是血污，浑身褴褛，头发蓬乱，灰土和树叶挂满全身。村里人都认不出他的样子了。

王宗娃是在出门一个星期后才回来的。

那的确是一头老得成了精的狡猾的野猪，王宗娃利用一天的时间和它周旋，两天的时间寻找它的踪迹，三天时间寻找它的活动规律，最后一天，才打了一个伏击，把它干掉了。一个星期的时间，搁在以前，王宗娃家的野物恐怕要把院子堆满了。

第一次接触后，王宗娃已经意识到，他的这个对头不是一头简单的野猪。他为第二次出行做好了充分准备，准备了一个星期的干粮和水，又向陈响马多要了些子弹。还从以前的猎具中翻出一把生锈的猎刀，在磨刀石上磨得锋利，然后插在绑腿上，这才上了路。临走时，王宗娃对陈响马说，不打死那头狗日的野猪，我就住山上不回来了。

王宗娃按照上次的经验调整了策略，不再往深山里跑，专拣有庄稼的地方走。他认准一个理，这个季节是庄稼成熟的季节，野猪是不会待在窝里睡大觉的。

王宗娃在上次遇到野猪的地方转了一天，也没有见到野猪的影子，但他并没有离开，直觉告诉他，那头红毛野猪就在附近，说不定就在不远的一处草丛里观察他呢。想到这里，王宗娃尽量把自己的身子隐起来，在草丛里穿行。第二天下午，他终于发现了那头红毛野猪，它领着一群野猪正往另一个地方迁移。王宗娃搭眼往那边看，那里有一大块苞谷地和红薯地，看来它们已锁定了新的目标，准备发动新的袭击。

王宗娃的到来，似乎引起红毛野猪的警觉，它开始远离它的队伍，往山里跑去，几只跟在它后面的小野猪，也被它无情地轰走了。王宗娃潜伏在草丛里，观察着野猪的举动，只觉得心惊，它一定是察觉了。王宗娃跟在红毛野猪的后面，几次举枪瞄准，但野猪始终在树林和岩石间穿行，大半个身子被遮住了，影响了射击角度的选择。王宗娃只能跟在它的后面，在山林间穿行，这一跑就跑了两天，愣是连放枪的机会都没有找到。

这样下去肯定不行。第三天晚上，王宗娃在跟到一个他曾经蹲守过的地方时，才恍然大悟，这个畜生领着他在山旮旯里兜圈圈呢，可它始终没有远离它的队伍，就在方圆五公里的范围内活动。王宗娃再仔细查看，又发现几处自己蹲守过的痕迹，这个王八蛋，它是想把我拖垮呢。王宗娃骂了几句，开始考虑下一步的行动，肯定是不能再跟着它兜圈子了，再跑下去自己真要垮了，这几天他已经感觉身体有些吃不消了，自己只有两条腿，咋能跑过野猪的四条腿呢，野猪恐怕就是在跟他打游击战、消耗战呢。他要改变策略，他跟着红毛野猪又转了两圈，在每个经过的地方做上记号，渐渐地，野猪的行踪路线已在王宗娃的脑子里成形了。王八蛋，你再能也还是一个畜生，还能能过人去，你就等着死吧！

王宗娃不再跟着野猪瞎跑了，他好好歇了半天，养足了精神，然后在一个早已观察好的野猪必经之地隐蔽下来。这个地方，往下可以看到成群的野猪在山坡上嬉戏；往前，是一道相对光秃的山坡，野猪过来时，连藏身的地方都没有，确是个打伏击的好地方。

王宗娃稍眯了一会儿，太阳已经升到了头顶，树荫下的草丛里溽热难耐。一只野鸡在前面草丛里探头张望，被蟋蟀的叫声惊动了，呼啦一声飞起来，一头扎到另一处草丛里，不见了踪影。

那头红毛野猪终于出现了，它看上去很轻松，它一定认为把跟踪自己的那个人拖垮了，拖没影了。它甚至龇起长长的嘴，狼似的，对着天空号叫几声，把身子在一棵老树上用劲蹭，又在地上打了几个滚，才往这边的空地走来。走到山坡的中间，它突然站住了，鼻子警觉地抽动着，四下里嗅，就在它抽身想逃离这个危险的地方时，枪响了，野猪的身子往后退了半步，重重跌坐在地上。它努力支起前腿，想站起来，但身子只是动了动，重新歪倒在地。

子弹是从野猪的眉心洞穿而过的，王宗娃抹了抹额头上的汗水，有些庆幸，这么多年没有打猎了，手艺还没有落下。如果刚才一击不中，那就麻烦了，野猪的性子烈，它一定会冲上来和自己拼命的，那时候，真正倒下的说不定是谁了。

王宗娃决定把野猪扛回去，他要让它在村人面前为自己的罪行赎罪。野猪足有一百斤，扛了半里地他已累得喘不上气来。他砍了些树枝，用藤条缠了，做成一个简单的爬犁，把野猪放在上面，下山时拉着走，省了不少力气。上坡的时候，就弃了爬犁，把野猪扛在肩上。野猪的脑袋在他的头边摆来摆去，仿佛是在向他抗议。王宗娃说，抗议你娘那个脚，你们这些王八蛋害得老子不得安生，还把我家“花花”害死了，你还冤屈呢。野猪不说话，继续把它头上的血蹭到王宗娃的脸上、脖子上、衣服上。王宗娃嘴里骂骂咧咧的，妈那个脚，死了还要溅老子一身血污，真是成了精了。

过一片构树林时，王宗娃遇到了两个人，那两个人被眼前突然出现的满身血污的东西吓了一跳，还以为是野猪跳在人身上撕咬呢，扭头就跑。跑过几步路，再回过头，才看清是一个人扛了一头死野猪，才站下来，围着王宗娃左看右看，惊奇得不得了，说，这是你打的啊？王宗娃点头。那人手里拿着一杆猎枪，不住地摆弄着，说，我们咋就打不着呢，不光打不着，连野猪的影子都见不着。王宗娃看着他们，他们都是一身猎装，身边还带着一只犬，一看就是猎犬。王宗娃就问他们是干啥的。那人说，打猎呀，可我们晃悠了半天连个野鸡也没打着，真是扫兴，看来这一趟算是白来了。王宗娃说，这里是禁猎的，谁让你们在这里打猎。一个人说，我们打猎当然是合法的，我们有持枪证，枪还是你们配发的。王宗娃愣了愣说，我们给发的，我们啥时候给你们发过枪？另一个人补充说，是你们这公司配发的，让我们专门进来打猎，可我们连个鸡毛也没打着。王宗娃还想再问，那人却说，不如你把这头野猪卖给我们吧，一千块钱，咋样？反正你们私自打猎是违法的，上面知道了还要罚你们呢。王宗娃看了看那人，又看了看横躺在地上的野猪，坚决地说，我不卖，这是我家的仇人，我要把它带回去，给"花花"当祭品，它把我家"花花"都害死了。那人吓了一跳，说，野猪把人都咬死了？王宗娃说，不是。就把红毛野猪欺负"花花"乃至"花花"死的事说了一遍，听得两人哈哈大笑，连说，该杀，该杀，这野猪也真它妈的操蛋，那我们就不夺你所恨了。说着，两个人就要起身，王宗娃还有些疑问在心里，就说，为啥许你们在这里打猎，就不允许我们打？两人回头看他一眼，说，我们是出过钱的啊！

王宗娃回到村上，一屁股坐在地上再也起不来了。村里人都过来看热闹，陈响马也过来了。王宗娃说，主任，我终于把这个畜生给打死了。陈响马四下里看了看，说，打死了！王宗娃说，你不知道我费了多大的劲，整整跟了它一个星期，差点把我累趴下了，可我终于还是把它打死了，可以给"花花"报仇了。王宗娃说着眼泪似乎要流下来。陈响马仿佛突然想起了什么事，说，打死就打死了，还要明目张胆地放到这儿让人参观，传到县上镇上，人家还不来拘了你，你不知道这是犯法的啊！王宗娃说，犯个球法，野猪害人就不犯法？陈响马说，你还是快点把那东西弄走，不要放在这里跟展览似的。

王宗娃站起身，可他突然回过头，说，路上我碰见两个打猎的，他们说他们打猎是允许的，那咱们咋就不允许打猎呢？

陈响马看看王宗娃，说，我也遇见过，可我也不知道是咋个回事！

十

到了十月底，秋已基本上收完了。但对于野猪林来说，其实秋早已收完了，让野猪给他们收了。忙了大半年，收回来的只是野猪糟蹋剩下的半拉苞谷棒子，还有被糟践得乱七八糟的苞谷秆子。陈响马一边在地里搜索野猪吃剩下的苞谷棒，一边考虑着野猪的事，眉头都皱成了疙瘩。

让陈响马闹心的，不仅是野猪糟践庄稼的事，还有他刚听到的一个消息，消息是从邻村旧县村听来的。两个村子挨得近，那天，陈响马去镇上路过旧县村，看见旧县村的村主任吕大荣正在地里拾掇庄稼。两个人都是熟人，就坐下来吸了几支烟，说了些话，就说到了移民搬迁的事。旧县村这次也属于搬迁之列。陈响马就说，这建设新农村也不是这样一个建法，那边拾掇得再好，村民们心里不乐意，还不是瞎胡闹。吕大荣说，球，建设新农村，那是他们日哄鬼的。陈响马看着吕大荣。吕大荣说，你是真不知道，还是假不知道？陈响马说，啥真呀假呀的，我真不知道你说的啥意思。吕大荣说，镇上说的整体搬迁建设新农村是假，建生态保护区也是假，建狩猎区是真，而且是外地人来建的狩猎区。这建设新农村，还有生态保护区，瞧他们找的这个借口。陈响马闷了一阵子，说，你也知道了。吕大荣说，谁不知道，外边都传疯了，都说这县里缺德，把野猪当挡箭牌，目的就是把人撵走，把这里变成一个无人居住区，让野牲口在这里生长，然后让外边有钱的闲人们进来打猎。当然，打猎是要收费的，我听人家说打一头野猪要收三千元钱呢。县上镇上就是看中这棵摇钱树了，听说狩猎区办事处的牌子都挂起来了，在车村。

陈响马镇上也不去了，直接去了车村，果然看到了一个写着保护区办事处的牌子。后面的大片空场上，树木被放倒了，建筑材料正源源不断地运进。陈响马看着正指手画脚指挥的人，竟然是多副镇长，陈响马意识到，恐怕这一切都是真的了。

回到村子里，陈响马找几个村干部商量咋办。张书臣说，这事我也早听人家说了，可当时也拿捏不准，看来是真的了。如果是因为这个搬家，我肯定不会搬。福前也说，他们这样弄是有点缺德，不但让野猪吃庄稼，最后干脆让野猪把咱给撵走了，这算啥球事！咱在这少说也住一百年了，人老几辈子了，石头蛋子都要捂出感情了。陈响马说，上面是有些不讲道理，可现在是人家说了算，镇上动员会都开过了，过了这个年就要搬，这事由不得咱的。张书臣有些赌气地说，就是死也不搬。陈响马说，现在不说那些话，大家想想，看看有没有别的办法。

大家想了一个下午，也没有想出更好的应对办法。

他们没有想出办法，可上面的人已经来了，是县上来搞实物登记的，就是把村民带不走的房间、树木等进行登记作价，然后由县里给予一定的补偿，带队的是多副镇长。陈响马事先早知道了，心里堵得慌，绕了个圈，不见这些人。

由于村民不配合，普查和实物登记没有弄成。镇上让陈响马到镇上开会，陈响马知道这会的内容，可还是硬着头皮去了。回来时，脸色灰灰的，福前迎上去，看着陈响马的脸色，说，挨批了？陈响马说，他批我个球，我不干了，我看他还咋批？福前忙说，这话可不能乱说。陈响马说，是真的，他们不让我干了，说我工作配合不好，马上就要下来重新选村主任。晚上你把几个村干部找来，开最后一个会，把镇上领导的精神跟大家说一下，你们心里也有个底。

晚上，几个村干部按时到陈响马家里。陈响马说，今儿给大家开最后一个会，我这届村主任任期就结束了，新村主任选出后我就退下，这是一个精神。还有一个精神就是，就是坚决不能打野猪，要抓紧组织搬迁工作，看来这个工作得由下一任村主任接手了。张书臣第一个说，村主任不能下，现在是紧要关头，你这一下，村民们没了主心骨，咋办？福前也说，就咱村这个球样子，除了你谁还能干村主任？他们不让你干，那他们自己来干好了。张书臣接着说，现在关键是搬迁，大家都不愿意搬，我们得想个办法。这事我也咨询过，县里这样搞是不符合国家政策的，他们不是说为了新农村建设吗，可新农村建设不能违背百姓意愿，更何况他们打着新农村建设的幌子让咱们搬迁呢。我还听人说他们建狩猎区，省里根本就没有批准呢，他们是在违规搞建设。现在关键是咱们村子的人要拧成一股绳，得有人领着，你这不干就成一盘散沙了，人家想捏个啥就是个啥了。

陈响马想了一阵，说，在新村主任接手前，我还是村主任，现在问题是大家不想搬，可得想出个办法，咱不能搞对抗，咱得想个实用的办法。你们想想看，有啥好办法能阻止他们？

几个人闷了半个晚上，屋子里烟雾缭绕的，快到天亮了，也没有想出个啥办法来。

陈响马把手里的烟蒂一扔，说，我倒有个办法，咱们就从野猪身上开刀吧！

十一

野猪林成立了一个捕猎队，队长就是陈响马。

陈响马的办法是，他们不是要建狩猎区吗，不是想把野猪留给外面的人打来赚钱吗？我们干脆把野猪给打了，如果没有野猪打，狩猎区就建立不起来了，野猪林村就不用搬迁了。

捕猎队要对付的是成群的野猪，没有枪不行，陈响马说，就造几杆土枪吧。福前忧虑地说，私造枪支是违法的。陈响马说，我知道，可没有枪，我们咋去打野猪，野猪打不死，最终搬走的还是我们。几个人看着陈响马，都没有动身。陈响马看了看他们，说，你们就放心回去准备吧，出了事我负责，三天后出发。

可还没等到捕猎队出发，镇上派出所突然来了人，先是在陈响马他们几个人家里搜了一通，可除了搜出几根钢管外，也没找出啥有价值的东西。最后，人都集中到王宗娃家里，翻箱倒柜，翻出了一杆猎枪，还有一坛子的野猪肉。派出所的人问王宗娃，是不是打了野猪？王宗娃理直气壮地说，我是打了野猪，那头红毛野猪，我追了它一个星期才把它打死的。派出所的人又问，你知不知道野猪不能打？王宗娃说，它吃我的庄稼，我为啥不能打？派出所的人又问，这猎枪是你的？王宗娃看了眼人群外的陈响马，点头说是的。派出所的人说，你知不知道私藏枪支是违法的？王宗娃说，知道，可是我没有枪，咋打野猪？我又没有长四条腿。派出所的人不再问话，给王宗娃戴上手铐，推到车上，拉走了。

县上和镇上来的领导没有立即走，开了一个群众现场会，林业局局长和公安局长说了私捕私猎的事，对野猪林的私捕之风进行了严厉批评和警告，奉劝大家不要以身试法，今天王宗娃就是一个很好的例证。又说，有些村干部思想觉悟不高，把自己混同于一般老百姓，试图和政府作对，奉劝这些人不要再执迷不悟了，否则等待他的将是法律最严厉的惩罚。

陈响马知道，他们是在说给自己听的。

会议结束后，吴镇长找陈响马谈了话。吴镇长说，陈响马你究竟想干啥？陈响马翻了翻眼珠子，说，我能干啥，我干庄稼，可现在连庄稼都干不成了。镇长说，你不要跟我打哑谜，你说你这些天都在搞啥？陈响马说，我这啥都不是了，我还能搞点啥。镇长有些沉不住气了，你不想说是不是？我听说你要成立一个啥队，要打野猪，是不是有这回事？陈响马摇头。镇长说，陈响马，你可不要跟我胡来，这野猪是国家保护动物，县上镇上都非常关注的，要建立自然保护区，你把野猪都打光了，还保护个球！陈响马突然说，不对吧，是建狩猎区吧，要把野猪养得胖胖的，让外面的人来打。又是说建设新农村，又是说建设保护区，净忽悠老百姓。镇长说，你不要听社会上乱说，你是个老共产党员，要有政治觉悟，不要弄得跟个农民似的。陈响马说，我不就是一个农民吗？可我现在连农民都当不成了，成流民了。镇长一下子站起来，说，陈响马，这里面孰轻孰重你应该清楚的，不管建啥子，都是上面的决定，你改变不了，我也改变不了，我们能做的，就是无条件服从，知道不！

陈响马也站了起来，看着镇长说，我知道改变不了，可这危害群众利益的事我还真想改一改！

看来，野猪林要成立捕猎队的事传出去了，王宗娃今天被抓主要是冲着他们来的。下一步咋办？晚上，几个人聚在陈响马家里商量对策。可想破了脑袋，也没找出更好的办法。第二天，几个人又来了，陈响马看了看几个人，试探着说，不中那就搬家吧，去那个连兔子都没有的地方，就不用这样整天操心野猪的事了。张书臣第一个反对，说，我绝对不会搬，我问过了，大多数村民都不会搬。福前也说，是不想搬，关键是找个啥好的办法。七喜说，啥好办法，村长的办法就好得很，他们不是想依靠野猪赚钱吗，咱们把野猪给打了，这叫啥？张书臣说，叫釜底抽薪。对，就是釜底抽薪。七喜说，没有了野猪，他们还建啥狩猎区，那他们就不会撵咱们搬迁了，村主任成立捕猎队是不是就是这个意思！

陈响马看着众人，没有说话。

这个主意确实不错，福前说，可问题是，这私捕是违法的，私造枪支也是违法的，咱们这样做，恐怕也会像宗娃一样被逮走。

陈响马仍然没有说话。

七喜说，我看就这样办了，私捕野猪违法，可也犯不了多大的事，这野猪是国家保护动物，但保护级别不高，有些地方小量捕猎都是不禁止的，咱这儿不允许捕猎，还不就是因为要建狩猎区。再说，咱也不是赶尽杀绝，只是给野猪剔剔苗，人多了都实行计划生育呢，野猪也该间间苗了。咱们村子集体行动，法不责众，咱一个平头百姓，还怕个球！

对，七喜说得对，咱都上山去，还怕个球。话是从背后传过来的，陈响马往后面看，发现后面站了很多村里人，大家都说，就按村长的意思办，咱不搬，让野猪搬，有本事他们去给野猪找个地方。

陈响马站了起来，说，那就这样办吧！

十二

三天后的一个早晨，一支队伍出发了。半个月里，野猪林附近的山坡沟壑间传来噼啪的枪声，一头头的野猪被抬下来，就跟鬼子的尸体似的，堆成了小山。陈响马看着越来越高的野猪尸体，让七喜去通知捕猎队下山。七喜说，不打了？陈响马说，差不多了，我大致算过了，现在剩下的数目，这座山是能够养活它们的，它们不用下山就可以生存下去的。

半个月后的一个中午，陈响马自缚了双手，在福前的陪同下，往镇上走去，嘴里哼着林冲在《野猪林》中的唱段，“大雪飘扑人面，朔风阵阵透骨寒。彤云底锁山河暗，疏林冷落尽凋残。往事萦怀难排遣，荒村沽酒慰愁烦。望家乡，去路远，别妻千里音书断，关山阻隔两心悬”。

（选自《北京文学·精彩阅读》2012 年第 5 期）

罗尔豪

1969 年生，河南省淅川县人，1992 年毕业于南阳理工学院。20 世纪 90 年代末开始文学创作，短篇小说《迎春花》获 2007 年《工人日报》职工优秀作品奖；中篇小说《空中花园》荣获 2002 年“张衡”文学奖；《奔逃的螳螂头》获 2008 年南阳市政府文学艺术优秀作品奖。任淅川县作协副主席。

黄河大合唱

李新勇

刚进大兴镇，曹公公就闻到一股熟悉而又陌生的气味，类似于包子又不止于包子。这气味夹杂着昔日某个朋友的气息，仿佛隔得很近，又好像隔得很远，恍恍惚惚，难以捉摸，让它无法一下确定是哪一个朋友，只是感觉熟悉，风吹过去，转瞬就没一点印象。曹公公耸起鼻子，准备再仔细闻一闻，辨一辨。可游走不定的风老跟它捣乱，把从垃圾堆上裹挟来的臭气，塞得它鼻腔和肺管到处都是。

曹公公对风有说不出的仇恨。八年前，主人刘一刀走的时候，牵着它的耳朵，让它走到跟前，拿掌心在它脊背上一下一下地抚摸，把它抚慰得舒舒服服的。刘一刀放下肩上鼓鼓囊囊的蛇皮口袋对它说："你是一条难得的看家狗，老子要到东莞打工去了，东莞你晓不晓得在哪里？"

曹公公是条听得懂人话的狗。它应答人的方式跟别的狗不一样，不是尾巴，而是眼睛。它眯起眼睛，眼神迷惘，表示它不晓得。

刘一刀说："不晓得就好，老实告诉你，老子也不晓得，在家（种地）靠天，出门（打工）由路，反正三百六十行老子能干好几十行，篾匠瓦匠泥水匠，红案白案曲直案，样样会点，这就是我挣钱吃饭的本钱。"

这是事实。刘一刀外号小诸葛，聪明过人，在村里出了名的能干，会计算，更会算计，样样都懂点，不懂的，一学就会，干啥活都帮得上手。人家办喜事办丧事，他能够把红白案包下来，当总厨，一桌收五块钱工钱（后来涨成十五块）。人家砌房子，他有本事单凭墨斗和曲尺，不超过两天工夫，把几间屋子要用的木料弹画完毕。木工操锯按他画的墨线，榫做榫、柱做柱地解出来，安插上去，就立起一幢房子的房架，不会多出一根料，也不会少，刚刚好。

刘一刀原本是不准备出去打工的。十多年前，当外出务工成为流行病的时候，刘一刀躺在村头大槐树的树荫下，跷起二郎腿得意地想，都是些没出息的货，在家里都混不好，到外面难道就能混得好了？要知道，在家千日好，出门时时难，看你几个龟儿子怎样在外面受苦受气，老子凭手艺，照样在十里八乡吃香喝辣。后来刘一刀慌了。外出的人起初还限于青壮年，第一年回来，以前不抽烟的抽烟了，牌子跟他一样。第二年回来，牌子就是他没见过的了。过了三五年，把老婆孩子都带了出去。从此在乡村便道上，再也见不到他们的身影。

“看来外面好发财！”

这句话，像流行病的病毒，放倒了一个又一个的村落。到后来，只要还能担几十斤的，都像逐臭的绿头苍蝇，嗡一声飞得干干净净。村里只剩下不愿意离开的几个老头老太。前来请他刘一刀去帮忙的人越来越少，后来连续大半年接不到一单生意。村里的人大多都是在东莞起家的，刘一刀决定到传说中的东莞去看看。

刘一刀对曹公公说：“你帮老子把家门把好，老子要过年的时候才回来，留在屋头的两个，孤儿寡母，就靠你了，不管是谁，只要走进老子的地界，先把嗓子亮开，让人知道你的威风，你的响声我老婆孩子听辨得出来，听到你的响声，他们懂得防备。到过年，有老子吃的肉，就少不了你啃的骨头！”

那一年曹公公干得相当卖力，它严格遵守刘一刀的口令，从来没有走出刘一刀的地界。

刘一刀走了不久，春天就来了。春天是个美好的季节，能够带来各种各样的好处。特别是菜花灿烂的日子，各种好处集中在一件事情上。这件事在人那里，叫性交或者做爱；在牛马畜生那里，叫交配；在狗那里有个特别的说法，叫起草。这两个字，到人这儿，就指秘书的主要活路，比如起草领导发言，起草文件。曹公公本来不叫曹公公，它叫大曹，就是大草狗的谐音和简称。草狗是当地一种良种看家狗。它刚满三岁，长得非常周正，骨架开朗，毛色金黄，松软蓬松，昂头翘尾，倜傥英俊，四个蹄爪粗壮有力，腹下那半截炮筒子，储存了好多子弹，随时可以放上几梭。那几天，隔壁的小花和赵家的红红，几次进入刘一刀的地界，尾巴高翘，特殊气味丝丝缕缕滑进大曹肺里去——狗是靠气味煽起情欲的动物，母狗一般在春天或者秋天发情，牙狗靠母狗的气味产生兴奋，由此完成传宗接代的庄严使命——小花和红红都是张家坝的花魁，这季节多少牙狗围着它们转，它俩就是不理睬它们。狗要办事之前，都要狂奔一气，母狗在前，牙狗在后，如果母狗不想让牙狗得逞，就狂奔，直到把牙狗甩掉；反之，跑上一阵，找个满意的角落，办事。小花和红红进入地界的时候，大曹看到了，它们散发出的诱人的味道，让大曹欲火中烧，它扬起前爪追上去。前面的小花虽在向前奔跑，却不时扭过头来，递给它一个友好的眼神。曹公公攒足劲跑起来，眼看就要跟上了，却听见刘一刀的老婆张红霞“哎哟”叫了一声。大曹突然想起刘一刀离家时的交代，慢跟了几步，极不情愿又相当顺从地掉头跑回来。原来刘一刀的老婆在门槛上崴了脚。大曹当时没多想，不知女主人为何崴了脚。后来，刘一刀春节回来，一进门迫不及待就把张红霞抱到床上。风平浪静以后，张红霞对刘一刀说：“你狂得跟狗差不多。”直到这时，大曹才明白，刘一刀的老婆张红霞那天应该是踮起脚尖站在门槛上看它如何冲出去跟小花成就好事，结果，谁知道是不是因为睹物思情，或者因为看得忘情，或许还有其他什么原因，总之从门槛上跌下来，崴了脚。这不要命，要命的是，从那天过后，每次小花和红红走进刘一刀的地界，曹公公都害怕张红霞再崴脚，对小花和红红视若不见。过了十几天，小花和红红都过了发情期，大半年空瘪着肚皮，大曹才意识到问题的严重性。这期间，大曹特别的举动，已经引起留守人群的关注，尤其是颗粒无收的小花和红红的老主人，两对老头老太，也不知道是人还是狗最先想出来的，反正大曹就这样无可争议地得了“曹公公”的绰号。

第二年春节，刘一刀回来了。肩上扛的不再是蛇皮口袋，而是一个能装下十岁孩子的牛仔包，里面装着一堆以前见都没见过的年货。刘一刀回来干了好多事情，包括把灶屋的烟囱加高，把堂屋的神龛挪到偏房的一个角落，在堂屋正中摆上一台新电视，还给孩子买了新书包、文具盒和几本老厚的书，说是字典词典。以前孩子发蒙入学，老师要学生带字典，刘小毛哭着喊着要刘一刀买，刘一刀的回答是两个响亮的耳光。如今刘一刀买回来了，刘小毛不领情，说他都读四年级了，老师又不要求带字典！意思是说现在早晚了。刘一刀认为有学问的人一辈子离不开字典。刘小毛却坚决不同意在他天天要背的书包里多加几块砖头。刘一刀口气软下来：“羊上树狗爬墙——由着你吧！”

在刘一刀看来，他最重要的事情，是给张红霞补课。补课是新传进来的说法，以前张家坝从来不会想到“补课”还跟那件事关联得上，除非学生，大人补什么课？刘一刀要走那几天，给张红霞的课补得最勤。有一天刘一刀从张红霞的肚皮上翻身下来，喘着气，歇了一会儿：“旱呢旱死，涝呢涝死，这样不是长法，总要旱涝保收才好。”张红霞一条腿搭在刘一刀肚皮上：“我也这么想的——你不是说外头有五十块钱一顿的快餐吗？”刘一刀在张红霞屁股上揪了一下：“你当老子不晓得心疼钱啊！”张红霞缩回腿：“那你说说看，怎么个旱涝保收法？”“你跟我到东莞去，我开年大小能升个工头，你到工地上煮饭怎么样？一样有工钱，泥瓦工一天一百，你一天五十。”张红霞一笑。这一笑看得出，她对这个工价是满意的。“干一天才赶得上一顿快餐啊！”“你个死婆娘，看老子不揍你，你不要不满意，比你窝在家里强十倍了！”说罢翻身上马。一边动作着，张红霞又问：“孩子咋办呢？”“先寄在他外公外婆家，反正他舅舅舅妈也带着孩子在外头，家里有个孩子，才有人气。我们按月开伙食费。”“他舅舅舅妈不也把孩子带出去吗，我们为啥不能带？”“他们出去几年了，我才出去几年？要是有他们一半的基础，你当我不想把孩子带出去啊？比如读书，一过去就开学了，我刚要升个工头，正在需要好好表现的节骨眼上，哪有精力和时间三天两头去给他找学校？”张红霞担心地说：“只怕这小子没人管会学坏。”“没事儿，这么小的娃娃，到时候两巴掌还不把他打转来？再说还有他外公外婆呢！”张红霞依旧担心，却不好再说什么。

春节一过，刘一刀和张红霞先把刘小毛送到他外公外婆家。孩子没有哭，也不闹，装出一副乖娃娃样子。大人嘱咐什么，他一概爽快答应。弄得张红霞悬在空中的心落下来一半。其实，刘小毛心里特别高兴：学校旁边的那个破游戏机房从此对他大门敞开。他晓得他外公外婆连纸老虎都算不上，他说啥就是啥。

刘一刀和张红霞收拾好东西，锁上门就出发了。刘一刀的家不当路，整个张家坝都不当路，要在丘陵中间的小路上走三四个小时，才上大公路。上了大公路就好走了，只是还不能马上乘汽车，还要走上一个多小时，在一个叫梅山镇的大集镇才能赶汽车。那地方，以前一天有六趟公共汽车，上午下午各三趟。如今乘客严重短缺，改成上午下午各一趟。

两个人一前一后走了一阵，走出好几个丘陵包包，张红霞有点舍不得，偶然转过身去看了一下，发现了跟在他们身后的曹公公。张红霞说："这条狗还跟着我们。"意思是说孩子倒有地方送，这条狗怎么办？刘一刀说我来给它交代几句。

刘一刀牵着曹公公的耳朵让它走到跟前，用手掌一下一下地抚慰它背脊上的毛。手还是那双手，跟一年前比起来，更有蛮力，却少了许多柔和，没以前舒服。刘一刀自语，像对曹公公又像对张红霞说："门都锁了，只好委屈蹲屋檐了。"张红霞插了句什么话，曹公公没听清楚，估计刘一刀也没听清楚。刘一刀看着曹公公无助的眼神："你真是条难得的看家狗，听说你为此还得了个曹公公的雅号，委屈你了。其实公公有什么不好？皇帝身边的红人！等开春了，你放心大胆地搞——反正我门上加了锁，白天你尽管出去浪荡，晚上记住还回来照看照看，有你在，谁敢靠近我的房子啊！你那么英武，吼上一嗓子，贼娃子三魂都要落掉两魂——好好地表现噢，莫给我刘家丢脸。最好搞得妻妾成群，爽死你了！"

这话让曹公公兴奋了好多天。这一年来，它积攒了太多的委屈，压抑了太多的欲望。狗这种动物，过了那个季节，就得憋上大半年——错过了春天，就得等秋天；错过了秋天，就得等来年春天。曹公公在过去一年已经错过了两个季节，它必须用实实在在的行动，挽回失去的尊严。

不等兴奋劲儿消退，曹公公碰上了实实在在的问题：没有主人，它吃不上狗食。

连续饿了几天肚皮，它发现自己这高兴，等于老鸦打破蛋。看家狗是什么，看家狗是靠看家来换取食物的狗。主人走了，大门上锁，看家狗失去原有的身份，无所依靠，活该口粮断绝。

开初它偶尔还能上主人刘一刀娃娃的外公外婆家蹭几口，后来刘一刀娃娃的外公外婆见它食量太大——好几天才吃一顿，食量当然大——嫌供养不起，看见它去了，故意不给它吃狗食，搞得它饿起肚皮去，瘪着更饿的肚皮回来。如是几次，它就知趣，不再去了。好在春天很快就来了，出来活动的耗子渐渐多起来。曹公公这时候恨自己不是猫，是猫多好，猫拿耗子，天职。可自己身为看家狗。不管是什么狗，狗拿耗子，都是坏名声的事，稍微有点自尊的狗，都不屑，都以此为耻。曹公公坚持了几天，看见耗子在眼前跑来跑去，咽了几百回口水，终于决定要命，自尊暂时搁到一边。

一天下午，它搞到两只肥硕的耗子，趁天黑，三下五除二解决了。此后，傍晚的时候就是它进餐的时间。傍晚的好处是光线昏暗，不容易被发现。耗子味道其实真不错，甚至可以说太好了。在人烟日渐稀少的乡村，耗子可算绿色食品，不施肥，不打药，不接触各种催长激素和添加剂，吃的是各种天然食品，又喜欢打闹，肌体健康，纯天然还无污染，又那么肥硕健壮，差不多的猫不敢惹，就是差得多的猫，也不敢轻易出手，耗子那么多，万一群起而攻之，眨眼之间，一条壮猫就可能只剩一堆碎毛。

到菜籽花开的时候，曹公公四处游荡，所向披靡，不单报复式地把小花、红红搞得哭爹喊娘，望风缴械，甚至只要碰到散发特别气味的母狗，就让它们从肉体到灵魂产生强烈地震，终生难忘。那一阵，村子里田野上，到处都听得到它们快乐的嗷叫。到夏天开始的时候，曹公公瘦了好大一圈，好在有耗子不断给它补充营养，精力仍然旺盛。

为此，它在张家坝的狗群中获得极高的赞誉，母狗都称它为英雄，牙狗们除了嫉妒和怨恨，还有尊敬。无论它走到哪里，都有张家坝的狗前呼后拥，每条狗都以接近它为荣。狗都知道，不久的将来，张家坝将有不少曹公公的后代奔跑，曹公公的家族将成为当地狗族中最大的势力。有点遗憾的是，大家还管它叫曹公公。它也无所谓。它认为，不管公公还是母母，拿得出本钱，就是事实上至高无上的英雄。

张家坝是中国典型的丘陵地区。丘陵，也可叫丘林，小丘组成森林。无数的小丘就像放大若干倍的馒头，一个紧挨一个，大小高矮都差不多，形状跟孪生兄弟有一拼。以前能供种庄稼的土地很少，这里一小块苞谷，那里一小块红苕，人均也就两三分土地，劳碌一年，只是将就果腹。张家坝的丘陵尤其密集。在这密集的丘陵中，都不能说交通不便，那样说是抬举张家坝，简直就叫没有交通。一条小路，像鸡肠子，上上下下，弯弯拐拐，九曲回肠。即使种点水果出来，倘若拿到市场上去，豆腐都搬成肉价钱。这恐怕是张家坝人争先恐后离开的直接原因，也是那些人在外面找到了钱，也不想回来的根本原因。如今跑得不剩几个人了，以前仅有的那点庄稼地，无一例外长上荒草。张家坝的每一个角落都是蓊郁的树，蓬盛的草，怒放的花，都是狗类无忧无虑的撒欢之地。所有这些角落组成张家坝狗类的天堂。

曹公公迷恋张家坝，还有个特别的原因，这里埋葬着它的母亲。它母亲在它出世前不久，传染上当年流行的疾病。十条狗被传染，九条半都会死掉。狗类沿袭了祖先传下来的习惯，一旦染病，就悄悄地脱离狗群，躲到一个僻静的角落，静静地待着，待上三五天，或者十来天，熬过来，就回到狗群中，继续为主人看家护院，熬不过，独自死去，不会给别的狗、给主人带来麻烦。那时候刘一刀的父亲还在，他知道狗得那种病的厉害，照圆毛传圆毛（哺乳类）、扁毛传扁毛（如家禽）的原理，狗身上的传染病有可能传染给人。这位年迈的老人，觉得曹公公的母亲在他家劳碌了一辈子，不能让它抛尸荒野，拄着拐杖，爬坡下坎，不但找到它的母亲，还天天去给它的母亲送半碗混了一些药物的苞谷糨。它的母亲和它就这样保住了性命，可惜它母亲经历这次疾病，体质虚弱，生下它不久就死了。刘一刀的父亲用土葬的方式埋了它的母亲。埋葬它母亲的那块地，自此以后没种过庄稼。曹公公四岁以前，只要想娘了，就独自跑到那地方待上一会儿。

如今，那个小小的土堆早就长满荒草，已经找不出准确的位置。这让它时常感到遗憾，这成了它迷恋张家坝的原因。在曹公公的意识里，找不到属于母亲的土堆，并不等于母亲不在这里。它守在张家坝，就等于守在母亲身边。

它是刘一刀的父亲一口米汤一口苞谷糨喂大的。

刘一刀的父亲也在早几年过世了，埋葬在离刘一刀家不远的野猪湾，旁边是刘一刀的母亲。刘一刀没去打工的时候，每年清明和除夕，都要去上香烧纸。曹公公感念这位老人的恩德，每次跑过那冢坟的时候，都要把脚步停下一会儿。如今已经好几年不见刘一刀烧纸，坟冢上长满荒草，年复一年，竟找不出准确位置。曹公公不晓得刘一刀是怎么想的。

到第三年春节，刘一刀跟张红霞又回来了。

这回更阔气了，两口子皮鞋都穿上了，上边羽绒服，下边精纺牛仔裤。这在从前没有出去打工的时候，不但刘一刀不敢想，整个张家坝的人都不敢想。

曹公公还注意到，刘一刀脖子上套了条拇指粗的金项链。张红霞涂了口红，脸上打了粉，身上洒了香水，香喷喷的，从头到脚光鲜时髦，仿佛一年不见就活转去二十岁，还可以拿出来嫁上几回。

按照曹公公的逻辑，既然有了钱，就该回到农村来，把撂荒的土地重新种好，养一群鸡鸭鹅猪，好好享受从城市打工换来的清闲。

刘一刀却不，跟村子里出去多年的人一样，第一天晚上，先是嫌没有淋浴，洗澡不方便。接下来嫌木板床硬，没有席梦思舒服，睡不着，跟张红霞的那点作业也懒得做。第二天，就闹着要回城去。张红霞也说再不回去，“日子没法过。”两口子盘算着把儿子接到城里去。

一年不见，儿子刘小毛变得让刘一刀和张红霞都快认不出来了。最显眼的是个子，猛地从一米四蹿到一米七，嘴唇上长出淡淡的绒毛，声音变粗了，瓮声瓮气的，像对着土陶泡菜坛说话。知道爸妈回来，没显出特别的高兴，甚至还有些遗憾。不是外公到好几里外一个破游戏机房喊，他根本不想回来。

老丈人对刘一刀两口子说：“平时周末待在游戏机房。现在放寒假，天天都待在里面。”事实上，刘一刀的老丈人在为自己开脱责任。这小子这一年，除了回家吃饭睡觉，大部分时间都待在游戏机房。班主任和科任老师姓啥，该读几年级，一概说不清楚。还有一个情况，刘小毛他们班，一年级的时候有三十九个学生，到他整天泡到游戏机房的时候，只剩十七个，大多数跟随父母出去了。另外的，谁也说不清楚。县教育局本来有硬杠子，考核每个学校的学生在籍数，考核结果体现在教学经费上。在可耕土地面积比较多的地方，比如人均两亩地的那些乡镇，学生撵都撵不走，人家不怕你考核。在张家坝之类人均耕地少的地方，照样不怕你考核，为什么？法不责众，个个班都这样，个个学校都这样。现在老师的工资还行，有财政保证。要换早些年，你别说在教学经费上有体现，就是给他个校长干，如果工资不能及时兑现，他都一拍屁股，朝东莞深圳跑了。

刘一刀气不打一处来，举起巴掌要教训刘小毛，他当年曾经气壮山河地说过“到时候两巴掌还不把他打转来”。那小子见到他的巴掌毫无惧色，把脖子往他面前一伸：“你打！你打了试试看，假如你不怕我告你虐待未成年人！我们现在是法治国家，人人都要学法、依法、用法。”口气像政治老师。张红霞骂刘一刀：“都怪你，当初我让你带上这小子，你说带了小子不方便。看，落到这地步都是你的功劳！”刘一刀也骂：“难道这不也是你老爹老妈的功劳？”

两口子就交上火了，不等硬招使出来，一下又停火了。

停火的原因不是他们有多高的修养，而是刘小毛把一张存折，“啪”一声甩到他们面前。

“你们当刘一刀张红霞的儿子是孬种？你们当玩游戏就不能挣钱？土八路！”

刘一刀和张红霞看看存折上一行一行累加的数字，翻到第三页就六位数了，吓得气都不晓得该怎么喘。

“玩游戏，还能挣钱？”张红霞诧异，“儿子你……这都是你挣的？”

刘小毛等待的就是这种表情，他脸上的得意，刮下来称称少说也有五公斤。他指着一笔一笔的数字摆谱卖弄起来：“这三百块是咱卖SQ冲锋枪得的。这五千块是我卖战斧巡航导弹得滴。”小子把存折翻得像书一样哗啦作响，“这些都是卖装备搞得的。”

刘一刀惊得半天回不过神来：“小子，你，贩卖军火？”

刘小毛哈哈大笑：“你刘一刀简直就是一个出土文物，这些都是网络上的，虚拟的；虚拟你晓不晓得？就是不存在的。”

张红霞申斥：“刘一刀是你爹，你该喊他爹。”

刘小毛却振振有词：“名字是拿来做什么的？不是拿来胀干饭的，是拿来喊的，刘一刀如今不是项目部经理么？项目经理大小也算是个官，刘家祖坟冒青烟，第一个呢！我要是到你们公司去，我说找刘一刀刘经理，谁不认识？我要说找爹，谁知道你爹是谁呀！”

张红霞怒道：“胡说八道，你爹不是你爹？是爹就得好好喊爹！”

刘一刀是个见钱眼开的人，他已经没工夫理会刘小毛喊不喊他爹，只要有钱，他就佩服，儿子的存款超过他跟他老婆一年辛苦的总和，他对儿子表示由衷的敬佩。到这时候，刘一刀的思路十分清晰：读书为的是什么？在某些国家某些地方，说是提高修养，提高素质，在此地就是一个变现谋职的工具。一切为了吃饭，只要能吃饭，并且能把饭吃好，那提高修养和素质的书，不读也罢……

三个人的谈话出现了国与国互访时才会出现的对等与和谐的气氛。从他们的交谈中，曹公公模模糊糊听出刘一刀和张红霞已经不在东莞，而是到了一个叫什么兴的镇，刘一刀的机灵能干帮助了他，他已经做上了项目经理，即分包工头。

第二天，他们三个就出发了。出门的时候，刘一刀和张红霞又看见曹公公，就让它在后面跟了一段。曹公公仿佛送行的亲人，陪他们走出村子。刘一刀对张红霞说："这条狗神了，两年不喂还这么强壮，莫非喝空气都能长？"

到该分手的时候，刘一刀牵着它的耳朵让它走到跟前，用手掌一下一下地摸它背脊上的毛。曹公公感到刘一刀的手跟刘一刀身上的肉一样肥实，少了力道，多了男人不该有的绵软。

刘一刀说："听说你厉害得很，真不愧是狗日的呢，不要太爽了，悠着点，你又不是皇帝，皇帝也没有责任每块田都种呢，小心搞过火了阳痿。阳痿你懂不懂，就是举不起来，或者举而不坚，坚而不久。那你就得吃伟哥啰！"

这话曹公公听得半懂不懂。前半句好懂，就是劝它要有选择。事实上，去年菜花开的时候，它对长相一般的母狗提不起兴趣，后来那些母狗虽然被起草了，肚子始终瘪着，绝收一季的事实告诉它，它没有必要在歪瓜裂枣上浪费体力，适当留一部分给别的牙狗，既于己有利，还做了顺水人情，乐得大家快活。后半部分不好懂，比如啥叫举不起来呢？伟哥又是什么东西？

它用眼神把问题传递给刘一刀。刘一刀看出它的疑问，得意地说："明年老子要是还回来，就不给你带什么骨头了，一年不喂你，你不是照样膘肥体壮？老子给你带几颗伟哥回来，做实验！"

张红霞脸上飞过一丝暧昧的表情，瞄了一眼在前面走出几十米远的儿子，责怪刘一刀："我看你俩就是城隍庙前的一对瓜锤，都是宝器，说不定前世就是兄弟！你当那东西是路边的野草籽不要钱啊？"

刘一刀站起来，抬腿跟在张红霞后面："明年还回来？老子又没有吃错药。"

刘一刀回头见曹公公还跟在身后，就说："你回去吧，用不着再看家了，你想怎么耍就怎么耍吧，如今，你是你自己的主子。"说完转身走了，再也没有回头。

这一年，刘一刀张红霞和他们的孩子刘小毛没有回来过春节。曹公公想，到清明的时候，这家人总该回来，这里还有他们的祖坟呢，刘一刀的父亲母亲都还躺在野猪湾那片青树林边上呢。前两年都是张红霞去象征性地烧了几张纸。到了清明，村子里仅有几个老头老太去给自己的亲人挂了一些招魂幡，冷冷清清的。走在回来的路上，有个老太失声痛哭："这怎么得了哦，连上坟都不回来！不要以为挣到钞票就是你们的本事，没有祖宗哪有你们呢！照这个样子，我到了那边……我，不保佑你们！呜呜呜！我就是不保佑你们！就是不保佑！”

又过了一年，刘一刀张红霞和他们的孩子刘小毛还是没有回来过春节。开春的时候，曹公公照例整天忙碌着。

狗跟人不一样，想就是想，要就是要，不拐弯，不含糊。慕名而来的母狗络绎不绝。春天还没有过上一半，曹公公就彻底垮了，以前整日坚挺的炮筒子，不但打不出子弹，还软得不听使唤，心里想什么，那家伙偏不那个什么。母狗们以为它碍于自己的英雄身份，摆架子，又是哄，又是劝，什么招都用了，没用。

这个时候，曹公公明白刘一刀的后半句话了。毕竟是在刘一刀家待过的狗，耳濡目染，比其他狗要聪明些。它想，与其在这里无望地周旋，不如干脆溜之大吉，先躲到一个不为母狗知道的地方，养好了再回来驰骋沙场。

于是，在一个全村其他狗都还在迷糊的黎明，这条叫曹公公的狗，沿着刘一刀离开的乡村公路，狂奔而去。

以前曹公公做看家狗的时候，跟刘一刀到附近几个村庄的亲戚家走动过，这一段路还算熟。再远就不熟悉了。曹公公后悔当初连梅山镇都没去过。曹公公是有分析判断能力的。它沿着丘陵上了唯一的一条小道。它想，小道只有一条，只要顺着这条小道跑，就能躲到一个离张家坝比较远的地方。路都是通向远方的。

开初一段路上，还残留着一些刘一刀的气息，顺着若有若无的气息跑起来容易。后来刘一刀的气息就不太容易捕捉到了。都怪那害瘟的风，曹公公刚刚捕捉到一点，立即被风吹得干干净净。它对风充满仇恨的另一个原因是，这害瘟的风该帮的忙不帮，不该帮的，却热情到无耻的地步。它跑了一天的路，累得刚躲到丘陵顶上准备打盹，却看见张家坝四五条发情的母狗，循着它留下的气味向它跑来，害得它不得不拖着疲惫的身子强打精神再次狂奔。

这都是风搞的鬼，无耻地讨好发情的母狗，难怪人类要把“发情”称作“风”，在母狗的发情期，风都跟着快活。曹公公觉得风一定是公的，还特别好色，要不然，它怎么只帮母狗，不帮它公狗呢？

它对风无比仇恨。更可恨的是，风又是那么无赖，看又看不见，抓又抓不着，冲天空狂咬几口，只听见上下牙齿咔咔的碰撞声，劲使大了，腮帮痛。

曹公公这才想起来，之所以甩不脱那几条母狗，是因为它跑上一段路，就习惯性地抬起一条后腿，洒上一点小便。这是狗与生俱来的习惯。曹公公意识到，不改掉这个习惯，它就别想甩掉母狗。它决定改，改起来很难，刚才想起，改了，没跑多远，又忘了。因此那几条母狗它总甩也甩不脱。

被那几条母狗穷追了两三天，曹公公的心情已经不是离开张家坝躲一段时间了，它决定去找刘一刀，看在昔日主仆的分上，让他搞点伟哥。它不晓得伟哥能做啥，但可以肯定，这东西跟那件事联系在一起，肯定对那件事有利。这是给他们刘家争面子的事情，料想发了财的刘一刀不至于这点小事都不肯出手相助。

吃了不少苦头，曹公公才改掉了不时抬腿小便的习惯，终于甩掉母狗的追踪。曹公公舒一口气，感觉些许轻松。

它这样轻轻松松又跑了几天，发现改掉用小便做标记这习惯给它带来了大麻烦。这些天只顾奔跑，竟跑得方向都不知道，远近也不知道。现在它不晓得自己身处何方，在张家坝之外的哪个方位。

曹公公感到前所未有的恐慌。这时候，它最依赖气味。它奇怪刘一刀走了几年时间，还能隐约嗅到他的味道。

后来，在看见一个背起蛇皮口袋行李的小伙子脚上的胶鞋，跟刘一刀第一次出门时穿的胶鞋一模一样的时候，它开始怀疑它的鼻子欺骗了它。它模模糊糊感觉到，人类身上的某些气味是一样的，比如鞋子、衣服、当行李包用的蛇皮袋等。

如今，要想循着自己留下的气味回到张家坝，是不可能的了；继续跟踪类似于刘一刀胶鞋的气味，更是毫无意义。

这时候，凭着它聪明并且还算清醒的简单头脑，它认为，在这世界上，它只认识刘一刀张红霞。只有不断往前跑，才有可能与刘一刀张红霞相遇。只要跟他们相遇，它就在这世上找到了一个支点。有了这个支点，它要么留在刘一刀张红霞身边，要么让刘一刀带它回张家坝。比较起来，它更愿意回到张家坝。

曹公公就这样继续它只有目标没有方向的奔跑。

它白天跑路，傍晚进食。耗子是它的主食，有时也吃其他东西。桃花开过三次，意味着三年过去了。它渐渐感觉腹下的炮筒子已经有了张力，有了弹性，能够收放自如。今年春天，经过一个小镇的时候，它接受了一条漂亮母狗的邀请。起初它还担心失败。在漂亮母狗的一再劝导下，它想反正离张家坝远着呢，即使办不成，谁也不知道它的主子叫刘一刀张红霞，更不知道它叫曹公公，就放胆尝试。一试明白，它已经不需要刘一刀的伟哥了。到这时候，它更加想念张家坝。

有些东西不想还罢，一想就欲罢不能。有几个晚上，它梦到在张家坝的田野上纵情奔跑。醒来，眼前是陌生的旷野，再睡就睡不着了。它想念张家坝的丘陵，母亲的小土丘，张家坝的狗群，它的看家狗身份，刘一刀多年不曾光顾的老房子，张家坝的日出日落，张家坝寂静的夜晚，张家坝的气息，张家坝口味纯正的耗子……它特别想回去，“要是明天就能回去多好！”可它无法靠自己的力量来实现自己的愿望，它得找到刘一刀，只有找到他，才能回到张家坝。

曹公公就这样来到大兴镇。

它以为这个镇跟它以前经过的镇没什么两样，不晓得这里叫大兴镇，更没有想到会在这里停留。

刚到大兴镇那天，熟悉而陌生的同类的味道让它产生一探究竟的想法，风依旧戏耍它，可钻进鼻子来的气味是那样真实。它追着气味一路跑来，到离包子店不远的地方停下来。这时，一辆钛金灰的面包车开到小镇包子店前面停下来，左前方的车窗匀速滑下来，钻出一个戴墨镜的秃顶大脑壳，问村口卖包子的人："大兴镇怎么走？"

卖包子的人也是秃顶，比驾驶员秃得轻点，还能勉强让地方支持中央，快六十岁的样子，身材还说得过去，年轻的时候算得上魁梧，脸过分地长了点，明显不成比例，给人感觉像把生锈的三棱刮刀。没有戴围裙，一身油渍斑斑的衣服毫无遮拦地招摇在小镇的天地间。他回答："远在天边近在眼前。"

开车的说："老哥，你莫骗我哟，这镇子咋荒凉得可以演西部电影呢？"

卖包子的说："你也不去打听打听我胡大峦是什么人，啥时骗过人了？夹皮沟小镇哪还能留得住人？只要长了两个脚的，差不多都跑进城里去了。"

曹公公听了，知道这地方叫大兴镇。它记得刘一刀跟张红霞说过他在一个叫什么兴的镇做包工头。"大兴镇"这名字跟刘一刀说的名字很相近，说不定就是一个地方。

曹公公甚至笑了一下，它把胡大峦听成胡大卵。"那么有趣的名字，比我曹公公还难听！"在狗的世界里，只认发音，才不管字怎么写呢。曹公公往胡大卵的裤裆瞄了几眼，瘪瘪的，不像有本钱的样子，于是它昂首挺胸地向包子店靠近。

曹公公想把包子店飘出来的气味搞清楚。这一次风没跟它耍流氓，让它清晰地分辨出，胡大卵的包子除了面粉味道，还有它同类的气味，有一些是它在寻找刘一刀途中结交的朋友的气味，有一些比较陌生。在这人烟稀少的镇上，曹公公想搞个包子尝尝也许不那么费事。一方面能确认一下它的推测，如果不出意外，胡大卵的包子馅用的是狗肉；另一方面也想换换口味。进入这个镇子以后，每天傍晚的进餐还是那么准点准时，只是这个镇子的耗子跟它经过的所有其他镇子的耗子一样，没有乡下耗子的滋味好，有垃圾堆和下水道的气味。

开车的停了汽车，跳下来跟胡大峦握手："我们老板听说你这里的货色新鲜，就派我来了。"

胡大峦说："不但新鲜，还是散放养出来的呢！你们要几条？"

开车的递给胡大峦一根香烟："老板也是图新鲜，想补一下，关键是想要条鞭，一条足够了，天气快热了，可不敢多吃，价由你开。"

胡大峦嘟嘟囔囔："在电话里我还以为你们是搞餐饮的呢，我这里一天能搞到十条八条！"

说完进屋去，搬出一个塑料袋装的肉体递给开车的。曹公公立即分辨出那是同类的味道。开车的打开面包车车门，面包车里面没有椅子，是个冷飕飕的柜子。开车的要把那团肉放进柜子，胡大峦问："你这是保鲜还是冷冻？"开车的说保鲜。胡大峦说保鲜好，要是冷冻，效果就不大了。

等车子走远了，胡大峦转身，抱起膀子回到他包子店的屋檐下。回头看了一眼灰蒙蒙的天，向马路中间吐了泡口水，把包子蒸笼上面的小电风扇关掉。电风扇下面一尺多长哗啦哗啦响着的塑料纸条停下来。没有买主，省得下一点是一点。包子店立刻安静下来，几只苍蝇不声不响飞落到蒸笼上，胡大峦看见了，懒得赶它们。蒸笼那么厚，苍蝇要搞到里面的东西，先得花几亿年时间进化。

胡大峦的包子店以前是有名气的，秀水包子店，生意红火得很。大兴镇及其周边赶集的人只要经过秀水包子店，都要来买几个包子。胡大峦的太公曾经是宫廷御厨。八国联军进北京的时候，带着一家老小躲到了这只有一条山路通向外界的大兴镇，在此开起包子店。宫廷里出来的，都有绝活儿，一样的面粉，一样的馅儿，秀水包子店的口味就是比别的包子店好吃。曾经有别处包子店的伙计混进来做卧底，帮了三年厨，还是不得要领。到胡大峦他爹接收包子店的时候，国家以公私合营的方式，让胡老板成了大兴镇国营包子店的伙计。干到退休，还是伙计。好好一个包子店越办越差劲，胡大峦刚刚初中毕业，国营包子店寿终正寝。其实那时候不止包子店，凡是带“国营”两个字的，诸如商店、理发店、食堂、旅社……都像得了绝症，纷纷垮台。又过了几年，允许私人经营商店理发店食堂旅社什么了，胡大峦的爹对胡大峦说：“儿子，老子退了但不想马上就休，老子手上还有从你太公那里传下来的手艺，宫廷御厨，了不得的，你去盘一个店子下来，秀水包子店重新开张，不消五年，你就能讨上媳妇，砌最牛 B 的房子，干不干?”胡大峦就在大兴镇靠路口的地方盘下三间屋来，三间屋都当路，进出乡镇的人都要经过这里，市口好。胡大峦他爹一看这地儿，立即感觉出胡大峦是个有眼光有前途的未来老板。父子俩把摊在自家茅厕上的那块硕大的木板抬出来，翻了个面，是块牌匾。是当年跟胡大峦的太公一起逃出来的翰林写的“秀水包子店”。洗刷干净，挂到门额上，一个全新的秀水包子店就诞生了。秀水包子店的名声很快走进大兴镇的千家万户，不到一年，就在大兴镇人心中稳稳站住了脚跟。胡大峦成了镇上第一个修别墅的人。二十年前，胡大峦三个儿子各自拥有一幢别墅，都在大兴镇最好的位置上，老大经营五金农具，老二经营化肥农药，老三经营百货。最辉煌的时候，他胡大峦在大兴镇上吼一嗓子，大兴镇的人心里就会想，大兴镇可能有重大事情要发生。

可最近十年，镇上的人都随乡下外出的人一去不复返。只知道他们打工去了，不晓得具体做什么，反正大兴镇从此看不到他们的影子。每逢三六九赶集的日子，集市上的人少得让人感到凄凉。

五年前，三个儿子带上家小搬进城市，说是进城去陪孩子读书，其实在城市里开起了汽车美容店。

秀水包子店的生意一天不如一天。最盛的时候十个跑堂伙计忙不过来，如今就剩下胡大峦一个人。老婆一年前被城里三个孩子接去住了一阵。回来了一趟，不是嫌通往大兴镇的公路危险，就是嫌大兴镇的电视信号不好，屏幕上的雪花比人多。后来干脆住在城里不回来。

胡大峦也进城，感觉城市确实好，银行超市露天公园歌舞厅茶馆……不但丰富多彩，还特别方便。对上了年纪的人，离医院近就特别好，这头 120 电话刚拨完搁下，那头救护车呜啦呜啦已经上路了，几分钟就能跑到楼底下。

每次进城，胡大峦都要上茶楼“赌几把运气”。他不晓得城里茶楼上的赌徒一年望到头，单等胡大峦这种乡巴佬来上菜，几个人联合起来，先让胡大峦赢得自己都不相信，然后再迅速让胡大峦输得连他自己都不敢相信。

老婆儿子劝他好多回，他不但不听，脾气大得很，口口声声“反正是老子辛苦挣来的”，其实他想翻本，结果越翻本钱越少。他呢，本钱越少，越想翻。就这样，他在大兴镇，还算是秀水包子店的老板兼白案师傅和伙计，进了城就是烂赌棍。

老婆儿子劝他不动，端起脸吵也无济于事，胡大峦还在城里三个儿子家里撒泼，摔家具，砸摆设。如是多次，也不明说断绝什么关系，就当他是空气，视而不见，胡大峦进城赌他的，他们该干啥干啥，互不相干。不到两年工夫，进城二十次不到，胡大峦的别墅就成了别人的。

好歹还剩这个包子店，胡大峦不敢把包子店押上，他知道要是这也输掉了，他就会成为无家可归的狗。再说，要攒赌资，得靠这包子店。可包子店的生意，越来越难做了。多数时候，胡大峦做五十个包子，有时卖三天都卖不完。多少次胡大峦都想关门歇店，可看见那块曾经翻过来当屎桥板才逃过“破四旧”红卫兵破坏的翰林墨宝，他期盼某一天生意会突然好起来。他想坚持一天算一天，实在坚持不下去了再说。

最近半年在经营包子店的同时，他开始经营起狗鞭买卖。狗都是他自己弄来的，狗鞭也是他自己打理出来的。小广告是城里的儿子替他制作分发的。在这点上，他很感激几个儿子还认他这个爹。

胡大峦不懂现在的城里人是什么原因，有那么多人需要补，打开地方电视台，这方面的广告铺天盖地，给人感觉整个城市的男人都不行，女人都有病。他要儿子打的广告是“荒野天然牙狗鞭，天然无污染”。儿子又在上面加了两句：让男人重振雄风，令女人幸福尖叫——大兴狗鞭。下面是联系电话。

胡大峦的狗鞭，有时候一个月能卖出一二十根，有时候要少一点。

所有慕名而来的买主，来过之后都说，大兴镇的马路可以直接通向阴间，史上再找不出那么烂的路。有的买主来过一趟，第二趟就不敢来，毕竟那件事情跟性命比较起来，抵不上性命重要。

胡大峦用传统方式处理剩下的狗肉，家里到处都是腌狗肉、腊狗肉、熏狗肉。胡大峦尝试用狗肉做包子馅儿，自己尝了一下，口味比猪肉馅儿味道还好，于是，他开始卖狗肉包子。

看见曹公公的时候，胡大峦刚把一个大大的哈欠打结束，他不抽烟，犯困的时候，哈欠一个接一个，鼻涕眼泪都溢出来了。他手头的钱还没有凑够，凑够了他准备进城。今天才做了三十个包子，到现在十个都没卖出去。他凄惶地想，照这样下去，总有一天得歇了包子，单卖狗鞭。

曹公公耸起鼻子辨别气味的样子，让胡大峦有些意外，感觉这条狗有些特别。按说他这样一个背负着上百条狗的命债的人，身上必有杀气。可这狗不但不怕，还靠他的蒸笼那样近。要换以前，他会从柜下摸出自制的“洋油弹”，甩到狗跟前。这洋油弹是胡大峦的发明，外面包了一层特别香的食物，里面埋个雷管，狗一嚼就爆炸。他店里的狗都是这么搞来的。今天他没去摸洋油弹。还有好几条狗鞭没卖出去，再说里屋没地方挂狗肉了。

他突然想起一个歇后语：肉包子打狗。心想千百年来，人家都说“肉包子打狗有去无回”，只有傻瓜才那么做，老子今天偏做一回，有什么了不起，不就肉包子打狗么？没有人来吃，还不兴老子给狗吃！

他揭开蒸笼，取了个模样好看的包子朝曹公公射过去，曹公公向旁边躲了一下，等包子在地上翻了几个身，停下来，上前用鼻子嗅了嗅包子，果然是同类的味道，用爪子把包子掰开，刨干净里面的馅儿，两口就把包子皮吃了下去。

这个动作在胡大峦看来，简直不可思议，他不晓得是因为这条狗讲情义不食自己的同类，还是嫌包子馅儿不新鲜。于是他又甩出一个包子。曹公公的处理方式，跟第一个一样。

吃完包子，曹公公抬起头来，依然耸起鼻子嗅着。它表情复杂，对这个用它的同类做包子的家伙，心头无比愤恨，可又对他莫名其妙投给它两个包子表示感激。它已经好多年没有吃过熟食了。两张包子皮让它想起在刘一刀家的情景，温馨和酸楚一齐涌上心头。此时，离傍晚进餐还有一段时间，肚子正饿，两张包子皮下去，饥饿得到缓解。曹公公不知道下一步该做点什么，是离开，还是等待下一个包子来临？一时没有决断。

胡大峦懒得继续表演“肉包子打狗”，反正没人看，而且刚才干了，也没带来预想中的快感。唯一的好处，是少打了几个哈欠。此时他想把这条狗搞到手，送上门的菜，岂有不收的理。以前他都要跑一段路，到镇子外去投洋油弹的。

他弯下身去摸洋油弹。

在曹公公犹豫的当儿，胡大峦的洋油弹投了过来。

曹公公还是嗅了嗅，没有同类的味道，香，香得令它恨不得一口把洋油弹整个儿吞下去。

曹公公不是特别谨慎的狗，只是出于习惯，或者怕里面还包有同类的肉，用爪子把洋油弹刨开，发现里面有一截比筷子粗一点、鞭炮那样的一截东西，顿生疑惑：这是什么东西？

就在这时候，一辆满是灰尘的轿车开了过来，方向正对曹公公，曹公公往旁边跳了几步，闪到一边。

车还没停稳，左边车窗滑下来，随即一个清秀的小伙子把头伸出来，冲着胡大峦打了声口哨。胡大峦从里面出来，满脸堆笑，一边走一边招手说着什么。

就在这时候，“砰”的一声巨响，汽车的左前角掀起巨大的灰尘，整个车子都跳起来，左前方跳得最高。“砰”的又一声落到地上。汽车熄火。胡大峦被气浪推得一屁股坐到地上。店面前面的两叠蒸笼翻到地上，一层一层散开，变成了六七个蒸笼圈，包子滚了一地。

待尘埃落定，又过了一会儿，车门打开，小伙子从里面钻出来，满脸是血。“我的娘哟！”小伙子惨叫着，外地口音。

胡大峦知道，汽车轮胎碾到他投的洋油弹上，把雷管搞爆了。他从地上爬起来，向小伙子跑去，装出一副什么也不知道的样子，嘴巴乱喊着：“怎么回事怎么回事？爆胎了？伤到哪里了？看起来很严重！你快躺下，我去喊医生，你得坚持个二十分钟哦！”

小伙子抱着头说了句什么。

胡大峦说：“对对对，手机，可以打手机。”

胡大峦摸出手机，手抖得半天找不到医生的电话，看看小伙子伤成这个样子，不晓得是非常严重，还是一般严重，心里就有自己的打算。他对小伙子说：“不巧得很，我没有医生的电话。我跑去帮你把医生喊过来，不远，在镇街道办。你等一会，最多二十分钟！”说完转身，向镇子外面跑了。转身跑的时候，胡大峦忙里偷闲，恶毒地看了一眼曹公公。曹公公感到那两束惊恐而仇恨的目光像锋利的刀片，唰地在它身上划了一下，让它打了个冷战。

小伙子蹲在地上哼哼哼，呻吟了一阵，缓过劲儿来，从地上爬起来了，把衬衫扯成条，根据需要裹在头上。

血是流了不少，没有伤及关键部位，问题不算太严重。

小伙子打开车门，驾驶位上的气囊救了他。副驾驶上的气囊也是打开的。他从车里取出一瓶矿泉水，咕嘟咕嘟灌了一气。头上的出血已经止住。他从包里摸出手机：“胡老板，你给我请的医生呢？什么？掉茅坑里了？没淹死吧？吃到屎没有？那你自己慢慢爬起来吧！我心想你多半逃跑了。没有就好。对，就是爆胎。嗨，你们这破地方。就破了点皮，问题不大，问题真的不大！你回来吧，我今天得在你这里吃晚饭。”

挂了胡大峦的电话，小伙子拨打了110。

小伙子的车胎好好的，一点爆胎的迹象都没有。自然，他不知道轮胎压爆了雷管，可再笨的人都晓得这里面一定有文章，这文章跟去了半个下午没把医生请来的胡大峦有关系——心中无冷病，不怕吃西瓜。“掉茅坑里，哄鬼吧！”小伙子哼了一声，他坚信胡大峦是跑出去躲起来了。他从胡大峦屋子里拖出一张凳子，坐到汽车旁边，掏出香烟来抽。

抽了一阵烟，小伙子飞跑的灵魂重新回到身上，他才感觉有些奇怪，这镇子，发生如此惊天动地的事情，居然没个看热闹的。人都到哪里去了呢？

他不知道在这里，越是靠近集镇的地方，往外跑的人越早。偏僻的张家坝都这样，信息比张家坝灵通便捷的大兴镇，早就完成了“空村”的任务。

“狗日的，真是个鬼地方！”小伙子恶毒地冲着空荡荡的街道，骂了一句。

傍晚时分，用完两只耗子的曹公公，经过胡大峦的包子店的时候，看见胡大峦正跟小伙子说着什么，话题似乎很轻松，夹杂着笑声，勾肩搭背的，像一对多年不见的父子。他们谈得正高兴，过来一辆警车，三个大盖帽从车里钻出来，小伙子跟胡大峦说话的神情，不再像刚才那么亲密，他几大步迎上前去，指着胡大峦对大盖帽说：“就是他，刚才报警说的就是他！”胡大峦立刻明白事情不妙，转身想溜，跑出十几步，几个大盖帽赶上去，把他按在地上。胡大峦在地上惨叫：“不是我干的，跟我没关系，我什么都不知道！”大盖帽说：“跟你没关系你跑什么跑？别浪费力气了，老实点！”

胡大峦的秀水包子店从此门户紧闭。

曹公公花了几天时间，仔仔细细找遍了整个镇子，不见刘一刀张红霞的影子。大兴镇说是个镇，一点镇的气派都没有，关键是没有人气，顶多数得出二三十个老头老太和十多个年龄参差不齐的留守孩子，没有看见学校，中学小学都没有看见，不清楚这些孩子是不是学生，他们整日从这间屋子跑进那间屋子，不晓得在忙碌还是闲得无聊。

唯一看得出头绪的地方，是小镇另一头的几间房子，门口挂了块牌子，牌子上黑色的“大兴镇街道办”几个字，曹公公若要认得，再进化几十亿年恐怕都办不到。里面有三个人进出，一个年纪大一点，四十来岁，中等个子，四方脸，留板寸，头发白了大半，浓眉大眼。此人以前是兽医，镇卫生所的专职医生出去打工以后，他就成了人医，院长、医生、护士他一人三挑。在他眼里，人跟牛马畜生一样，统称动物，处理方法大同小异。另外两个是大学生村官，一个是副书记兼治保主任，一个是副主任，书记和主任他们从来没见过，听说带了一帮人在新疆乌鲁木齐建筑工地承包土建。他俩分下来大半年，全镇找不到几个年轻人，不要说折腾几个工业项目出来充政绩，面对满街的垃圾，他们都没办法，花钱请不到工人，搞得再干净也派不上用场。干脆替国家节省钞票，整天闭门读书，立志考国家机关公务员。

缺少人气的镇子，连垃圾都陈旧得没点新意，气味像百年老宅从不打扫的厕所散发出来的，让曹公公的气管和肺经常难受得痉挛。耗子又多又肥，可惜口味太差。几只流浪猫瘦得连肋骨都看得见。曹公公有时候多咬几条耗子，故意做出不想吃的样子，丢到一边，然后离开。几只猫迅速往四下观察一下，没看见有耗子在注意它们，才冲上去，三下两下把耗子分食完毕，立刻四散而逃。以前，耗子贼头贼脑，如今，恰好反过来。开头曹公公还觉得这些猫真是滑稽好笑，后来明白那些猫是怕引起耗子的仇杀。自古狗和猫势不两立，见面不打架就吵架。镇上的猫得了它的好处以后，见了它，就露出一副可怜巴巴的讨好表情。那表情一看就懂，是恳求它下次咬耗子的时候，帮它们咬几只。

它在心里把这些猫骂了好几万遍：孬种孬种孬种孬种！

找不到刘一刀张红霞，又不愿意跟一群没出息的猫生活在一个地界上，曹公公想换个地方。几天跑下来，一条狗也没见到，大概给胡大峦的洋油弹收拾干净了，或者被胡大峦炸怕了，逃离了大兴镇。

曹公公琢磨了一阵，它决定从某条通向镇子的小路跑出去。根据它过去三年奔跑的经验，像这样一直跑下去，最后可能一点结果也没有，可有时候又是说不清楚的，既然刘一刀曾说他在什么兴镇，现在好不容易找到这个带兴的镇，在这里待上一段时间，说不定就瞎猫撞上死耗子呢！

大兴镇通往乡下的毛路只有一条。以前还有行人拖拉机自行车，如今长时间没人走，路上长满荒草，一条细若鸡肠的小路，夹在长在路上的荒草中间。路两边的田地上，到处是高大茂密的蒿草。野鸡、鹌鹑、鹁鸪在草丛中飞蹿。大白鹭在有河沟的地方飞翔。飞一阵，落在树枝上，重重的，把树枝压弯下来。松鼠在树上跳上跳下，灰毛狸也不闲着，还有一些不知名的小动物在忙着它们各自的事情。除了野鸡鹌鹑鹁鸪在草丛中活动，其他动物都在树上。老鼠不多，曹公公从镇上跑出好远，也没碰到老鼠。野兔倒是见到几只，天上的老鹰一出现，立即嗖地逃得无影无踪。其实天上的老鹰并没有俯冲下来的意思。

这景象，比张家坝原始多了。

接近中午，曹公公看见一条白毛狗带了一群狗在河里抓鱼。

这是它离开大兴镇，看到的第一个狗群。曹公公有些兴奋，它善于跟陌生的群狗交朋友。

从水切出来的河床的宽度和深度判断，这曾经是一条好大的河，河水却不深，大片河滩裸露出来。往河水里瞄一眼，水里大大小小的鱼清晰可见。

白毛狗是一条体格健壮的大草狗，全身雪白，身后带了十多条狗，颜色有黄有黑，还有四五条小狗是黑白相间或者黄白相间的。一看就知道，小狗是白毛狗的后代。

白毛狗带头冲到河水里去，看准了，一张嘴把头冲下去，就咬起一条来。其他狗学它的样子，也加入捕鱼行列。

河面上一下热闹起来，狗声欢腾，鱼在跳跃，水花飞溅，有的鱼飞跃起来，射到岸上，立即成了岸上观战小狗的猎物。

热闹只持续了一会儿工夫，鱼逃出危险地段，狗所在的河段一条鱼也没有，抓到鱼的狗在兴奋地狂嚼，没抓到鱼的失望地摇了几下尾巴上岸。

这时河对面来了一群狗，冲着河这面的狗汪汪地叫。

河那边的全是成年大狗。两群狗相对狂吠起来。曹公公听出来，河这边的狗来自船形村,河那面的自称来自大兴镇——大兴镇的狗,果然没被胡大峦炸绝种。

河这边的骂河那边的强盗,不好好在镇上生活,跑到乡下来抢它们的口粮。

河那面的骂河这边的是乡巴佬,河里的鱼都是它们的,再下河抓鱼,就撕碎它们。

吵着吵着,就打起来。

白毛狗十分凶猛,咬、掏、抓、扑,每个动作都完成得准确漂亮。它手下的那些狗,拼搏程度一点不像它,加上还要保护小狗,河对岸的狗群很快占据优势。河这面的狗节节败退,小狗们也受到攻击。对岸的一条大狗凶狠地冲向一条小狗,张开大口向小狗的脖子咬去。曹公公腾空而起,凭借自己高大壮实的身子,没费多大气力,就把那条大狗撞翻在地上。对岸的狗一看有新的帮手介入,立即把它当河这面的一员。曹公公刚才只想救无辜小狗,却被迫卷入这场跟它毫不相干的战争,不得不积极应战。曹公公毕竟在路上奔跑三年多,健壮,灵活,见过世面,格斗起来,优势一下就凸现出来。因它的加入,河这面的狗群逐渐转占上风,把对岸那群打得逃回到河对岸。

河这边的狗群撵了一段,撤了回来。

狗群感激曹公公,从白毛狗起,船形村的狗依次用鼻子来触摸曹公公的鼻子。白毛狗谈起它们的遭遇,跟曹公公一样,它们原本是船形村的看家狗。船形村的村民,也就是它们的主人,纷纷离开船形村。这些人说走就走,想都没想过怎么处置它们,它们就成了流浪狗。

以前它们谁都不尿谁,狗仗人势嘛,有钱人家的看不起没钱人家的,没钱的更看不起有钱的,见面非常不友好,各自有自己的领地,绝不允许别的狗进入自己的领地。等大家都成了流浪狗,它们发现,它们根本没有领地,更没有高低贵贱的分别,它们都是被主人抛弃了的流浪狗。到这地步,要是单独出去混,很容易被别村的狗群欺负,别村的狗是结成帮派的,于是它们就结成船形帮。

白毛狗告诉曹公公,如今每个村的狗帮各有领地,帮派与帮派之间既有联合,更有争斗。白毛狗表示,欢迎曹公公加入它们船形帮来。

曹公公想告诉白毛狗,它要去找主人刘一刀张红霞,它想回张家坝。转念又想,万一人家认为它看不起它们,把它收拾掉呢?所以它就用身子蹭蹭白毛狗,表示它愿意。

之后,曹公公跟随船形帮的狗在船形村活动。

这里的狗沿袭狗的优良传统,从来不吃耗子,因此曹公公不好意思再捉耗子,怕暴露了给自己丢脸。

船形村的狗群真是了不得,不仅能下河抓鱼,还能上树掏鸟蛋,有时候还能捉鸟。有一次,白毛狗教曹公公跟它搞了次配合,捉鹌鹑。白毛狗跟它在鹌鹑出没的路两边,面对面蹲着,两条前腿举起来,长时间不动。鹌鹑喜欢低飞,更喜欢成群奔跑，每次跑的路径不变。等鹌鹑经过它们中间，它俩前后拦截，四个爪子分工配合，一下子能搞到好几只鹌鹑。

冬天来临的时候，鸟兽们飞的飞，藏的藏。河水冰冷刺骨，跳下水去爬起来，不一会儿，毛上全是冰碴。狗群的日子难过起来，不再成群结队游荡，各找各的出路。

船形村跟张家坝一样，也是丘陵。那条它们捉过鱼的大河，从船形村中间穿过，河床很宽。雨季刚过，按道理，应该水量丰沛。可现在，只是几股浅浅的小溪。船形村的丘陵是连成片的，相互组合起来像盆沿，把船形村装在盆子中间，可见船形村地势相当低。

曹公公抬头就看见盆沿，低头看见的是荒草，感觉单调无聊。它想它的张家坝。它打算到来年桃花开了，再上路去找主人刘一刀张红霞。其他的狗白天外出找东西吃，晚上还习惯性地回到各自主人家的屋檐下。曹公公在船形村没有属于它的屋檐。在这季节，它独来独往，晚上找个背风的角落将就一下。有时候晚上太冷了，它得奔跑一下，制造一些热气。其实单独行动有单独行动的好处，每次天黑的时候，它都能享受一两只肥美的耗子。这里的耗子口味不错，跟张家坝的没啥区别。村里其他狗都瘦得皮包骨头，一身皮毛在风中发抖，见到它，都对它膘肥体壮感到奇怪。

一天夜里，曹公公经过一幢被高大的水杉团团围住的房子，这是一幢相当矮小的平房，一进三间，没有院子。如果窗户上没有灯光，很不容易被发现。曹公公听见屋里有人在争吵。

一个男的声音："谁不晓得你陈阿婆有钱？儿子工程师，女儿在美国。算起来我们也是亲戚，我不是喊你干妈么？这是最后一次，只借一千块！"

听声音，那男的有五十多岁，有点耳熟。曹公公一时没想起是谁。

一个老太太的声音："这半年你自己算算总共借过几次了？次次都是肉包子打狗有去无回。总是赌，总是赌！赌得家没有个家，儿子媳妇跟你割裂，你爹你妈要是还能活转来，都要给你气死回去。"

那男的声音不耐烦起来："干妈，我是来跟你借钱，不是来接受你教育。我晓得你有钱，反正你一把老骨头肯定用不完，你就把我当你儿子，我帮你用出去，等于替国家做贡献。"

"借给你？借给你就等于支持你赌博。你不看看你几个儿子，各做各的生意，各发各的财。你不就被警察关了几天罚了点款么？你还有包子店，你还有力气，没必要来盘剥我老太婆的几个养命钱。"

说到包子店，曹公公突然记起，说话的那男的是胡大峦。门没有关紧，虚掩着，曹公公轻轻一拱，就钻进去了。堂屋中央站着胡大峦，一身黑色的皮衣皮裤，手上是把柳叶刀，一脸杀气。他身后是个电视机，屏幕上雪花下得正热闹，噪音很大，可能是胡大峦进来以后，故意调大的，一般人看电视不会调那么大的声音。胡大峦的对面是个条形茶几，茶几上有水壶茶杯，茶几后面是张长条形的沙发，一个七十多岁的老太太坐在沙发上。

胡大峦十分暴躁："干妈，再跟你说一遍，我是来借钱的。借钱，你懂不懂？"

老太太回应的声音很坚决："没钱借给你！"

胡大峦的声音阴阳怪气起来："没钱？那我自己找……"说着，向堂屋左侧的房间门走去。

老太太从沙发上站起来："干什么干什么？你还抢人啦？你还真抢人！强盗！"说着上前去阻止他开房间门。

胡大峦一反手，把老太太再次推倒在沙发上："你吼吧，吼破喉咙也没人听得见。你最好躲远点，不然我手上的家伙不客气，白的进去，红的出来，一年半载也没人发现，等发现了，只剩一堆骨头，谁知道你是老死的还是怎么死的！"

说完，进了房间，轻车熟路地打开老太太床头上的箱子，翻开遮蔽的衣物，找到四叠钱，每叠大概一万。胡大峦愣了一下，没想到会有那么多，就用箱子里面的一件衣服，把四叠钱包起来揣进怀里。转身对站在身后的老太太说："干妈，本来你只要借我一千块钱，什么事情都没有。可惜……今天看来我不能不……啊，不能不……你懂的！"一步步靠近老太太。

老太太声音绝望："钱你都拿去了，你还想干啥？"

"你说我干啥？我必须干那个啥！"

老太太更加绝望："四万，当我送给你还不行么？"

胡大峦继续靠近老太太："送？当着面说送，一转背就拨 110。你晓得我是吃过亏的，再傻不可能傻第二次！"

胡大峦的刀子划过一道寒光。曹公公腾空而起，准确无误地咬在胡大峦的右手上。曹公公从来没真正对人下过口，看家狗的地位不是靠牙齿立起来的，靠的是响声，谁叫得具有震慑力，谁就有本事，所以在咬胡大峦的时候，口下得浅。胡大峦只感到痛，并没有受伤。

对胡大峦来说，这来得太突然。这一惊，吃得不小。胡大峦惨叫一声，柳叶刀当啷一声落到地上。胡大峦转过身来，看清咬他的正是上半年在他的包子店，让他吃半个月官司外加一万元罚款的狗。顿时忘记疼痛，发疯一般向刀子冲去。曹公公知道它不出狠招，后果不堪设想。再说，这家伙身上还有那么多同类的命债。它在胡大峦亮出的屁股上咬了一口，鲜血气味顿时弥漫整个屋子。胡大峦再次惨叫，到底领教了这条狗的厉害，顾不得捡地上的刀子，转身往门外逃窜。曹公公一闪身，堵到门口，喉咙里发出愤怒低沉的呜呜声，听起来让人汗毛倒竖。

胡大峦说："好狗不挡道，让开！"

曹公公一动不动，门神一样堵在门口。

胡大峦懂了，这是叫他把钱放下。胡大峦叹了口气对曹公公说："你狗日的将来千万别撞在老子手上，最起码是凌迟！"从怀里一叠一叠地掏，掏出三叠，抬头看了一眼曹公公，曹公公没有让开的意思，喉咙里继续发出令人胆寒的声音，胡大峦把最后一沓钞票连同那件衣服掏出来，曹公公往屋里走了几步，闪开一条道。

胡大峦扭头对老太太说："这狗是你家祖宗！"说完捂起屁股，逃出门去。

惊魂未定的老太太跌坐到床头边的单人沙发上痛哭起来，起初小声小气，后来号啕大哭，断断续续地叙述，在寒冷的深夜，听起来瘆人而且惨烈："什么儿啊女儿哦，小时候都是心肝宝贝，一长大，翅膀硬了就飞，谁管你爹呀娘的！死鬼吔，你早早眼睛一闭，什么心不操，我还把你挂到墙上。他们寄钱来给我，有什么用？一天超出二十块我不晓得怎么用。看嘛，贼也偷，贼也惦记。今天，哦今天，呜呜呜呜！"

老太太哭累了，歪在沙发上歇气，看上去像睡着了。

曹公公从房间退到堂屋，又从堂屋退出来，在屋檐底下找了个背风的草窝睡下。离开张家坝刘一刀家的屋檐，这么多年，它第一次睡在屋檐下。屋檐下温暖啊，它在守护一份安全的同时，自己也获得一份安全感。有人气的家，就是不一样。出来闯荡了那么多年，它的心仍旧在张家坝。它思念让它情欲萌动的红红和小花。张家坝是多么美妙的地方，田野是那样迷人，空气是那样清新，菜花开的时候，又是那样疯狂热烈、激情飞扬。它在想，它留在张家坝的孩子应该成年了，它们都长成什么模样呢？它们一定不认得它这做父亲的。它想它的孩子们会不会责怪睁开眼睛就没见过父亲的面呢？它理了一下思路，它之所以离开张家坝，是因为刘一刀有什么伟哥，发现伟哥用不着了，自己迷路了，只能在找到刘一刀之后才能返回张家坝。"刘一刀啊刘一刀，我的主人！我要是一辈子都找不到你呢，难道我一辈子回不到张家坝？"曹公公想到这里，难免心酸和惘然。

这一夜它睡得非常不好。

天蒙蒙亮的时候，曹公公被开门的声音惊醒。老太太已经收拾停当，端了一碗拌了碎腊肉的油饭，走到离它七八步远的地方，把碗放在地上，示意它吃。从距离上看，老太太跟曹公公之间还没有建立起充分的信任。

此时，曹公公还不想进食，昨天傍晚的耗子没消化完。

在外面混了这么多年，曹公公晓得这时候如果不领情，不吃一点的话，老太太会难受的。以后见了它，距离会隔得更远。

曹公公在低头的一瞬也考虑老太太会不会在食物里下药，就像胡大峦炸狗那样。也就一瞬，它相信老太太是真诚的。如果一个人对救命恩人都会下毒手，迟早要落下万劫不复的深渊。

熟食的滋味真是太好了。这碗油饭让曹公公再次想起张家坝，想起刘一刀。在刘一刀家，过年的时候，它常常吃上这样的油饭。吃上油饭的时候，村子里大人娃娃都穿新衣服，衣服口袋里随时都有新炒的葵花籽，他们还贴春联，放鞭炮，热热闹闹。嫁女儿娶媳妇的，也选在那阵子，酒席一台连一台，它们啃骨头，啃得腮帮酸。有时候晚上，还在村口的一个小平坝上演戏，都是村里的农民，自己演，自己看，演得不对，穿帮了，重新来一遍。台下的人哄笑一阵，然后嗑着瓜子，耐心等待。可惜这样的日子一去不复返了。张家坝、大兴镇、船形村，无一例外，一个比一个空。只要长两个脚的，能喘气，争着抢着朝城市跑。

在大兴镇街道办，曹公公曾听到这样一场议论。

村官甲："多好的土地呀，都撂荒了，太可惜了！"

村官乙："就是，没文化没技术，到城里只能捡垃圾收废品，动不动被城管撵得满天飞！"

村官甲："何况如今国家不收农业税，还对种植进行补助，你说，多好的事。当年我读书那阵，我爹我妈可没摊上这样的好事，一棵果树刚栽活，生产队长就来收农业特产税，一棵树五角，气得我爹一锄下去……"

村官乙："怎么样？把生产队长开了？"村官乙一脸坏笑，拿村官甲开玩笑。他脸上总是一副玩世不恭的表情。

村官甲："你当我爹像你爹一样是近亲结婚的结果？一锄下去，把树刨了！"

村官乙："你爹才近亲结婚呢，换了我爹……"

村官甲："怎么样？能不把树铲了？"

村官乙翻了几下眼皮："当初就莫种！"村官乙说完继续一脸坏笑，脸上的表情越发玩世不恭。

两个人在说笑的时候，手不释卷，一个手上的是《申论》，另一个的是《行政能力测试》。

兽医就在旁边，也跟着笑，已经有半年没有人来看病了。这半年，他做得最要紧的活儿，就是给所有外出打工的育龄男女寄过去几张表格，让他们到当地派出所盖章，证明他们已经放了节育环、使用安全套、没有计划外生育情况出现。他要求他们用快递寄回来。那一阵，他办公室里到处是快递信封。搞得两个半年收不到一封信的村官，眼睛绿了，见面叹气：手机这鸟东西！

兽医接过话说："也难为他们，我们大兴镇，人均只有五分耕地，也就是你们说的半亩耕地，半亩耕地能做什么呢？累死累活，老天照应，一年顶天收入两千块钱，还没扣种子化肥农药、栽种和收割的花费。要是老天爷不帮忙，连辛苦钱都搞不到。一亩地补贴几十元，背心扯水啊！"村官甲纠正："杯水车薪。""是'杯水车薪'？"村官甲："意思是用一杯水去救一车着了火的柴草。""对对对，跟你们我学到不少知识呢，就是屁事不顶。'背心扯水'意思也跟那个什么杯水……杯水车薪差不多，你把背心拿到井里去扯水试试？嘿嘿，我造的，不算数。"

兽医拿起搪瓷缸子，喝了一口水说："到城里呢？如果进厂，那再好不过，只要不遇上黑心老板——都是老乡带老乡出去的，遇到黑心老板的机会比刚出去那阵少——一个月两千块钱还是有的。两千块钱，妈的，你在家得挣一年！你们别看不起捡垃圾的，据我了解，他们收入不低。脏是脏了点，还被人看不起，人家的收入是进厂的一倍。出去的时候背蛇皮口袋，睡火车凳子底下。回来，嘿嘿，回来人家一家子都坐飞机！再说啦，他们在为人类节约资源做贡献！”

村官甲说：“照你这么说，农村就该荒下去啰？”

村官乙：“如果让我来出申论题，我就出个关于这方面的题，让全国的准公务员都来回答。”

村官甲对村官乙唯恐天下不乱的玩世不恭表情非常不满：“乌鸦嘴！未必你有本事答上来？”

兽医说：“要我说呢，弄这个题来考你们还真有必要。每年有上百万人参加公务员考试，不相信就没那么几个特别有主意的。”

吃完油饭，曹公公伸了伸懒腰，准备离开老太太家屋檐。

这时，小路上传来马蹄声，悠悠缓缓地向老太太的小屋走来。赶马的是个靠近六十岁的老头，又干又瘦又矮小，跟风过的一样。头发都白了，眼睛异常明亮，整个人看起来精神抖擞。走到老太太屋子跟前，把马喝住。那马已经有些年纪，可驮得并不少。马驮子上，一边架着一个大麻袋，上面还各挂了两个鼓鼓囊囊的蛇皮袋。

老太太迎上去说：“吴瑞荣，辛苦你啦！”

吴瑞荣从马背上卸下两个沉甸甸的蛇皮袋：“最近没活路，天又冷，迟几天上你这儿，不缺什么吧？”

“我节约起用，将就够，真是太辛苦你了！”

吴瑞荣：“陈家阿婆，你年纪大了，该去跟儿女们生活在一起，有个照顾！你儿子托我的事情，我做得有一趟没一趟的，岁数大了，走不动了，轻易不想出门。”

老太太说两个娃儿那里都去过了，不习惯。

“儿子不孝顺？”

“不是这意思，儿子在黄海边的电厂工作，火车要坐两天两夜，下了火车还要坐好几个小时汽车。那块地方靠近大海，湿气重，去了总爱生病。”

“你女儿不是在美国么？”

“也去过，更不习惯，除了女儿跟我说中国话，女婿外孙都没法跟我说话，能把人憋死。再说我都是快老的人了，到那些地方去，万一哪天老了，就回不来了。”

“想那么多做啥？你有儿有女，福分比我好。我啥都没有。到现在一副棺材钱都还没挣够。”

“你儿子还是没有找到？”

“从十三四岁跑出去，二十多年不晓得死活。最近听在上海打工的吴振华说，看到他在一个什么电子厂上班。人长得高高大大的，工资不错，三四千块一个月，还是个小工头。相互还留了电话号码。”

“吴振华把电话号码给你没有？”

"给了。"

"联系上没有?"

"联系是联系过几回,不晓得该说啥,不痛不痒说几句就挂了。"

"他还回来不?"

"你看哪个村子出去的人最后还回来的?"吴瑞荣叹息,"将来老了,抬棺材的人都找不到,未必我们自己爬进坑里去?我就搞不懂,他们就不想这里的房子,这里的庄稼地?"闷了一阵又说:"再说还有他们的祖坟呢,未必将来给人扒了,都不回来放个屁?"

老太太说:"都怪我不好。"这句话的内涵是丰富的,当年,就是老太太撺掇吴瑞荣的婆娘跟她侄儿跑了的。当初吴瑞荣把老太太恨了几十年,直诅咒老太太喝水呛死,吃饭噎死。

"不是说好不提那些陈谷子烂芝麻的事情吗?"吴瑞荣说,"几十年了,我也想通了,不是那家人不上那家门。我们本身就不配,一个属于乡下,一个属于城市。你见过哪个农村媳妇整天把自己打扮得花枝招展,不喜欢做农活,单喜欢唱歌跳舞的?你那城里的侄子,正好可以让她又不做农活,又能唱歌跳舞。"

老太太说:"你大人大量。"

"单单苦了我那儿子,从小就没娘带。我也后悔当年没好好教育他,不听话就打,结果把他打跑了。"吴瑞荣说,"以前想起来挺气人的。如今,几个村就那么几个人,我们要是还老记恨那些事,还有什么意思?我们不相互关照,谁还来关照我们呢?"

老太太向吴瑞荣讲述昨夜发生的事情,老太太把曹公公描绘得如同天犬下凡,出于某些考虑,她没提胡大峦,只说是个黑衣强盗,具体哪个人不认识。

"太危险太危险!那条狗呢?你很有必要养条狗,你干脆收养这条狗算了,我看它也像条流浪狗。"吴瑞荣说,"现在流浪狗到处都是。人比狗野,狗都晓得念家。前一段大兴镇上秀水包子店的老板造洋油弹炸狗,把人家轿车给炸了,逮进去关了一阵,听说跟一条狗有关。唉,乡下的狗比留下来的人还多。"

吴瑞荣忙着赶路,说话拉拉杂杂的。老太太对他的背影问:"接到哪儿的活儿了?"

吴瑞荣背影回答:"上游在修补船形水库,坝子打在半坡子上,车子上不去,我负责给工地送榨菜。"

老太太望着吴瑞荣远去的背影说:"你不是要绕道才到我这里来?辛苦你了!"

吴瑞荣答了一句什么,隔得远,被风卷走了,谁也没听清楚。

老太太自语:"好人啊!可惜一辈子没遇上好人!"说罢叹了一阵气。

老太太俯下身来呼唤曹公公。曹公公友好地摇着尾巴,小心地靠近老太太。老太太伸出手来,准备摸摸它的脊背。曹公公主动亮出脊背。老太太的抚摸是轻柔的，手掌薄得像张纸，这是一双内容丰富的手，种过水稻、玉米、高粱，拉扯过儿女，送别过丈夫。老太太的手给曹公公的感受是复杂的，从这儿下简单的抚摸中，曹公公感受到老人无言的孤独和悲伤，昨晚的恐惧还残留在老太太的手上。曹公公决定，留下来给老太太做个伴儿。

这样的抚摸，是狗与人类之间的契约。一旦接受，就等于认可相互间的主仆关系。

曹公公在认可这种关系的时候，并没有忘记刘一刀，更没有忘记张家坝，陪伴老太太，时间应该是有限的；寻找刘一刀，回到张家坝，是永恒的，也是终极的。这意思，它用眼神对老太太说了。可老太太年纪大了，眼神不好，又不懂狗用眼神说的话，如是了几次，曹公公只得放弃努力。

这并没影响他们之间的主仆关系。老太太常常走出水杉林子，到田野里走走，曹公公就陪着；老太太在堂屋右侧的厨房里做饭的时候，它也在身边陪着。老太太闲下来就跟它说话，说她的儿子在一个叫大唐吕四港电厂的地方做工程师。她对曹公公解释说："吕四你知不知道？传说吕洞宾去过四次，就叫吕四。吕洞宾跟狗是有关系的，那句话怎么说来着，狗咬吕洞宾，不识好人心。那地方在汪洋大海边上，有海鸥，有海潮，还有满船的鱼虾……"她说，她在火电厂外面参观过火电厂的样子，好大几排房子，好大一块地，只有两三百号工程技术人员。她说她孙子聪明可爱，都上高中了，在启东中学。"启东中学可不得了，每年有二三十个学生考上清华北大。"她说她孙子成绩不拔尖，但很优秀……可惜那地方，夏天太热，冬天太冷，一年四季潮乎乎的，到那里总生病，给儿子媳妇添麻烦。

老太太还给它讲她的女儿。女儿很爱她，她也很爱女儿。说到女儿，老太太的眼窝里满是泪花。她说她女儿自小就柔弱，身体不好，却爱读书，成绩出奇的好，考上托福到美国读书那年，她的丈夫，也就是那两个孩子的父亲，在一场突发的疾病中丧生，她的女儿学的就是医学专业……说到这儿，老太太长久地抽泣。那是一个遥远的地方，老太太说，她的女儿如今是个优秀的医科大学教授。她曾经去过美国，"在洛杉矶，洛杉矶是美国的大城市，不是落山鸡，嘿嘿，我刚听说的时候，以为那里到处都是山鸡……"如果不是语言不通，那真是个不错的国家，环境好，医疗条件更好，一次她生病住院，从抵达医院到住院结束，护士全程护理，为提供更好的照顾，医院还为她专门请了翻译……

故事就这些，老太太每隔几天就要重复一遍。有时候刚说着儿子，突然会扯到老头子身上，或者刚才还在谈论孩子的事情，突然想起村子里过去的老朋友。

曹公公是个合格的听众。这种叙述是漫长的。对于漫长的叙述，倘若缺乏足够的耐心，那就是一桩非常折磨人的事情。

老太太脸上忧郁的情绪在一天一天减少。心情愉快的时候，老太太开一会儿电视，或者给儿子打个电话。她只给儿子打电话，不给女儿打——她想不通，都生

活在地球上，为什么我这里是白天，女儿那里竟然是黑夜，怎么会时间恰好相反呢？儿子似乎一直都很忙，说不上几句就挂了。老太太放下话筒，一副心欠欠的样子。如果能接到女儿的电话，老太太就能聊上好一阵，特别开心。可女儿好像也很忙，一个月最多通两次电话。有时候，老太太望着电话机发愣，自言自语，不晓得在说什么。

中途吴瑞荣来过两次，给老太太送一些日用品。老太太要给他钱，他说她儿子早就把钱给足了。从吴瑞荣和老太太的交谈中，曹公公知道，那个位于上游的船形水库前年出了漏洞，正组织人工加固修补，要保证明年上半年雨季来临之前完工。

吴瑞荣说，在那里干活的工人生活惨得很，榨菜当菜吃。早上榨菜汤下馒头，中午晚上榨菜炒肥肉丁儿，放个屁都是榨菜味道。因此，他每天要往工地上送一次榨菜。

他说，不晓得是工人的问题，还是受包工头的指使，工程马虎到想想都害怕的地步，该加钢筋的地方，只有混凝土；该铸现浇大坝的，砌上石墙了事。

老太太问，工程的监理呢？吴瑞荣说，工程监理老窝在山下不上去，也不晓得这里面是不是有猫腻，是不是跟谁达成了某种默契。他说等整个工程完工，谁还知道里面是石墙还是钢筋？工程的名字倒是噱头得很，先在工地的大牌牌上说这是什么“浆砌石结构”，后来又把这块牌子换了，换成“混凝土面板混合堆石坝”，下面还加注几行字说，这是本省首次使用的加固工程，“长坝、后坡、高挡墙坝”，“能承受五十年一遇的洪涝灾害”，“最大蓄水量三十二米”什么的，其实就是砌两堵混凝土石墙，在中间填土。“这坝迟早要出大事情！”吴瑞荣说。

到了晚上，曹公公睡在老太太在门边给它搭的窝里。特别冷的那几天晚上，寒风像持刀的鬼子，尖厉地从狗窝外面经过，发出凄厉苍白的怪叫。老太太怕把它冻着了，还招呼它到屋子里去，睡在一张草垫上。曹公公感到特别温暖，特别幸福，由衷地感激老太太。每当想念张家坝的念头上来的时候，它就立起身来，让身上感受到一些寒冷，整个身子一激灵，把刚冒出的念头打跑。

有一天晚上，没有吹风，天上冰凉的月亮，安静地笼罩着整个村庄，它睡在屋外的狗窝里，又想起张家坝。这一次它站起来，狗窝外的寒冷及时地浸进来了，却怎么赶也赶不跑这个念头。它考虑什么时候去找刘一刀。它感觉到选择的困难，感觉到矛盾，老太太现在需要它，离不开它。如果它跑去找刘一刀，老太太会怎么想，背信弃义？或者以为它失踪了？死了？要么，再等一等，过一些时候再说。可要等到什么时候呢？还有，照吴瑞荣的说法，走出村子的人都不愿意回村子，那么它即使找到刘一刀，要是刘一刀不想回张家坝呢，它岂不永远也别想回到张家坝了？曹公公越想越失魂落魄。

这样难熬的夜晚，陪伴曹公公整个冬天。

有老太太的苞谷[illegible]支撑着，春天来临的时候，曹公公比以前更壮实了。田野里开花的时候,曹公公又想起张家坝刘一刀隔壁的小花和赵家的红红。那些春天特有的情绪,开始在曹公公体内萌动。天气逐渐暖和起来了,狗群再次聚集到一起。狗群里少了几只老狗和小狗,没有熬过寒冷的冬天。白毛狗变老了,它们在用鼻子互碰表示友好的时候,曹公公明显感到白毛狗的力道大不如前。到油菜花开的时候,白毛狗的劣势凸现出来,狗群中的母狗主动选择曹公公。白毛狗不甘心就此失势,与曹公公来了一次对抗格斗,一交手,白毛狗就体力不济。曹公公冬天在老太太家吃的苞谷糍,不是白吃的。那一阵,曹公公除了晚上回到老太太家,白天都在船形村的田野上撒欢。它暗自得意的是,不久船形村的田野上,将有无数它曹公公的后代奔跑。

一场倒春寒,让狗群的激情降低了一些。有一天,曹公公白天回到老太太家。才十多天没跟老太太打照面,老太太病倒了,全身滚烫,呼吸急促,咳嗽不止,脸上布满绝望的神情,一言不发地躺在床上。

前面介绍过,在狗的社会中,狗的治病原则是自愈。经历过世事的曹公公知道,人生病以后都会去找医生。它曾经在大兴镇上,看到兽医给人治过病。它想它应该替老太太去喊兽医。

凭曹公公的第六感觉,它感觉不出老太太有死的迹象。狗的第六感最灵敏,它能在一个人将死前几天,嗅出这个人身上散发出来的死亡气味。过去,一旦嗅到这股气味,它们会用祖上传下来的做法,夜里哭泣,在狗窝前面掏一个碗大的深坑,提醒主人家及早做好准备。

老太太看见它,眼睛里闪过一丝希望。她向曹公公指了一下电话机,艰难地用右手比了个六字到耳朵边——她要打电话。曹公公把电话机叼到她床头。老太太取下话筒,用颤抖的手拨了一个电话,嘟嘟嘟响了半天,没人接。老太太说:"这孩子,这么忙?"老太太搁下话筒。过了一会又拨一次,还是没人接。老太太刚说了句"这孩子",泪水就下来了。

曹公公在老太太的眼泪滑过脸庞的时候,出门了。它沿着从前来的道,向大兴镇飞奔。

快到镇子的时候,路边窜出大兴镇的两条正要起草的狗,也就是牙狗在后、母狗在前的那种。曹公公疯狂奔跑的样子打搅了它们的好事。母狗倒没什么,它只认速度和健壮程度。母狗只需瞅一眼,就知道曹公公比刚才追它那条牙狗更威猛。这对那条牙狗是一种严重伤害。它仔细打量曹公公,发现这条搅它好事的大狗,就是去年帮助船形帮打败它们的那条。当即放弃要做的事情,反身去通知大兴帮的其他成员:它们的敌人来了!

曹公公没有心思介入其中。它完全没有时间去想这事跟它还有什么关系,更没工夫去考虑一旦闯入仇人的地盘,该做些什么准备。它只顾疯狂地向兽医所在的街道办奔跑。

街道办的门开着，两个大学生不在屋里。他们参加公务员考试辅导去了。去年年底的国家公务员考试，给他们兜头泼了盆冷水，使他们认识到，闭门自学是有局限性的。

兽医手持搪瓷茶缸，无聊地窝在沙发上看一档以“快乐”为主题的娱乐节目，不时发出一阵莫名其妙的狂笑。笑完了，揭开茶缸盖子，抿一口茶，嘴巴上似骂非骂地冒出一句：“搞笑，穷凶极恶地搞，恬不知耻地笑！”

曹公公进了门，冲着兽医摇尾巴。兽医说：“怎么啦？饿啦？我这里没啥好吃的。”兽医眼睛娱乐地眨了两下，用那档娱乐节目特有的表情说，“避孕一号，你吃不吃？发都没地方发，满柜子都是！”

曹公公用身子在兽医身上蹭了两下，表示友好，然后含着他的裤脚往门外扯。兽医毕竟是兽医，他一下就懂曹公公的意思，这是来替主人求救的。立马站起身子来，拔掉电视机电源，从柜子上取下药箱。当方形药箱挎到肩上的时候，人已经出门。带上门，从屋檐底下推出一辆自行车，一跷脚上去，人还没坐稳，车已经出去了。

曹公公在前，兽医骑着他的自行车在后。

刚出镇子，三四十条狗堵在路中央。曹公公发现，狗群大部分都是去年交战过的，马上明白仇家报仇来了。它嘶吼着向它们表示：让开一条道，它请医生去救它的主人，我们后会有期！对面狗群冷嘲热讽：你一条外乡狗，这儿哪有你的主人？分明撒谎！什么后会有期，今天会上了，你就是无期！曹公公暴怒，做好决死搏斗的准备。兽医停下自行车，从地上捡起四五块石头，冲着狗群一阵乱打，嘴里骂道：“造反了你们！没人收，没人管，怕你们还占山为王，收我买路钱不成！”

狗是怕人的动物。四五块石头打出去，虽然没有打中哪条狗，但狗群闪开一条道。有人参与，大兴帮的狗积聚的仇恨无处发泄，更增加了整个狗群对曹公公的仇恨。

大兴帮眼看曹公公带着兽医远去。刚才那条母狗跟着曹公公和兽医跑了一段，狗群起先以为它在追踪曹公公，后来明白是给曹公公迷上了，暴怒的狗群立即把怨愤和不满发泄到这条被情欲冲昏头脑的母狗身上。

兽医进门，取下药箱说：“陈家阿婆，我以为你跟你的孩子在大海边呢。你一个人住在这荒郊野外——如今大兴镇哪里不是荒郊野外——若没这条狗，才真叫个叫天天不应，叫地地不灵！”

兽医给老太太量体温，让老太太张开嘴巴大声喊“啊”。他眯起一双从前打量牛嘴巴的眼睛看了看，说：“炎症不轻！”又用听诊器听老太太的前胸后背，说：“肺上还好，问题集中在支气管上。先给你挂几天水。”说到这儿，顿了一下，改口说：“还是打针算了。又没人照管，你怎么好挂水呢？我不可能一天到晚守在你这里，我还得在镇上上班呢。”

兽医配好针药，准备打针。突然想起什么，问老太太："吃饭没有？"得到否定回答。又问："你通知你儿子没有？"老太太说电话打了几十个了，打不通。兽医说："忠孝难两全啊！"放下手头活，下厨房替老太太煮面条。

水刚刚开，吴瑞荣闯进来，急火火地问老太太怎么样了，说接到老太太的电话，马不停蹄找兽医，寻不着就赶过来了。

兽医从厨房里探出头来，满是委屈地对吴瑞荣吼了一声："如今我不也是人医吗？以后别老喊我兽医兽医，说不定哪天我要替你治疗一下呢！"

吴瑞荣哈一声笑出来，他没有想到兽医会在这儿。"老哥，兽医人医只要有医术就是神医。以后喊你神医好不好？你怎么晓得陈家阿婆危险呢？你真神了！"

兽医指了一下身边的曹公公："这条狗，到镇上去请我来。"

兽医把"请"字的音说重了点，似乎有点得意。吴瑞荣笑得抽气："看，还是兽医嘛！狗咋个不请我呢？"

兽医转身指着吴瑞荣笑着对曹公公说："下次陈家阿婆需要帮助，你就去请你家这个大哥！好找得很，你只要记住他那匹马的气味。"

吴瑞荣也笑，指着兽医对曹公公说："以后你要是有什么不方便，尽管去找你这神医舅舅，尤其是背上风流债的时候。"

兽医不服气："嗨，我啥时候管过风流债了？"

吴瑞荣："你那里不是药就是套的，你不管风流债谁管？"

两个人说说笑笑，服侍老太太吃了面条，帮她把屋子收拾了一下。家里有人说话，老太太的气色也好了不少，偶尔也跟他们搭几句。两个人商量，吴瑞荣今天留下来陪老太太挂水，剂量可以用大点，冲击疗法，明天后天吴瑞荣忙着向工地送榨菜，由兽医上午下午各来给老太太打一次针。如果还需要，大后天吴瑞荣再来陪老太太挂水，反正大后天他不需要向工地送榨菜。

一切停当，药水一滴一滴注入老太太静脉，曹公公帮老太太叼到床边的电话机响了起来，老太太拿起话筒，一句"儿呀"，泪水便牵起线地落下来。

吴瑞荣悄悄问兽医："这电话铃声很有意思，什么名儿？"

兽医悄悄说："黄河大合唱。"于是小声哼唱："风在吼，马在叫，黄河在咆哮，黄河在咆哮。敢情还有这样的电话铃声。"

"起先听到她家电话这个铃声我也觉得稀罕，我的手机铃声现在也设成了'黄河大合唱'。"

老太太表面上看起来风都刮得跑，内里筋骨还算硬，到第三天就不咳嗽了。第四天吴瑞荣来准备陪她挂水，老太太坚持还是打针。

春天过去，初夏很快来临。照常年，这正是一年中最热的时候，气温上升得快，天却不下雨。今年却很特别，气温蹿得不快，雨却提前一步到来。老太太的病好得不彻底，咳喘经常发作，时好时坏。有几次，曹公公都准备好离开老太太去找刘一刀,可一想起老太太发病的那种危险,又不忍心离开。找主人刘一刀的事情就这样被耽搁下来。

绵绵的阴雨占据整个初夏,一下就是十多天。这一阵老太太的情况特别不好,咳嗽加气急,天天都在吃兽医留下的药片,症状不见减轻,反倒一天天加重。吴瑞荣好一阵没有来了,不晓得因为下雨不好送榨菜,还是上游的水库完工了。

这一天,天气刚刚好转,雨停了,天上的云层也没那么厚。老太太要是好一些,曹公公准备出去跑一跑,会会朋友,撒撒欢。可老太太的咳嗽加气急,让曹公公感到这老太差不多要把肺掏出来才舒服。老太太比画加交代,让它去把兽医请来,这一次看来必须挂盐水。老太太让曹公公把上次挂水的皮条含在嘴上,这样兽医一看就明白了。

曹公公跑到大兴镇街道办,里面没有兽医,只有两个大学生村官。兽医今年开春就打工去了,临走的时候交代两个村官,如果有人肚子痛,可以给几片止痛片;如果伤风感冒,就给克感敏;如果嗓子不舒服,还可以加点草珊瑚含片。几个月过去了,既没有人来说肚子痛,也没有人伤风感冒嗓子不舒服,两个人客串医生的机会一直没撞上。他们也想离开大兴镇,但看在每个月一分不少的薪水分儿上,他们留了下来,权当在这里隐居,韬光养晦,苦读“兵”书。国家公务员可以考到三十五周岁,还有好多次机会呢!无聊的时候,把那些发不出去的避孕套用打气筒打胀,像城里的气枪靶子那样,在墙上挂成一排,两个人举行飞镖对抗赛,输了的负责做饭洗碗。

两人正在专心读书。他俩上午读书,上午记忆力好。看见曹公公钻进屋子来不走,觉得这狗怎么会这样,嘴里还含着根皮条。

村官甲:“吔,想来充兽医?!”

村官乙捞起左手袖子,右手指着左手手腕对曹公公说:“来来来,挂水!”

两人大笑,东倒西歪。

曹公公用身子蹭了两下村官甲,村官甲担心裤子被蹭脏了,还担心被狗咬,触电样躲开:“吔,我这里不是蹭痒的地方哦!”

曹公公用嘴去含村官乙的裤子,村官乙尖叫起来:“哪来的疯狗,还咬人!”

两个人惊呼着跳起来,村官甲把手中厚厚一本《申论》甩出来砸向曹公公,村官乙捡起桌上兽医留下的搪瓷茶缸向曹公公砸过来。

曹公公承受了这两个打击,低头发出哀求的呜呜声。

两个村官哪里有心情理解它的哀求,他们现在只想早点把它赶出去。村官乙从门背后拿出不锈钢衣撑,一招“力劈华山”向曹公公打来,曹公公往门外跳去,逃过一劫。可没逃过村官甲射过来的飞镖,村官甲向它连射两镖,一镖偏了,射进木门框里,另一镖射到曹公公右边的后腿上。曹公公尖叫着逃出屋子,嘴里的皮条掉到地上,村官甲的第三个飞镖射到皮条圈中间。

曹公公刚跳出门，两个村官立刻把门关死，惊魂未定地从窗户里观察曹公公的动向。

曹公公失望极了。这是什么世道！它想。

弄出那么大的动静，都不见兽医出来，曹公公就知道它今天肯定是搬不到兽医了。

在这镇上，能够懂它曹公公的，除了兽医，恐怕就只有赶马人吴瑞荣了。只要它跑到吴瑞荣跟前，吴瑞荣就知道陈家老太太需要帮助。

它决定去找吴瑞荣。上次兽医跟吴瑞荣开玩笑的时候，曹公公特意闻过吴瑞荣和吴瑞荣那匹马的味道，两者的味道是一样的。在一起待久了，就这样。

曹公公还没有跑出镇子就闻到吴瑞荣和他的马的气味，这个气味是通向水库的。它沿着这气味疯狂地奔跑起来，这条道有很长一段跟通向船形村的道是重合的，也就是说，每次吴瑞荣去给老太太送日用品，都得多绕一段路。

曹公公刚冲出镇子，突然像轿车遇到紧急情况那样，嘎一个急刹。眼前的景象让它吃惊：大兴帮二十多条成年大狗排在它前面，群情激奋，跃跃欲试。去年夏天和今年春天攒下的仇恨，让它们恨不得把曹公公撕碎。

怎么办？

绕道？通向水库只有这条道。

拼命？无异于羊入狼群。

逃跑？老太太怎么办？总不能丢下不管，毕竟有大半年的感情，老太太待它不薄。从它跑出老太太家来找兽医，它身上就寄托着老太太的信任和期待。

曹公公定了定神，它观察了一下对方的阵势，领头的是一条大黄狗和上次被扰了好事的大狗。这两条狗并排站在一起，气势汹汹。曹公公本想用制服领头狗的方法杀出重围，现在看来这一招不好使。

曹公公改变策略，看准了狗群的薄弱环节，突然猛冲过去狂撕乱咬。它虽然深入狗群中央，但周围都是些弱狗。几个回合，大兴帮阵脚大乱。领头的大黄狗和其他几只凶猛的大狗被弱狗隔在外面，接近不了曹公公。曹公公看准了要去的道，拼死一搏，见谁咬谁，狗群里嘶叫和惨叫混合在一起。可曹公公毕竟是一条狗，刚才又中了村官甲一飞镖，给它制造了不少麻烦，冷不防挨一口，冷不防又挨一口，杀出重围的时候，曹公公已是遍体鳞伤。身后的狗虽然越来越少，却越发凶猛，其中就有领头的大黄狗和被扰了好事的大狗。

曹公公唯一的选择是狂奔。路两边新长出的树、新开出的花，在它快速奔跑中虚化成两幅五彩缤纷的平面图画，还有点被扯斜的感觉。它的鼻子没受伤，还能嗅出吴瑞荣跟他的马的气味。

跑到后来，只剩下领头的大黄狗，大黄狗身强体健，又没有受伤，它冲到前面，拦住曹公公的去路。曹公公一声长叹，做好同归于尽的准备。却见大黄狗喘着气，呜呜着，用眼神说话："好汉，能不能到我们这里来入伙？你是我见过的唯一的英雄！"曹公公看得出大黄狗是真诚的，它没有想到会这样。曹公公呜呜着用眼神告诉大黄狗，它的主人生病了，它要是请不到赶马人，它的主人就可能没命。大黄狗羡慕地说："你居然还有主人，真有福分！"说罢闪出一条道来。

接近中午的时候，天气放晴。曹公公看见了水库的大坝。那大坝拦截在两座丘陵中间，真高，从坝底跑上坝顶，费的气力相当于从老太太家跑到大兴镇。此时曹公公看出，从船形村中间经过的那条大河，之所以到丰水期还像条小溪，原来是在这里被大坝拦腰截断。

越是靠近大坝，毛路越是泥泞得厉害。

跑到水库半腰，它发现水库大坝的坝体上有个拳头那么大的窟窿在冒水，站远处不容易看见，它刚发现的时候，还不算大。从冒水点经过的时候，水流开始哗啦哗啦地流，那趋势看起来像越来越大。

它当时脑子闪过一个念头：大坝腰上是不是出现漏水的窟窿？

它奔跑的速度，很快把它脑子里闪过的念头抛在脑后。

大坝上彩旗招展。靠东头丘陵顶上一块平坦的坝子上，搭了一排台子，台子上铺着红色的布，台子的后面立着一块花花绿绿的大彩布，上面写着几行曹公公不认识的字。第一行大字是：热烈庆祝船形水库圆满竣工。第二行稍微小一点：热烈庆贺水库存水达到二十五米，热烈庆贺水库提前三个月竣工。第三行更小一点，颜色尤其鲜艳：向关心水库建设的领导及相关部门致敬！向水库建设者致敬！

曹公公不知道，这就是庆典的主席台。

主席台前面飘起七八个红色氢气球，每个下面吊着一条写着标语的红绸带。主席台前面人头攒动，个个都穿着体面，脸上都洋溢着微笑。

主席台四周有六七根毛竹竿上架着高音喇叭，播放着喜气洋洋的音乐：和谐幸福的好日子啊，天天有哎，大江南北五谷丰登，千家万户彩灯高挂……一曲结束，音乐暂停下来，一个青春的女孩在喇叭里说："各位尊敬的领导，各位嘉宾，各媒体单位的朋友们，船形水库盛大的竣工典礼过半小时就要开始了，请各就各位！"

主席台前随意交谈的人群起了一阵小小的骚乱，各人在找自己的位置。有的坐到主席台上，主席台上有席位牌，得找到打着自己名字的席位牌才好就座，身着红旗袍的礼仪小姐在前面带路。有的站在主席台前面，跟主席台上的人面对面。

曹公公穿梭在人群中，跑了几遍，没有看见马，更没有看见赶马人吴瑞荣。在这里找不到吴瑞荣和他的马的一丝气味。这时它才想起水库都完工了，工人都撤退了，吴瑞荣用不着再往工地上送榨菜了。吴瑞荣不在这里，它该怎么办呢？

就在它着急的时候，它听见前面两个熟悉的声音在交谈。谈话的人背对着它。

一个说："这一单刘老板赚得盆满钵溢。"

另一个被一个身材高挑的女孩挽着手腕的人，指着主席台上的人说："再怎么也比不上那几个啊!”

这人一说话,曹公公就听出是谁来了。

曹公公激动得呜呜地叫出声来。狗不会流泪,只会呜呜地叫。此时的呜呜声不轻不重,恰似香喷喷的秋风吹过谁家的窗棂,充满哀怜与喜悦。哀怜的是,这么多年,找得好辛苦。风风雨雨,坎坎坷坷,风餐露宿,寒来暑往,曹公公都没有打消过寻找刘一刀的信念;喜悦的是,踏破铁鞋无觅处,得来全不费工夫。要是人的话,谁还忍得住不泪雨滂沱,号啕大哭,呼天抢地呢?更大的喜悦是,张家坝啊,遥远的张家坝,它曹公公也许明天就能回去了!

可曹公公还是有些不能确认,这个胖得腰杆比屁股大的人,会是它一直在寻找的人?

就在曹公公准备窜到两个人面前一看究竟的时候,三个人都听到狗的呜呜声,不约而同地转过头来。

三个人分别是胡大峦、刘一刀和张……曹公公看出,挽着刘一刀的女子不是张红霞。这女子才二十几岁。奶大成那个样子,屁股翘成那个样子,从头到脚没有一处不妖娆,不风骚。比张红霞高了整整一个脑壳,眼睛大,双眼皮,眉毛又长又翘,一看就知道是假货,头发染成黑红色,滑顺得像挂上了一片丝绸。

刘一刀胖得脖子都找不到了。那大肚子要换在女人身上,得赶紧准备尿布,晚了就来不及了。脸是那么圆,都是横肉。张家坝的刘一刀是精明的,眼前这个刘一刀的眼神是奸诈的。张家坝的刘一刀是谦和自信的,眼前的刘一刀是百变的:挺起胸来,骄横跋扈,匪气十足,比如面对工人;俯下身来,低三下四,点头哈腰,比如面对领导或者更大的老板。

但刘一刀毕竟是刘一刀,不管他怎么变,曹公公都认得他,都无法改变他跟它的主仆关系。

胡大峦看见曹公公,大吃一惊,脸上堆满愤怒和仇恨。他指着曹公公对刘一刀尖叫:“我的神呐刘总,我说的就是这条狗东西,让我坐了几个月牢,罚了一万块钱!狗日的,抓住它!老子今天非抓住它不可!凌迟处死!”招呼旁边的保安,牙齿锉得嘎嘎响,“谁抓住这条狗,我出五百块。”

刘一刀用训孙子的口气对胡大峦说:“跟你说过多少遍了,不要拿狗来找借口!什么秀水镇包子店,什么御厨,都是牛逼,都是传说。什么千奇百怪老子没见过?狗能让你坐牢,还罚你的款?你就鼓起个屁股嘴使劲吹吧,活该你要背时倒灶!”

刘一刀发话,胡大峦真的像孙子,不开腔了,规规矩矩站到一边。脸上的愤怒和仇恨刮下来,至少能做十桌满汉全席;目光像火箭筒,把曹公公消灭了无数遍。

曹公公想上前蹭蹭刘一刀。它在刘一刀家生活了那么多年,又替他刘一刀守卫地盘好多年,它相信刘一刀会一眼认出它。它发出从前在刘一刀面前撒娇时的叫声,它相信刘一刀听到它的叫声,也能认出它来。这么多年来,曹公公的体型一点没有变。如果说变，最多变老了一些。再就是刚刚经历一场突围战，它身上有无数伤口，使它看起来，像披了件到处都露棉花的破棉絮。

曹公公刚刚上前一步，刘一刀身边的女子尖叫："哪来的疯狗！要咬人啦！保安，保安。你们立在那里是吃素的？还不把它撵走！"

刘一刀瞟了一眼曹公公，从这狗的外形，他认不出曹公公了。但曹公公的眼神，让他感觉似曾相识。这些年经历的事情太多，一时想不起在哪里见过。即使想起来了，他也不会把眼前这条狗跟曹公公联系起来，船形水坝离张家坝多远啊，曹公公怎么可能跑到这里来呢？这世界上，三只脚的蛤蟆难找，四条腿的狗长得像的多了去了。不过，刘一刀确实在心头怀疑这条狗就是当年他在张家坝做穷人时候的看家狗，可是，以他今天的身份，他会跳出来说，这条遍体鳞伤的狗是他刘一刀刘总家的狗么？何况，狗嘛，什么东西，早就把它当垃圾丢在张家坝了，女人他都想换就换，还在乎一条四脚着地的狗？

刘一刀在女子的腰眼上捏了一下："宝贝，你怕个卵啊？有我在！"招呼身边的保安，"你，你，你，你们几个，上去把这条狗抓了，弄来晚上打牙祭！"

三个保安闻声，就像当年它听了刘一刀的口令一样，挥舞手头的电棍，从三个方向，向它扑来。

胡大峦高兴得跟个拿到压岁钱的孩子，冲几个保安后背喊："狗鞭留给刘总！"扭头看了一眼刘一刀，见刘一刀对他这种孝顺行为没有什么明确的态度，立即加入到围剿曹公公的行列。

支在毛竹竿上的高音喇叭继续在唱歌：一朵花儿开，就有一朵花儿败，满山的鲜花，只有你是我的真爱。好好地等待，等你这朵玫瑰开，满山的鲜花只有你最可爱……

主席台上的人倒是坐好了，台下的队伍依旧杂乱无章，一副训练无素的散乱样子。

这种庆典要的是阵势，讲究的是排场。庆典成了必须走的过场，其实半点用也没有，大家心知肚明，只是都不明说。因此，除了主席台上那几个人面对电视摄像镜头，摆出一副煞有其事的样子，其他人只当来看个热闹。

曹公公在转身的一瞬，瞥见那个轧了雷管的司机，手持一个非常考究的紫砂茶壶，送到主席台靠中间一个老年瘦子手上，然后唯唯诺诺地转身退回来。曹公公心想：去年这小伙子莫非就为那家伙买狗鞭？那家伙自己瘦得就跟狗鞭一样！

曹公公已经来不及考虑更多了，当务之急是逃命。

跟两个脚的人面对面对抗，狗常常是赢家。它只纵身一跃，就从两个保安的身边窜了出去，沿着来时的路往回跑。几个人挥舞着电棍追了一阵，下坡路，不好走，天刚刚放晴，到处都是稀泥浆，没跑多远，都停了下来。连苦大仇深的胡大峦都说："跑了算球，狗日的，可惜一条狗鞭！"

走在后面的一个保安悄悄地对另一个说:“整天狗鞭不离口,我看他是狗鞭吃多了,报应,才会从百万富翁沦落到这个地步!”

另一个回应:“人家毕竟百万富翁过,哪像我们,啥都没经历过,也是一辈子!”

两人叹气摇头,往庆典的地方走。

曹公公跑到大坝半坡的时候,发现刚才渗水的地方正在喷水,比个脸盆还要粗,水柱像从水管里喷出的一样,力道大得很,根本沾不到坝体。喷出老远之后,才力道泄尽,松塌塌地垮下来。它停下来看了一会儿,水柱似乎更粗了,水柱喷得更远。

曹公公的第六感告诉它,这水坝马上要发生大事情,说不定要溃塌。

该找的人一个也没找上,曹公公不晓得跑回去怎么向老太太交代,更不晓得如何跟老太太表述这一切。老太太对它很好。相处了大半年,它也给老太太带来了不少好处。可是,老太太看不懂狗的眼神。他们的相处是物与物的相处,彼此间没有朋友的那种默契和理解。但曹公公此时还是决定要跑回船形村老太太那里去。早上出门的时候,它就仔细辨别过,老太太只不过是在生病,一点死亡气息都没有。只要有个人帮助她,她就能挺过这一关,它就能跟从前一样,跟她相处在一起。说不定不久的将来,老太太也能看懂它的眼神。那时候,他们就能成为朋友了。

在奔跑的路上,它想起刘一刀,想起刘一刀它就伤心。这个昔日的主人,这个张家坝出名的小诸葛,这个曾经看得懂曹公公眼神的男人,这个曾经相信只要有手艺就会有饭吃的乡村匠人……这么多年来,曹公公一直梦想着跟主人见面时亲昵和幸福的场景,幻想着由主人带它回到它日夜思念的张家坝。

如今,张家坝还回得去么?

曹公公禁不住悲怆地吠出声来。

嘣——啪!嘣——啪!

曹公公身后传来巨大的声音,类似于胡大峦的洋油弹爆炸。曹公公以为是刘一刀他们在向它开炮。曹公公停下来,转过身,准备在死之前看清楚,谁在向它开炮。

坝上,礼花在空中炸响,白天看起来只是亮光一簇簇地闪,没有乡下过年夜晚的礼花好看。

典礼正式开始了。

库坝上的斜坡上,曹公公看见刚才喷水的地方,轰隆一声巨响,扯开了偌大的口子,水流倾斜而下,哗哗哗地涌进坝底的河沟,在河沟里形成水墙,嘶吼着朝下游奔涌。曹公公往下游望了一眼。在看不见的下游,有窝在丘陵盆底的船形村,船形村的陈家老太太正在等待它请来的兽医或者赶马人。

河里是水墙一浪高过一浪,喘着粗气往下游奔涌。水太大了,河道无法容纳那么多水,水开始漫上河岸,渐渐逼近曹公公奔跑的路。大坝上已经听不到礼炮的声音，替代礼炮的是慌乱嘈杂的人的呼喊。

曹公公意识到老太太危险，它拼命地奔跑，想赶在大水抵达老太太那里之前，把老太太救出来。可是水已经漫上了路面，从脚背到脚踝，从脚踝再到小腿……

水流声越来越粗重，就像被关闭时间太久的狗群，突然被打开圈门，疯狂地往下游奔泻。

突然，曹公公身后发出“哄嗵”一声巨响，水坝上扯开一个大缺口。汹涌的水流冲进曾经小溪般流淌的河道，丘陵中的河道上震颤起来，河滩上蓬草、灌木、矮树，转眼就消失在洪水中。倾泻而下的洪水形成水墙，排山倒海地向下游盖过去，发出类似老太太电话机铃声的嘶吼，十分雄壮，气吞山河：风在吼，马在叫，黄河在咆哮……

洪水触及曹公公的肚皮，冰凉立马传遍全身。洪水很快淹到它肚子以上，向脊背靠近。曹公公感觉整个儿好像要漂起来，脚尚能触地，却吃不上劲。曹公公明白，它的奔跑是徒劳的。它奔跑的念头依旧没有熄灭，假如不被洪水淹死，它绝不停止。

(选自《长城》2012 年第 4 期)

李新勇

1971 年生于四川西昌，现供职于江苏启东。中国作家协会会员，鲁迅文学院第十五届高研班学员。作品见于《花城》《长城》《飞天》《北京文学》等杂志，已出版小说集《丽日红尘》、散文集《穿草鞋的风》等六部。

西口外

向 春

一

河套人说哪个女人长得好看，就说，这个女子真袭人。

宝山元乔家是隆兴长制作干货糕点的第一商号。乔掌柜的媳妇是包头锦义园的大小姐，随当时分号的主管乔掌柜私奔到河套，立足在隆兴长。在锦义园已经学到全盘手艺的乔掌柜在隆兴长开了宝山元商号。乔家在义和桥下择地立铺，前面是铺面后院是老柜。宝山元里有一款特别好吃的点心叫香塌嘴，所以隆兴长的人们管乔掌柜家的叫香媳妇。宝山元干货店里的香媳妇真袭人，隆兴长村子里的男人女人都知道。别人的媳妇长得袭人其实与自己没有多大关系，最多是睡不着觉的时候想一想，碰见了多看上几眼，心扑腾扑腾多跳上几下。看得多了也没有用，据说看了不该看的东西还害眼病。

可是大后生刘挨才却害了心病。

隆兴长的女人都穿着大襟袄，免裆裤，绑着黑腿带。大闺女梳辫子，叫辫绺子。做了媳妇就把两条辫子挽在后脑勺，叫毛圪嘟。民国以后，河套女人的缠足只是应了个名儿。河套平原是著名的西口外，俗称大后套。走西口的“雁行人”逐步定居下来，开荒、开渠、种地、繁殖，娶回女人光生娃还不行，至少要顶只左手在地里受哩。所以实心的后套男人对女人的要求就不在脚上，也不在脸上，而是在腰身上。腰粗腿壮腚肥，大手大脚大嗓门儿，在地里像把犁，在炕上像爿磨，弯腰撅腚动弹(干活)时，手在屁股上一摸，结实、温热，像被阳婆晒暖的一块压菜的石头。做熟饭往房顶上一站喊一嗓子，铜锣一样，地头的男人就知道吃饭了。所以后套女人的脚合着规矩也做缠足状，把脚尖裹成一只歪嘴萝卜，塞进笋状的鞋壳子里，也就算是掩耳盗铃地缠足了。可是这样的脚看上去就非常的丑陋，所有的肉都臃到了脚背和脚踝上，腿上再绑了腿带，看上去就更加突兀，说难听话，简直就像牲口的蹄胯，真是丑痛心了。所以见了宝山元香媳妇的脚，一向嘴笨得老棉裤腰似的刘挨才，说了一句灵巧话，他眨巴着一双黑豆眼说，人家香媳妇的脚板子，捏出来的。他把

“捏”字拉得很长，像一块糖在嘴里含了好半天。后套有七月中元捏面人的风俗习惯，村里的巧手媳妇用头遍粉捏出花鸟鱼虫，在火上蒸，火小了面就死了，火大了炸花，火候十分重要。出锅后点了红，互相馈赠。谁家的面人捏得好，说明谁家有个巧媳妇。要说香媳妇是头遍粉捏出来的其实不过分，香媳妇的脸白得像剥了皮的蔓菁（似萝卜），她穿着隆兴长人没有见过的改良旗袍和洋袜子，一双自然足小而薄，腕是腕，踝是踝，隔过白洋线袜子，娇小玲珑得如一颗玉白菜。

香媳妇的人才盖了隆兴长。她琴棋书画样样精通，逢年过节，隆兴长的人就求她写对联。当时在隆兴长，只有江秀才和香媳妇会写对联，没有对联的人家只好用碗底蘸了猪血扣在红纸上。但一年四季不能总过年也不能总写对联，为了一睹她的芳容，天不亮隆兴长的小后生大男人加上半截子老汉就在宝山元前排起了长队。但是谁家能每天吃得起点心呢？于是有人从桥南买了到桥北再贱卖了，就是为了能看一眼香媳妇。

这一个村子里有上这么一两个袭人闺女或媳妇，男人们就有了活力，男人们有了活力，这个村子就红火起来了。好像自从香媳妇到了隆兴长，这个村子就变大了，风水好了，河套地区的闺女愿意嫁到隆兴长了。嫁过来的女人多了，新房就多了，娃就多了，村子就大了。

男人们嫌弃老婆的头一句话是，你看人家香媳妇，也不知道学（音 xiao）着点。女人们私下就很惆怅，娘肚子里没学现在咋学哩。村东头的锁子媳妇心里很不服气，有一天女人们歇阴凉搓麻绳时，她就说，其实香媳妇也没个甚，前儿黑夜，我给我男人望风，把香媳妇搞了。我男人说啦，香媳妇一点意思都没有，瘦得像一把两股叉，两腿间夹着一把三棱刀，没把我男人的二钱肉刮掉。我每天饱茶六饭侍候他，才长出那几两肉，几次就得刮完了。不信你们看啊，香媳妇的男人病倒了，还不是让她刮净了嘛？所以呀，回了家我男人就把我压在了炕头上，说我才是腊月的猪肉肥墩墩的，我的肉那才叫个香哩。现在呀，我肚子里装上我家老三了，你们信不信，再过十个月炸油糕过满月。女人们一听差不多都愣了，弄不清真假。江秀才的儿媳妇说，你真大方。锁子家的说，这男人要是不惦记别人家的炕头那就不是男人了，他想吃杏核子，你不让他吃他就不停地流口水，他吃了，是苦的，就死心了。江秀才的儿媳妇说，万一香媳妇也装上你男人的娃那咋办？锁子家的瘪着嘴说，那更好，借了她的鸡窝，省下了我的肚皮，多合算的买卖。锁子家说的话没几天就刮遍了隆兴长。可是一个香喷喷的晌午，在香瓜地旁边吃草的锁子家唯一的一头耕牛，口吐白沫，倒地而死，哼都没哼一声。人们就怀疑是挨才干的。

起早贪黑的男人们渐渐明白了，靠看袭人女人过不了光景，别人家的媳妇再袭人，自己的肚子还是瘪的。于是也就打倒心事，流出来的口水咽肚里去，该搂自己老婆就搂自己老婆，该娶媳妇就娶媳妇，该打光棍还得打光棍。唯有刘挨才猪心实窟窿，叫驴戴了套缨子咋也调不过头来。

大后生刘挨才自从见了香媳妇，就荒了地里的营生，早上一睁眼脸上还烙着炕席印子就往宝山元跑。香媳妇见了刘挨才总是笑容可掬地说，买点什么？自己吃就买个油锅盔，实惠。给老人吃就买个京点心。给孩子吃就买个糖麻叶。刘挨才紧张得脸通红直搓手。香媳妇就说，哦，忘了带钱了没关系，先拿着吃。说着就往刘挨才手里塞锅盔。香媳妇长着一双没有骨头的手，一触着刘挨才，刘挨才就像被烫着一样嘴里咝咝地吸气，直想屙裤子。香媳妇看着他笑出两排石榴籽般细碎的牙齿。刘挨才揣了锅盔撒腿就跑，一口气跑回家，把这只锅盔放在寡妇娘的手里。寡妇娘笑得脸上开了老菊花，她说，我守寡守得值啊，我儿子孝顺死我了。可是从此娘喂的两只老母鸡，蛋一脱屁股门儿就不见了。娘说这就怪了，家里什么人都没来过。挨才说，咋没来呢，黄鼠狼子来了。刘挨才每天到宝山元买锅盔，每天给娘吃，必定引起娘的怀疑。他自己又舍不得吃，于是就藏到山药窖里。终于有一天娘把下蛋的母鸡抱在怀里，刘挨才没辙了。可他也想出了个办法，为什么不做一副货担，当专卖宝山元干货糕点的货郎呢？刘挨才把这个想法对香媳妇一讲，香媳妇说那敢情好，我给你批发价，第一担货给你赊着，你走街串巷地也把我们的字号吆喝吆喝介绍介绍。

做了货郎担的刘挨才在隆兴长的地位一落千丈。在后套，万般皆下品，除了种地开渠，做别的都不是正路道的营生，尤其是走街串巷做小买卖，是最让人小看的。从东家一个子儿买上到西家两个子儿卖了，东西还是那个东西，凭空渔利，还是熟邻熟户的，真是好意思。后套人是排斥商业的。只有种地开渠，在人们心目中至高无上。从黄河上引水开渠，有水的地方就有地，地有了水，就等于人有了血，种上庄稼，嗖嗖地长，种一颗收一百颗，种一麻袋收一百麻袋，还有比这更光荣更厚实的营生吗？粮食越来越多，人口越来越稠，地也下子儿，人也下子儿，河套人活着就是为了这个。种地要力气，有力气的男人和长得袭人的女人一样，有着与生俱来的得天独厚的本钱，说到底算是天生的一种本事。寡妇儿子刘挨才本来是个有本事的好后生，他在家里既当爹又当儿子，他种的地好，挖的渠好，人们说寡妇娘守这个儿子值了。可是好后生刘挨才放下尊贵的锹头和锄头挑起了讨吃扁担，一夜之间名声就馊了。

远远地看见儿子担着货郎担子收工了，屁股后面还乐颠颠地跟着家里的四眼狗，站在大门口的刘寡妇号啕大哭。在她的眼里，她的儿子刘挨才虎头豹足鼻直嘴方关公再世，隆兴长里头等人才。而货郎担子肩上一放就变得獐头鼠目点头哈腰水裆尿裤的。她也不想想，肩上挑着那么沉的两箩筐东西绕着隆兴长把太阳从东走到西还能器宇轩昂吗？在她眼里，眼斜嘴歪短胳膊少腿儿的才应该当货郎，她的儿子干这个营生，那是狼叼大闺女，糟蹋好东西呀。

刘挨才从门后的瓮里舀了一瓢水灌进肚里。他脱了裤子圪蹴在水瓮和米瓮之间的空隙里。脱了裤子是怕娘把裤子打烂明天出不了工。圪蹴在两瓮之间，娘打他的屁股时就不会太狠，因为娘怕失手砸了瓮，这样娘解了气，他的屁股也没烂照样出工。刘挨才的一切都是为了出工，出工就能见着香媳妇，他卖货时吆喝“香塌嘴香塌嘴”就像是喊着“香媳妇香媳妇”。可是他圪蹴了半天，还没听到娘想打人的动静。四眼狗的爪子搔他的后背，他吸吸鼻子，一股油炝葱花的味道就钻进来，他打了一个响亮的喷嚏调过头来，一碗香喷喷的葱花面放在他的屁股后面。

刘寡妇知道，她改变不了儿子的主意，就像她当初改变不了死鬼男人的主意一样。

当年挨才的爷爷给挨才的爹定了亲，想着腊月就过门。在后套，办红事宴一般都在腊月。有一句俗语说，腊月的猪早晚挨一刀，到了腊月，猪肉挺在凉房里等着人吃哩。如果哪一家的老人死在腊月里，人们就说这是个好人可死好了。腊月人闲了，男人女人背起脚板子串门子，只要半夜里下地把门后的水瓮搅拌一下就行了，不然第二天水瓮就冻裂了。可是一开春，挨才爷爷的病就重了。挨才的奶奶死得早，村里的人就劝挨才的爷爷，早一点给挨才爹成亲，一来冲冲喜，二来万一人走了，子女三年守孝，岂不耽搁了亲事？于是在村里人的帮助下，刘家办了红事宴。河套人有闹洞房的习惯，河套人有一句俗语说，三天没大小，成亲的三天之内公公也可以耍儿媳妇，大伯子也可以逗弟媳妇，那外姓人就不用说了，闹腾得越离谱越红火，以后的日子越好过，两个新人尤其是新媳妇不能恼，如果恼了那就让人笑话死了。当年的徐老仙也是来闹洞房的，可他没想到挨才爹娶的媳妇这么袭人。刘家才有五亩薄田，离大干渠还远得很。他家有五顷地哩，还在渠跟前，可他的媳妇连挨才娘的脚后跟都赶不上。耍新媳妇的时候他就往新媳妇身上蹭，不蹭白不蹭。终于到了鸡叫头遍的时候，闹洞房结束了，这是一个规矩。挨才的爹娘谁也不敢看谁，吹了灯就睡下了。天放亮时，挨才爹发现，一个人从房梁上倒吊下来，伸了血红的长舌头舔破了窗户纸。挨才爹失笑了，他今天根本不打算碰新媳妇，因为明天要洗渠口。

每年开河的时候，隆兴长的人都要洗渠口，每家都得出劳力，不出劳力的人家一年里都不能浇地用水。洗渠口，就是把歇河时澄积在河口上的淤泥挖出去，开河后河水才能畅行无阻。这是一项非常艰苦的劳作，壮劳力提前几天就不能碰女人，肚子里还要吃上些有油水的东西，下河之前要跑上五里地，浑身冒了汗，脱了裤子提了铁锹箩筐跳进裹满冰碴子的泥水里。人们不约而同地都脱裤子，裤子在淤泥里泡久了就糟了，况且穿着裤子跳进淤泥里裤子沾着腿会更冷，冷进骨髓里。通常这个营生要速战速决，中间不能停歇，肚子里不能空着。大姑娘小媳妇们来送热饭热水，就热塞进男人们的嘴里。女人们习惯了男人们洗渠口，也不在意男人的私处。其实男人们下身裹着泥浆，像穿了另外一层裤子，身上冒着热气，像一只蒸笼，根本看不出啥来。挨才爹是第一次洗渠口，第一次在全村人面前露出下半身，昨晚又刚入洞房，从大后生变成了大男人，尽管甚也没干，可别人咋知道他没干，他还是有点害羞，在河岸上时就遮遮掩掩不自在。正在这时徐老仙过来说，哎，后生，你的肉东西咋那么小呀，难怪你第一个晚上都不碰新媳妇，是拿不出手吧。挨才爹不知道，洗渠口的男人一遇冷，下身自然就缩进肚子里。他低头一看，自己的裆里确实是空的。而徐老仙的下身却挺着，如打鸣的公鸡。原来这徐老仙家里有祖传秘方，上渠口前，他用大烟水把全身泡了，再吃一点大烟膏。这个秘方隆兴长的人也知道，可谁家能用得起哩？挨才爹听了徐老仙的话，羞得赶紧圪蹴下。这下徐老仙更来劲了，他说，你爹等着看了孙子后咽气哩，看你这倒塌样子，要不用我来帮忙，你媳妇的肚子甚时候能鼓起来呀？

遭受了侮辱的挨才爹在挨才娘身上撒气，他说，你马上给我怀个儿子，一开播肚子就得给我撅起来。他在新媳妇的身上没完没了地折腾，一到天黑挨才的娘就吓得腿肚子抽筋，只能好言相劝说，细水长流你急甚，这样下去不得把你熬（累）死。挨才爹说，只要有儿子熬死我也不亏。挨才娘说，你死了我咋办？挨才爹说，我死了你乖乖地给我守寡，你敢让我在棺材里当泥头（戴绿帽子），我从墓圪堆里拱出来挑你的后揽筋。天哪，挨才娘发愁了，这日子咋熬出头呀。太阳出来后，挨才爹就靠着墙闭着眼，一天不说一句话。挨才娘说，你不下地也不吃饭你想干甚哩？挨才爹眯着眼睛意味深长地说，老骚胡（种羊）丢盹儿，谋事儿着哩。终于有一天天快亮的时候，挨才娘觉得睡在自己身上的男人越来越凉越来越沉。他谋的事儿成了，可他人不行了。

春播前，挨才爹和挨才的爷爷一起死了。九个月后，新寡妇生下了刘挨才。他是一个暮生子，后套人叫"墓地愁"。之后人们就管新媳妇叫刘寡妇。刘寡妇脸一沉说，我是挨才娘，不是刘寡妇。

种瓜得瓜种豆得豆，挨才娘发愁了，儿子和老子一样，都是倔球摁不进夜壶里的货。她只有这一个儿子，她不能逼他，要顺着驴毛捋顺他。

二

挨才娘捉了只猪儿子，双脊梁的，粗蹄笨胯，一看就知道是出肉的货，喂到腊月杀个一二百斤，给儿子办红事宴。她终于下决心要给儿子说亲了。刘挨才二十出了头，前几年七邻八舍的人就开始提亲了，可是挨才娘舍不得。别人说你寡妇养儿还不是为了这一天抱孙子。可是挨才娘盘腿坐在炕沿上，满手擤了鼻涕抹在鞋底子上，说，你们没当过寡妇你们不知道，儿子有了媳妇心里还有娘吗？

除了怕儿子心里没了娘，挨才娘还有一点顾虑，在隆兴长有一个不成文的规定，成了亲的男子每年都要派发洗渠口，没成亲的后生叫生瓜蛋子，生瓜蛋子不能洗渠口，生瓜蛋子要是跳进冰凌碴子的渠口里那一辈子都是生瓜蛋子了。成了亲的男人吸收了女人的精血，肉是实的骨头是瓷的血是热的，没碰过女人的后生是冬天的萝卜糠着呢。她舍不得挨才洗渠口，可是哪有怕洗渠口不给儿子娶媳妇的？

挨才娘真的要给儿子提亲了，她托了能说会道的媒人，可媒人支吾搪塞说，日本人进了包头城，离大后套不远了，这个时候咋说亲。挨才娘是个聪明人，她搂了一抱柴火，荷包了几个鸡蛋，塞进了媒人的手里，才从媒人的嘴里套出话来。隆兴长有闺女的人家都说不想找个货郎担子的女婿，刘寡妇肯定是正道人家，没听说寡妇门前的是是非非。可他的儿子是个挑货郎担的，不是胳膊腿脚有毛病，就是个游手好闲的二流子。这话挨才娘自然不爱听，儿子是个挑货郎担的一点不假，可刘挨才是不是缺胳膊少腿，是不是个二流子，隆兴长的男女老少长眼睛的哪个看不见。挨才娘跳进菜窖里头，摸出一壶陕坝的二锅头，这是几年前挨才的奶哥捎来的，给挨才办红事宴用的。这真是一壶好烧酒，自从这壶酒放进菜窖里，吃山药烩白菜时还满锅烧酒气。媒人两杯下了肚，就把老底兜出来了。隆兴长的人们说，刘挨才本来是个好后生，可惜得了痴病。这痴病是心上的病，当然非同小可，比起那吃喝嫖赌的毛病还要难治。吃一点喝一点不算个甚，家里有才吃喝哩，没有喝西北风？嫖对于男人来说不算个甚毛病，哪个马嘴还不伸几个驴槽哩。俗话说，婊子无情，戏子无义，那嫖客更是薄情寡义，提起裤子就不认账，临到老头一低腰一弯蹲在自己家的炕头上了，脑袋瓜子窝进裤裆里了，让他走他也不走了。赌是个坏毛病，但也有浪子回头的。唯有这痴病像是鬼魂附体，人说了不算鬼说了才算，得上这病你说咋办。

生性好强的挨才娘咽不下这口气，于是她穿戴齐整，找挨才的奶兄弟。挨才和他吃过一个娘的奶，所以奶哥奶弟地称呼着。奶哥王毛仁虽然只比挨才大半年六个月，但看上去老成得多。原来他当了西山嘴商会的会长，大背头，双眼皮儿，一看是个讲究人儿了。他对挨才娘说，奶娘，你不要害急，西山嘴有一家高姓的主儿，独生闺女可好人才，托媒人去说合说合，实在不行就提我的名字。王毛仁我在西山嘴，洋火头头大小是个圪旦。

挨才娘来了精神，儿子挨才不瘸不拐不偷不抢，只要说上个好媳妇，灰毛病就改了。她给媒人做了一双实纳底子鞋，手里塞了一个银圆，说，全西山嘴地访，硬硬铮铮地给我说个好媳妇。媒人是个实诚人，知道刘寡妇养儿不容易，赶了二饼子牛车到了西山嘴的老高家。老高家是从民勤走西口来的，独生闺女打春人长得可喜（可爱），做的一手好面食、一手好针线。尽管媒人说刘寡妇的儿子刘挨才是好人里挑出来的，身上的优点一箩筐都装不下，可是从老高家反馈回来的信息却是，让后生自己到高家来一趟，是花的是狸瞅摸瞅摸再说。老高家想来，王毛仁打过招呼的，说不定有甚毛病哩，不亲眼看看不放心。

那个时候河套的风俗是不相亲的，经媒人说合，两家老人点头，就下聘礼，喝酒（订婚），探话（择日），迎娶。刘寡妇思谋，女方提出相亲，她不怕看，我晌当当硬邦邦的挨才怕甚哩。相亲的日子定在了立春这一天，俗称打春。高家闺女的名字叫打春，可能打春这天生的，就在打春这一天去。可这相亲就得见面，见面就得有见面礼，这见面礼不同于聘礼，因为相中相不中还未知，礼重了就吃亏了。可生性好强的刘寡妇还是从一只菜坛子里摸出了钱。她买了六尺细白布，用细麻绳均匀地缝出一朵一朵的梅花瓣，打了死结，放进靛蓝洗料里，再提出来晾干。把细麻绳子的死结拆掉，抖开，一块漂亮的蓝底白梅花布就做成了。最后用草酸一泡，不染色不掉色，大闺女穿上这样的花布衫袭人死了。做这件事情最关键的环节是花结子要打得均匀，拆开以后每一朵花都一模一样，像是机器印的。刘寡妇是那样的专注，她挑亮胡油灯，睁大已经昏花的眼睛，像当年给自己做嫁妆那样兴奋。她就是要给高家的人看看，刘挨才有这样的娘，她娃能差到哪儿去？她把花布比画在身上照镜子，她看到了自己的一双长了蓝毛的手，那是在蓝料里浸渍的，她赶紧捂住了自己的脸。

有了穿的还要有用的。她择了均匀的高粱秸，用细麻绳缝了两只锅盖，锅盖上连一只针脚都看不见，圆丢丢，厚墩墩，严丝合缝。

刘挨才不想违背娘的意愿，一大早就引了四眼狗随着媒人背着见面礼去了西山嘴。

一进高家门，高家的七大姑八大姨连锅台子都坐满了人，只是不见闺女本人。刘挨才明白了，这是一出不平等的相亲，只是人家相他他不能相人家，闺女藏在隐蔽的地方看他哩。刘挨才打了照面，照着娘教的，从门后头提了扁担去担水。高家所有的瓮担满了，他就给四邻五舍担。邻居家一看这么好的后生担来了水，以为走错了门，刘挨才说，我是来老高家相亲的，以后要是成了高家的女婿，每天给你们担水。邻居真是羡慕，说，好后生，快歇歇哇不要累坏了。刘挨才说，我是货郎担子，一村的瓮担满了也不累。到晌午吃饭的时候，高家就知道刘挨才原来是个货郎担子了。

高老婆儿有点不高兴，趴在媒人耳朵上说，你不是说刘寡妇家里有五亩肥地，咋儿子是个货郎担子。媒人说，家里有地还做着小买卖，不好吗，你不是跟钱有仇哇。你们就看人哇，看不中最多贴了一顿饭。

说着话，一盆腌猪肉粉条豆腐细烩菜、一盆白面锅贴子放在铺了油布的炕上。锅贴子是一种面食，把发面贴在烩了菜的锅帮子上，菜熟了锅贴子也熟了，还沾满了菜香，上面那层像蒸得暄腾腾的，下面那层像烤得焦脆脆的。传说当年朱元璋流落民间，老乡就给他做了锅贴子。当了皇帝后，他让御厨给他做一种面食，一边是蒸的一边是烤的。御厨把面蒸了又烤，不对，烤了又蒸还是不对，统统杀头。后来他到民间微服私访，才知道这种面食叫锅贴子。

老高家的女人舀了一海碗烩菜上面盖了锅贴子双手递在刘挨才手里头。她心里犯嘀咕，这个一表人才、勤快又有眼色的好后生咋是个货郎担子。

可是在吃饭的中间，老高家的女人看出了两个问题。第一，刘挨才吃锅贴子时，只吃烤的那一边，蒸的那一边就扔给了脚下的四眼狗。第二，他还是个左撇子，用左手拿筷子。左撇子的人一层呢，也不必大惊小怪。可他用左手吃完第一碗之后，第二碗用右手吃，一共左右开弓吃了四碗，糟蹋了半盆锅贴子。

离开高家之前，高家的人很犹豫，不知给媒人怎么回话。可是刘挨才对高家老两口说，你们二老是好人，可你家闺女我没相中。高老婆子一愣说，你连我闺女的影子都没见着，咋就没看上我闺女？刘挨才说，你家里要有个好闺女你不可能穿着漏底袜子倒跟鞋。

原来这高老婆子听媒人说刘寡妇家境好，趁相亲的时候就装穷。她就这么一个可喜闺女，不趁机多要点彩礼，这闺女不就白养了吗？

刘挨才和媒人离开高家后，高家的老两口发生了争执。高老婆子说，他没看上我闺女，我更看不上他，西山嘴谁不知道我高家有个好闺女？

高老汉说，再让你哭穷。人家看不上咱闺女，这话传出去，你到耗窟窿里头要彩礼去！

高老婆子说，他给我十牛车彩礼我也不干。甚哈毛病了，吃一半扔一半，沈万三也得吃穷了。

高老汉说，你懂得个屁，这说明家底子厚实，有财主的命相，连人家的四眼狗都吃得翻肥。

高老婆子说，财主是细出来的，穷鬼是日出来的，他这么糟蹋粮食，下一辈子我闺女跟着他当饿死鬼？

老高说，你愁你自己吧，看你这半辈子裤缝子都没提直过。你看人家刘寡妇，你看人家这锅盖缝的，拆卸了都寻不见针脚。人家这样的娘生出来的儿子能是个败家子？

老高家的听了这话很生气，当家的连刘寡妇的面都没见过就这么夸人家，真是跟上鬼了。她把漏底袜子倒跟鞋往炉膛里一扔说，我还要给我闺女相亲，最多倒贴上一瓮的腌猪肉。

这时打春从厢房里出来了，说，要相你们相去，贴上你们的老命我也不管。

独生闺女一说话，老两口就不敢吱声了。等他们回过味儿来，高老婆儿捶胸顿足。天老爷呀，闺女是看上这个刘家的后生了。高老汉从面瓮旮旯里提起擀面杖，冲着老婆的屁股就捶过去了。他说，你这个妨祖(克)老婆，你还不知道你闺女的脾气？这下子你还得上杆子求人家呢，骡子卖成驴价钱了，还能要个球彩礼！

三

刘挨才对香媳妇的好，隆兴长人的理解本来也是善意的，一个大后生稀罕一个小媳妇，这个小媳妇那么袭人，说来也不是多大的一个事情。人们碰见刘挨才也开玩笑说，挨才，你每天往宝山元跑，香媳妇的手你摸过没有？刘挨才嘿嘿地笑着说，那摸过么。大家问怎么摸的。刘挨才就放下货郎担比画着说，她往我手里塞油锅盔我说不要不要，就这样。于是大家就笑弯了腰。大家又问，那你不想娶媳妇了吗？刘挨才搔搔头说，过几年我娘老了，给我娘娶一个。大家又笑弯了腰。

可是自从乔掌柜的病加重了以后，隆兴长的人开始眼红了。原来这寡妇儿子刘挨才这么有心计，他爹死得早，连他爹的心眼儿都长在他身上了。单等这乔掌柜一闭眼，他又得人又得财还得一个闺女。

起初人们看不到乔掌柜了，锦绣堂的郎中不停地出入宝山元。香媳妇身上背着孩子在店里，进货点货结账。乔掌柜的病是香媳妇生了一个闺女后开始加重的，先四肢无力，肌肉萎缩，最后就瘫了。从锦绣堂打听来的消息说，这病就是把人给废了，人一时半会儿还死不了。

香媳妇对乔掌柜的感情很深，深到让她一夜之间舍弃了父母走上了不归路。当年香媳妇的失踪搅动了包头城，香媳妇的爹为了遮羞护脸，就做了假象说闺女死了。这一招断了香媳妇回家的路。现在与自己百般恩爱的男人缩成了一个羊羔。她一只胳膊抱着闺女，一只胳膊搂着男人，可她的心没有死。她想再雇佣两个伙计，不能让宝山元倒了。一个晌午，一个十五六岁的闺女来到宝山元，她拿着一个包袱，穿戴齐整。她说，她叫红豆，听说她的母亲改嫁到了隆兴长，她是来找娘的。她会做点心馅子，她想在宝山元边做工边打听她母亲的下落。香媳妇一听她是包头口音，人长得干净，心里喜欢，正好眼下也缺人手，就留下了。交代了店里的规矩，红豆就捋胳膊抹袖子上锅台了。没想到这小女子真能干，有章法，有技巧，馅子做得那个好，简直赶上了店里的掌勺师傅。到了最后一道工序，是锦义园祖传秘方，掌勺师傅“点馅”，她就出去了，到后院抱孩子，洗尿布。可是有一天掌勺师傅突然病了，伙计们等着包馅下炉，香媳妇赶紧给闺女喂奶，侍候男人屎尿，看着就天亮了。她从后院出来刚要进厨房，听得厨房里有动静，她拉开门缝，看到红豆正在锅台上忙活哩，从空气中的味道和红豆的动作，香媳妇看得出来红豆在“点馅”哩。这么说红豆知道宝山元的秘方。香媳妇纳闷儿了。这个红豆到底是哪里来的呢？她进了红豆住的房间，打开她的包袱，里边是一根金条和自己母亲戴过的两只玉镯。香媳妇哇地哭出声来。原来包头的娘日夜想念闺女，听说了闺女的近况后更是心如刀割，于是就派红豆来隆兴长帮她的闺女渡过难关。

香媳妇有了红豆就有了娘家人，她的心一下子滋润了。天一亮她就进了店里，看到的第一个顾客就是刘挨才，她对着刘挨才绽开水淋淋的笑脸。晚上最后一个看到的也是刘挨才，他给香媳妇摸着黑把家里的店里的水瓮挑满水。挨才看到香媳妇的男人像一只山羊羔蜷在炕头上，眼睛竟然亮晶晶地看着他。有时还提起嘴角想笑一笑，脸上的五官便乱了方位。

刘挨才给香媳妇家担水没背着隆兴长的任何人。除了担水，隆兴长的人也没看见刘挨才进香媳妇的老柜。人们就说挨才对香媳妇好，可没看见是咋好的。

刘挨才每天清晨提货天黑了缴钱，风雨无阻，逢年过节卖得好了，晌午也来。可他们很少说话。每天就这么一点事情，不用说话。今天刘挨才迎着香媳妇的笑脸走过去，脚步是那么轻，因为他脚上穿着一双新布鞋。

挨才是前天在村口碰到西山嘴的脚夫的，他大老远就向挨才招手，挨才以为他要买干货，就颠儿颠儿地凑过去了。脚夫把一双鞋扔进货担里还挤了一下眼睛说，这是打春姑娘捎给你的。说完就走了。挨才放下担子，把扁担搭在货筐上，坐在扁担上把这双鞋拿在手里端详，心还是忽悠起来。这鞋做得真可喜呀，除了底子，鞋面子上找不到针脚，用手拨开看，针脚藏在灯芯绒的沟槽里。那式样全隆兴长都没有，包头的大盛魁未必买得到。没想到打春针线做得这么好，对他挨才这么好，老高家两口子倒塌熄火的，能生下这么心灵手巧的闺女，他离开高家时说的话肯定伤了人家的心了。挨才摔下旧鞋把新鞋蹬在脚上，天老爷，太合适了。和常人不同，挨才的脚左脚比右脚大一点，这可能与他左撇子有关系，每次穿新鞋左边总是有点挤脚，可是这双鞋哪只脚都舒服，又得劲又好看。挨才又把鞋脱下来，底子对着底子一比，天哪，左脚比右脚大半个韭菜叶。这个晚上挨才躺在炕头上心里直嘀咕，这高家的闺女是咋知道他脚大小的。听到娘拉长了呼噜，他又把新鞋套在脚上，藏在被子里。半灯油一尽他就睡着了。鸡叫三遍起了床，喝了酸粥就咸菜，娘催着上工。挨才磨磨蹭蹭的，他想穿上新鞋到宝山元，他想让香媳妇看看穿着新鞋的挨才是个什么样。可他又不想娶人家打春当媳妇，凭甚穿人家的鞋。临出门，他还是趁娘不注意把一双大脚蹬进了灯芯绒鞋里了，他自言自语地说，我娘还送了你家细花布哩，还有两只锅盖哩。

今天香媳妇发现刘挨才走路的姿势很拘谨，和平时不一样。她从头到脚打量了一下这个后生，发现挨才穿了一双新布鞋，并且这双鞋和隆兴长男人们穿的牛鼻子鞋有点不同，这是一双松紧口灯芯绒鞋。香媳妇说，哎呀挨才，你这双鞋好看，是买的哇。

挨才立刻不自然了，他双脚机械地倒腾了两下，涨红着脸说，是做的。

做的？你娘眼睛都花了还能做这么好的鞋，让我瞧瞧。说着香媳妇就弯下了腰。

挨才的脚像扑上去了一窝蜜蜂，他的脑袋嗡嗡地叫起来。

挨才嗫嚅着说，不是娘做的，是西山嘴……挨才在香媳妇面前藏不住事。

香媳妇直起腰来说，挨才真是好福气。哪天闲了让我替个鞋样子。

挨才今儿真快活，他挑着担子上了义和桥，赶紧坐在桥墩上把新鞋脱下来，别在裤腰带上。他舍不得穿。他光着脚片子啪叽啪叽地走着，嘴里唱起了爬山调，正唱在兴头上，迎面走来了温二蛋。

温二蛋的爹温老蛋是个劁猪骟蛋的，据说他的手艺到了出神入化的地步。他从不强行把牲畜按倒在牲畜的嗥叫声中施以刀工。他先用手深情地抚摸牲畜的皮毛，神情像对待他妻儿一样，再抚慰它们的生殖器，让它们进入沉迷状态，直到牲畜的眼神视他为亲人。为了显示他手艺高超，出刀的时候他就闭上眼。牲畜们只轻微地呻唤一声，雄性的东西就没有了。他出东家进西家带着他的儿子温二蛋，温二蛋的手里总是端着一只搪瓷碗。主家的牲口一呻唤，温二蛋就伸出搪瓷碗。就热下肚叫吃红蛋，在主家的锅里开水里一焯，撒了盐消停吃，叫吃白蛋。据说相间着一个红蛋一个白蛋地吃，味道相得益彰，能香塌脑门囟。可能是这牲口下水不好消化，温二蛋从十二岁起就敲寡妇门跳闺女窗。十三岁那一年是温家的一个坎儿，温二蛋糟蹋了村东头一个跑青牛犋（逐水而耕的流动地户）家的一闺女。正是抢收时节，天气热，闺女在家做米凉粉，等收麦的人回来吃。她把米粉放了蒿籽打成糊，用一块镰刀片把滚热的米糊糊在水瓮壁上，一层凉了再糊一层。她听得有人进来了，以为是邻居闻到胡麻油炝蜇门（野韭菜花）的香味定锅（蹭饭）来了。在河套，饭是伙着吃的。闺女一手端着米糊一手拿着镰刀片直起身来，就被一个人从后面抱住扔在了地上的一抱柴火上。一个庞然大物向她压过来。闺女怕洒了米糊不敢挣扎也没来得及喊，就在对方揪下裤子的一刹那，她想起了手里的镰刀片。只听对方惨叫一声就在地上打滚儿，后来就没有声息了。闺女把温二蛋拖出门去，她怕别人看到这个场面坏了她的名声。门外的一头驴正在打盹儿，她就用一根绳子把温二蛋和驴拴在一起，给了驴屁股上一擀面杖。驴拖起温二蛋就向村外跑去了。天黑了，温老蛋看到温二蛋从门外爬进来，裤裆里血乎拉碴的，他伸手一摸，空了。一口气没上来，温老蛋就气死了。废物温二蛋吃不上红蛋白蛋了，可他留恋那只搪瓷碗，他在衣裳上缝了个大口袋，装着搪瓷碗，馋了就拿出来闻一闻。村里的人取笑他说，闻碗管甚用呀，闻自己裆里呀。温二蛋是个实心人，坐在地上弯下腰，可是够不着。

刘挨才看见温二蛋像一只白面口袋挪过来，觍着脸说，货郎担子，你唱得这么高兴，是香媳妇的男人死了吗？

刘挨才起初没听清他嘴里胡吣个甚，温二蛋就又说了一遍。

香媳妇，他的臭嘴竟然敢说香媳妇！这狗日的把香媳妇弄脏了。

刘挨才悠起扁担向他的南瓜脸砸去。温二蛋像一只蛤蟆扑向货筐子，货筐子翻了，他从地上搂起糖麻叶往他的嘴里塞。刘挨才厌恶地冲着他的屁股蛋子踹了几脚，说，你要再敢提香媳妇我就摘了你的下水喂野狗。可温二蛋却抬起了圆盘大脸，双手举起货担子扔到了渠里。他倒腾着阔嘴巴，叽里咕噜地说，你喜欢香媳妇爷也喜欢香媳妇。刘挨才的脸一下子憋得通红，他抬起脚把温二蛋踹下桥去，咕咚一声。温二蛋从齐腰深的水里站起来，嘴里还在倒腾着糖麻叶，说，你打死爷，爷也喜欢香媳妇。

刘挨才空手进了家门，躺在大炕上，心疼。心疼两筐糖麻叶，心疼货担子，心疼娘，心疼香媳妇。

娘看着儿子太阳这么高就下了工，她挪着小脚过来摸儿子的头。她看见四眼狗嘴里叼着一双簇新的灯芯绒鞋，倒腾着耍哩。

哎呀，挨才娘活了大半辈子还没见过这么好的家做鞋，七仙女下凡了。这七仙女是谁呢？

四

她夹起这双鞋往宝山元走，她要去找香媳妇。她找香媳妇说什么呢？香媳妇啊，你对我们家挨才好，我知道，你是个心善的人。挨才给你们家卖干货，你给的价低分量足，这一年下来收入比种地强多了，说不好听的话，卖一年干货能娶一房媳妇了。可是有好闺女的人家都嫌我们挨才是个货郎担子。香媳妇啊，咱们娘俩说话啦，他卖你家的干货不是图挣钱，他是对你心热哩，这个枪崩货和他的死鬼爹一样，是蒙了罩子的驴，一股脑走到黑的，全身一根筋哩。所以，你不能给他好颜色，更不能暖他的心，你看在我这个寡妇的脸面上，把他当成个漏底子烂夜壶，尿也不要尿他行不行？

挨才娘靠在义和桥上歇了口气，从腋下拿出那双鞋来。这双鞋这么好，她也有点舍不得呀，她的挨才肯定喜欢得心尖子抖哩。但她还是咬咬牙，香媳妇，这双鞋还给你，你给你男人穿吧。

唉，这样说不行，自己是个寡妇，香媳妇是个活寡，也是个可怜人，本来知道人家男人不能穿鞋了，这么说话太不厚道。干脆开门见山地说，香媳妇啊，我们挨才要打光棍了，人家嫌他是个货郎担子，你看咋办呀？我寡妇养儿没结果，刘家的香火要断了，挨才的死鬼爹要从棺材里拱出来喝我的杂碎哩，你看咋办呀？

下了义和桥就快到宝山元了。挨才娘看到锦绣堂的钱郎中迎面走来。钱郎中说，挨才娘，心里又害急呢？看你的眼珠子，两只鸡蛋黄哩。不就是挨才小子的事儿么，那么好的后生还怕说不上媳妇？就是冲着你这当婆婆的，也不愁说个媳妇。隆兴长的人就是眼窝子浅，种地是营生，货郎担子就不是营生？非得弯腰撅腚挣出屎来才是正经营生？轻省一点活着就不是正经人？日怪了。一个男人么，活人也就几十年，做营生省点气儿，在女人身上使点劲儿，有甚不好哩，那才叫活人哩，活男人哩。到了累死了是个死，轻快死了也是个死，为甚非要累死哩！这样的男人死了以后躺在棺材里才不屈哩，才舒坦哩。

钱郎中的话说得有点道理，可是挨才娘不爱听。站着说话不腰疼，家财万贯不如薄技在身，你有手艺哩，你伸出手一号脉银子就往怀里拱，人有病了是不惜财的，你可以轻省地活人。可我们家挨才除了一身的力气和一副实心肠子，甚也没有，二十几岁的人了连个人皮都没摸过，搂着炕皮睡着哩，咋轻省哩，吃稀饭还能屙硬屎吗？

可钱郎中是个热心人，他对着挨才娘的后背说，你想开点不要害急，守寡难哩。

守寡，守寡，你又没守过寡，咋知道守寡难哩？人们都说，好像哪一个人统一了他们的口径，一个大闺女能守得住，一个寡妇就守不住。好像女人一旦当了寡妇，就成了贱货，见了别的男人裤带就松了。对于向往男人的寡妇来说，守寡是难的，心里想男人，脸上还得恨男人，这不是左手和右手掰手腕，自己和自己较劲么，能不难吗？可是对于挨才娘，守寡不难。

拐进宝山元巷子，算卦的徐老仙远远地就叫她，大妹子，过来，气色不错呀，来，老哥给你摇一卦。看见徐老仙，挨才娘皱了眉头，这是个直胡同巷子，她想躲也躲不开。按理说，挨才的爹的死与徐老仙是有点关系的，她应该报复他至少应该恨他，可挨才娘没有，只是厌恶他。从徐老仙的老婆生孩子难产死了以后，这徐老仙就要娶她当老婆，她不应。她打心眼儿里讨厌这个男人，就像讨厌一只蛤蟆那样，有说不出的膈应。但她没有恨他，这是因为她没有爱挨才的爹，她从来没有爱过任何男人，她甚至觉得当寡妇才好哩。成亲的一个月里她愁白了头，一个晚上她要在炕上挪好几个地方，怕炕板子夯塌了。挨才爹嘴里的味道，像三伏天的泔水桶，冒着泡地臭，熏得她闭了气。幸亏他死了，不然先死的是她自己。

她匆匆往前走，可徐老仙却站在当路，他张开了她最不喜欢的嘴，露出黄豆芽似的一窝烂牙。他说，大妹子，日本人到了包头城，一甩胳膊就到我们隆兴长了，你还守的哪门子寡，谁给你立贞节牌坊哩？

听说日本人在包头城烧杀掠抢糟蹋女人，照着徐老仙的意思，日本人要来了就不用守寡了，或者日本人来了这辈子的寡就白守了。挨才娘的脸憋红了。

徐老仙说，你看我们这么大岁数了，该做的事也该做了。你看我做的是来钱的营生，手里倒是有两个钱，可没个女人搂揽，这光棍的松零流了。

挨才娘会骂人哩，一个多年的寡妇都有过人的功夫。可她今天没工夫吵架，她侧过身子躲开徐老仙向前走了。徐老仙跟在她后面还在说，大妹子，你这是去宝山元么，你咋死心眼呀，那香媳妇的男人是个棺材瓤子，蹬腿是早晚的事儿，你就让挨才好着她。用不了多久挨才娶香媳妇我娶你，我白得儿子挨才白得闺女，多省力气的买卖！

挨才娘的肺气炸了，她就是个寡妇还让她儿子再娶个寡妇，茅坑里生豆芽，扎下这臭根了吗？她转回身去抬脚就把徐老仙的算卦摊子踢翻了。她说，徐老仙你再敢在我跟前说话，我就废了你的二两筋。你要实在憋得不行，把你嘴里的肥上到我家地里去。

挨才娘坐在宝山元门口消消气，便看到香媳妇背上背着孩子，怀里抱着男人出来晒太阳。她把她的男人放在一只笸箩里，铺了褥子，这样身子底下通风，不会起褥疮。她靠在男人身边给孩子喂奶，她的男人啊啊地张着嘴像另一个孩子往她的怀里拱。快落山的太阳红彤彤地照在三个人身上，香媳妇怀里的两个人一人叼着她的一只奶头。香媳妇的脸上有一点安详也有一点凄凉，她的胸脯微微地起伏，她在叹气。

挨才娘的心忽悠地就软了。香媳妇的男人成了香媳妇的孩子了，他像一个婴儿依恋母亲那样依恋她。一个女人，可以舍弃财富，舍弃男人，也可以舍弃爹娘老子，可她能舍弃她的孩子吗？香媳妇的男人变成了香媳妇身上的肉和血，她疼他。唉，香媳妇是个多么好的女人，一般长得袭人的女人轻佻，可香媳妇心地是那么厚实。她家挨才要是能娶上这么好的女人，刘家的祖坟上冒青烟了。可是香媳妇再好，以后也是个寡妇，挨才是个出产新（崭新）的大后生，娶个寡妇，即使像香媳妇这样的寡妇，还是有点糟心。挨才看上的是香媳妇这个人，可别人会以为刘家图宝山元的财哩。可话说回来，香媳妇如果不是个寡妇能嫁给挨才吗？再说了，寡妇咋了，自己不就是个寡妇么，谁天生下就想当寡妇哩。寡妇经受过艰难，受过艰难的女人知道疼人。

挨才娘站起来往回走，路过徐老仙的摊子，看到徐老仙圪蹴在条凳上，像一只上架的公鸡打盹儿呢。她抬起腿来又一次踢翻了摊子。等徐老仙糊里八涂地从地上爬起来，挨才娘已经走远了。他看着刘寡妇的背影说，这个妨祖圪旦母夜叉，看我哪天把你收拾进炕洞子里去。

走上义和桥，太阳落山了。挨才娘又拿出布鞋端详着。不知怎么她又想起她的死鬼男人。如果香媳妇的男人在闭眼的时候也不让香媳妇改嫁，那她家挨才不就白等了么？男人就活的几年年轻，人过三十天过午，再耽搁上几年，她家挨才不就白活男人了么？还有，即使是香媳妇和挨才有缘分，他们成亲后也得住到宝山元去，他们不可能撇下那么大的家业住到刘家的两间土坯房里来。住到人家家里就相当于倒插门，女婿可以倒插进人家家门，没听说当婆婆的也能插进人家家门去。那我这个大活人往哪儿搁呀？我刘寡妇守寡就是为了守个儿子，如果儿子成了别人的，我刘寡妇捉了个雀儿没毛了，还图个什么。刘寡妇从桥柱上站起来，不行，明天再托媒人给挨才提亲，挨才只要娶了媳妇，一挨新媳妇的身子，还记得什么香媳妇臭媳妇。她咬咬牙，把布鞋扔进义和渠里，她要断了挨才对香媳妇的念头。

鞋子扑通一声落水，便听得挨才甩着大步上了义和桥。远远地他就喊，娘，你看见我的新布鞋了吗？

挨才娘板着脸说，扔渠里了。

挨才跺着脚说，这鞋咋惹你了？

挨才娘说，香媳妇有工夫给你做鞋，我就有工夫扔进义和渠。

挨才听了娘的话，甩掉衣裳就从桥上跳了下去。挨才娘伸长脖子往河里瞅，挨才在河里扎猛子哩。挨才娘伤心了，如果是娘掉下去，儿子都未必这么义无反顾。寡妇养儿伤心哩。不一会儿，挨才手里提着一只鞋伸出头来说，谁给你说这鞋是香媳妇做的，这是西山嘴老高家的闺女捎来的。

挨才娘纳闷了，老高家不是嫌挨才是个货郎担子么，咋还捎鞋过来？她想问挨才个究竟，可挨才从水里爬上来，穿上衣裳走了，朝宝山元去了，他要给香媳妇挑水哩。

五

挨才从义和渠里捞出一只鞋，揣进怀里急匆匆地进了宝山元。红豆姑娘从柜台上迎过来说，挨才哥，香媳妇让你到后院老柜去，有话跟你说哩。哎，你的货担呢？

挨才用红豆递上来的手巾擦了汗，低了头去找扁担和水桶。红豆跟过来弯着腰把木桶挂在扁担上，抬起头来看挨才的表情。她说，挨才哥，哪儿不舒坦，跟我说。挨才别过脸去，挑着木桶走了。

挨才的最后一担水倒进香媳妇门后的水瓮里。平时他倒了水低头就走，从不往炕上看，也不看香媳妇，他不是来看他们的。他只是挑水。有一次他低着头正要出门，听到炕上有人哼了一声。他不得不站定。他看见香媳妇的男人像一只蜗牛蜷缩在炕头上，他的眼睛依然亮，他身上最灵活最健康的部位可能就是眼睛了。他一双眼睛亮晶晶地捉住挨才的眼睛，眼光里充满了凄凉和善意。挨才的眼睛像扫过麦芒似的，酸，疼。他手里提着一只木桶，木讷地站着，他可能想说一句安慰的话，可是面对这样一个活物，任何话都像窗户纸一样的薄。就在挨才想逃离的时候，男人费了好大的力气提起他的嘴角，他想给挨才一个笑，这是比哭还伤心的一个笑。他的脸揪扯得有说不出来的丑陋。

挨才再不忍心看香媳妇的男人，也不忍心看香媳妇，他们脸上的一种东西剪子一样绞他的心。

可是香媳妇对他有话说。他放下木桶，站在门槛边。香媳妇正在给炕上的男人喂饭，她嘴里说着什么，好像乞求什么，拖着哭腔。可是她的男人闭着嘴闭着眼，动都不动一下。香媳妇放下饭碗，双手捂在脸上，哭。

香媳妇的男人不想吃饭了。他不想拖累香媳妇了。他想一走了之。不吃饭是他了结生命的唯一途径，他没有别的死的办法了。

挨才向前一步说，让我来喂他。他想劝劝这个可怜的男人。

听到挨才的声音男人突然睁大了眼睛，他的眼神要把挨才勾过来，吸过来，他的整个眼眶盈满了哀求甚至是讨好。等挨才靠近他，他扭曲了整个身体，为的是使劲伸出一只手来。他抓住了挨才的手，他的手凉如坚冰，他想把挨才的手放在香媳妇的手上。可是他气力不支，他把挨才的手往香媳妇的怀里一塞……香媳妇和挨才同时躲闪开来。挨才大红着脸退在后面，香媳妇放声大哭。她用两只手交替着打她的男人，像骨头敲打着骨头，铮铮作响。她哽咽着断断续续地说，你这是干什么，你这是干什么？我们从包头到隆兴长，路过西山嘴那个脑包，我们说的话你不记得了？她反复说着这句话，把她的男人拽起来又放下去，几次三番，最后搂进自己的怀里，把头埋在男人的身上，他们同时终止了哭声。片刻的安静之后，挨才听到了咕咕咕的声音，像两只鸽子在叫。男人的脑袋拱在香媳妇的怀里，使劲吮吸着，由于使的劲大，他一吮吸一抽巴一吮吸一抽巴，那意思是他下定决心要好好活下去了。

这是一个女人抚慰、哺育、娇惯一个男人的最简单的方式。

挨才退到门后的水瓮前，绝望地蹲下。大后套的男人在没主张的时候往往要圪蹴下来双手抱着头。他看到香媳妇细弱的双臂箍着她的男人，她的后背消瘦得像一只皮影，单薄得直打战。她的头发看上去那么多，脑后的发髻坠在肩上，像压弯了头的稻穗。

这个男人早晚会把这个女人吸干的。挨才站了起来或跳了起来。他生出了一个念头，他要把这个没用的男人掐死。可是他看到香媳妇侧过脸来说，挨才，我跟你商量点事。

商量，有什么事跟他一个货郎担子商量呢？香媳妇的口气是私下里的，仿佛他们是一家人。

我想在西山嘴设个销售点，用胶轮车送货，大半天就到了。如果销得好，等时局安稳了，派两个师傅过去开作坊。

西山嘴？怎么不是别的地方？挨才心想。

你去给我们做掌柜的。你挑货担子太辛苦了，你娘拉扯你不容易，你得让她过上好日子。

去西山嘴难道是为了我娘？

你回去跟娘商量一下，如果娘同意，你明天就去西山嘴择铺子。

想赶我走，这么急，连一泡尿的工夫都不给？都是我不该，不该告诉香媳妇那双鞋是西山嘴高家的闺女捎来的。

香媳妇的话慢悠悠地说完了。挨才站起身，从怀里掏出一只湿漉漉的鞋，说，你不是要取鞋样子么？

香媳妇接过鞋说，怎么是一只，还是湿的？

挨才边往外走边说，掉义和渠里了。

挨才娘一路纳闷着回到家里，推开柴门咯吱的一声响，她突然想明白了。高家嫌我们挨才是个货郎担子，可高家的闺女打春不嫌弃我们挨才，她看上我们家挨才了。这一发现让挨才娘兴奋得脸颊通红，她靠在鸡窝上喘了口气，一只母鸡起窝了，咕嗒嗒地叫唤，一声比一声高，像屁股底下着了火。这真是一件天大的喜事呀，挨才娘二十来年再没有比这更得意的事了。这件事情是对她二十来年寡妇生涯的最有力的报答。她伸出手在母鸡的鸡冠上拍了一下说，看你张巴（张扬）的，哪一只母鸡不会下蛋么？她摸了鸡窝里的蛋，手心里温乎乎的，直往心里舒坦。她要煮两只蛋，给他挨才补补。同时她发现，挨才的货担子没有了。这一发现更是让她的小脚几乎跳了起来，她家挨才不做货郎担子啦。她家挨才很有可能已经和高家的闺女勾挂上了。

她后悔没有问清原委扔了那双灯芯绒鞋。打春闺女针线做得这么好，要是做了刘家的媳妇，那在隆兴长是头一份儿的人才，比香媳妇还要展劲，那她刘寡妇守寡守出金子来了。她瞬间感受到了当寡妇的好处，一个寡妇养了个好儿子，就更有成色，更能引起别人的羡慕。挨才娘呵呵呵地笑起来，双肩打摆子似的抖动着。

眼下挨才娘最紧要的营生是连夜做一双鞋，要和高家闺女送给挨才的那双一样样的。她生了火煮了两只鸡蛋就糊糨子，做鞋衬。挨才甩着大脚板踢开了柴门，她看见挨才的脸色黢黑，他生娘的气哩。挨才娘掉过脸去，抹掉了一脸的喜色。她得沉住气，锅盖不能揭得太早了。但凡是个寡妇，她都应该有点城府。你悲悲切切了，说你想男人想得脸都绿了。你喜形于色了，别人猜想你昨晚上肯定有野男人钻被窝了。穿得邋遢了，说你没有男人就不想活了。穿得光鲜了，别人会捂着嘴笑，吃百家饭穿百家衣哩，能不光鲜么。所以挨才娘习惯面无表情，像一口井，看不见有多深。

挨才径直进了偏房，挺在炕头上，蒙头睡了。天亮时，挨才娘拿着做好了的绒鞋，推开门，挨才娘踅到炕头上，伸手摸她的挨才，天哪，被窝里只有一只狗。

为了一双鞋一夜没眨眼的挨才娘，不由得有点心凉，媳妇还没进门呢，儿子还没挨过媳妇呢，为了一双鞋，对娘就翻脸，就拧劲儿。她搂了柴火，蹴在灶前烧火煮酸粥，一直到晌午还没见到挨才的影子。挨才娘急了。对于一个二十多岁的大后生，有比吃饭更当紧的事情吗？挨才出事了。这么一想，挨才娘穿大襟袄的手抖动起来。她挪着小脚上了义和桥，远远地看见人就问，看见我家挨才了吗？人们都说，没看见，哎呀，真的半天没见挨才，也没听见挨才吆喝“香塌嘴香塌嘴”。在隆兴长半天听不见挨才的声音是很奇怪的事。挨才娘的腿软了。她开始往宝山元走，她嘴里喘着粗气，一路上狗们叫着，把她的心叫烂了。拐进香媳妇的老柜，听得两个女人争吵的声音：

我就是稀罕挨才哥，我就要跟他去西山嘴。

我到了河套娘伤透了心，娘是让你来给我帮把手，你再嫁到河套，让我咋给娘交代呢，让娘咋活呢？

你跟着男人跑的时候想到娘了吗？你喜欢谁就能跟谁，我喜欢挨才哥为甚不能跟？你还不是想狗占八泡屎么！

红豆你咋说话呢，你看看你姐夫成什么样了，天哪，你到底要怎么样呀？

我不想怎么样，我要去西山嘴寻挨才哥。

红豆，你不要胡闹。挨才在西山嘴有心上人，你不要瞎掺和。

挨才哥不喜欢那个女人。还不是你把挨才哥打发走，给你的宝山元开分店。

挨才也没说喜欢你。

还不是因为你吃着碗里的看着锅里的。

两个女人哭起来，香媳妇的男人也嗷嗷号起来。

挨才去西山嘴了？香媳妇这个时候让挨才到西山嘴开分店，是想成全挨才和那个高家的闺女吗？

六

刘挨才思谋了一个黑夜，天麻麻亮他就到了宝山元。红豆提着两只沾着红豆馅的手，眼圈青青地看着他。红豆说，这么早就来了，香媳妇一夜没吹灯，等你呢。挨才没理红豆的话，拐进后院的老柜，站在窗户外。听得里边香媳妇说，挨才来了？挨才挪了挪脚，不知道该不该进去。香媳妇下了炕开了门，她怀里抱着小闺女朵朵，一只手里拿着一双鞋说，我学着那只鞋的样子补做了一只，要不可惜了，你试试合脚不。挨才听得香媳妇怀里的朵朵喘着粗气，好像是病了。挨才接过鞋看了看，几乎一模一样。他底子对着底子一比，左脚比右脚长一个韭菜叶。心里一股暖湿的黏稠的东西涌上来，他的眼圈红了。他说，我去西山嘴了，现在就动身。我去寻我奶哥，让他给我寻个门面。准备好了我捎话来，这边就送货。

挨才把鞋塞进羊皮袄里，走了。

他听得香媳妇喊他，红豆喊他，他几步就甩出宝山元，红豆和香媳妇在争吵什么。

过了晌午，挨才接近西山嘴村口时，看到一个硕大的半圆形的破脑包，有半人高的石垒,经幡没了颜色,他想一定是很长时间没有人朝拜了。放羊的人可能经常在里边打盹儿,还有一些压塌了的麦秸草。他脱下老羊皮袄,埋进脑包的麦秸里。他要穿着新夹袄进村,万一碰上老高家的人,他得看上去展油活水的样子,给他娘长脸。

他刚藏好羊皮袄,就听得村子里枪声大作。他的心紧了,日本人来了。他看到村子里一炮黄尘,鸡飞狗叫,他赶紧圪蹴在麦草上,思谋着该咋办。

透过脑包上石头垛的缝隙,他看到一个姑娘披头散发地跑过来,她跌倒又爬起,几次三番。她没力气了,向着脑包爬。刘挨才跳出去,想帮她一把,姑娘发现有人,赶紧把脸埋在地皮上,她见不得人了。挨才抬起她的胳膊把她拖进脑包里。

她趴在麦草上,两只裤管浸透了血。这个姑娘被日本人糟蹋了。

挨才听到嗡嗡的声音从东边响起,天上的飞机经过了西山嘴的上空,一直向西飞去。挨才明白,这是包头的日本鬼子在飞机的掩护下向隆兴长方向进犯,因为傅作义的三十五军就驻扎在隆兴长附近。起风了,黄风卷起野生的沙蓬打在人身上,痒着疼。

挨才猫下腰拽出他的老羊皮袄,盖在那个姑娘身上说,姑娘你想开点,你爹娘养了你还指望你哩,千万不敢寻短见。我得回隆兴长救我的娘,我走了。

就在这时他听到大队的人马和卡车开过来,这是西山嘴通往隆兴长的必经之路。挨才看见他的奶哥王毛仁扯旗放炮地在带路,十足的汉奸相。挨才浑身的血液涌向头顶,他的头发直立起来。人马和卡车本来已经过了半圆形脑包,一个鬼子突然折回,提着裤子向着脑包跑过来。挨才赶紧趴下,他伏在姑娘耳边说,别动别出声,有鬼子。他感觉到姑娘的身子抖动起来。从脑包石垒的缝隙里,他看到了一个男人的屁股,撅在脑包的外围,哼哼唧唧地肚子疼哩,因为风大,他张着的嘴被噎得直打嗝。挨才慢慢站起来,他们之间隔着半人高的石头垒,他搬起一块石头,结结实实地向鬼子的脑袋砸去。鬼子一屁股坐下去,红白脑浆吐出来,连一个响屁都没放,死了。

挨才跳出脑包飞跑出几十步。

姑娘往破羊皮袄里缩缩身子,碰到了一个硬邦邦的东西,她摸出了一双鞋。她认出了这双鞋。相亲的那天,她在厢房里舔破了窗户纸,她看上了这个好后生。挨才和媒人一走,她就往村东头的瞎老汉家走,挨才给瞎老汉挑过水。平时很少有人到瞎老汉家的,瞎老汉家门前的一条黄土路上肯定有挨才的脚印。她在黄土路上仔细量了挨才的脚印,她又听娘说挨才是个左撇子,左撇子的左手和左脚通常要比右手右脚大一分。她在灯下偷偷给挨才做鞋,鸡叫头遍的时候,她停下手中的活计,她想不起挨才长什么样了,仔细在脑子里搜寻,想得眼珠子都疼了。鸡叫二遍的时候,她脑子里突然清晰地出现挨才挑水的样子,他习惯性地咬着下嘴唇,脑袋朝左肩上歪一点。

她双臂强撑起身子，看到了挨才飞跑的身影。她张开了嘴……她认出了挨才，她一只胳膊朝挨才的方向伸着，她说，挨才，我是打春，你是找我来的吗？你带我走吧。

这时挨才回过头来，他看到那个姑娘抬起头张着嘴看着他。风大，背风，他没听见姑娘说什么。挨才跑回来。姑娘赶紧把她的脸埋进羊皮袄里，身体又开始发抖。她以为挨才听到她的喊声回来了。

挨才从鬼子身上扒下了衣服，套在了自己身上，揪下帽子，扣在头上，拾起长枪，他看都没看打春一眼，像一个日本鬼子那样匆匆地跑了。姑娘再抬起头时，黄风卷起了黄土路，天和路分不清颜色了。

八年以后，在树林子，那个长满柳树的村子里，挨才看到了这张脸，可是他想不起来在哪里见过这张脸。

挨才知道西山嘴通往隆兴长有一条大干渠，挖大渠的时候他走过。现在刚开春，渠畔翻浆，鬼子的卡车不能走，可是人步行没问题，这是一条既快捷又安全的路。挨才飞奔在渠畔上，心里想着她的娘和香媳妇。有一阵他觉得自己像太阳一样烧起来，焦渴、燥热，心快要着火了。他在河床里踏碎一块冰，塞进嘴里，又开始飞跑。他想起脑包麦草上趴着的那个姑娘，她血淋淋的裤管，她因蒙羞而绝望得几近哀求的脸。这张脸渐渐地变成了香媳妇的脸，他看见香媳妇的裤管淋漓地滴着血，他的脸变形了，眼眶子里迸出来的泪水飞出去，瞬间被狂风风干了。他后悔离开了隆兴长，他应该在接过灯芯绒鞋时抱住香媳妇，连同她怀里的孩子，把她箍在离心最近的地方，贴着，这是比铁还坚实的承诺。离村子五里远了，这里有村里人提前挖好的地卜洞(防空洞)，在离地卜洞不远的地方，用尽了全身气力的挨才跪在地上喘气，就在这时他看见了香媳妇。

挨才从隆兴长一走，傅作义的三十五军就开始疏散隆兴长的群众，把粮食牲畜全部带走，坚壁清野。青壮年加入抗日游击队，妇女和老弱转移进地卜洞。安全起见，全部不许出入。香媳妇的闺女朵朵正在出麻疹，烧得厉害，又咳又喘，命若游丝。香媳妇急得嗓子一下子哑了，他的男人躺在孩子身边，啊啊地叫，眼睛冒血，使不上劲。挨才娘找了个背风的地方，用搪瓷碗烧了点面糊，娃病着，不能吃凉东西。香媳妇一大早把挨才派到了西山嘴，让他挨才躲过这一劫，虽然她自己的脑袋别在裤腰带上，好在他挨才捡了一条命，她占了大便宜了，她高兴。她不知道日本鬼子是从西山嘴过来的。挨才娘是生过娃的人，有经验，她把朵朵挪到自己怀里喂米糊，她在香媳妇耳朵边说，天将黑了，你到沿渠畔的地方挖一些芦草根，熬了让娃喝了，能催疹。没有别的办法，就看她的命了。香媳妇颤巍巍地站起来，找了把铲子出了地卜洞。她往河边走，有水的地方有芦草根。她在渠畔下一个潮湿的地方蹲下来，挖。挖到第二个土坑的时候，铲子被什么东西绊住了，香媳妇轻轻叫了一声，看见芦根了。

挨才看见香媳妇蹲在渠畔下，低着头在做什么。挨才的眼泪冒出了眼眶，他扔下手里的长枪，连滚带爬扑向香媳妇。

香媳妇在被扑倒之前，看见了一个日本人，帽子上的帘子被风刮得贴在了脸上，她没看清这个人的脸面。她还没有喊出声，就被压在了身子下面。她赶紧闭上了眼睛，想用眼前的一片黑暗躲避这场灾难。

挨才终于把香媳妇搂在了怀里，他真惜疼这个女人呀，他真稀罕这个女人呀。他嘤嘤地哭着，眼泪鼻涕糊了香媳妇一脸。

香媳妇感觉到抱着她的这个人身体是那么温暖，他的双臂衬在她的身子下面，怕硌着她。她睁开眼睛，看见了刘挨才。

挨才，你这身衣裳吓死我了。你咋回来的？香媳妇伸出手给挨才抹眼泪。

我以为见不着你了。挨才哽咽了。

挨才，可怜你老惦记着我。日本人来了，我们今天看不见明天了，你要是稀罕我，你就做一回男人吧。

挨才的脸埋进香媳妇怀里，压在脚心里的一股火苗蹿起来直冲天灵盖。他抱紧香媳妇来回打了两个滚儿。仿佛一个身上着了火的人，必须要打滚儿灭火那样。

——不要动，我开枪了。

他们同时僵住，抬起头来，看见红豆端着一支枪站在他们后面。挨才赶紧把香媳妇扶起来，香媳妇下意识地整理衣裳，又弯下腰把芦草根拾进衣襟里。

红豆看着天就黑了，出来看看香媳妇挖上芦草根没有。走到渠畔下，就看见一个日本人抱着香媳妇在地上打滚儿，吓得她一屁股坐下，正好坐在一支枪上。她端起枪，定了定神，她看见日本男人稍嫌瘦小的军装抽上去，露出一截老棉裤，还有一根红布裤腰带。不对呀，在河套，几乎所有的男人都穿着这样的老棉裤系着这样的红裤腰带，红裤腰带是避邪的。枪在她手里她胆子大了，她举起枪对准了日本男人的屁股。

她看见穿着一身日本军装的刘挨才把香媳妇扶起来。她扑上去甩开胳膊打挨才，刘挨才，你干什么，你不是个人。来人哪，刘挨才假装成日本人糟蹋中国妇女。

香媳妇抓住红豆的胳膊说，不要乱喊，挨才他没有。

红豆甩开香媳妇说，没有？那就是你俩串通了干这种不要脸的事情。

挨才上前挡住香媳妇，仿佛红豆说的话是一把刀，刺伤了香媳妇。红豆，你不要胡说，与香媳妇没有关系。

胡说？你们抱在一起打滚哩，你的红裤腰带都露出来了，我都看见了。

这时地卜洞里的乡亲们都围过来了。他们看到穿着一身日本军装的刘挨才和满脸羞愧的香媳妇，什么都明白了。

温二蛋颠着一身白肉扑向刘挨才，男人们抹胳膊撸袖子都要动手。这时挨才的娘拨开人群站在挨才面前，说，刘挨才，你给我说实话，你糟蹋香媳妇了吗？

挨才嗫嚅着说，没有。

挨才娘又转向香媳妇说，香媳妇，我们家挨才糟蹋你了吗？

香媳妇摇着头说，没有。

挨才娘转向大家说，那怎么能说我们家挨才糟蹋中国妇女呢？

温二蛋向地上啐了一口说，呸，他们抱在一起驴打滚儿，亲嘴，脱裤子，他穿着日本人的衣裳，他是个汉奸，他奶哥王毛仁就是个汉奸，他是日本人派来踩盘子端我们老窝的。

徐老仙站出来说，穿日本人的衣裳不一定就是日本人派来的，打滚儿亲嘴也不能叫糟蹋妇女，说不定那是两相情愿。徐老仙说这话有他的用意。他要把挨才和香媳妇拉扯在一起，生米做成熟饭。如果挨才娶了香媳妇，他再娶上刘寡妇，那他不就成了宝山元的爹了么？

大家的目光锥子般一齐扎向香媳妇。温二蛋从地卜洞里把香媳妇的男人扛出来，挂在他的一只肩膀上，对着香媳妇说，你男人骨头软了耳朵没聋，让他听听你们的丢人事儿。挨才上去把香媳妇的男人夺过来，放在香媳妇的怀里，说，去，回地卜洞去，给朵朵煮芦根水。香媳妇的脸伏在她男人的身上泪眼婆娑地走了。

锁子、温二蛋一些男人们要用绳子把刘挨才捆起来押到三十五军处置。

刘挨才对乡亲们说，隆兴长的人都知道我喜欢香媳妇，我就是稀罕这个女人，我在西山嘴杀了一个鬼子扒了这套衣裳，我就是想利用这套衣裳得到香媳妇。我让香媳妇受了委屈，我很抱歉。我不想死到乡亲们的手里，你们让我走吧。

挨才跪下给娘磕了个头，提起长枪，走了。娘追上来，四眼狗也追上来了，娘把一双鞋塞进他怀里，恶狠狠地说，不要再回来，永远不要回来，哪里能活人就去哪里，我不死你就不能死。四眼狗跳起来往他的怀里扑，他把狗塞进娘的怀里，走了。

温二蛋扯着公鸭嗓子吼，刘挨才是个汉奸，他穿着日本人的衣裳端着日本人的枪，他是个汉奸。温二蛋冲上去拽挨才的胳膊，挨才端起长枪说，再过来我就毙了你。

刘挨才跑到了一个土坡上，他双手卷成喇叭向着地卜洞喊，香媳妇你等着我，香媳妇我等着你，香媳妇……

七

离开隆兴长的这个夜晚，天是那么黑那么冷，他好像奔跑在一只冰冷的铁锅里，风剪得他身心血肉模糊，骨头像一柱一柱的冰凌碎裂了。天快亮的时候，他窝在一蓬硕大的直芨后面，歇口气。停止了奔跑的刘挨才一下就跌入了睡眠。他隐约听到娘的声音，娘喊着他的小名说，才儿，不敢再回隆兴长，远远地走，娘不想你。眼泪从刘挨才的眼睛里滚出来，瞬间结了冰。挨才抱紧身子想，娘，抱抱我，娘抱抱我。一股暖流羊水似的包围了他，他的骨头消了。他徐徐地睁开眼睛，看到早晨的第一缕阳光照在身上。他开始强烈地想家，想隆兴长，想家门后面的半只破水瓮。可是他没想到，这一次离开隆兴长竟是十年。

天亮时他刚跑到义和渠中游，就听到几声巨响，接着轰隆隆万马奔腾的声音从义和渠上游传来。不到一个时辰，凌汛期的义和渠水夹杂着大量的冰块，淹没了鬼子的营盘。敌人的坦克大炮被楔进泥淖里，寸步难行。三十五军和游击队左右夹击，日本鬼子全军覆没。这场战争结束得这么快，刘挨才找游击队将功赎罪的机会没有了。早春刺骨的寒风中他挂念着香媳妇和娘，可是他回不去隆兴长了。可这时他偏偏碰到了正往狼山上溃逃的王毛仁，他本来想举起长枪结束了这个狗汉奸的性命，可王毛仁拿的是手枪，挨才没等瞄准，手腕就被手枪打中，他被一只麻袋劫到了狼山的土匪窝子里。王毛仁和狼山上的胡子合了绺子，当起了山霸王。

第一晚他被扔进了一间黑棚里，跌在了一个骨瘦如柴的人身上，这个人就是小油糕。

当年小油糕的爹娘晚年得子，老两口高兴得要了命。按河套的风俗，人生三顿糕，出生、成亲、蹬腿，三顿油糕完了日子就过完了。生了宝贝儿子过满月当然要吃炸油糕。老两口想请全村的人来家吃炸油糕，可是糕面没有那么多，不够全村人吃。爹就操了面盆到隔壁邻居花大脚家借。邻居家没人，爹就揭开瓮盖子自己舀。在河套除了土匪是没有贼的，拿了就拿了，说一声，想还就行，不还也行，下次你过来拿好了。爹舀满了一盆糕面，盖盖子时，就动了一点歪念头。可能是因为有了儿子了，有儿子就得养儿子，养大儿子还得娶媳妇，作为一个农夫，一切的来源就是那一点粮食，所以有了儿子以后对待粮食他就手紧了一些。他犹豫了一下还是伸出一只手把面瓮的表层捋平了。出门时不料花大脚回来了。没几天，爹还了花大脚圪堆戴帽一盆糕面，可是爹的事情还是在村里传开了。爹羞不过，给儿子起好了名字就走了。小油糕七岁那年出去找爹被胡子绑上了山。他屡跑屡抓，到二十岁的时候，他身上没有一根囫囵骨头了，他不想跑了，即使回家了也成了一个废人，娘不伤心吗？他认识挨才以后，把挨才当成亲人了，他的家在树林子，他给挨才讲他记忆中的树林子的所有的事情，讲他家的邻居花大脚和柱子。他断了回家的念头。回家的念头一卸下，他的身体就塌下去了，他的一身碎骨头散架了，是因为没有这个信念支撑了。

王毛仁严密看守着刘挨才，他说，奶兄弟，我跟你兄弟一场，绝不能让你跑回隆兴长，那是个要你命的地方。

过了一年，日本鬼子投降了。挨才躺在草垛上，思谋着咋才能回到隆兴长。他梦见，他回到隆兴长，寻不见他的娘了，地头上没有，义和桥上没有，针线铺也没有，他站在他家的老院子里，发现老母鸡卧在娘的寿材上憋蛋呢。在后套，人一到中年就要割寿材，据说寿材做得越早寿命越长，如果儿子娶了媳妇还没给爹妈做寿材是要被人笑话的。如果哪一家有人暴死，没有棺材，可以向别人家借。被借的人家是非常高兴的，这里有一个说法，有人借了你的棺材，这个人的寿命就折在你身上了，这真是一件好事情，借走柏木的还来榆木的也不嫌。走进一个村子，十有八家的墙根儿下有一口花红柳绿的棺材。这里可能有一点哲学道理，中年人每天能看到自己的棺材，看到自己的归宿，对于终了那点人人都要早晚遇到的事情就会司空见惯，就会把死和生看得一样平常，把死和生掺和起来一起过，那死还有什么可怕呢。一个不怕死的人会活得更长。所以，寿材要早做，哪怕寿材风吹雨淋地没等装人就沤烂了也没关系，好死不如赖活着，只要能好好活着，再打一口棺材算个啥呢？挨才是提前给娘打了棺材的，挨才想让画匠画上龙凤呈祥。可是娘摇了头说，就画凤，九十九只凤。挨才看见九十九只凤尾摆动了，卧在棺材上的母鸡脱蛋了飞起来，咯咯地叫。挨才走过去，看见娘穿戴齐整地躺在棺材里，旁边是个依饭罐。娘死了。挨才知道这是一个梦，但他还是不敢睁开眼睛。这时王毛仁狼断(撵)上似的跑过来，拽起挨才说，奶兄弟，奶娘死了，还没过头七，你给娘烧个纸磕个头哇。挨才挣开王毛仁的手，眼前一片漆黑。他在地上打滚儿，他不喊不哭，心烂了，心烂了。据王毛仁派人打探来的消息说，娘是躺在炕上无疾而终的，一个外村的干闺女给娘送的终。坟窿里埋了依饭罐，坟头上插了引魂幡，是子孙满堂的繁荣。可是娘哪里来的干闺女呢？健壮的娘这么匆匆地死了，是怕他回隆兴长，怕他惦记娘。

又过了四年，绥远和平解放了，接着镇反剿匪开始，土匪们抱头鼠窜，自顾逃命。王毛仁把一捆干肉塞进挨才怀里说，逃命哇，奶哥管不了你了。刘挨才背着小油糕从狼山跑到乌拉山，走投无路，只得先把小油糕送回树林子。小油糕病得厉害，不行了。临死前，他把脖子上的长命锁摘下来放在挨才手里。后套人生下男孩子就要做一把长命锁，用布缝一个包着锁子的项圈戴在孩子的脖子上，十二岁生日的时候，用钥匙开锁，这样的孩子长命百岁。他让挨才到树林子找到他的娘，告诉娘，他死了，不要等他了。

挨才把长命锁挂在自己脖子上，埋了小油糕，就赶往树林子。他在树林子找到了第二个家。

树林子是一个长满柳树的林子。村口有一条南渠，渠畔有一棵老柳树，老柳树下坐着一个白头发老人，手里拄着一截柳树枝。挨才想上去打听一下，远远地就看见老人睁着空洞的眼睛，脖子往路的方向伸，其实她在用耳朵听，听路上来了什么人。她嘴里念叨着，小油糕，我的小油糕。这就是小油糕的娘。挨才看见了小油糕的娘，一下子想起了自己的娘，娘就是这样等他回来又怕他回来，把心熬死了。挨才的眼泪喷了出来，他边抹眼泪边喊娘扑在老人身上。老人愣住了，接着她长号一声扔掉手里的树枝，伸出双手在挨才身上摸，她摸到了脖子上的长命锁。她浑身抽搐着，一头就栽进了挨才的怀里。

挨才背着娘往村里走，一路上人们就知道小油糕回来了。小油糕家的邻居花大脚抹着眼泪对伏在挨才背上的娘说，罗老婆儿，功夫不负有心人，你把儿子等回来了，心放进肚子里了哇，可怜介的，好好活着哇。这时挨才才知道小油糕姓罗。花大脚的儿子柱子拖着一条瘸腿上来端详挨才的模样，说，长成大油糕了，跟小时候长得不一样了，比小时候可喜。挨才心里犯了愁，小油糕的娘把他当成小油糕了，这可咋办是好。娘伏在他的后背上，嘤嘤地哭，用枯枝般的手摸他的后颈。拍着他的后背说，你这个枪崩货，这么多年跑哪儿去了？他真的不忍心对小油糕娘说实话，只能假戏真做了。他说，娘，我走迷路了，好不容易才转回来。他不能说是从土匪窝子里出来的，在这个风头上，会给娘带来麻烦的。

这是树林子村分了地主老财的地之后最重要的一件事情了，大人娃娃拥着挨才走，挨才不知道家在哪里，顺着人群走，就到家了。这哪是一个家呀，比猪圈高一点，几根柳条插成窗户。窗下一个鸡窝，靠鸡窝一口棺材。炕上的席破成三片，一只老羊皮黑黢黢地卷在炕头。挨才把娘放在炕头上，花大脚生起了火，抱来自家的酸米罐子，给这娘俩熬酸粥。花大脚往炉膛里添着柴说，罗老婆儿，你放开小油糕的手，赶紧寻钥匙哇，谁们家娃二十几岁了还不开锁，想带着锁娶媳妇呀？其实花大脚是想验证一下这个人是不是小油糕。一句话提醒了娘，娘爬向后炕，在席底下摸出一把钥匙。花大脚点亮胡油灯，揪开糟布露出一把锈成疙瘩的锁，说，哎呀，锈死了。娘颤巍巍地用钥匙寻着锁孔说，不害事，当初他爹在锁心里点了胡油外面浇了蜡。娘像一个明眼人那样，深信不疑地就把锁打开了。

花大脚彻底相信这就是小油糕了，想来也没有人到穷得底朝天的罗家来冒充儿子。她说，这下可好了，有地有人了，明天就让小油糕到树园地下种，我家有白欧柔种子。明年就要甚有甚了，娶媳妇生孙子，红火死了。要想捞稠的，慢下勺头子，十几年不白等，一下子就冒成个大后生。这话惹得罗老婆儿又哭了一场。喝酸粥的时候，花大脚说，给小油糕起个官名吧。娘说，早起好了，叫罗来宝。

刘挨才心想，喝了这碗酸粥，我就变成罗来宝了。

挨才喝第三碗酸粥时，娘用耳朵听出了动静，儿子咋用左手吃饭呢？舔光了第三个碗沿儿，看见娘窝在老羊皮里睡着了。他用袖口把娘腮帮子上的口水擦了，挨着娘就睡下了。快天亮的时候，窗口一片白光，屋檐下唯一的一只鸡咕咕咕地叫着，憋蛋呢，这种久违了的声音让他找到了家的妥帖。挨才感觉到娘的手向他伸过来，在他的脸上摸着，凑过脸在他的脸上闻着……挨才的眼泪流出来了，他一骨碌爬起来，跪在娘的跟前，抓住娘的手说，娘，小油糕他……娘捂住了他的嘴，她用风吹在窗户纸上轻得几乎听不见的声音在挨才耳边说，不要说话，我都知道，托梦来了。她把那只钥匙塞进挨才手心里说，不要离开家，要不爹回来找不到家。说完她又窝在挨才的身边睡下了。

天亮以后,娘不在炕上了。挨才揭开锅盖,锅里温着一碗酸粥。

他到处寻娘寻不见,全村的人到处寻娘寻不见。他绕着村子喊,娘,娘,娘。他听到在很远的地方有人应着,哎,哎,哎。他分不清这是隆兴长娘的声音还是树林子娘的声音。最后挨才站在那口棺材前,他想起了亲娘走的时候他做的那个梦。

他轻轻地揭开盖子。

娘躺在棺材里,旁边放着依饭罐。

跟他做的那个梦一样。

挨才扑在棺材上。棺材还温着,依饭罐还热着。

八

树林村的人都叫他老油糕。

把自家的树园地侍候好,把邻居家的地也捎带着侍弄。把房子修了,把五保户家的房子也修了,把路的两旁种了树。担起水桶,给全村没有壮劳力的人家担水。碰见村里的人,他远远地就打招呼说,二毛旦,今年下甚种呀?二毛旦说,老哈数,割了麦子种菜,球事不碍。老油糕笑着说,忙不过来就叫我。渐渐地,谁家要是有营生,人们就说,去找老油糕呀。

老油糕现在惦记的人只有隆兴长的香媳妇了。他对香媳妇的心思就像他头上的毛发,只要活着就往出长。

树林村的人都说他是个好后生堆儿里挑出来的好后生,就推选他当民兵连长。一早一晚,他端着枪站在村头那棵老柳树下,面向隆兴长的方向。早晨,他心里说,香媳妇,香媳妇,你要是也想我,就在树枝上落只鸟。晚上,他心里说,香媳妇香媳妇,你要是也想我,就把树枝摇一摇。

眼泪从那个熟悉又遥远的地方跋涉而来,凉凉地爬上他的脸颊。

一个早晨,他扛着枪在村口遥望着远方。一辆吉普车开道,一队人朝着树林村走来。老油糕赶紧叫了老支书来迎。这是武装部和剿匪队的人,老油糕的腿肚子马上转了筋。武装部的同志说,村里的外来户都要注册登记,密切观察,形迹可疑者立刻上报。老支书咬着旱烟锅子说,有我在树林子,麻雀都别想飞过。这时一个同志盯着老油糕看,老油糕立刻全身长了毛。他说,这个后生我咋没见过?老支书磕着烟锅子说,是罗老汉家的小油糕,我看着长大的。老支书带着他们进村了,转身时,在老油糕的肩膀上拍了一巴掌,说,好好给我盯着,好好干,我认下你这个好苗子了,过几年接我的班。树林村的人都知道他是大好人老油糕,不好的事跟他沾都沾不上。

他捉了一只八哥,放在笼子里,每天跟它说话。后来这只八哥天一黑就叫“香媳妇香媳妇”。邻居花大脚听到八哥的声音叹了口气,她听成“想媳妇想媳妇”了。老油糕再好,后生年龄也三十过了,家里这么穷,两个肩膀顶着一颗大光头。打发娘的时候还落了饥荒,靠那几亩地牛年马月能说上媳妇。村里他这个年龄的人娃都能放牲口了。俗话说,大后套,吃白面,烧红柳,一人一个胖媳妇。说来老油糕不应该是打光棍的材料,可这不是误了茬的庄稼,没赶上溜么。

花大脚对老油糕说,老油糕呀,这麦子误茬了就得种谷子,谷子是秋粮,可不要嫌糙呀。她给老油糕说合过后村的豁唇闺女,她说,闺女人长得丑疵一点,可心眼子瓷实,下地做营生足顶个男人,别人割一垄直一次腰,她割十垄都不抬一下头。她和男人们一齐挖大渠,一锹撊起来一个箩筐放不下。她吃东西那个香呀,炸油糕两片子摞起来一口下。吃是能吃了一点,可能挣回来呀。吃不穷穿不穷计划不到一辈子穷。娶了这样的媳妇,白天做营生黑夜下崽,手一路腿一路,甚也不耽搁。我家柱子要是腿脚没那点毛病,就轮不着当你媳妇了,我娶定她了。人家嫌我们柱子残疾,说给一胶车彩礼也不干。你虽然没有彩礼送,可是你好人才,我把这个好事做了,你娘在底下给我念吉庆哩,柱子说不定也能说个有胳膊有腿的全乎媳妇。柱子是小儿麻痹后遗症,一条腿迈步之前先拧一个麻花。他上茅房撒尿时就把那条软腿从后面悠在肩膀上,屙屎时就从前面把脚后跟挂在后颈上。

花大脚还给老油糕说了邻村的一个地主婆。这个地主婆的帽子其实是虚的。她的男人本来有一间豆腐坊,生意还不错。日本人来了以后,炸了坊蚀了本儿。长了心眼儿的男人就想,遇到打仗土地是最实在的,飞机不可能把地炸漏了。打仗一过去,把地翻巴翻巴,浇点水上点肥,照样长粮食。解放前男人得了病,他担心老婆孩子咋活呀,就卖了作坊置了几十亩地,土改时他蹬腿儿了,老婆正好当了地主婆。这女人小三十了,可长得细,豆腐吃的。听村子里的男人说,这女人每天早上喝豆浆晌午吃豆腐晚上吃豆腐脑就豆腐干,睡觉前用豆腐渣搓身子,用卤水洗头发,那身子油光水滑,连衣裳都挂不住,男人上去能滑下来闪了腰。所以他的男人走路的时候老是扶着腰。前村后店凡是猫着腰走路的,有人怀疑都是从她身上摔下来的。娶了这女人受用死了,可就是得多操心,防着野男人。不过你是民兵连长,料没人敢给你头上抹泥。

花大脚说话的声音很高,花大脚给老油糕张罗媳妇的事儿树林子的人都知道了。可是老油糕不接花大脚的茬,让花大脚脸面上下不去。有一天,一大早就打雷闪电地下了一场雷阵雨。老油糕正在渠口上打坝,他怕雨水太大撑破渠口把树林子的地淹了。花大脚连滚带爬地上了渠畔,拽着老油糕的胳膊往家走,她说,走,赶紧走,家里来人了。老油糕说,谁来了。花大脚说,回去就知道了,一个女人,袭人女人。老油糕的心跳起来了,他想到了他的香媳妇。他光脚板子上沾着黄泥巴被拽回家。家里的炕沿上坐着一个女人,胳膊上挎着一个包袱。她低着头,绞着十个

手指头,头发乌黑。她虽然低着头但仍然可以看出她姣好的面容。

以花大脚为首的把别人家的事儿当成自己家事儿的树林子的热心人们,兴奋得跳起来,一个个像自己家娶媳妇一样红光满面。一个村子娶回来了袭人姑娘那是一个村子的尊严,要是一个袭人姑娘嫁到外村了,那就是肥水流了外人田。好大喜功的花大脚扯着大嗓门儿说,我让大雨截在了瓜棚里,这闺女正好到我瓜棚里来避雨。一打听,才知道这闺女从梁外(鄂尔多斯)来,家里没人了,想在后套寻个落脚地方,有碗饭吃就行。一听这话,我首先想到了老油糕,我要是有点私心,我就给我柱子领回来了。只是我心热嘴多,我应承罗老婆儿给他儿子寻个好媳妇,我不能糊弄一个死了的人。

正好刚收了黍子,男人们泡了黍米,握着碓杵在碓臼里扑通扑通地捣糕面。花大脚带领着女人们做油糕。把糕面用水揉了,在屉上蒸,熟了就放在案板上蘸着胡油搋。拽成小剂子,里边包上甜绵的红豆沙,捏成小耳朵状,哧啦哧啦往油锅里扔。趁着热吃,外焦里嫩,咬在嘴里忽颤颤的,香得舌头都抽筋哩。花大脚是树林子的能人,她做一手好油糕,在红白喜事上那是出头露面的人。女人们拿来了自己家准备说媳妇的新被褥,把两个新人摁在地上磕头拜天地。后套人就是这样的,从不把自己当外人,好像他们是老油糕的爹娘老子,能做得了主。

老油糕吃了他人生的第二顿油糕,稀里糊涂地娶了新媳妇。新媳妇说她的名字叫米爱爱。

人们香油辣水地吃饱了,袖口子抹了嘴皮子正意犹未尽地打算闹洞房时,发现新媳妇窝在炕头上睡着了。这个女人看来是累坏了。人们很是扫兴,肚子吃饱了眼睛还没饱,只得作鸟兽散,说改天补上。

老油糕裹了老羊皮睡在后炕。他觉得炕一下子窄了,浑身不自在。他刚迷糊,便有什么东西嘭嘭地从窗户上扔进来,老油糕一摸,是两块西瓜皮。老油糕在黑暗中嘿嘿笑了两声,这柱子还没睡。早上老油糕要下地,他背着身子穿衣服,新媳妇还在睡着。他开了双扇门,动静有点大,米爱爱从炕上抬起头来……老油糕回过头看了一眼炕上的人,他的心一惊,那张脸有点熟,在哪里见过呢?老油糕提着铁锹一路上想,在哪里见过呢?碰上村里的人,老远就喊,老油糕,你这个唐球货,今天咋还下地呀,头水要浇透啊。旁边的女人说,你知道个屁,香东西要消停着咂巴着吃。老油糕龇龇牙,做了回应。他低着头还在想,在哪见过这个女人呢?

老油糕算是个有老婆的人了。她给他做的第一顿饭是细烩菜锅贴子,等他放下锹头一进门,正好一盆黄灿灿的锅贴出了锅,一边焦脆一边暄白。他最爱吃锅贴了,娘在的时候过年才吃。他张大嘴三口两口一只锅贴进了肚。他蹴在炕沿上伸手拿第二块的时候,他发现那个女人坐在炉膛的柴火上看他呢。他一紧张就呛了喉咙,扯着脖子咳。女人颤巍巍地端了搪瓷缸子递到他跟前,缸子里的水抖动着溢出缸沿儿。

最难堪是天黑，老油糕从村头站岗回来，院墙上一颗黑黢黢的脑袋倏地一下就没有了。那是柱子。自从家里来了这个女人，柱子的眼睛里对他充满了怒火，遇一点火星就会着。老油糕钻进炕尾的老羊皮袄里，旁若无人地睡。可他总是尿憋。墙根下的一只尿盆子锈满了尿碱，那个女人来了以后，尿盆子清洗出了黑亮的粗瓷，天一黑就耀眼地蹴在当地，仿佛是他家里最展劲的家什。老油糕摸索着下了地，站在尿盆前尿不出来。他倒趿了鞋到外面去撒。他发现墙根下堆着一个人，还打着小呼噜哩。是柱子偷偷听房耐不住工夫竟睡着了。老油糕踢了他一脚，嘿嘿地笑。重新钻进被窝里，不一会儿就又尿憋。他想，这个睡在炕头上的女人咋不撒尿呀，她肯定不好意思弄出撒尿的声音来。这时他听到了匀细了的叹息，绕过房梁向着他一匝一匝地抽过来，让他浑身酸痛。唉，这个女人跟着他真是活受罪呀。

老油糕想，就这样用不了半年她自己会走的，大不过吃了我半年饭，我也不亏，她还给我做了。她可能暂时遇到了难肠事，这里不是她的久留之地，一个长得这么好的女人咋能白送一个身起炕光的老光棍哩。来时她手里有个包袱，第二天这个包袱就不见了，不知道她藏在什么地方，里面可能有什么值钱的东西。种种迹象表明，这个女人早晚是要走的。这让老油糕还是释了一口气。

早上老油糕离开炕皮上茅房，刚一褪下裤子，柱子的脑袋就像鸡毛掸子冒出来。老油糕想，柱子怀疑他不是小油糕，他想从他的裤裆里看见什么，才能证实他的真假。老油糕遮了遮私处，说，花柱子，不去吃饭想吃屎呀！柱子觍着脸说，我看看你的鸡巴是不是懒得生蛆了，一个晚上都不动弹一下。老油糕说，你倒长着个勤快鸡巴，就是没地方使唤呀。柱子憋红了脸，拉开打架的架势说，是我让给你的。老油糕用土坷垃擦了屁股提起裤子说，你要是稀罕她，那我再让给你。这时哗的一盆脏水向着他和柱子泼来，那个女人提着一只空盆在他们不远处站着，牙齿咬着下嘴唇。老油糕抹着脸上的水想，这下这个女人该生气走了。

事情远远没有老油糕想的那么简单。这个女人开始垒鸡窝抹粮仓，还挪回两只水瓮放在墙根下，腌了萝卜蔓菁，太阳一晒，瓮里直冒泡。天一黑，一进院，墙根下黑黢黢的两疙瘩，像两个武大郎。她把腌菜切了条晒蔫，排在屉上旺火蒸，之后在通风处阴干。后套人叫红腌菜，比肉都要筋道香甜，提起这三个字后套人就要流口水。这个女人弯着腰撅着屁股做着营生，嘴里还悠然自得地哼着《方四姐》的调调。《方四姐》是一出有名的二人台，方四姐嫁到婆家后，婆婆老俞婆对她百般刁难。她不停地让四姐到井上挑水，水桶是尖底子，一歇息水桶就翻，不得不重新去挑。挑回来的水只要前面的那一桶，后面的那一桶脏，倒掉。

一大早起来，花大脚要去别的村去抓猪儿子，她说，爱爱，把今天的饭给柱子做上，做稠一点的，柱子今天要修猪圈。我给你们也捉上一只，我们一个猪圈里养，两个抢着吃，长得快，翻过年你坐月子，猪蹄子下奶。米爱爱看上去很高兴，忙着从口袋里掏钱，花大脚推搡着说，以后你多拔点猪菜就行了。收了工老油糕往家走，他的肚子饿了，他心里嘀咕，这米爱爱说是梁外人，可做饭是后套的做法，说的也是我们后套话，难道梁外那个地方和我们后套一样吗？她还要养猪，养一口猪要一年呢，她不走了吗？进了院子，他抽了抽鼻子，没闻到饭味儿，却听到花大脚家的猪圈墙下有人大笑。

说大笑是不准确的，应该是浪笑。米爱爱在墙外，胳膊拄在墙头上，柱子在墙里，爹着一双泥手。可能是柱子想撒尿，手上有泥，就让米爱爱把他的裤带解开，把他的一条软腿扔在肩膀上。米爱爱趴在墙头上浪笑，屁股颤得像两盆凉粉儿。如果不是亲耳听见，他不相信是从米爱爱嘴里发出来的。记得在狼山上的胡子窝里，奶哥王毛仁的压寨女人长着一张糊了海纳花膏的血盆大嘴，天黑一上灯，她就发出这样的笑声。

米爱爱是个不正经的女人。老油糕皱了眉头。好在她还不算是他的女人，他没碰过她，也不稀罕她，所以也不是很生气，只是有点丢人打脸。

米爱爱从柱子的表情看出老油糕回来了，可她笑得更加放荡，她把腰肢扭得吱吱地响，好像是笑给他听的扭给他看的。柱子说，嫂嫂，老油糕回来了，做饭哇，我饿得那条腿也软了。米爱爱说，别叫我嫂嫂，叫我爱爱。

米爱爱转身回家来，端了面盆盛了面，脸上又变得面无表情。老油糕戳在她身后说，你走哇。

米爱爱和面的手一下都没有停顿，她干脆就没把老油糕当个人。

老油糕像被人扇了耳光一样满脸通红，他压低声音吼，你走，赶紧走。

米爱爱拿起擀面杖推面，两只奶头紧锣密鼓地晃悠。

老油糕一把夺过擀面杖扔在柴火上，说，赶快拿上你的包袱，现在就走人。

米爱爱抬起头来，把眼光放在老油糕的脸上。他们从来没有这么近距离地对视。她的眼光是一把结了霜的刀明晃晃地向他伸过来，直抵脑门。

老油糕瞪着眼睛攥着拳头，可心还是打了个冷战。她的脸是那么威严，这不像是一个坏女人的脸。倒像是一个结怨很深的仇人，报仇来了。

米爱爱收回目光，弯下腰捡起擀面杖，用嘴吹了吹，擀面。

老油糕想，给她点颜色看看，她该收敛一点了吧。可是晚上给五保户碾米回来，家里的胡油灯挑得贼亮，米爱爱竟然穿了一条露着大腿的旗袍，在炕上演《方四姐》哩。她演的是篡改了的方四姐，方四姐把屁股后面的那桶水调到了前面，让老俞婆喝。或者她干脆两桶水前后调了几个个儿最后每桶水里都啐了唾沫。圪蹴在地上的柱子怀里抱着一条腿，哈喇子流了一下巴。看到他进了门，柱子跳起来和他撞了个满怀。像挨了一杀猪刀那样，他哭号着奔进自己家，他提起油灯柄子砸在花大脚身上，他骂着，你这个妨祖娘儿们吊死鬼，把你儿子的媳妇让给了别人家，你到老油糕家炕头上睡去，让老油糕给你养老去。

老油糕看到的场面让老油糕马上想到了米爱爱的身份，她可能是一个妓女。

他虽然没逛过窑子可他见过窑姐，没吃过猪肉见过猪跑。妓女大多都半睁着眼皮乜着眼珠，永远睡不醒总想打哈欠，她们都穿着旗袍，那是她们的工作服。正好折腾了半晌的米爱爱累了，打了一个懒洋洋的哈欠，身子拧成一根油麻花，挨才更加认定，妓女就是这样的。解放后，人民政府对妓女进行社会主义改造，这个所谓的米爱爱很可能就是逃避改造隐姓埋名到了这里混吃混喝混睡的。他受骗了。他被讹了。

他要把她休了。

合作社里开了扫盲班，天一黑，民兵连长老油糕不是在村口站岗放哨就是到扫盲班认字。旗里来的王工作给大家教“社会主义”四个字。王工作问，大家知道什么叫“社会主义”吗？有的说，社会主义就是社会很复杂，主意自己拿。有的说社会主义就是斗地主分田地死了老婆赶紧续。王工作正在解释什么是社会主义的时候，挨才突然问，休书咋写哩？大家哄堂大笑，都新社会了，思想还那么封建，还想摆字摊代人写休书，投机倒把。

有一天，旗里的王工作在扫盲班上讲话，他说今天我们不认字，今天我们学习《中华人民共和国婚姻法》。

这是 1951 年底。《婚姻法》简直就给了刘挨才当头一闷棍。结婚双方自由，离婚双方自由。他本来想从扫盲班学几个字，一纸休书把那个女人扫地出门，这下完了。

他想到了走。他要回到隆兴长。香媳妇的成分肯定划得高，日子肯定难过。他要带着香媳妇走，到一个没有人间烟火的地方，他必须和香媳妇一起活或者一起死。

他给树林子的娘添了坟敬了香，拿了娘留给他的长命钥匙和烂羊皮袄。出门前，他想，他以后就不用叫老油糕了，可又觉得对不起树林子的娘。

他一只脚在门槛外一只脚在门槛里，听到柱子在墙根下唱：

我妈养下个苦伶仃
空口袋子站不稳
老天爷爷倒栽葱
天生少根顶门棍

老油糕想，这花大脚为人太实诚，要是把米爱爱给了柱子，不是两全其美的好事情？真要离开树林子，刘挨才真是舍不得。在他走投无路的时候，娘和树林子的乡亲们接纳了他，并把他当成了世界上最好的人。他收工回来吃上两海碗肉臊子白面条，四仰八叉挺在热炕上，窝在娘的老羊皮里打呼噜，活着真好呀。他已把这里当成了他的家。离开树林子就像当年离开隆兴长一样，他像新掉了一只牙，空空落落地疼。但他还是下决心走。刚迈出门槛就听到有人叫他的名字。

刘挨才!

这个名字好久没人叫了,仿佛生了锈。回过神来,他哗地冒了一头冷汗。

九

你是谁?

你别管我是谁。可你是刘挨才。

你想干甚?

不想干甚,就是想嫁给你。

你为甚非要嫁给我?

我天生就稀罕汉奸和土匪。

可我不稀罕你。你走,你不走我就走。

这是我的家,我在这里拜过天地,我不会走。你想走走好了。只要你迈出树林子村一步,我就去告发你。让你地底下的娘气得再死一次。

你讹诈!

呵,我讹诈你甚了?你除了假借的名字香喷喷的挺好听,你有甚呀?

……

这是一个仇敌。她了解了他的一切底细,冠冕堂皇地潜入他家里来消灭他。他不能让这个女人把他逼入死角。他恶狠狠地说,你是一个妓女!

刘挨才的脸上闪电般地飞上来一个耳光。刘挨才抬起货郎担子的腿把对方差点踹进炉膛里。他还是不解恨,两只脚轮替着在她身上踢得风雨不漏。踢着踢着,他突然感觉到这个女人身上是那么瘦,硌得他的脚疼。

刘挨才停下了,在门后的水瓮里舀水喝。在大后套男人打老婆就像喝酸粥就红腌菜、吃羊肉就大蒜那么自然,打倒的老婆揉倒的面。打老婆就像逛窑子,过程畅快淋漓,事后就有点后悔。男人白天打了老婆晚上肯定要跟老婆睡觉,用满足自己身体的方式向老婆的身体道歉。可原则上讲,这个女人还不能算是他的老婆,打人家就有点没有道理。

那个女人没吭一声没动一下。刘挨才喝完两瓢水,气捋匀了,他吓了一跳,这个女人死了吗?

他伸出一只手拽起这个女人。就在这时,这个女人迅猛地跳起来,左右开弓给了他一糖葫芦的耳光。那声音嘹亮得像大年初一的一串鞭炮。刘挨才愣住了。

只见那个女人摇摇晃晃地摸着炕沿上了炕,背对着他脱下了衣裳,她的后背一片乌青。老油糕看出来,她的后背上不全是新伤,还有旧疤,像一个个害了眼病的眼睛。这让老油糕有点无地自容，一个大男人打人家干什么。她换了一套干净的衣裳穿上，下了地。挨才以为她走呀，着实心里有点过意不去。可是她抹了嘴角的血，拿了盆和面。她旁若无人地和面，晃动着一对大奶头，没有一点声息。

刘挨才的心往脚后跟沉。这是一个时刻在养精蓄锐的女人，只要她一息尚存，绝不放弃与他的殊死搏斗。

他想到了自首。自首可以一了百了。这么活着还不如死了。他想象了他自首以后的许多种结果，最坏也就是一死，并且能死在隆兴长。最让他心痛的是两个娘。隆兴长的娘怕他回隆兴长，为了绝他的念头，才及早死的。树林子的娘知道，他不是小油糕并且小油糕永远回不来了，为了让他一直冒充下去，才死的。这两个娘像两只秤砣挂在他心上。

米爱爱的饭做熟了，是一盆油汪汪的焖面。焖面就是在烩菜上面蒸面条，最好有腌猪肉，油要多，菜要多，面要精，在后套是招待戚人的，人人都爱吃。两个人看着一盆焖面，谁都不动筷子。天就黑了。直到鸡窝里唯一的一只鸡打起呼噜，米爱爱点亮了胡油灯，她热了焖面，满满盛了一碗，跪着向挨才挪过来，放进挨才的手里。她说，你想自首吗？如果自首了，小油糕就是你杀的，娘也是你害死的，杀人灭口，你长上一百只嘴也说不清楚。

挨才端起碗大口吃焖面，眼泪噼里啪啦掉下来，他哽咽着想说什么没说出来，把脸埋进碗里抽搐。米爱爱挪过来靠近他，把碗和筷子夺下，下地拧了手巾给他擦了脸，挨才哭得更厉害了，他有说不出来的伤心，不知该向谁诉说。米爱爱伸出一只手在他胸口搓着，用很低的声音说，缓一缓，缓一缓……这是隆兴长的娘经常说的一句话，他吃饭噎着的时候，娘就在他胸口搓着说缓一缓缓一缓。挨才放声大哭了。她赶紧把挨才揽在怀里，用嘴捂住他的嘴。等挨才平静下来，她红着脸指指墙外面，意思是怕柱子家听见。

这时他们听见门上有哧啦哧啦的声音，像有谁在抓门板，抓得很急。米爱爱下了地打开门，呼地扑进来一条狗。米爱爱惊叫一声，把狗搂进怀里，嘴里叫着什么，好像是狗的名字，之后对着嘴舔。像久别重逢的亲人那样，狗和人都嘤嘤地哭。看来这曾是女人家的狗，找她来了，找到她了。女人唤它“才儿”，可是才儿是挨才的乳名。挨才看到，这也是一只四眼狗，跟他家的四眼狗长得像。他家的四眼狗是母狗，这是一只公狗。

就在刘挨才犹豫不决的时候，传来了土匪头子王毛仁落网的消息。老支书蹴在树园地的地楞上，咬着他的烟锅嘴子说，听说那狗日的还长得方头正脸，好人一样。剿匪队抓他的时候，他自己给自己喝断头酒哩。他在狼山的一个地卜洞里香油辣水儿地啃着一条羊腿，就着一头大蒜二两小酒。枪抵着他的脑袋瓜时，他头也不抬地啃完羊腿，把指头挨个儿舔了，你猜他说了个甚？嘿嘿，这狗日的说，太阳想吃我你们也想吃我，我是唐僧肉吗？这狗日的疯了。几年来他东躲西藏，最害怕的就是太阳和人，他让太阳和人逼疯了。这狗日的心狠下水硬，散伙逃命之前，他怕有人出卖他，就把几个贴身弟兄都杀了，听说还有他的奶兄弟。他给他们堆了坟，上面还种了柏树，立了碑……

老油糕的脸白了。

老支书添了一锅烟说，老油糕你咋了？

老油糕说，吃多了，肚子拧着疼。

老油糕想，散伙的时候没杀人呀？他背了小油糕是最先跑的，这么说他跑了之后王毛仁把别的弟兄杀了？杀了就杀了，为啥还立了碑呢？

老支书谈兴未尽，咽了一口口水说，这狗日的快挨枪子了，那狗血肯定是黑的。

挨才说，他立的碑上写名字了？

老支书说，没听说有名字。那狗日的可能不会写字。

挨才知道王毛仁不识字，可他还是想问，听了老支书的话，他的心落了下来。万一王毛仁立了假碑写上小油糕的名字，那就糟了。

一时间树林村的人都在议论王毛仁就要挨枪子的事儿，拼凑起人们的各种说法，刘挨才得出了两个结论。一是王毛仁没杀他的弟兄们，坟是假的。这样做可以掩护弟兄们隐姓埋名地活下去。二是他和小油糕走了之后，他杀了弟兄们，逃出去的人越少，活着的人处境越安全。

王毛仁枪毙以后，人们对剿匪的事情就淡了，似乎王毛仁是大后套最后的一个土匪。

刘挨才惶惶的日子稍稍安定了。

米爱爱到花大脚家串门儿，做针线。花大脚拿着米爱爱做的夹袄，啧啧啧地大惊小怪地说，哎呀，我的乖乖，这是七仙女缝的衣裳么，针脚都寻不见。看不见针脚是后套人衡量一个女人针线的最高标准。她在挨才面前抖动着手里的夹袄，吸溜着嘴里的口水。她这么夸张地说一件衣裳，意思不在这件衣裳上。她是想让挨才知道他娶了一个好媳妇。对于一个男人，还有比娶一个好媳妇更好的事情吗？那老油糕理应对好媳妇好一点。她这是在敲打这个不知好歹的男人。

可是米爱爱从来没有给他做过鞋。

冬闲时，村里的人组织起来到五加河挖退水渠，老油糕自然是队长。他带着壮劳力一走就是半月二十天。往往是太阳落山才摸回家里。一进门，米爱爱不在，她拔红柳去了，或者捋蒿籽去了。老油糕心里就有点空。揭开锅盖，里边是一大碗焖面，还温着。村里的人不知道挖渠的人啥时回村，都是见人回来了才添柴做饭。可老油糕每次回来锅里就有一碗焖面。吃焖面时，老油糕想，米爱爱估摸着他快回来了，就做焖面温在锅里。不回来她就自己吃了，回来了她自己就不吃饭了。老油糕吃了一半放进锅里，给米爱爱留着。如果天黑了，米爱爱还没回来，他就猜想她是不是走了。想到米爱爱走,他心里说不出的难过。他的腿还是不由自主地迈向村头,看到一个黑影背了柴往村里挪,他的心呼地暖了。他就跟在她的后面,他们一起回家。进了院,她放下柴,一开门,狗就扑进她怀里,她坐在门槛上,脸伏在狗身上。

十

过完春节后,村里发生了一件事,结束了老油糕和米爱爱的僵持。

邻村的那个油光水滑的地主婆在各村游斗,今天轮到树林子村了。打麦场被清理一空,中间放着一只条凳。地主婆被押上来了,罪名是房檐下的大葱根焦叶烂心不死,对社会主义怀恨在心,她穿着洋线袜子招摇过市勾引男人,破坏合作化,做复辟梦。她被架在条凳上,摇摇晃晃的,像一个风中的草人。村里的人都来了,唱大戏一样围得里三层外三层。对于斗地主,树林子的人并不稀罕,稀罕的是斗这个用豆腐养熟的穿着洋线袜子的地主婆。男人们上去推搡她,趁机捏屁股蹭奶子,乱中揩油。最后男人们像一窝马蜂蜇住她,冬天刺眼的阳光下,地主婆的一只奶头和半拉屁股露了出来。地主婆脑袋窝在胸前,双手护着身子,顾此失彼。她痛苦万状地拧着身子,恨不得钻到地缝里。

米爱爱看见,站在外围的刘挨才脸色白了,他攥着两只拳头,身体抖动起来。她知道他想起了谁。米爱爱看见旁边有一担水,是谁担水的路上听说斗地主就担着水跑来了。米爱爱提起一桶水冲上去泼到男人堆里。男人们即刻抱头鼠窜。那女人突然发出刺耳的笑声,她把身上的衣裳甩掉,白花花地站在条凳上,声嘶力竭地喊叫,看呀看呀,你们不是想看吗?她撕扯着自己的头发,扇自己的耳光。

人们被她的身体骇住了。

其实这个女人就是个白,白得晃眼。经年之后,这个女人都死了,树林子的男人还在议论这个女人的身体。大家一致的看法是,奶子并不是太大,可是乳头太红了,被人咬破的么?

树林子的男人是纸老虎。他们红着脸勾下了头。他们的老婆拉着自己的男人逃跑似的溜了。米爱爱赶紧张开一件老夹袄向地主婆扑去。地主婆倒在米爱爱的身上,软得像一捆刚出锅的粉条。

首先发现老油糕不见了的当然是米爱爱。她没去找也没去追,对于一个想走的人,没人能把他留得住。天黑了,她的肚子饿了,她得吃饭,吃焖面,她得活着,有活人住着这个房子才是个家,家里的人才有可能回家来。她往炉膛里添着柴,火苗舔着她脸上星星点点的泪光。她不悲戚,也不气馁,毕竟等待要比找寻踏实得多,她已经找到了,剩下的只有等待。后来锅盖就冒了烟,她忘了给锅里添水了。她赶紧提了水瓢舀水，水瓮突然裂了。她好生纳闷，过了二月二了，水瓮咋裂了。在后套每到三九天，天冷得能冻烂碓臼，每一家都要在半夜醒来人，把门后水瓮里的冰凌搅一搅，以防水瓮冻裂。可是水瓮为什么突然裂了呢？

米爱爱披了棉袄出了门，她往村头走，那里有一条路，路边就是大干渠的渠畔。她站在渠畔上，向漆黑的远方瞭望。上弦月照在封冻的冰面上，一片银白。她看到银白的冰面上有一团黑雾。米爱爱慢慢靠近，黑雾清晰起来，这是一个人。米爱爱跪下凑近一看，是挨才。挨才已经僵硬了，衣裳和冰面冻在了一起。米爱爱把衣裳撕开，把挨才拖在渠畔上，一蓬直芨周围有积雪，她捧了雪在挨才身上搓。渐渐这具高大的身体由温热变成了火热。米爱爱小心翼翼地覆盖在他的身上，挨才的臂膊徐徐地抬起来，箍紧她的身子。她欣悦的眼泪从四面八方汹涌而来。她知道，他把她当成了另一个女人，可此时，被抱在怀里的是她，是她实实在在的身心。这一晚上，胡油灯一直亮着，她一直躺在他的身边，她抱紧他的身子。她已经看到了希望，如果一所房子是你的了，里面的灯早晚也会在房子里亮起来的。看着跳着火花的胡油灯，女人笑了。

刘挨才的身体恢复了。他在门上和窗户上钉了铁插闩。他对米爱爱说，我回一趟隆兴长吧。

刘挨才离开隆兴长时，让香媳妇等着他。他一定得给香媳妇一个交代。

春播以后刘挨才准备上路了，米爱爱给他准备了两季的衣裳。出门前，挨才在门后的水瓮里照了一下，他好像认不出自己了，人过三十天过午，他比同龄人老得多。开门的时候，他转过身来，把这个家扫了两遍。他看见女人赶紧猫下腰往炉膛里添了把柴。后套有个风俗，家里有人出门不能冰锅冷灶的。他不知道该跟女人说什么。

为了掩人耳目，太阳落了山刘挨才出了村头上了渠背，米爱爱远远跟着送。他摆手说，回去哇，把门窗闩好。

挨才一走出米爱爱的视线，柱子就拉着一条瘸腿跑过来，他喷着唾沫星子说，老油糕跑了吗，老油糕跑了吗？他大腿上的虱子往球上跑哩。米爱爱意识到大事不好了，脸色煞白，她结结巴巴地说，老油糕打听到了爹的消息，到梁外找爹去了。柱子满手捏着鼻子把一把黄鼻涕擤得老远，他冷笑着说，他根本不是小油糕，小油糕跟我耍尿泥长大的，他大腿根上有巴掌大的胎记，黑得像炭一样。可这个老油糕根本没有，我早盯上他了。他是假的，他是阶级敌人，小油糕和小油糕的娘就是他害死的。米爱爱浑身颤抖着上来捂柱子的嘴。柱子在米爱爱的手上咬了一口继续喊，我这就找老支书告发他，剿匪队的人马上就会抓住他，咔嚓！他跑不远，我现在就去告发他。

米爱爱踉跄着拽住了他的胳膊。

柱子转过身来，扑在米爱爱身上，嫂嫂，爱爱，你就跟了我吧，我稀罕你，惜疼你。说着一张嘴就往米爱爱脸上拱。爱爱跪下来了，她想求他放过她的男人，她摇着柱子的那条瘸腿，身子像泥一样塌下去……

树林子到隆兴长几百里的路程。可是离开树林子的刘挨才得了一种病，全身哪里都不疼不痒，就是没劲。可能是离开了那里的水土就像是树没有了根。他走得很慢，干粮吃完了，就找个村子打两天短工，带了干粮继续走。到了隆兴长已是秋收的时候，空气干燥得一点就着，刘挨才的头上像顶着一蓬直芨，身上蜕了一层皮。摸黑他进了宝山元巷子，香媳妇的家里亮着灯。

他推开门。香媳妇在灯下做针线，旁边躺着她的男人。

香媳妇看见挨才下意识地双手捂住了头。

挨才从门后面的水瓮里舀了水仰起头咕咕咕地下肚，为了不让眼泪掉下来。他看见了，香媳妇头上扎着一条头巾，头巾里边是干瘪的。香媳妇没有头发了，可想她挨了多少次批斗受了多少罪。

扔下水瓢，他扑进香媳妇怀里。

香媳妇没有哭，她的手摸着挨才的脸说，挨才，挨才没有死呀，我高兴呀，你不该回来呀！她的拳头敲打着他的后背。

挨才说，我要带你走。

香媳妇说，我有家，有男人，我哪儿都不去。打春寻到你了吗？

挨才抬起头说，打春？十年了他已经淡忘了这个名字。他说，打春寻我做甚？

可怜她被日本鬼子糟蹋了，爹娘都死了。后来又被卖到了窑子里。她死也不从，被打得死去活来，终于还是逃脱了。日本人投降以后，她到隆兴长来寻你，非你不嫁。她寻到你娘，侍候你娘。打发了你娘后，就带着你家的小四眼狗去找你。香媳妇不停地抹眼泪。

挨才终于明白了。

你去寻打春，带她走吧，走得远远的。打春是个好闺女，挨才我求你了。

两个人抱着哭。

香媳妇的男人脸色平静地躺着。挨才不明白这个男人怎么能活这么久。

黎明前最黑暗的时候，香媳妇说，挨才，女人和女人的身子是没什么两样的，不一样的是心。我的心在他的身上，打春的心在你的身上，今生今世不能割开。你要是不嫌弃我，我就给你脱了衣裳，你就死心了。之后你千万不要再惦记我，你就走吧。你给我发誓，永远不要回来，到一个能活人的地方去吧。

挨才按住了香媳妇的手。香媳妇把一口袋鞋放在挨才背上。挨才说，我听你的，寻打春，我能寻到打春。

香媳妇端着胡油灯送挨才出门，她把灯举得高高的，她呈现在挨才记忆里的最后的表情是笑吟吟的。

挨才出了村,村里没有一声狗叫。香媳妇家的灯一直亮着。他到了娘的坟上,抱住了娘的坟头。他说娘啊,我娶了最好的闺女打春,我好好跟她过日子。娘啊,你闭上眼睛歇着哇。

刘挨才往树林子走。

他肚子饿了,想打春的锅贴子了,想打春的焖面了,想打春的红腌菜了,想打春和他的家了……

每看到渠水,他就听见打春哼着《方四姐》的调调,她背着身子换衣裳,后背上铜钱般的伤,他的心揪紧了疼。他掬起水,照自己的脸。他的头发越来越少了,走近树林子时,他成了一个秃子。

在村口,他听到了鞭炮此起彼伏地响,过年了,他走了近一年了。在村头他碰见了老支书。老支书在他的脸上端详了半晌突然跺着脚说,哎呀你是老油糕吗,你真的是老油糕吗?你这个枪崩货,你到哪儿刮野鬼了,你媳妇以为你回不来了,都嫁给别人了,娃都生下了,我的天老爷……

刘挨才的脑袋里轰轰作响,身上没了筋,软塌塌的。可他不能在另一个男人面前倒下。一挪出老支书的视线,他就成了一摊稀泥。

刘挨才几乎是爬进家门的。他听到婴儿的哭声,只是这哭声在邻居花大脚家里。

刘挨才扶着柴门,看到了邻居家欣欣向荣的景象。花大脚怀里抱着一个孩子老命老命地叫着,亲得咂咂地响。柱子穿着簇新的蓝阴丹棉袄,那条腿硬实多了,他把打春抱起来扛在肩上,打春手里拿着红对联,往墙上贴。

在自己家里,在炕上,一只包袱。里边放着一件烂羊皮袄,一双灯芯绒鞋,一块蓝梅花细染布。这一双鞋一只是打春做的,一只是香媳妇做的。

太阳再一次升起在树林子的时候,刘挨才穿上了那双灯芯绒鞋,他站起来,他要去自首。只有自首,才能堂堂正正地活人,才能得到属于自己的一切。像憋了很久的一泡尿终于放开了闸,刘挨才向着天释了一口气。

走在长满柳树的黄土路上,他去自首。村东头谁家死了人,死的还是男人,女人号丧的声音深深浅浅地传过来:哎哟哟,哎哟哟,碓杵杵没了碓臼臼谁来捣啊捣……

(选自《十月》2010 年第 4 期)

向 春

本名任向春。女,1963年出生于河套平原。鲁迅文学院第二届高级研讨班学员。中国作家协会会员。甘肃“小说八骏”之一。发表中短篇小说多部。著有长篇小说《河套平原》《妖娆》等五部。获甘肃省政府敦煌文艺一等奖,广东作协“金小说”奖。

武湖梦

曾 剑

一

山路不平。我们挤在车斗上，几次差点被颠簸下来。我们的手死死地抓住车斗，紧张得周身是汗。手扶拖拉机像一头不堪重负的老牛，哞叫、挣扎，好几次差点憋熄了火。但那喷出的滚滚浓烟，就像垂死之人终于吐出了堵在喉管的浓痰，呼吸陡然顺畅，人一下子又活了过来。

拖拉机终于出了山，把我们带到镇上。我们拦车到县城，在县城转车到新洲。下了车，再坐车到一个小镇，然后下车步行。肩上的铺盖越来越沉，广盛说，再坚持一会儿，很快就到了。我们总算在夕阳落山前，到达了武湖湖畔，在一家私人农场停下来。

我们是来湖里插秧的。透过老板家房后那一排排槐树，我看到了湖。湖真美，天水一色。我想起天才少年王勃的诗句："落霞与孤鹜齐飞，秋水共长天一色。"现在虽不是秋天，但其旷美，是如此相似。遗憾的是，霞光照耀湖水时，也照耀着一大堆牛粪。广盛站在牛粪边，同老板讨价还价。我们站在霞光里，看广盛同老板讨价还价。

老板五短身材，摸了一下留着短须的下巴，神态傲慢，说，二十元一亩，再不能多了。广盛说，去年还二十二块呢。老板说，今年啥都涨价了。广盛说，啥都涨价了，我们的工钱也要涨嘛。老板说，化肥涨价了，种子涨价了，你们的工钱再涨，傻子才种田！

我心里一凉，远眺武湖，王勃诗中的美景，与孤鹜一起飞得无影无踪。

广盛望一眼我们，我们不吱声，他便显得很无奈，冲老板说，工钱不给涨，田的面积不能算计我们。你们这儿的面积太野，说是一亩田，实际一亩二还多。老板说，没有的事。老板说这话时，已经有些不耐烦，他说，上这儿找活干的，像湖里的水，一波又一波，干就痛快点，不干你们走人。我远眺，一边是无垠湖水，一边是茫茫水田，视力所及，不见人烟，哪里有去处。打道回府，更是不可能。我们耽误了整整一天的时间，每人花了三十多块钱的路费，我们又不是旅游来了。

广盛望一眼我们，我们还是不吱声，一个个耷拉着脑袋，说话的力气都没有，是饿的。我们清晨出来时，各自在家吃了点面条面片汤之类的东西，之后，整天粒米未进。

广盛冲我们说，“干吧？不干谁给饭吃？”那语气听似征求我们的意见，其实就是决定。我们就把脚旁的蛇皮袋提起来，跟着广盛走。广盛跟着老板走。

我们沿着湖畔，走过一段黄泥小路，来到一排房子前。那房子简陋，更像是牛棚，我们在门口就闻到沤过的牛粪气味。见我们不断吸着鼻子，老板说，没有牛，牛都在茅草棚里，秋天凉了才牵进来。果然是牛棚，不过已经打扫过，里面用木板搭了一些床。我们就坐在木板床上，等着老板喊我们吃饭。没吃饭，一点劲都没有，懒得动弹。

天暗下来时，老板让人给我们挑来两桶面条，搁在牛棚门口。不远处是污泥和牛粪。面条清汤寡水。我们就在掺杂污泥和牛粪气味的空气里，将面条造了个桶底朝天。我们都没吃饱，老板不吱声，惊讶地看着两只空桶。他不知道，我们在家都是能造五六碗面条的劳动力。我望着老板阴沉沉的脸，故意打着嗝，装作吃饱了。第一餐，将就点，可别因为我们太能吃，吓着他，赶跑了我们挣钱的机会。

二

老板走了，我们铺开被褥。因为路途遥远，也因为家里并没有多余的被褥，我们一人只背了半铺铺盖，这样，我们就只能搭伙睡，两人一伙。毛球想与我搭伙，他喊道，红明，快把你的被子拿过来呀！那语气好像我们早就商量好了似的。我望着他满脸的麻子，身上一麻，手背上鸡皮疙瘩突起。我装作没听见，他又喊了一声。我说，急啥，我先歇会儿。我的语气里夹杂着不满情绪。广盛的目光顺着我的声音寻过来，又转过去落在毛球那张麻脸上。他明白了我的不满，说，我跟红明搭伙吧，我个大，红明个小，平均一下，不挤。毛球尴尬地立在那里，那麻坑密布的脸上，重叠着失望、失落和自卑。幸好蝈蝈及时插话，挽回了他的面子。蝈蝈说，我同毛球搭伙，毛球瘦，占地少，跟他搭伙睡不吃亏。毛球那张因尴尬而越发凸凹不平的脸，便慢慢地平缓了。

山货一人占一张床。他说他自己睡，一床被子，盖一半垫一半。我暗自笑他有自知之明。他孩子多，家里鸡飞狗跳，猪粪满地，脏兮兮的，身上的卫生很少清理，谁愿意同他睡？

山菊带着几个女孩子，住在不远处的那间牛棚里。

我们简单洗漱后，广盛让我们早点歇息，说明天天不亮就得起床，把一天的秧苗准备足了。大伙很听话地躺下。我没有躺。我说，我想看看湖，在湖边走走。广盛说，到底年轻，走了一天了，还没走够。去吧，离湖远点，这湖里的泥巴滑腻腻的，小心溜进湖里。我嗯了一声，出门往湖边走，毛球跟过来。在湖边，他问我，红明，你瞧不起我？我说没有。他说，你不愿与我搭伙睡。我说，我没有不愿意，我就是想歇一会儿，可广盛把我的被子拽过去了，我能再把被子拽过来吗？

毛球说，我说嘛，你是"大学生"，有文化。越是有文化的人，就越有素质，不会瞧不起人。我听了脸上有点热。自从我上县城关镇读高中后，村里人都叫我"大学生"，可我到底不争气，没等到高考，就被刷下来了。我怀疑他在嘲讽我，便盯着他的麻脸，以这种方式报复他。毛球被我盯得不好意思，强装笑脸。说实话，要不是一脸麻子，他长得挺周正。我替他遗憾，他小时候得了天花，山里医疗条件差。天花在现在算个啥？早就让预防针杀死在萌芽之中了。我冲他一笑，说，我真的没有瞧不起你，你挺好的。他拍拍我的肩，算是对我这番话的感谢。他先回了牛棚。

我只见过水塘和水库，从没这么近距离地见过湖。武湖并不像我想象中那么浪漫和温柔，晚风吹动湖水，浪拍打着湖岸，拍打着岸边的洞穴，呜咽有声，我有些害怕，见蝈蝈和水莲走过来，我就跟了过去。

水莲说："回去吧，原来湖这么凶。"水莲的话夹杂着颤音。她披肩短发，嘴唇略厚，悬胆鼻，一双眼睛很迷人，像日本影星山口百惠。

蝈蝈到这里来，是想挣俩现钱。他与水莲年底结婚，家具都打好了，自行车、录音机等几大件，也都置办完毕，可水莲还想要一枚金戒指，蝈蝈的爹妈不同意，说农村媳妇，戴什么戒指？戴戒指的手，还能插秧割谷吗？这样的媳妇，能养得住？蝈蝈孝顺，他不同爹妈争，自个出来挣钱。他探听过，一枚普通金戒指，七八百块钱就能下来。而出来插秧，手快的，一天能挣三十块，一个月下来，够买一枚金戒指。水莲想给蝈蝈买辆自行车。蝈蝈那个自行车，破得实在看不过眼，像相声里说的，除了铃铛不响，哪儿都响。

他们到湖里插秧的目的，令我感动。我不像他们，我来插秧，纯粹是为自己。我想参加作家培训班。四月底的一次大会考，我的成绩排倒数第十名。除了语文，别的科考得都不好。班主任劝我回家，说让我明年再考。与其说是劝我回家，实质是撵我。我们倒数后十名都被撵回了家。我不怨他，只怨自己不好好学，物理数学总是不及格。

我在家无所事事时，得到一个消息：省作协与我们县《红安文艺》杂志社联合举办新锐作家培训班，为期三个月。前两月讲创作理论，后一个月采风。"采风"，多新鲜，多有诱惑力。三个月出来，我就是作家了。我兴奋得一夜未眠。

作家培训班不收学费，只收伙食费，每月三百块。我上哪儿弄这些钱呢？家里的小麦油菜虽然下来了，可我不想卖小麦油菜。这九百块钱，得卖多大一堆？想起每年新的小麦油菜还没出来，家里就东挪西借的，我心里难受。恰好广盛打算带一些人到武汉边上的武湖插秧，就对我说："同我们一起去吧？"我心中那行将熄灭的作家火苗，一下子又燃起来，炙烤着我。

湖边空寂无人，没有我想象中成双成对漫步的恋人，我有些失落。湖边刺槐飘香，还有菜园子里一绺一绺的线豆角，开着白花的土豆秧，填充了我空落落的心。

又一阵风，水莲说："我们山里热死人，没想到这个地方这么冷。"蝈蝈说："山里跟湖里当然不一样。"他拉着水莲往回走。风像一把梳子，梳理着水莲一头乌黑的短发，水莲越发迷人。我想，我将来要是混出个人样来，一定娶水莲这样的女子。我这么想着，低头看看自己打着补丁的胶鞋。我心里清楚，这一天离我是多么遥远。

光线暗下来，我们回了牛棚，广盛已经躺下了。我脱衣，掀开被子，在他身边躺下。牛棚到处是窟窿，湖风吹进来，潮冷潮冷的。风使五月的夜寒气逼人，我迟迟睡不着。半明半暗中，我看见毛球不时转过头来看我，那是一双监视的眼睛。我不知道他为什么要监视我。我佯装睡去，好让他也早点睡去。

蚊子雨点似的密密麻麻，我们没带蚊帐。半夜里，广盛爬起来，去房前屋后，薅了些艾草，点燃，又将明火熄灭。艾草的香味，很快驱走了蚊子。夜更深，风更凉，我向广盛挤过去。他也冷，把我的双脚，抱在他的胯下。他的体温温暖了我，我很快就睡去了。

三

我在睡梦中，听见有人喊："起来起来！"是广盛的声音。我睁眼，天还没亮开，我嘟哝道："太早了，我还没睡够呢。"广盛说："等你睡够了，黄花菜都凉了。赶紧起来！在太阳出来之前，我们要把全天的秧苗准备出来，保证整天有秧插。磨磨蹭蹭的，既遭罪，还挣不到钱。"

我不再吱声，因为是吃大锅饭，怕别人说我不出力，占小便宜。

一脚踏进水田，如同踏进冰窟窿，冷气抽丝似的，从脚后跟凉到心底。我们的嘴里也咝咝地抽着冷气。我们在黎明的微光中，弓腰驼背摸索着扯秧苗。山里有一种木头凳子，凳子两端上翘，底座是一块弧形木板，木板两端也是上翘的。凳子看上去像马鞍，我们山里管它叫秧马。扯秧苗的人坐在秧马上，手扯秧苗，两腿一夹，往后使劲，那秧马就马似的往前行。不累，不误工，很方便。老板家没有秧马，他们不投资，他们喜欢看着我们低头弯腰地干活。

老板家种的是中稻，一年就种一茬。这种稻子产量低，但生长期长，口感好，能卖个好价钱。我们山里人不敢奢望种这样的稻子。我们地少，一年种三茬，两茬水稻，一茬花生或油菜。我们就是在插完自家的头茬秧苗后，赶到湖里来的。

插秧真苦。谁叫我不好好读书呢？考大学的机会没抓住，这上作家班的机会可得攥紧了。

广盛不同意我上作家班，他说，一个县城的杂志社，能培养出作家？我说，省作协的来讲课呢！毛球道，培养作家，做鞋的来干什么？我知道他是在开玩笑，没搭理他。

老板姓李，叫李世兵，后来我们私下叫他“李扒皮”。李老板五十岁的样子，个子不高，胖墩墩的，留着漆黑的八字短须，秃顶。毛球说，那是性欲旺盛、性事过频的标志。

我们早上的饭菜并不好，一锅大炖菜。盼望中午好些，白盼一回。李老板家只不过给广盛加了一只咸鸭蛋。广盛见只给他一人，坚决不吃。毛球说，不吃白不吃。毛球把咸鸭蛋给我，我不要。他就给蛔蛔，蛔蛔不要。广盛说，你别塞来塞去的，你自个吃了吧。毛球说他不吃。他把咸鸭蛋递给山菊。山菊说，你想吃你就自己吃，递来递去的搞么事？毛球就红了脸，仿佛被人窥见了他想吃的内心。不过，他不能再将鸭蛋放下了，再放下，装得就过分了。他拿咸鸭蛋在脑袋壳子上一敲，破了蛋皮，剥着吃。

这是湖边的鸭蛋，那蛋黄亮晶晶的，蛋黄里黄亮的油，浓浓地从毛球的嘴角溢出来。看着毛球吃的不止我一人，我想，其实大伙都想吃，只是不好意思。听说武湖的咸鸭蛋，清朝乾隆年间，曾是送往宫里的贡品。那黄得流油的蛋黄，一定是粉嘟嘟的，还不腻。我的口水直往外涌，我用舌根把它压了回去。我好歹是个高中生，一个十七岁的小伙子，怎能让人发现我这般没出息？

偶尔会有一个年轻人，跟在李老板身后。他是李老板的儿子，叫李勇。李老板在云梦镇上的烟酒批发生意，就由他主管。云梦镇镇名很有诗意，我们来时，就从那儿路过，感觉与别的城镇，其实没什么两样。

李勇瘦得像竹竿，让人怀疑一阵风就能刮跑，偏要叫个“勇”字，不知他凭什么“勇”，我懒得费脑子。他留着长发，穿红花格子衣服，牛仔裤，裤子上坠满口袋，脖子上挂着大金项链，左手中指上戴着黄金戒指。我咋看他也不像好人，细看，更没看头，两只细长的眼睛，有一只总是斜视着我们，眼无光，像死鱼眼。我起先以为他是瞧不起我们，后来见他看自己的爹妈，也是这种眼神，才知道，他原本就是斜眼。长得倒是白。我望着他那女人似的背影，想，他不会吸毒吧。我见不得太瘦的人，太瘦的富人，我以为是吸毒；太瘦的穷人，就会猜想他是得了癌，没钱治。

李老板的女人是典型的地主婆，一身懒肉，一副懒散样，让我怀疑毛球所言：李老板秃顶，是性事过频。这样一个皮松肉懒的女人，怎能引起李老板那么强烈的欲望？当然，有钱人，在城里包个二奶，也说不准。

我正胡思乱想，老板的老婆喊我们吃饭。我们早就饿得前胸贴后背，但老板娘的话，像刀子似的，比饥饿更令我心疼。她喊道：“卖工的！开饭了。开饭了，卖工的!”我望着老板娘那磨盘屁股水蛇腰,心里暗暗发誓,一定要上作家班,当了作家,就不用出来吃这下眼食了。

四

水里凉,总想尿。田埂宽敞无遮拦,男人们走出三四十步远,背转身。弓肩缩背,让自己弯成一只虾,以减小水流落差,不使尿溅出的声音太响。

我是学生,讲文明。我不像别的男人那样,哗哗的尿尿声令我难为情,我像她们女人一样,走得远远的,到另一块田里,借助田埂的遮蔽尿尿。毛球嫌我耽误时间,他甚至怀疑我是借故偷懒。他说,何必跑那么远,眼睛一闭,到处是厕所。童子鸡,没长成的茄子,没人稀罕看你。

山菊骂毛球:“缺德玩意儿,嚼舌根!谁稀罕看你?秋后的茄子,又蔫巴又没水分。”

毛球也不恼,冲我笑道:“大学生,照她的意思,她愿意看你,你就在她跟前尿吧,只是别让她把你那又硬又有水分的夏天的茄子薅下来。”

毛球的话令我脸热。我说:“你们打情骂俏,别把我夹在中间行不?”我嘴上这么说,其实心里挺喜欢他们说这样的一些话,能带给我想象。我想起了山菊嫁过来那天,大人们闹洞房的样子。大人们要新郎官福安嘴里含了糖,把糖通过舌尖送到山菊嘴里,福安这么做,弄得山菊满脸通红。那是幸福的红光,映照着她那幸福的内心。那天闹得很晚,离开洞房,我的心却一直牵挂着那里,想象着他们两人怎么度过那个夜晚。我无法想象。我知道,任何想象对于他们那个夜晚来说,都是苍白的,他们的真实生活,胜过天堂。

毛球与山菊的打情骂俏,再次引起我的想象,但在我的想象中,毛球换成了广盛。毛球一脸麻子,他配不上好看的山菊。广盛与山菊,才有可能发生故事。他们要是像城里人那样,来一个婚外恋,将会是一个什么样子?我这么询问自己,臆想里山菊的那个病男人,就换成了广盛,他和山菊嘴里含着糖块儿,从一个人的舌尖,送到另一个的舌尖。我这么想着,在冰凉的水中,身子竟然有些燥热,身体便有了细微反应,尿意又来了。我其实不是个东西,我骂着自己。我必须走远,又怕毛球说我,只得尽量减少去厕所的次数,直到小腹就要炸开,我才急匆匆往田埂快走。广盛跟上来。我和广盛走到田头,下到田埂下,我们并排着尿,谁也不好意思看谁。牙酸溜溜的,终于尿出来,酣畅淋漓。

我感到整个人被掏空了,肚子饿。我盼着李老板的婆娘喊我们吃饭。过了许久,我们又插了好几垄,李老板的婆娘还没来,我的尿意却来了,我不好意思一次次往田埂跑,就憋着,想等着老板娘喊我们吃饭时再起田,终于没憋住,一股热流顺着大腿根而流。我怕被他们发现,故意一个趔趄,便坐在田里。广盛冲过来,他以为我是饿晕了,或是累趴下了。我告诉他,是我不小心,自己把自己绊倒了。他见我脸色还好,笑了。我的眼泪却在眼里涌,从我记事起,我还没尿过裤子。

我跟自己赌气,就是不回牛棚换裤子,一下快似一下,插着秧。我听见山菊故意咳了一声,然后,她起身了。

我知道她要去干什么。我保持插秧的姿势,低着头,右手并不去接左手的秧苗,左手也不知道往右手递,我只是右手机械地在泥水里一上一下地动作。低着的头,几乎快要从我自己的裆下钻过去了。我的目光跟随着山菊。我脑门心朝下看她,她看上去便像是倒着的一个人,似乎就要向着那云海深处坠落。

我的目光最后落在她的屁股上。两瓣鼓胀的屁股在绷得紧紧的裤子里交替移动,我的脑子里又一次产生着某种幻想。

我的目光跟着山菊的屁股移动时,毛球发现了我的眼睛,他颇有目的地干咳一声,那声咳嗽提醒了我。我收回目光,抬起头,转过脸,看见毛球在冲我挤眉弄眼。我右手急忙去左手分秧苗,极快地插着。我的脸火辣辣的,觉得自己心灵肮脏,我都快瞧不起我自己了。

五

毛球十岁时得过天花,落下一脸麻子,长大后,没有大姑娘愿意嫁他,为了传宗接代,就娶了一个傻女人。傻女人见人就笑。刚娶进门那阵,说啥不与毛球同房,毛球急着要后代,便把她捆在床上,弄得她半夜里杀猪似的嚎叫,差不多全村都能听见。后来好了,不知是毛球不再与她同房,还是傻女爱上了那种生活,反正不叫了。但有一个毛病总还是改变不了,就是无论人多人少,她都褪下裤子蹲着尿。毛球说,怪只怪那个年代医疗不发达,要是现在,他就是得病,脸上也不会留下那么多的麻坑,也就不会堕落到娶一个傻女人。

毛球有胃病,这次出来,本想挣点钱,回去好好检查一下胃。可这湖里凉,饭菜又不定时,他的胃病更严重了,常见他捂着肚子,在墙角吐酸水。成日在冷水里浸泡,还勾起了他的风湿病。他有一根银针,是一个老中医不小心落在他家的,他没舍得还给人家。这几天,他常拿出来,用棉花蘸煤油擦拭一遍,算是消毒。然后,他就往自己的膝盖上扎,把膝盖弄得跟个发面馍似的。我们心疼,他却并不当回事,叹气道,人活着,早晚是个死。等他活够了,他就滑溜进湖里喂鱼,鱼肥了让人吃,也算是为社会做贡献。

山菊笑他:“你有能耐跳崖去呀,跳湖是女人的死法。”

毛球骂山菊:“你可真是丧良心,你还真的盼我死?”山菊说:“是你自个说要死的，红明可以作证。”话题就转到我身上，山菊说要给我说个媳妇。我说不行，我还小，我要写作，当作家。山菊说，媳妇多好，等你有了媳妇，你就不想当作家了。我知道她拿我开心，不理她。山菊说，管你同意不同意，先让你爹妈帮你娶进来。可漂亮呢，瓜子脸，三角眼，梅花脚，马尾辫，有时穿黄，有时披黑。我知道她说的是狗。我说，我可不愿意当你的妹夫。我真聪明，暗指狗是她的妹妹。一田人哄笑。山菊知道占不着我的便宜，唱起了歌，掩饰她被我反咬一口的尴尬：

半夜梦见搂着妹妹睡，醒来抱着个凉枕头……

是句戏词。

毛球骂她：“真不是个东西，这儿不是没结婚的，就是老婆不在这里的，一色的光棍，成心让我们难受。”可他说完，自己唱起了茶歌。山菊应对，两人你一句我一句：

毛球：我喝妹一口茶呀，问妹一句话，妹的那个爹妈啥，在家不在家？
山菊：你喝茶就喝茶，哪来这么多话，我的那个爹妈啥，在田种庄稼。
毛球：我喝妹一口茶呀，问妹一句话，妹的那个年纪啥，今年有多大？
山菊：你喝茶就喝茶，哪来这么多话，告诉哥哥小妹我，今年正十八。
毛球：我喝妹一口茶呀，问妹一句话，眼前你的小哥我，人品差不差？
山菊：你喝茶就喝茶，哪来这么多话，眼前这个俏哥哥，想死俺奴家。
……

我听着，心里热乎乎的，多么含蓄，多么美的追求爱情的方式啊，哪像我读书的城关镇，年轻人没见几次面，张口就“我爱你”。爱应该像酒，经时间酝酿，发酵，最后溢出醇醇的香味，而不应该像一杯水，清澈见底。不过，我猜想山菊在唱“眼前这个俏哥哥，想死俺奴家”，一定不是指满脸麻子的毛球，可会是谁呢？我瞥一眼广盛，心里明白了几分。

六

广盛没在，他一夜未归。在这清冷的夜，我已经习惯了他温热的体温。他不在，我睡不着。我披衣起床。这是一个月明之夜。月光水一样泻在湖面，天水一色，仙境一般。

我想，广盛不会因为干活太累，也当了逃兵吧。我在牛棚周围转着。因为月光明亮，我不害怕。在李老板家屋后的稻草堆里，我听见有人小声说着话。我放慢脚步，不让它发出声音。我轻轻地走过去，借助一株矮槐的掩护，听他们说话。是广盛的声音，他的声音是那么特别，嗓音浑厚，因为当了五年兵，他的方言里，夹杂着那么一点点普通话，让人觉得他是那种城乡结合部的小镇工人。接着，我听见了山菊的声音，她的方言很土，但她会拿腔拿调，特别是在广盛这样的男人面前，总是让自己的声音变得年轻。她声音的做作，让我觉得湖面吹来的风更冷，令我起鸡皮疙瘩。

我没有立即撤离。他们对我的诱惑力不小。我看见他们坐在草堆上，说着话。我希望他们发生什么事，又害怕他们发生什么事。毕竟，这是两个各自有家的人。

他们把声音压得很低，在这寂静的夜，悠远、低沉，像是来自洞穴。

“福安他，他不是个男人。”

“我知道，你同我说过的。”

“那年他上山打野猪，把腰伤了，他完全是一个废人。我现在跟个寡妇没有两样，我就是个活寡妇。”

“我知道，你同我说过的。”

“我想离婚。”

“你不能离开他。你离开他，他更难活人。”

我的心揪得紧紧的。我只晓得福安上山打野猪，让野猪撞了，伤了腰，哪承想他完全成了一个废人。这也算是报应吧。野猪在我们山里越来越少，政府不让打，可他偏要去。报应他也就算了，可伤了他的腰子，就苦了山菊，她才三十多岁，日头正午哩。

山菊轻声抽泣。我心里一酸，看来这个世界上，活得艰难的，并非我一人。以前我不太喜欢山菊，觉得她看广盛的眼不安分，现在我理解她了，我甚至有点可怜她。

福安还不是为了挣点钱，才去打野猪的？我不禁为自己的未来担忧，难道我就像福安那样，一辈子在这个山沟沟里过着拮据的日子？不，我要写作，当一名作家，走出大山，娶个城里女人做老婆。城里男人，把我们农村有点姿色的姑娘们都娶走了，我为什么就不能娶个城里女人？

他们不再说话，四野静下来了。此刻没有风，月亮也成人之美，知趣地躲到云层里去了。

我听见稻草堆里传来窸窸窣窣的声响。我感到窒息，一种微妙愉悦的窒息。我想，此刻，只要我一声咳嗽，就会将他们的幸福击得粉碎，但我没有这么做。山菊在我们村子里那些妇人中，腰身脸蛋，都是数一数二的。我要是四十岁的广盛，我也会爱上她。广盛英武，是一个很有魅力的男人。广盛曾经是一个军人，他当兵回来那阵子我还小。那年年底，镇上供销社一位姑娘爱上了他。姑娘的爸是供销社主任，把广盛留在镇供销社上班，条件是广盛娶他女儿。这在我们山里，是想都不敢想的事，广盛同意了。结婚后，他在镇上的百货商店上班，穿着黑皮鞋，草绿色军装，鲜亮极了，我羡慕得好几天都睡不着觉。一次。老师布置写作文，要我们写自己的理想。我写道，我要像广盛那样，当一名供销社的售货员。谁知后来单位改制，广盛下了岗，回到了农村，把老婆和孩子都带回来了。原来他的女人彩娥是一个龅牙，像随时要咬人似的，加之广盛下岗，我的理想大厦瞬间坍塌。但这并不影响广盛的个人魅力，我想，如果我是女人，我也会爱上他，他与山菊之间不发生故事，才不正常呢。

广盛早已不与龅牙女人彩娥同住一屋，这是全村人谁都知道的秘密。

我悄悄地走开去，我害怕看见我希望看见却又不愿看见的一幕。我希望看见，是希望看见那令我兴奋激动的画面；我害怕看见，其实是害怕看见这个灼人的秘密；我害怕看见，其实是怕暴露自己想看的龌龊内心。我赶紧逃离，为不让我觉得自己的龌龊。

我来到湖边，把这寂静的夜留给他们，让苦命的山菊，多一份幸福的时刻吧。

我这么想，发觉自己的心灵其实很美，美得就像这明亮的月光，美得就像这月下的一湖静水。我都快爱上我自己了。我把右手插进裤裆，抚慰着自己，又担心月里的嫦娥看见，便伸出左手，紧紧地握住我的右手。

我真高兴。我发觉我长大了，学会了克制，不再是躲在被子里制造污秽的小男孩。那天夜里，我睡得真香。我是被广盛喊起来的。我们起床后，天已亮开，看来，广盛也睡过了头，他看上去比平时更疲惫，但精神气很好。

我们在晨曦中往水田走。山菊像一只偷食得手的母鸡，那么悠闲、自在、满足。

插了两垄，我有了尿意。我上田埂，毛球跟上来。我在田埂边一边撒尿，一边问毛球，如果广盛当时与山菊成了一对，会是个什么样子呢？

毛球望着我，说，有一句话，叫“偷来的香”。他们要是真成了一家，还不一样地吵着打着过日子？咱们山里人就这样。毛球说着，抖抖身子，提起裤子，说，当然，吵是吵，他们要是成一家，肯定比现在要过得好。你别胡思乱想，好好读书吧，考到城里去，找个城里姑娘，农村姑娘事多嘴杂，不打扮。我说，水莲不是挺好么？他说，她现在是大姑娘，等嫁了人，也完，成天干活，哪有时间收拾。

回到田里，毛球叫胃口疼。他叹息说，这苦日子真是过够了。这辈子为什么托生了个男人，要是个女人，何苦在这里遭罪，到城里当“鸡”去。山货笑道，镇上也要“鸭”，“鸭”比“鸡”还贵，你去就是了。

毛球自嘲道：就我这一脸麻子，谁用？

山菊离得近，她听得真切，骂得也真切。她骂道：“嚼舌根。等你们把自个的舌根嚼烂了，哑巴了，你们就好受了。”

七

我们埋头插秧，水莲一声惊呼，打破了水田的沉默。一条牛蟥肉乎乎地斜趴在她腿肚子上，足有一拃多长。牛蟥常常只吸牛身上的血，它嫌人身上的血太少，不过瘾。但它饿急了时，也吸人血。它肚子大，能把人吸得晕乎乎的全身酸软。此刻，它正吸着水莲腿上的血。水莲就那么看着它，脸憋得通红，想抛掉它，又不敢用手去碰。蝈蝈往她跟前蹚，溅起一阵泥水。他用手去拽，把牛蟥拽得像一条蛇，也没拽下来。广盛说："不能拽，一拽它肚子里的毒就吐到水莲腿肚子里了。"广盛让蝈蝈捧起双手，搁在水莲腿肚子下方，他狠劲拍打着牛蟥。直把水莲的腿打红了，那牛蟥才缩成一团，足有鸡蛋大，掉在蝈蝈手掌心，把蝈蝈的手压得往下沉了沉。蝈蝈撇着嘴，直恶心。他要扔，广盛说："别扔，你想让它再去吸别人的血?"他们走上田埂，处死了牛蟥。

山菊掏出汗巾，要给水莲包扎。广盛说，让它流吧，牛蟥同蚂蟥一样，吸走多少血，人的腿肚子就得流出多少血。流完了，毒液也就流出来了。不让它流，毒就会留在人的腿肚子里。

我们就眼睁睁地看着水莲的腿肚子流血。直到把水莲的脸流成苍白一片，把蝈蝈的脸流得通红。终于不流了，但我心里还是有疙瘩，觉得水莲的血里有了牛蟥的毒液，如同她身体里有了某个男人身体里的污秽，不再那么纯洁了。我知道我这种想法很肮脏，很离谱，可我没办法，心里偏就这么想。

广盛取来茶杯，让蝈蝈用茶水冲洗水莲的伤口。他掏出一块洁白的手绢，让蝈蝈给水莲包扎。他说现在可以包上了，不包上，别的牛蟥蚂蟥闻着血腥味，还会过来吸。

水莲缠了伤口，还不放心，往手绢上糊泥巴，又点了几滴风油精。由于失血和惊吓，水莲脸上的颜色，已由苍白变成蜡黄，插秧的速度明显慢下来。大伙插几棵秧，就看一下自己的腿，怕牛蟥蚂蟥吸附在腿上。山菊嫌这样耽误工，说，你们就别自作多情了，牛蝗只叮水莲这样细皮嫩肉的腿，你们的腿肚子松树皮似的粗糙，牛蟥才不想叮哩。她说着玩笑话，可是谁也笑不起来。那只硕大的牛蟥，堵住了每个人的心。

毛球爱热闹，受不了寂静，就给我们讲笑话。他说解放前，我们红安七里坪有一个叫卢四运的人，起这样的名字是希望四季好运，可是偏偏命运不济，十三岁上父母双亡，成了孤儿，到处游荡。一日，在山道上，看见一财主端坐牛车上，正用牛鞭抽打赶牛的伺童。卢四运走近细看，可怜的伺童，身上青一块紫一块，可见财主虐待伺童绝非一日两日了。卢四运怒火心头起，狗财主，你坐牛车，伺童步行赶车，已是不平,你再打人,是何等可恨。他就想惩治一下这个财主。卢四运走过去,说,东家,我来帮你赶车吧,我不要工钱,只要东家给口饭吃。财主高兴,不就是一口饭吗?从猪槽狗盆里抓一把不就有了。

卢四运边赶牛车,边想整治财主的办法。他发现财主眼疾严重,看东西需将脸贴上去。其时骄阳似火,山里无风,闷热难耐,只有柳树上的知了聒噪地叫着。财主满头大汗。路旁有一水塘,水塘那边的柳丛,掩映着百姓人家。卢四运灵感顿生,说,东家,咱们下水塘洗个澡吧,我帮你搓背。财主见可以白使唤人,自己也热得难受,就脱了衣裤,下了水塘。卢四运让财主先泡一小会儿,他要去解个手。他告诉财主,你要是着急,就喊我,我叫"都来看"。卢四运说完,藏了财主的衣裤,拽着伺童说:"这样的苦日子,何时是尽头!听说七里坪来了红军,咱投奔他们去,也好有口饭吃。"两少年消失在树林深处。

那财主左等右等不见人,上了岸,找不到自己的衣裤,急了,大声喊:"都来看!都来看……"村子里的人正在树荫下歇凉,男女老少冲过来。女的看见财主肥白刺目的肉,急忙躲了回去。男的嫌他耍流氓,脱得光光的,裆间物件蔫丝瓜瓤子似的,有气无力地耷拉着,还让人"都来看"。村民认识他是外村财主,可他赤身裸体,没有财主的招牌,就故意装糊涂,冲上去拳脚相加,把他打了个半死。

这故事我们听过,与原版有出入,但大家还是乐得直不起腰,都说这故事好,坏人受惩罚,解恨。我内心却更失落,一种悲哀袭来。我还不如长工卢四运呢,他敢整治地主,一走了之,我却无法逃离。我们有合同跟着,半途而走,李老板就不给工钱。我需要工钱。

我们是"吃大锅饭",男男女女,一块田一块田地插,一天插多少亩,一共多少人,平分工钱。女孩子插秧快,每人每天能插一亩多,我们男人铆着劲,也就插七八分田。这么看来,她们就吃了亏,她们提出单干。广盛不同意,给她们做思想工作。广盛说,一个村子出来的,不要分得那么清,弄得四分五裂的。男人们加点劲,少滋两泡尿,也就扯平了。女孩子们不听,水莲留了下来,插了一垄,也跟了过去。她虽然与蝈蝈有那层关系,可毕竟还没过门,她怕姐妹们说闲话。

毛球望着她远去的背影说,丧良心,一起出来的,她们竟然大搞分裂。广盛说,由她们去吧,她们看起来插得快,其实没长劲。我们插得慢,但我们有耐性,一定不比她们挣得少,红明,记得龟兔赛跑的故事吗?我说,记得。广盛说,记得就好。她们撇下我们?我们不撇下她们就不错了。

广盛这么说,是给自己台阶下,他这个临时"包工头"不让她们分开,没好使。

山菊没有走。她毕竟不是女孩子了,怕姑娘们嫌弃她。毛球奚落山菊说,她们不要你,我们要,我们争着抢着要。山菊骂他"嚼舌根",却是一脸高兴。

我侧脸去看隔壁那块水田里的女孩子们,她们果然插得快。腰一闪一闪的,手飞舞着,快得像无数只手连成的一面扇形。

姑娘们一走,毛球显得很兴奋,说,早该走,她们在这儿,屁都夹得紧紧的不敢放,撒尿也要跑得远远的。这下好了。山菊说,你这个要死的,她们走了,我不是女人吗?你敢在我面前放肆,我一剪刀让你变成太监。

毛球说,我早他妈的是太监了。我一见我那个傻女人,就比面条还软。山菊骂道:"嚼舌根,你儿子宝根是哪里来的,莫非他是野种?"毛球也不恼,笑道:"那个晚上,黑灯瞎火的,我把傻女人想象成你,才有了宝根。"山菊骂着难听的话,抄起污泥要去糊毛球的嘴。毛球直叫好嫂子饶命,山菊才住了手。

我腰酸腿痛,右指甲都断了,手指肿了,插进泥土里,如有竹签插入。真想逃离这片苦海,可我不想当逃兵,男子汉当逃兵,让人瞧不起。再说,我需要钱,家里一点现钱都没有,从来就是拿粮食换点生活用品。我上作家培训班的九百元生活费,要是靠卖粮食,那我家的谷池子、米缸,还不得卖弄空了。

毛球说我们起得比鸡早,吃得比猪差,干得比牛累,睡得比狗晚。他总结得挺精辟,我们真的很苦很累。为了多挣钱,在有月的夜晚,我们也插秧。月下的水田银白银白的,月就挂在水田里,挂在湖水中。倘若不是插秧,这是多么美丽的夜晚,可我现在感觉到的只是累,冷,连青蛙都不出来鸣叫。太累了,腰酸腿疼。我突然明白了水莲为什么那么渴望成为一个城里人。城里人不会这么辛苦。城里人就是收破烂、扫厕所,也比我们山里人过得舒坦。

八

我们插到了湖湾。姑娘们插那块大田,我们插小田。两块水田离得近,我们并排着,像是在一块田里插秧。但我们不同她们说话,四周一片寂静,只听见我们的手与水摩擦的声响。我累了,伸伸懒腰,看见田埂上走来五六个女人,花枝招展的。走近了,才发现是一群男人。他们立在田埂上,一个穿红花衣服的人冲着姑娘们喊:"喂,那个漂亮小妞,你过来。"

是地痞流氓,他们是冲水莲喊的。水莲不吱声。我们也都不吱声。那人又喊:"喂,那个漂亮小妞,过来。到我家插秧去!"

广盛向水莲招手,用山里话告诉她们:"都莫起,都莫言!"他叮嘱我们谁也别吱声,也别上田埂。他说,咱们在田里,他们不敢下来。他们下来闹,我就把他们按在泥巴里。广盛的话,并没壮我的胆,反而使我更害怕。田里像一个充满气的气球,随时都要炸开。我感到一场战争就要来临。

我们谁也不敢应他们,仍旧默默地插秧。那些人不走,依然在田埂上说着羞辱水莲的话,有一个瘦猴样的人说:"来吧,小妞,上我家插,我们给的钱多,我们家睡得比他们家好。在我们家睡双人床,何必在他家和那么多人挤在一起……"他身后笑声铺天盖地。

广盛说话了。再不说话，我们就是缩头乌龟了。广盛说："我们正在给李老板家插秧，我们的活没干完，不能上你们家去。"

瘦猴样的人说："棒棒日的，你是谁，棒棒日的，我没跟你说活，我让那个小妞过来。"

广盛说："我是这儿带工的，有什么事你找我。"广盛的声音变得不像广盛的声音，像用汽油洗过，似乎一点就着。广盛说完，站得直直的，盯着田埂上那些人。那个瘦猴样的人指着广盛，大声道："找你，开玩笑，我只找女人，我对男人不感兴趣。"

他身后，哄笑声再次湖浪似的打过来。插秧的姑娘已扔了手中的秧苗，走到一起，紧紧相拥，使我想起了电影里八女投江前的镜头。我听见水莲说："咋办，要打架，咋办?"广盛用山里话训她："怕么子，别自个吓自个。"广盛说着，向那几个地痞走去。广盛走得很慢，昂首挺胸，脚步缓缓地在稀泥里抬起，落下，手臂配合着脚步的节奏，很慢，却很有力度。我们望着他的背影，心怦怦地跳着，他像电影里走向刑场的革命勇士。

我害怕，但被广盛的气质感染，跟了上去。蝈蝈也跟了上去，毛球也跟了上去。广盛却喝住了我们。广盛说，都别动，他们不敢下田。他们敢下田，我就让他们当泥乌龟。广盛说着，与田埂上的他们对视。

离得近了，我看清了那个瘦猴样的年轻人，他蓄着胡子，手臂青黑一片。我最怕文身的人，总觉得他们长着一颗杀人的心。我的腿脚立马酸软酸软的，几乎就要瘫坐在泥水里。

瘦猴样的年轻人冲广盛说，你别过来，我只喜欢女人，我对男人不感兴趣。广盛本来在水田里等着他们，他的这句话激怒了广盛，广盛向他们快步走去，广盛说，我对男人感兴趣，尤其对你们这样的男人。有种就下来!

那些人不下田，也并不离开。"瘦猴"指着广盛，骂他是婊子养的。广盛的脚步迈得更快了，水田响起唰唰声，他身后，带起雨点似的泥水。

山菊惊喊一声："刘广盛，你莫要过去。"广盛头也没回，一步步往前走。

我屏住呼吸。我不知道即将出现在我眼前的将是一种怎样骇人的场面，等待广盛的，会是一种什么结果，那一群恶棍，他们将怎样对待广盛，广盛能完好无损地回来吗?

广盛走上田埂，瘦猴样的年轻人指着广盛骂："婊子养的，你还真敢上来!"广盛没有吱声，与"瘦猴"对视着。"瘦猴"伸拳打广盛，广盛闪身，躲过那一拳，并顺手抓住"瘦猴"的手，把他从田埂上拽进水田，广盛薅住他的长头发，把他的头按在泥水里。那些年轻人要往田里冲，广盛冲那些人喊："别过来! 谁过来我就把他弄死。"他说着，把年轻人的头拔出来，让他透口气，再按下去。如此反复，直弄得那个人离开泥水时张口号叫着，风箱似的呼啦啦喘着气。广盛再次把他的头按进泥水。广盛把“瘦猴”的头按进泥水里时，并不看泥水里的这一只脑袋，而是眼望前方，像一位骑士。那人挣扎着，动弹着，广盛就是不松开。广盛抬头看着田埂上的人，田埂上，“瘦猴”的一个同伙从屁股后面拔出刀来，冲向广盛。广盛右手伸进泥水里，拔出来，比他插秧的速度还快。一块泥巴随着广盛右手飞扬，直奔那个持刀者。持刀者像猪被捅了一刀似的号叫着，他的脸上满是泥巴，眼睛被糊住了，刀在手中胡乱舞着。广盛指着瘦猴泥球似的头，吼道：“谁也别动，谁动我就闷死他。”广盛再次将他胯下那只年轻人的头按下去，提上来，问道：“谁是婊子养的？说，谁是婊子养的？”

在我们愣住的当口，“瘦猴”的一个同伙手握尖刀，冲向广盛，在就要攻击到广盛的那一刻，广盛一闪身，伸手一带，那人扑倒在水田里，溅起浑浊的泥水。

我想起《水浒传》里的武松，想起他打老虎的样子，想起他打西门庆的样子。

“瘦猴”不挣扎了。广盛站直身，一双泥手在裤子上来回擦着。看来，他是要鸣金收兵了。但“瘦猴”再次扑向他。广盛便又一次薅住他的头发，把他的头按进泥水里，过几秒钟，再将那头拽出来。“瘦猴”的同伙怔怔地看着，没人敢靠前。山菊赶紧蹚过去拽广盛的手，说，你松开，会出人命的。

广盛并不松开，广盛说，我今天非要他求饶不可。说着，他问穿红花衣服的人：“你说，谁是婊子养的？”那人的嘴被泥水糊着，嘟噜着。广盛没听清，说，你说不说，谁是婊子养的？今天你不说，我就让你死在这里。

我看着他们，心直哆嗦。要出人命了，真要出人命了！

广盛再次把“瘦猴”的头按进泥水里，按进撒有化肥的泥水里。我真担心这么下去，“瘦猴”不被弄死，也会被弄瞎双眼。山菊抓住广盛的手，在上面咬了一口，广盛松手的那一刻，那人趁机挣脱开，向田埂上逃。他边逃边回头说，“你等着！”广盛说：“等着怎么的？我不怕你。我们红安出了二百三十个将军，哪一个不是打出来的？我们县的小个子将军韩先楚，打起仗来，日本人，美国人都怕他，你算个球？”

“瘦猴”走上湖畔的旱地，冲广盛喊：“婊子养的你来呀，你来，有种你来。”广盛就沿着他们声音传来的方向往前走，山菊急忙阻拦，说，广盛，别去，别上了他们的当，他们把你骗到那边去，围着打，他们有刀。广盛没有停止他的脚步，广盛说，在田里我不怕他们，在旱地我更不怕他们。

山菊跟了过去。山菊都跟过去了，我们还站着不动，算男人吗？我们迈着步子往前走，广盛已同他们动起了手。可我插不上手。他们完全不像是在现实中，而更像是在荧屏里。他们像是一群演员，在演一场打斗的戏。那清清的湖水，就是他们打斗的背景。背景衬托下，只见广盛忽而是掌，忽而是拳，一会儿勾腿，一会儿又是扫堂腿，瞬时在地上，瞬时腾空而起。我离他近，却无法看清他，身着黑色衬衫的广盛，像一股黑疾的旋风，我无法插手，也无须插手，那几个人很快就东倒西歪，最后一个个爬起来，灰溜溜撒脚而跑。不过，他们没有忘记给他们找台阶下。那个瘦猴样的年轻人边跑边冲广盛喊："婊子养的，你等着，我们一会儿见。"

我们围着广盛，看他伤着没有。他毫发未损，他太帅太潇洒了，不愧为当过兵的人。广盛当的是武警兵，守卫三峡大坝。一次，广盛值勤，遇到了小偷。他抓小偷，小偷想逃，结果打了起来。广盛没想到他是小偷，以为他是破坏分子，下手就狠了点，那人又不经折腾，几下就被广盛弄残了。广盛犯了错误，就被处理回了乡。要不，凭广盛的身手，在部队肯定能提干，现在说不定是个大官哩。

广盛却从没在村子里施展过拳脚。

我们围着广盛，围住我们的英雄。但毛球的一句话，冲走了我们的喜悦，让我们再次回到恐惧中。毛球说，广盛，你闯祸了，把事闹大了，他们一会儿还回来的。他们是回去找人去了。

广盛白了他一眼，说，我一人做事一人当，你不用害怕。他说着，掏出一支烟来，那烟被泥水浸泡了，半天没点着。毛球点燃一支，递给他。他就那么默默地抽着烟，他身上的泥水，滴落在地上，吧嗒吧嗒地响。山菊眼里噙着泪。她掏出自己的白手绢，帮广盛擦拭身上的泥巴，前胸，后背，臂部。广盛就那么站着，双手下垂，像一位凯旋的英雄，任凭自己的女人给他拾掇。山菊擦着广盛身上的污泥，小声问广盛："咋个办？他们再来咋个办?"广盛不吱声，但从他脸上坚毅的表情看，他分明在说，再来，还把他打回去！

广盛下了田，慢慢地，一步一步走向我们刚才插秧的地方，他步伐坚定，带出很响的泥水声。

我们接着插秧，很长时间，我们谁也不说话，就那么插着秧，听着自己的手把水带起嗞嗞的声响。我们彼此清楚，我们都在想着刚才的打斗，想那些地痞流氓再来了咋办。许久，山菊终于用一声哭泣，打破了沉默。她哽咽道："咱们回家吧，在这儿挣几个苦钱，遭这份洋罪。"

广盛说，咱们不走。咱们明年可以不来，但今年来了，咱们就不走，一定要把活干完。你们放心，他们不敢再来了，他们被打怕了。

"可那个瘦猴子说要来。他们有刀。"

"照你们说的，还真的邪了门。他又不是傻子，他知道杀人填命。他们是老太太吃柿子，专捡软的捏。他们不敢再来惹我们了。他们说来，其实是给自己找个台阶下。就是真的再来，咱们也不用怕他。怕他干啥，胆小的怕胆大的，胆大的怕不要命的。我们红安七里坪镇上，一条街上就出八个将军，他们天生就是将军吗？还不是打出来的。"广盛说。

广盛真有魄力，他稳住了我们的神，我们接着插秧。广盛打架的样子，一次次在我眼前浮现。他真没白当一回兵。我想，等作家培训班毕业后，我也去当兵，当个像广盛那样潇洒的军人。

水莲流着泪，她说那些流氓是冲她来的，她很自责。山菊安慰她说，他们并不是冲你来的，他们是借口闹事来了。

蝈蝈一句话也没说，他脸上受惊的表情还没有完全消失。

山货一脸平静，他向来事不关己，高高挂起，仿佛刚才的一切，发生在另一个世界。

九

直到天漆黑一片，瘦猴他们没有再来。我们回李老板家吃饭，一个个不吱声，默默地吃着饭。我们都没有同李老板说起地痞来欺负人的事。

吃过饭，用凉水洗了脸，洗了脚，我躺在潮乎乎的床上，想着白天打斗的事，总觉得不是那么简单。那几个青年，真的就这么算了么？强龙难斗地头蛇，他们真的会被打服了？我这么想，迟迟睡不着。广盛很快就打起了呼噜，看来，他的胆大不是装出来的。他甜美的呼噜声传染了我，我也慢慢地睡去了。

不知过了多久，我听见有人喊救命，是女人的声音。我当时只当是在梦中，广盛大喊一声，都起来！快。他说话的同时，拽亮了电灯，掀开了被子，灯光下，他身上只有一条短裤，脊背黝黑，像是一条青鱼蹿出水面似的。他冲出门去。

我们来不及找衣裤，跟着广盛往前冲。呼叫声是山菊她们发出的。我们赶到她们的牛棚时，呼叫声变成了哭泣，是水莲在哭。她手里握一把剪刀。山菊没有哭，她急促地喘着气，断断续续说着刚才发生的一切，我们才知道，是几个流氓窜了进来，想欺负屋里几个女孩子。他们吓唬她们，不让她们吱声。山菊一声歇斯底里的“救命”，把他们吓跑了。

蝈蝈夺过水莲的剪刀，要去追那几个流氓，广盛拦住了他。广盛说，黑灯瞎火的，没准他们猫在什么地方，等着我们去追呢。他们在暗处，咱在明处，好汉不吃眼前亏。

“我们的门一直闩着，也不知这帮王八蛋怎么就弄开了。”山菊解释说。她怕广盛埋怨她。广盛没有埋怨任何人，只告诉她们都穿好衣服，上我们屋里住。

我们身上只有大裤衩子，湖面吹来的夜风，直入骨髓，我们打着寒战，接着打起喷嚏。毛球催她们快点，说再磨蹭，我们男人都得感冒，干不了活。挣不着钱，他的胃病就没法治了。

我们把最里面的几个铺板让出来，又把我们自己的铺板移到一块儿，变成通铺，这样就能多挤一些人。男男女女住一起，几个女孩子不习惯，磨磨蹭蹭不上床。

山菊对水莲说，你们睡里边，我睡外面。我岁数大，都快成老太婆了，我怕啥。

广盛说，你说的啥话呢？你把我们当牲口？山菊说，你想到哪里去了，我是怕那些乌龟王八蛋再闯进来。广盛说，谁再闯进来，咱就给他“开瓢”，让他脑袋开花。

你们放心睡吧，咱们一个村子出来的，在外就是亲姊妹，有啥不好意思的。

都躺下了。我们男人也放不开，很久睡不着。毛球受不了，说，算了，别睡了，咱们去扯秧吧。广盛说，再躺一会儿吧，躺着总比起来暖和。毛球自己起了床，坐到门口抽烟。

那个夜晚，我们几乎一夜未眠。中午插秧时，毛球竟然患羊角风似的歪倒在田里，是坐在秧马上睡着了。被泥水一浸，他醒过来，偏要接着干。广盛说，你回去歇一下午吧，还真挣钱不要命了？毛球说，可大伙一起干，一起分钱，我哪好意思？山菊说，咋不好意思，十个手指能一样长？毛球就冲我们歉意地笑笑，回牛棚睡觉去了。

我们比毛球好不到哪里去，一个个低着头，眯缝着眼睛，靠着惯性插着。大都把左手杵在左膝上，整个人的重心落在左膝上，右手机械地动着。我们看上去东倒西歪，我们插的秧也有些东倒西歪，挨了李老板的训，要我们拔了重来，还说要扣我们的工钱。

那几个受了惊吓的女孩子要回家，广盛不让。干活前与李老板签订过合同，我们中途走人，不但得不着工钱，还得给他们赔偿损失。但我们干不好，他们中途可以赶我们走。这是一个不平等条约，没办法，不签字，我们就不能在他家干活，就挣不到现钱。

起早贪黑干了一个多星期，哪能白干呢？

吃过午饭，广盛从李老板家要来两片废弃的凉席。我和蝈蝈帮他，用竹竿将凉席支在牛棚中间，屋子里便有了一堵"墙"，将男女隔开。两片凉席之间留了一人宽的地方，算是门。山菊把她的床单贡献出来，当门帘使。门帘子刚挂好，李老板进来了。他说昨晚发生的事，他一点都不知道。他责怪广盛没有告诉他。他说："王八蛋！我这就去找他们，有他们好果子吃。俗话说，打狗还得看主儿，他们太不把我放在眼里了。"

他的话，我听得别扭。我说："李老板，你说话注意一点，谁是狗，谁是主人？"李老板笑道："我不是打个比方吗？"我说："有你这样打比方的吗，你这是骂人。"广盛给我一个眼神，意思是，跟这种人，别咬文嚼字费口舌。

我们一起往田里走，水莲领着那些女孩子，走到我们的队伍里。她们不说话，跟着我们下了同一块水田。她们不再单干了，还是与我们合伙。山菊说，就是，一起来的，搞得四分五裂算什么事，回来就好。女孩子们没有回应她的话，脸上都流露出羞愧的神情。

毛球怀疑那些来闹事的人，是李老板雇来的。他说，我们已经干了这些天活了，那些人一闹，我们就害怕，就得走人。我们中途走，李老板就可以不给钱，他再雇人，这样，他就能省下一笔钱。广盛说："也别把人想得那么坏。"

我觉得毛球的分析有道理。

十

水莲的脚被水田里的石头割了一条大口子。蝈蝈把她搀扶到田边的水沟边，我和山菊紧跟其后。水沟里的水清澈，蝈蝈撩水给水莲冲洗伤口。那血仍在流，只不过不那么鲜艳，被水稀释成淡红了。水沟里很快红了一大片。山菊掏出自己的手绢，给水莲包扎。那血渗透了白手绢。山菊说，赶紧送李老板家，看他家有没有止血药，莫不是割破了血管。水莲却不回，坚持要下田。搭伙的事，她不愿误工。广盛冲她喊："痛快回去，还真的要钱不要命？"

水莲不让蝈蝈背，田埂窄，布满泥泞，她怕蝈蝈摔了，蝈蝈就搀扶着她。他们俩在窄窄的田埂上，脚交攀着，我担心他们俩会同时跌倒在水田里，或是水田那端的深水沟里，就跟在他们后面，如果有什么事，我可以及时报告。

李老板家没有消炎药。周围一带人烟稀少，没有卫生所。蝈蝈化了盐水，给水莲洗伤口。盐水杀得水莲咝咝地吸着冷气，蝈蝈心痛。老板娘递给他一块白布，蝈蝈给水莲包上。水莲向老板娘借雨靴，还要下田插秧。老板娘眼瞪得牛眼大，说，你可别为挣那几个钱，把命搭进去，你就歇几天吧，工钱我照付，不在你们卖工的那些人里出，他们不会有意见。

我疑惑地看着老板娘，我怀疑自己听错了。

水莲说，哪有不干活得工钱的，你还是把雨靴给我吧。老板娘不给她靴，蝈蝈见老板娘挺诚心，不像是客套话，就让水莲留下，帮老板娘干点手头的活。

我跟在蝈蝈身后往水田走。快到水田边，蝈蝈突然转过身，对我说："老板娘心眼儿其实挺好。广盛说得对，别轻易把人想得那么坏。"

中午我们回去吃饭。没有雨时，我们就在屋外吃，空气好，敞亮，在这片大地上吃饭，似乎饭菜就多了，能放开吃似的。这餐饭令我们吃了一惊，桌上除了一贯的土豆炖大白菜，还有一碟花生米，一碟煎鸡蛋，半盆粉条。僧多肉少，我们起先不动筷，知道一人一筷子，那装鸡蛋的碟就会见底。我们只是偶尔夹一颗花生米。花生米真香，夹了一颗，还想吃，又不好意思一次次去伸筷子。毛球将筷子平着插进碟里，筷子出来时，上面密密麻麻排满花生米，像一个民兵班。他将花生米倾倒进碗里，慢慢享用。我学着他的样子，也将筷子横着插进花生米堆，然后上抬。我的筷子上也排满了花生米。可是，当我把筷子往我碗里放时，我的手不争气，抖动了。花生米一个接一个，蹦到地上去了。地上全是泥，还有零碎的牛粪。我望着地上零落的花生米，不敢抬头。我知道，此刻所有的眼睛都盯着我。

毛球说："白瞎了，白瞎了！我给你做个示范吧。"他说着，用同样的方法，把满满一筷子花生米倾倒进自己的碗里。山菊白他一眼，左手端起花生米碟，右手握筷，走到广盛面前，把花生米往广盛碗里拨，广盛直说，太多了，太多了，拨回去！山菊接着给我们分花生米，蝈蝈、山货、水莲、我。她往所有人碗里拨了花生米，唯独落下毛球。毛球窘迫地立在那里。因为脸红，情绪激动，那脸上的麻子越发坑坑洼洼。

我心里酸酸的，可怜毛球。

花生米！我们山里就产花生米。可是，我们地少，我们地里产的花生米，除了留种，舍不得吃，都卖了。花生米！没准我们正吃着的花生米，就是从我们山里被低价卖到这里来的。我们自己种的花生米，竟然多吃几颗都这么难。山里人啊！

水莲居然吃独灶。是一碗面条，上面还覆盖着黄亮亮的煎鸡蛋。

吃过饭，我们往田间走。在路上，毛球说："李老板一家人，其实挺好的。"一向告诫大伙，不要轻易把人想得那么坏的广盛，这次却说："也不要轻易把人想得那么好。"毛球白他一眼，分明在抱怨广盛总是与自己唱反调。广盛不理会毛球的眼神，他让大家加油干，早点干完李老板家的活，早点回家。

水莲不在水田时，蝈蝈干活总是心不在焉，秧插得不齐整，总落在别人前面（插秧是后退着进行的）。我也偶尔会想起水莲，她真不容易，上次让"瘦猴"他们吓得不轻，这次又受了脚伤。大概人长得漂亮，遇到的麻烦也就多。

十一

广盛所言"别轻易把别人想得那么好"，三天后就得到了证实。山菊说，李老板一家人对我们态度的转变，是因为李老板的儿子李勇看中了水莲，想让水莲留下来做他的媳妇。山菊的话，像傍晚的湖风，让我心里冰凉冰凉的。李勇那只斜眼，怎么配得上水莲姐。就是他那只好眼，瞅人时，也总像是在瞄准射击，让人心里毛愣。可能水莲也被他这只眼看冷了，她并没动心。她知道李老板一家人的意图后，再也不留下休息，坚持要下田干活。李老板拦不住，让儿子开着小车，到镇上给她买了一双靴子。水莲穿着靴下了田。

靴子在水田里移动慢，影响插秧的速度，大伙一般都不穿它。因为合伙，就更不好意思穿了。水莲穿，大伙没意见，毕竟她脚上有伤。

水莲拒绝李老板家的好意，不留下歇息，其实就是拒绝当李勇的媳妇。我们都很佩服她，觉得她特有骨气，人穷志不穷，不为金钱所动，为我们山里人争了光。

但李老板一家并不死心。老板娘每日做一桌很好的饭菜，让水莲同他们一起吃，说水莲有伤，需要营养。水莲不去，他们就把饭菜端过来。水莲仍不吃。我看着那花花绿绿的红菜薹炒肉、韭菜煎鸡蛋、黄亮亮的油炸鲫鱼，喉咙里的汁水涌到舌尖，可水莲不让我吃。水莲说，吃人嘴短。她把饭菜给李老板家送回去了。

李老板见水莲不吃，就不再给她烧独灶，而是给我们加菜，花生米、粉条、豆腐之类的。这次我吃，水莲就没权力拦我了。这是李老板给大伙的，我有权吃我那一份。

李老板一家盯上水莲后，蝈蝈变得沉默寡言，与水莲的话也少起来。他只闷头干活。有一次，他还向广盛提出想先回家。广盛没有同意，广盛说，一起出来的，怎么能不一起回去呢？你回去了，还不被村子里的老人戳背脊骨，说你吃不了苦？广盛安慰蝈蝈："你别多想，水莲不是那样的人，水莲怎么会放着你这样的人不嫁，嫁给一个斜了一只眼的人？除非她也斜了眼。"

李老板一家对我们态度的改变，不仅表现在饭菜上，对我们的住处，他们也关心起来。李老板让我们搬到他家去住，说他家还有好几间空屋，那里不像牛栏这么潮。我多嘴，回李老板："为什么我们刚来时，不让我们上你家住？"李老板说："当时没想起来。"我们心里高兴，住一天舒服一天。可广盛不让搬，广盛说，活干得也差不多了，不想折腾。李老板就说，那你一个人搬过去住吧，你是带工的，大小也是个头头。广盛苦笑一声说，我不过是带头多干活罢了，我可不配住单间。

十二

广盛和山菊好，成了公开的秘密。

山菊到底迷广盛什么呢？他那张刚毅的脸？那两绺粗黑的、剪得很短的络腮胡？还是他那古怪的、有时沉默如羊，有时愤怒如狮的脾气？是不是有这样脾气的男人，就招女人喜欢？我曾模仿着做广盛这样的男人，但我做不来。一次，我冲着一个人吼叫，却被他反剪起手，在我尾椎骨上顶了一膝盖，痛得我好几天直不起腰。看来，并不是每个男人都能成为广盛那样的男人。

广盛沉默时，常常是在回忆。有一次，在漫长的沉默之后，他叹息说，在部队干得好好的，出了那点事，当时也不知是怎么了，直到现在也没搞清楚，像是做了个梦。要不是那点事，他现在还在部队当军官。就是转业了，至少也在县城，留在武汉也说不定，能大老远跑回来，娶一个龅牙女人？真是鬼迷心窍。广盛说，我现在都懒得正眼看她。

说得多了，就有些伤感。

山菊反驳他，嘴上这么说，晚上还不像个狗似的。山菊故意说笑话，想冲淡广盛的伤感。毛球大概也出于这种玩笑心理，出谜语给我们猜，他说："白天无球事，晚上球无事。无比寂寞。"没人能猜得出，毛球说："告诉你们吧。'光棍一根'。"

山菊噗的一声笑了。毛球受了鼓舞，又说："白天空洞洞，晚上洞空空。'有球必应'。"依然无人能答。毛球自个说出谜底："寡妇一个。"

山菊骂毛球嚼舌根，她说姑娘们离得远，听不见，可红明还没娶媳妇呢。毛球笑道："现在的年轻人，三十六招七十二式，比咱过来人都懂。"

山菊抠泥要去糊他的嘴。

我脸发烫，直起身，仰头看天，不让弯腰插秧的他们看见我通红的脸。

天空下起了雨，浇退了我脸上的烫。下雨我们也是要干活的，我们要挣钱，不是旅游来了。我们一人披一块塑料布。每人插了半垄，湖风刮过来，撕扯着我们身上的塑料布。塑料布的颜色不一样，有粉红的、淡绿的、微紫的、深黄的……我们并排插着秧，风大的时候，我们就站着歇一小会儿。这时候，我斜眼看过去，发现我们每人变成了一面旗，塑料布是旗面，我们的身躯是旗杆。雨很快漂湿了我们的衣服，但我们谁也没说撤，可能他们同我一样，也觉得自己是一面旗帜，被这"旗帜"鼓舞，不让自己退却、倒下。唯有毛球，他坚持戴斗笠，披蓑衣，挺立在雨中，像古代身披盔甲的战将。

插了一垄，李老板过来了。李老板穿着雨衣雨裤和雨靴，把自己裹得严严实实的。他到我们身边，惊呼道："我以为你们早回去歇着了。你们竟然还在插，真是要钱不要命。回去吧。"

山菊小声说，李老板还知道可怜我们。毛球说，你以为他可怜我们，他是可怜他家的秧，这雨天插的秧苗，东倒西歪，质量不好。广盛说，别总是把人想得那么坏。

雨冲走了水田里的泥水，新的雨水使水田显得特别清澈。雨滴在我们身边，四溅开去，像一朵朵白色的莲花。

天空响起了炸雷。炸雷在头顶飞。广盛说，走吧，咱们不能真的要钱不要命。咱们回去歇着，雨停了再来。

我们回了牛棚。山菊领着姑娘们进了里屋，撂下那个床单做的门帘，用手整理严实。我们知道，她们不会再出来了。她们即便出来，也会先咳嗽一声，给个暗号，就像她们在水田里起身去方便一样。在这个男女混居的世界，大家配合得挺默契。我们男人脱下湿淋淋的衣裤，拧干，找根绳子，把衣裤晾起来，赤裸着钻进被子里躺下。在湖边，又是雨天，被子里潮乎乎的，也像拧得出水，躺在里面，感觉自己像泡在盐水里的咸鸭蛋。来时，娘把被子浆洗得又干净又软和，到这儿成这个样子了。

毛球突然掀开被子，坐起来，嚷道，这么躺着也不是个事儿呀，晚饭怎么办？大家一想，可不是？按规定，我们不干活，李老板就不供饭。因为我们每栽几亩，每亩多少钱，其实是扣除了饭钱的。也就是说，我们每天吃我们自己的饭，而不干活，就要吃李老板家的饭。

广盛说他去给老板家搓草绳。他搓草绳光溜结实，速度还快。搓到天黑，抵大伙一顿饭应该没问题。

广盛将枕巾围在裆间，下地，把自己晾在绳子上的衣服拽下来，爬到床板上穿裤子，见我盯着他，把裤子拽进被子里，摸索着穿。我不好意思，扯出枕边的书。我的眼神，被毛球捕捉到了，他笑道："红明还是个小孩。"我知道他所指。毛球蹦跶下床。他倒大方，没遮没挡的。我懒得看他，他那一脸麻子，我一看就烦。但他那长期被短裤罩着的臀部，还是将一道白光扫射过来，闯入我双眼的余光，刺得我急忙低头，躲开那一片白。

毛球穿好裤子，要跟着广盛去。广盛说，你别去了。你胃不好，不能受凉，你歇着吧。再说，李老板家放稻草的地方，也挤。你还爱抽个烟，别把人家的房子给点着了。

广盛冲布帘子喊："山菊，照顾好姑娘们，我上李老板家的稻草房搓草绳去了。"

山菊回应道："我也去，我帮你递稻草，这样你不就快多了？"话音未落，她就撩起门帘走出来。男人这边，有人嫌被子潮，晾着大腿，见山菊过来，急忙用被子去盖。山菊撞见了那一条条明显区别于脸庞和脊背的白亮大腿，骂了句："挺尸！"也不在乎，抓起一块雨布，跟着广盛冲进雨里。

他们的背影很快被雨帘子挡住了。我把目光从门外收回，投向窗外。我凝望窗外雨中的槐树。雨打落了盛开的槐花，也浇开了新的花蕾，淡淡的花香掩盖了牛棚残留的味道。雨中槐花飘香，是我儿时最美的留恋。我就在寂静的午后，在透过窗户漫过来的槐花香里，遥想着未来。但我的想象无论多么遥远，多么美好，最后，都会像空中突然没了风的风筝，重重地摔在地上。我总是无一例外地想起爹娘。我想起爹娘，就被现实击中，人便更加沉默。我的沉默，来自于爹的遗传，或者说是娘的感染。爹总是默默地干活。在学校时，每到周末回家，因为没有零花钱给我，爹总是像欠我似的，眼光躲闪着，从来不在我身上过多地停留。他以这种默默干活的方式躲避着我。娘除了叹息，也不爱吱声。我们家像是一个无声的世界。我在家感到压抑，这或许是我想当个作家的原因吧，我无处倾诉，只有面对白纸而书。

雨还在下，窗外形成一道道雨帘子。天暗下来，像夜似的黑。我想，广盛和山菊在夜一样黑的世界里，还能搓稻草绳吗？除了搓稻草绳，他们还会不会干别的？我想起山菊看广盛时那燃着火焰似的眼神，想起他们在老板家的稻草垛里制造出的窸窸窣窣的声响，我不知道他们两个人单独在一起，会是一种什么情形，像不像两个长在一起的白嫩的水萝卜。我知道，这情形只是我的猜测和想象，可猜想似乎又那么真实，仿佛就在眼前。我无法让自己不想，我对自己说，想就想吧，只是千万别说出来。

毛球却说出来了。他把声音压得较低，是怕里屋的女孩子们听见。毛球说，广盛和山菊在一起，不会这样吧？他说话时，做了一个下流的动作。他说话的声音有一种压抑着的快感，似乎他正经历着那种事。山货说，这话可说不得，传到村子里，是要出人命的。山菊嫂的男人虽说是半个瘫子，蔫不唧的，可心狠，急了，啥事干不出来？广盛的那个女人，心眼小得跟针眼似的。她要是知道广盛同别人好，不吊颈，也得跳河，要不就喝农药。山货的话，令我周身更冷。他的话可不是吓唬我们。在我们山里，人活得苦，活得累，所以一有不顺心的事，就会想到死。每年都有人死，吊颈、投河、喝农药。以女人居多，也有男人。男人死得要悲壮些，常常是跳崖，跳旱河桥。

十三

山货歪坐在床上。他不敢正坐，他有痔疮。这次到湖里来，受了凉，又犯了。毛球同他开玩笑，说，他这是做那事做多了。你知道作用力与反作用力吗？你看电影里，炮弹往前飞，炮管子直往后退。人也是一样的，你做那事时，“枪”往前射，同时，一股后坐力直往粪门撞，不得痔疮才怪呢。

我们都笑。他说的似乎有些道理，难怪村子里的人都叫他“明白人”，大事小情，他总能说出个一二三。这与他娶了个傻女人有关。他在家没说话的人，于是就看书，都是我们的旧课本。他常同我们要旧课本，说是拿去擦屁股。书到他手中，被他翻过来倒过去地看。我们的语文课本上的文章，他比我们还熟。四大名著，六大名家，他都知道。要是脸上没有麻子，他其实是一个挺不错的男人。

山货哥原本也是一个不错的青年，那时他喜欢村里一个叫小荷的姑娘。可姑娘的爹嫌他穷，硬是把小荷嫁大别山里去了。

小荷家给她找的那个男人比她大十多岁，在大别山林场工作，先头有个媳妇，死了，小荷其实是去填房。小荷当然不同意，出嫁那天不出屋。于是，出现了我记忆里永远难忘的一幕。小荷的爹，拽着小荷长长的头发，小荷的娘，拿着竹条子在后边抽。那天的小荷，哪里是新娘，简直就是一头被生拉硬拽上集市的牲口。

小荷惦记着山货，不吃不喝，不上婚床。她寻死，但没死成。寻死不成，小荷就认了命，后来同那个男人生了一儿一女。

那时候，一首叫《信天游》的歌很流行，歌中唱道：“大雁听过我的歌，小河亲过我的脸，山丹丹花开花又落，一遍又一遍……”小荷远嫁山里后，山货成日啥也不干，就在小荷离去的村口，一次次唱着：“大雁听过我的歌，小河（荷）亲过我的脸……”小荷的娘生气，骂山货，山货旁若无人接着唱。

山货痴疯了两年，唱了两年歌，直把那洪亮的一呼百应的嗓子唱哑了。嗓子哑了的山货依然唱歌，那歌反而比以前更好听，有磁性，有穿透力。多年以后，当刀郎凭借他那副沙哑的嗓子唱红大江南北的时候，我觉得，比之山货，刀郎的歌声还缺点质朴的东西。当年，要是有人识得山货的嗓子，包装他，他现在一定比刀郎还红。

全村子里的人，赞叹山货有情有义，是个重感情的痴情男儿。可在这节骨眼上，山货却做了一件让全村子人所不齿的事，他喝农药自杀。这是山里女人的死法。他要死了也就死了，偏偏没死，活了过来，而且是靠大粪汤救过来的。

我永远记得那一幕。山货喝农药被一拾粪老头发现后，老头大呼救命。他跑到厕所舀来大粪汤，往山货嘴里灌，是想让他恶心，他恶心就会吐，就会连带着把农药吐出来。我们围观的人，都以为山货宁愿死，也不会喝大粪汤，可他竟然喝了，像喝面片汤似的，大口大口地喝。几口之后，他吐得一塌糊涂。

山货活过来了。活过来的山货不疯不痴不唱歌。不过，他采用女人的死法，让村里人瞧不起，又靠喝大粪汤活了过来，村里人更是觉得他丢人，都不爱同他说话，怕他嘴里随时会喷出粪汤来。山货一天刷四次牙，天天到河湾洗澡，还是改变不了别人不与他搭话的现状。山货绝望了，他变得沉默寡言，偶尔还会唱唱歌。山货犯疯病、喝农药、喝大粪汤，声名狼藉，没有大姑娘愿嫁他，只得娶了一个离了婚的女人。我们山里管离过婚或死了男人的女人叫“过花嫂”，意指过了花期，不值钱。山货的这个过花嫂，与她的头一个男人生了两个儿子，嫁给山货后，一连生了三个姑娘，不敢再生了。

山里人瞧不起过花嫂，山货更是不正眼看她，尽管他晚上像牲口似的使唤她，可到了白天，他看着别人家的媳妇，娶进来时都是黄花闺女，就觉得窝囊，仿佛白做了一回男人。毛球便安慰他：“什么过花嫂，进了洞房，过了那道门槛，就都一样了。我倒是娶了个黄花闺女，她也叫个人？天天咧着一张大嘴。不怕你笑话，我这么多年来，跟光棍没啥两样。”山货不爱说话，但凡别人与他说，他还是要应的。他说，行了，老天有眼，傻女的后代不傻，你家宝根多聪明可爱。我呢？生了一大堆丫头片子，她妈还是个过花嫂，我成天跟吃剩饭似的。毛球故意逗他笑，说我看你剩饭也没少吃。看把你吃的，成日跟喂饱了的公鸡似的，咯咯咯快活地唱。山货说，按你说的，我就该成天哭？再说了，我哭也不能让过花嫂变成黄花大闺女呀。

找个过花嫂，就那么让人抬不起头？我读书的那个镇上，有很多人离婚再结婚。我们的语文老师，离了婚，再结婚，那个后娶的女人也是离过婚的，按我们村里的说法，是过花嫂，可他俩的日子舒坦得很。什么“过花嫂”，这其实是一个观念问题。我就对毛球说，娶过花嫂有什么啊，不一样过日子吗？山货说，日子和日子不一样的，别人家天天吃新饭，你天天吃剩饭，而且是吃别人剩下的剩饭，你啥感觉？

这感觉当然不好。但我嘴上说，其实找个过花嫂也挺好，省钱。我是想安慰山货，没想到他几乎暴跳如雷。他说，看看，你们读书人也瞧不起过花嫂，觉得过花嫂贱。兄弟，你还早呢，别笑话别人，你日子长着呢！

我很难堪。我说，我不是那意思，我的意思是说，我家这么穷，我以后连过花嫂都找不着。山货说，这不，你还是说过花嫂便宜嘛。我一时无语，只觉得脸陡地发烫。我暗暗发誓，一定要读作家班，当个作家，要不，我家这么穷，没准将来真得娶过花嫂，我可不喜欢吃剩饭的感觉。我故意说，我将来不找女人，就一个人过。毛球说：“瞎说，是男人都要找女人，你不知想女人的滋味多难。”

老板穿着木屐，穿着厚厚的帆布雨衣，走进我们的牛棚。他说，雨这么下一晚，就要发洪水了，因为是拦湖造田，容易淹，就得撤。他要我们做好准备。我们很害怕。我想去找广盛和山菊，又怕撞见不该撞见的场面，就算了。

黄昏时，雨终于停了，湖水并没有漫上来。我们不用撤，不用折腾，心里真高兴。满田都是水，水田看不见田埂，连成了湖。李老板家的房屋和牛棚是建在土丘上的，此刻几乎成了孤岛。我们在这孤立的世界无事可干，女人们就洗洗涮涮，男人在牛棚里躺着抽烟。我走出牛棚，立在一片高地上，凝视武湖。湖面总有风，有浪。有机帆船在风浪中驶过来，在湖边的小码头停留几分钟，又开走了。我一个人留在湖边。我望着湖，无边无际的武湖。湖的那边就是武汉，这或许是它叫武湖的原因吧。湖很大，看不见那边的高楼，夜里能隐约看见那里的灯光。我望着那远去的慢慢变小的机帆船，心里是那么失落。我多想到武汉，去看看那个有名的大城市啊，可是，我要插秧，没有时间，也没有钱买船票。

我要是一只鸟就好了，不用买船票，自己就能飞过去。

十四

我手指头上有谷刺，插秧时疼痛难忍。谷刺太深，指甲无法把它拔出来。吃过晚饭，山菊从发间取出一根针，对水莲说，我老眼昏花的，你给红明把刺挑出来吧。水莲就给我挑刺。她将针在煤油灯上烧红，算是消毒。然后，她手指掐着我有刺的手指头，紧紧地掐着，既给我止痛，也让那刺在我的手指头上更明显地暴露出来。水莲的动作特别轻柔，谷刺很快挑出来了，我却没感觉到疼。她到底是女孩子，干了一天的活，身上竟然还有一股淡淡的香味。香味让我内心涌起一股幸福的感觉。我想，以后我要是娶媳妇，一定要娶水莲这样的女子。当然，前提是进作家班，当个作家，否则，凭我家那个穷酸样，娶水莲这样的女子，只能是白日做梦。

这个夜晚，我睡得香甜，我梦见我坐在作家培训班的教室里，一位著名作家正在点评我写的小说。作家班的同学们，羡慕地听。有一个女诗人，冲我殷勤地笑，她竟然长得特像水莲。

清早，多日不见的太阳悬在天空，阳光撒在身上，疲劳消失大半。我们的心情，像这天空一样，慢慢地跟着朗润起来。

手指头肿胀，我望着那一望无际的水田，心生畏惧。我问广盛，李老板家为什么不用插秧机？广盛说，他用我们山里人，比插秧机便宜。再说，他要用插秧机，我们上哪儿挣钱去？广盛捧着我的手看，我的手背肿得像发面馍。广盛说，到底是个书生，养娇了身子，干活没长劲。他让我歇一天。我不干，歇一天就不能分到这一天的工钱。广盛说，咱们不能要钱不要命，你歇一天，缓一缓。我就回去歇着。李老板看见了，说，你插不了秧，就干零活吧。一天二十块钱的工钱，也不比他们插秧挣的少。

我问啥样的零活，李老板说，就是往那些新平整出来的水田里撒化肥。这叫底肚，撒完底肥，才可以插秧。

这活我见我爹干过，不是太难，但要有耐性。我点头说，我干。

这里田埂窄，车进不去，手推车也进不去，我得用箩筐将化肥挑到田埂上。我从没挑过这么重的担子，一百多斤的担子压在我的肩上，我摇摇晃晃。雨后的田埂上都是稀泥，我走在上面，像是走独木桥。我慢慢地走，控制着步子，不让自己滑倒。

我小心地把担子搁田埂上，往脸盆里铲化肥，然后，抱着脸盆，走到撒化肥的位置，一手抱盆，一手抓化肥往田里撒。撒过的地方要记住，避免有的地方没撒到。有的地方撒重了。没撒到的，不长庄稼；撒重了，只长庄稼不结谷子。

我一盆一盆地撒，来回奔走在稀泥里，双腿酸软无力。我便找来一块木板，前面拴上稻草绳，搁在泥水上，上面搁箩筐。箩筐太重，箩筐底部吃进泥水里，泥水漫上来，好在箩筐是刷过桐油的，防水。

我拖着装着化肥的箩筐往前走。我想起我小时读过的一篇课文，叫《伏尔加河上的纤夫》，心里涌现出莫名的悲壮。木板和箩筐，像一只乘风破浪的船。可行不多远，箩筐倒了，大半箩筐的化肥堆积存木板边，像大海里的一座小岛。我急忙用脸盆往箩筐里铲化肥，哪里铲得起来，化肥堆很快坍塌，与泥水混在一起了。我寻找那些没来得及化去的化肥块，我要把它们抢救进脸盆里，撒到应该撒的地方。这时，我听到了咳嗽声，我抬头看，是李老板，他从田埂那端向田埂中央走。我怕他发现我的过错，扣我工钱，急忙用脚把那些化肥块往泥里踩。我想，既然铲不起来，就让它消失吧，否则李老板知道了，还不得扣我的工钱？至于秧苗烧死了，那时我也许已经干完活，走了。就是没走，也可以说是得了稻秧病，反正那时化肥早化了，没证据，他赖不着我。

我把化肥块踩进泥里后，拖着木板和箩筐，回到田埂上，担起箩筐，接着去李老板家挑化肥。

我挑着另一担化肥回到田间时，李老板站在我面前，堵住我的去路。李老板身后是广盛。广盛面有怒色。我心里一紧，猜想我埋化肥的事被李老板发现了。我上去打岔，说李老板，我撒完一担了，我接着撒。李老板没应我，径直领着广盛往田中间走。我不知道他们要干啥，就站在田埂上盯着他们。他们的背影离我越来越远，最后，在水田中央停下来。李老板脚像驴拉磨似的在原地踩着圈。之后，他抠出一块还没化尽的化肥，比碗大。泥水滴尽，那化肥恢复成本来的白色，在阳光下放着刺眼的光。我被这白光击中，差点晕倒在水田里。

他们上了田埂。李老板气呕呕地说："狼心狗肺，恩将仇报。我看你是书生，体质弱，手指头又肿了，照顾你，让你干轻巧活，你却恩将仇报。你不仁，别怪我不义。你这十几天的工钱，一分没有，如果别的地方埋了化肥，那就不是工钱的事了。瞅着挺老实的人，尽干这没屁眼的事。”

我说，我不是故意的。箩筐倒了，有几块化肥没抠出来……

我语无伦次。

广盛向我摆摆手，示意我别解释。他掏出烟来，递给李老板。李老板不接。广盛是有骨气的人，为了我，他不得不点头弯腰。都是我的错。广盛的样子令我难受。李老板也是地地道道的农民，同样是种田的，为什么要受他的气。我真想对广盛说，别给他敬烟，大不了我不要这几个臭钱。可是，我不敢说出来，我想起了我的作家培训班。

广盛朝我挥挥手，说，干活去吧。我挑着箩筐走，李老板抢过我的扁担和箩筐。他不让我撒化肥了，他说他信不过我。

我只得回到插秧的队伍。我难受极了，我本来想好好干。

毛球用一双疑惑的目光迎接我。我扫他一眼，不敢与他对视，低着头，极快地插着秧。心里真不是滋味，想想以前，是他那张麻脸上的眼睛不敢与我对视，我何时躲避过他的双眼。我不吱声，毛球偏哪壶不开提哪壶。他说，你真傻，反正是计零工，不是包工，你就慢慢干呗，何至于把化肥埋在田里。看来李老板的训斥，他听见了。他也以为我是故意埋化肥的。我不作解释，我觉得有些事越解释越弄不明白。我只想着李老板会不会扣我的工钱。我们插得很快，插完这个田，就转到我刚撒化肥的那块田里。

一整天，我的心静不下来。吃晚饭时，李老板说，我故意把化肥埋在水田里，会烧死他家的秧苗，说不定别的地方还埋着。广盛说，不会，他只是不小心，他怎么会故意把化肥埋在田里。要埋着，秧苗早烧死了，咋就看不到呢。李老板说，他埋得深，化肥还没烂上来。总之，他的工钱够呛了。李老板白我一眼说。

大伙都替我说情。他们家有钱有势，听说黑道白道都能走，来硬的不行。

湖风带着寒意，我的心冰凉冰凉的。

李老板不仅要扣我的工钱，所有人的工钱他都要扣。他说我们插的秧太稀，影响他家收入，一亩田最少得扣三块钱，这已经够便宜我们的了，这点钱，比起他家的损失，简直就是屌毛一根，只不过是让我们长点教训，别这么阴损。

广盛同李老板理论，说，我们是按你说的标准插的秧，棵间距十公分，行间二十公分。不信，找来尺子量。李老板果然找来尺子量，真的有棵间距超过十公分、行间距超过二十公分的。广盛说，还有不足十公分，不足二十公分的哩。手工插秧，哪能像插秧机那么均匀？有的地方稀，有的地方密，给你找回来了。李老板说：“找回来？稀的地方苗少，产量少，密的地方不透风，产量也不会高。”广盛说，你要这样说，那就只得雇插秧机了。李老板惊呼道：“我是图你们便宜才雇你们。我雇插秧机，我早雇了。你们别同我犟，你们要不干，趁早走人！”

十五

水莲突然决定不再下田插秧。我们往水田走时，她对我们说，你们去吧，我不去了，我不舒服，我想歇一天。蝈蝈问她怎么了，哪里不舒服。她说，你别问了，反正是不舒服。蝈蝈不知想到哪儿去了，脸有些红，快步往水田走。山菊走过去，问水莲，你是不是来那个了？水莲说，不是，就是太累，乏，想歇着。你们先去吧，我歇会儿就去。

我们插着秧，不时有人朝着李老板家的房子张望，希望水莲早点过来，毕竟是搭伙的事。她误工，还照样分给她钱，别人就吃了亏。过了一阵子，没见她的身影，我们再向来路张望时，就不盼她来，而是怕她来。这个时候还不下田，就干脆歇一天吧，这样就可以扣去她一整天的工钱，谁也不吃亏。

水莲果然一天没下田，这使我们觉得她这人挺讲究，不占大伙便宜。可是，第二天，她还没有下田的意思。我在水田里一边插着秧，一边猜测，是不是李老板家不让她下田，是不是她应下了这门亲事？大伙不时抬头，向来路张望。我心里清楚，大伙都在想着与水莲有关的心事，对她有着种种猜测，只是蝈蝈在场，不便说出来。蝈蝈的脚在水田里，驴拉磨似的不断地踩动，暴露出他内心的烦躁。

我的猜测得到了证实，李老板到我们的水田里监工时，告诉我，他不扣我的工钱了。他说我不是故意的，虽然埋过化肥的地方，被烧死一片秧苗，他自个给补上了。“不补又能咋的，我家一千多亩水田，还在乎这点损失？”他还表扬我们秧插得均匀，不密不稀，他会在最后算账时，给我们一点奖励。他这么同我们说，语气平和，俨然一位慈善家。阳光下，他的秃顶闪着光，嘴在黑漆漆的胡须里张成一个洞，里面黄牙参差不齐。这是一个形象委琐的男人，不比我们村里的男人们精神。他的那张脸，甚至还不如毛球那张脸顺眼。可他是百万富翁。人啦，没法说。

李老板将我们的饭菜，再次提升了一个档次，有豆腐炖鲫鱼，有湖边特有的咸鸭蛋。水莲穿着干净的布鞋，帮着老板娘忙乎。其实也没有什么忙的，她只不过陪老板娘说说话而已。我们吃着喷香的饭菜，心情很复杂。饭菜真是好，在我们家，只有过年才能吃到这些东西。可我们在那喷香的饭菜里，吃到了别的滋味，毕竟这是水莲在用她的未来做交易。蝈蝈坚持不吃好菜，他的筷子只往炖土豆和大白菜里伸。

晚上，我和蝈蝈在湖边的石板上洗脸洗脚，我壮着胆说：“蝈蝈哥，你劝水莲姐别待在李老板家，他家哪有体面人，一个个歪瓜裂枣。”蝈蝈说：“这还用劝吗？她知道我不想她去李老板家，可她整个白天都泡在他家，看来她决心已定，劝是没有用的。算了,人各有志。”

蝈蝈的嗓音颤抖着,我不敢再说了。我再说,他恐怕就要哭了。他不是一个坚强的男人,他是一个性格温顺的小后生。

水莲与李勇的亲事浮出水面。我是个读书人,我要告诉她,爱情比金钱更可贵。可我很难有机会与她接触,她基本上不出李老板家的屋。偶尔出来晾晒衣裤,李老板的老婆总跟在她身后。我想,她是在监视着水莲,也监视着我们,怕我们说坏话,动摇水莲嫁给他儿子的决心。但我还是找了一个机会。我在她去湖边浣衣的路上拦住了她。我说,水莲姐,你真的要嫁给那个“死鱼眼”?你这不是爱情。

水莲冷冷一笑,说,你可真是个书生,相信爱情。我现在只想做个城里人。成天泡在水田里,我迟早是要死的。

我说,是人都要死。她说,所以嘛,反正最后是个死,不如活着的时候好好活着。我说,啥叫好好活着,难道就是嫁给那个死鱼眼?难道家里有钱就是好好活着?

水莲说,你知道不?云梦镇很快就要变成武汉的一个开发区了,那时候,就他家的三层楼的独门独院,光地皮就得值一千万。我吓了一跳,睁大眼看着她,才几天,水莲在我眼前却变得那么陌生。人的命,天注定。水莲要真是嫁给那个死鱼眼,成了千万富婆,她的命能否承载得动?

我说,蝈蝈哥挺难过,这么苦这么累的活,他晚上居然还睡不着。

水莲说,他不该愁,那么光亮的一个小伙子,还能打光棍不成?我说,不一样。水莲低头,默不作声。

我无语,我想,即便是我这个即将成为作家的文学青年的语言,对于现在的她来说,都是多余的,苍白的。我可怜的蝈蝈!当然,我又何尝不是可怜人,在这里卖工,被老板一家人口口声声喊成“卖工的”。

水莲问我还有别的事没有,我说只求她告诉李老板一家人,别喊我们卖工的,喊得我心针扎似的疼。水莲点点头,说行。

第二天,老板娘果然没喊我们卖工的,她叫我们师傅。师傅是对手艺人的尊称,难道种田也是一门手艺?我听着,觉得有点嘲讽的味道,但总比叫“卖工的”顺耳多了。毛球却说,叫啥能怎的,不如到时一亩田多给一块钱。我生气道,你就知道钱。毛球说,谁叫钱是好东西呢?钱是听不见,钱要能听见,我天天管它叫爹。

广盛骂他:你还是个男人不?

毛球说,不是了,我早他妈的不是男人了!说着,那嗓子竟然带着哭音。

十六

山菊讨厌李老板的儿子，说他总是斜视别人，瞧不起人的样子。有钱能咋的，人好比啥都强。她企图说服水莲，不要同李老板家的人交往。她说，水莲，你别同他们一起。你不属于他们，不属于他们的那个云梦镇。你想，云是在天上飘着的，梦也是空的，而你却是实实在在的。你是水莲花，生在我们山里的水塘里，离开我们山里的水，你不会适应。我们山里虽说不富，但祖祖辈辈不也这么过来了吗？蝈蝈兄弟多好的一个人！

我听着，觉得山菊挺有文化的。我相信她的话或许会使水莲回心转意，水莲却说，我就是不留在李老板家，恐怕也不会嫁给蝈蝈了。山菊惊大双眼，瞪着水莲，问，怎么啦？因为啥？水莲说，那几个地痞流氓闹事，拿我开心，他竟然不敢站出来。山菊说，他是怕把事闹大了。水莲说，可是广盛哥站出来了。山菊说，哪个比得了你广盛哥，他当过兵，学过几招。水莲说，蝈蝈也是男人，我受欺负时，他却像木头人似的。我插嘴说，他胆小，他当时肯定像我一样吓傻了。水莲说，胆子才那么大一点？那我还指望他什么？水莲说这话时，眉眼蹙在一块儿，已经不耐烦听我们的劝说。

蝈蝈不是一个好打架的人，他老实巴交，水莲不是不知道。现在，她想留在李老板家，想嫁给李老板的儿子李勇，那个斜眼，她当然得给自己找借口。我不想再说什么，走开去。我不想听两个女人的对话，尽管我们的语文老师说，想写出好文章，得多留心，多观察，多接触，多揣摩。可我怕同她们女人接触多了，就会像毛球一样，把自己弄得像个女人。

我断然没想到，几天后，山菊的态度来了个一百八十度的大转弯。在田间地头，只要蝈蝈不在，她就说李老板一家人的好，说李老板的儿子眼睛斜，但不瞎。她寻机鼓励水莲嫁给李勇。她说，李老板家有钱，如果你水莲嫁给他，他家一定会花钱在镇上给你找个好工作。至少会给你一笔钱，让你上镇上做生意。“你以后的日子，就是天堂的日子了。唉，女人这辈子，就这回事，切莫太认真。你看我，长得不比谁差，可这辈子，嫁给你福安哥，他倒是个好人，可有啥用？我过的啥日子？”水莲瞪大眼望着山菊，似乎不认识眼前这个女人。

我很快就发现了山菊对李老板一家人态度转变的原因：老板娘给了她一块布料，红绸底绣着金丝牡丹。那天傍晚，老板娘找过山菊。山菊回来后，就把这块布料往蛇皮袋子里裹，被我这双作家的眼睛捕捉到了。

十七

吃过午饭，我们有半个小时的休息时间，处理个人事情。我利用这个时间跑到牛棚后看湖。湖边柳条婆娑、槐花盛开。白亮的湖水金光闪闪，像一个天然聚宝盆，盛满数不尽的银锭子。我想，湖要真是一个聚宝盆就好了，我随便装一袋银子，不但够了上作家培训班的伙食费，还可以盖房子，娶媳妇。当然，我已经不再想娶水莲那样的姑娘了。她太势利，见钱眼开。她竟然抛弃了那么本分、老实巴交的蝈蝈。

我凝望武湖水，凝望那边看不见的武汉。我凝望的眼神，在毛球看来，有些痴呆。他说，红明，你没事吧，你发什么呆。我说，我没发呆，我在看武汉呢。他说。你还没发呆？这里能看见武汉吗？我说，湖的那边就是。他说，你知道这湖多大吗？比咱们整个乡都大！你一眼都看不出我们的村，还想看出整个乡？你可别像强子。他这么说，我有些生气。强子是我们村子里的第一个高中生。他高考落榜后，放火烧了自家的房子。我怎么像他？我不理毛球。毛球说，走吧，抓紧下田。我们搭伙干，别让人觉得咱磨磨蹭蹭的占小便宜。我说，怕什么，大不了我们这一下午的工钱不要。毛球说，我可不行，我还等着这钱回去做胃镜呢。

毛球这么一说，我在烦他的同时，又多了一点同情。我急忙跟着他往回走，这时，我看见不远处有两个人在散步。是水莲，湖风吹着她的长发，真美，像我想象中的美人鱼。可这美很快被另一个身影粉碎了，我看见了李勇，我看见了他那麻秆似的身子。我想起刚来时的那个黄昏，水莲与蝈蝈在湖边散步的情形。看来，水莲与斜眼的关系公开化了，一朵鲜花就这么插在牛粪上了。我和毛球急忙往远离他们的方向走，躲避牛粪似的躲着斜眼。

我们到水田时，广盛他们已经插了两丈远的一垄秧。有人边插着秧，边说着笑话，蝈蝈一声不吱，他越来越沉默。他是到这里挣钱给水莲买结婚戒指的，现在。到手的凤凰飞了，他一下子失去了生活的目标，一脸无奈，似乎对一切都失去了信心。这令广盛担忧。广盛终于发话了，他说，水莲这样不明不白的，也不是个事，咱得去弄清楚。山菊说，这不是秃子头上的虱子，明摆着的吗？你还想咋清楚？你就别管了。广盛说，我怎么不管？水莲是我带出来的。他直起腰，看一眼山菊，说："不对呀，你前几天不是不同意水莲与李勇搞对象吗？现在咋啦，你是不是得他家什么好处了？"山菊咋呼道："嚼舌根的，你把我当成什么人了？你管去吧，只怕碰一鼻子灰。"

广盛可能真的怕在李老板家碰一鼻子灰，他没有去找水莲。吃过晚饭，他让我去把水莲喊来。当时，槐树林里只有我、广盛和蝈蝈。蝈蝈见我往李老板家走，转身往湖边去。广盛说，蝈蝈，你不能走，你一定要听水莲亲口告诉你。蝈蝈说，告诉我什么呢，一切都明摆着。广盛说，那也得让她亲口说出来。

我在李老板家的堂屋里见到了水莲。她的脖子上挂了一只心形的金坠子。我不敢看她，那心形金坠子在透过窗户的霞光下金光闪闪，刺痛了我的双眼。我也不敢走近她，她身上不再是淡淡的槐花似的香味，而是浓浓的香水的味道。我觉得她一下子离我们那么遥远。我的话，她一定听不进去，她肯定不会跟我去见广盛，不过我还是想试一试，毕竟是广盛交代的任务。广盛交代的任务，我得完成。

水莲果然不来，她说她有事。我说，你现在不是坐在屋子里看电视吗？你去吧，广盛、蝈蝈，还有山菊都想见你一面，我们都想见你一面。水莲说，咱们不是天天见面吗？我说，今天是想正式地见一面。水莲说，干吗搞得这么严肃，有这个必要吗？他们是不是以为我犯了什么错误？说着，她不再搭理我。她变了，真的变了。不但胸前那玻璃胸坠变成了金的，身上槐花似的幽香变成刺鼻的香水味，说话的腔调都变了，侉腔侉调，有着武汉郊区人说话的味道。

我告诉广盛，水莲有事，她真的有事。我虽然这么说，但他们都明白水莲是不想来见大伙。广盛就说："那就别为难她了。蝈蝈你也别老哭丧个脸，这样见钱眼开的人，咱们村终究是留不住的。东方不亮西方亮，你好好挣钱就是。只怕到头来，后悔的是她。"

山菊说："话不能这么说，咱们也得祝人有个好。"

蝈蝈依然拒绝吃李老板家的好菜。广盛也拒绝吃他们家的好菜。我也拒绝。我们都有一个想法，那就是，那些好菜，是因为水莲，李老板家才给我们加的。这是一种交易，一种不体面的交易。只有毛球没坚持住，他嘴里含着菜，瓮声瓮气地说："吃吧，没准水莲只是同他家耍心眼儿，并不想真的嫁给他们家。"

没人接他的话茬。

十八

毛球的胃病又犯了，站到一棵槐树下吐酸水，吐痰，痰里偶尔还带点血丝。我怀疑他是胃出血。我把他胃病犯了的事告诉了水莲。吃午饭时，老板家的保姆送来一瓶"胃得乐"，还端来一碗面条，面条上有两个白亮亮的煮鸡蛋。毛球盯着那碗面条，犹豫了一小会儿，还是吃了。我知道，他的犹豫并非是想拒绝水莲的好意，以此表明他反对水莲抛弃蝈蝈。他的犹豫，是因为碗里那两个鸡蛋。在我们山里，是不能给客人煮两个鸡蛋的，要么一个，要么三个或更多。两个鸡蛋是骂人的，暗示男性生殖器的一部分。要是在煮了两个鸡蛋的碗里，再泡上一根油条，再好吃的东西，客人都会摔碗而去。这是我们山里祖上传下来的规矩，可见，我们山里人的先人，还是很有文化和想象力的。

水莲是地道的山里人，她应该知道这个规矩。或许老板家做饭的保姆往面条里打鸡蛋时，她并没看见。也许她看见了，不便言语。老板家能给毛球做面条，还有鸡蛋，够给她面子了，哪能计较面里煮几个鸡蛋呢？

毛球捧着碗，以极快的速度用筷子把那鸡蛋夹碎了，让人看不出只有两个鸡蛋。他的眼泪挂在眼角，声音微颤，说："也就是过生日，才舍得吃面条煮鸡蛋，还得自己做。"他捧起来就吃。吃人嘴短，他竟然说起李老板一家人的好，说人往高处走，水往低处流，水莲要真的能嫁给李老板家，也没什么不好。广盛瞪他一眼，说道："吃东西也堵不住个嘴！"见毛球那眼泪巴巴的样子，广盛觉得自己的话有些重，掏出一支烟来，夹在毛球的耳朵上，自己抽出一根来，点燃，蹲下来大口大口地抽。烟雾很快朦胧了他的脸。

广盛这次出来，也是想抓两个现钱，给儿子买一身衣服，买辆玩具小汽车。他前一段时间上县城战友家去，见城里的孩子真是享福，要啥有啥，他就想让儿子也像城里的孩子那样。但我觉得，买这两样东西，广盛的钱还是够的，我猜想他其实是想出来散散心，或者说，是出来会会山菊。

这个下午，斜眼李勇开着小轿车，接水莲到云梦镇上去了一趟。黄昏时，又把她送了回来。回来后，水莲手上竟然多了一枚戒指。那戒指在夕阳下，闪着刺眼的亮光。那不是金的，银的也不会这么粲然。一定是钻戒吧。我们谁也没见过钻戒，只听说过。从水莲脸上那快乐而满足的表情看，那绝非一枚普通的钻戒。我们想，她不会再下田了，她以后肯定永远不会下田了。我们村子里，别说那么好的戒指，就是金戒指，也只有陈老师的女人戴，而他的女人，是不下田干活的。

蝈蝈望一眼水莲的结婚戒指，一屁股瘫坐在地上，像一只落风的帆，看他那样子，恐怕再也鼓不起来了。

晚上，蝈蝈默默地收拾行装，他要回家。广盛按住了他忙碌的手。广盛说："蝈蝈，你想开些，是你的，就是你的。不是你的，干脆利索地把她放下。你不能为一个女人活着，你最终要为自己活着。"广盛的话，似乎有点哲理，但蝈蝈好像没太听懂，或者说听懂了，但他不信服。他挣脱开广盛的手，接着收拾自己的衣物。广盛说，你走也得明天，明天我送你。现在咱们上湖边走走。

第二天，蝈蝈没走。蝈蝈不但没走，心情还显得很轻松，不时同毛球开着玩笑。我知道，他是装的，他内心肯定如刀割。但不管怎样，他留下来了。看他昨天的架势，是非走不可的。广盛可真会做思想工作。

广盛同他说了什么呢？

十九

剩下的活不多，广盛让大伙抓点紧，十天八天，就把李老板家的秧插完了，季节也到了，咱们不再接别的活，回家各人干各人的事。他这么一说，我就有点想家。还是家里的菜好吃，没多少油，但火烧得旺。

无论多累，广盛总是等我睡下后，装作解手，就出去了，很晚才回来。我知道，他抓住这最后的时间，频频与山菊约会。回到村子里，人多眼杂，就没这么方便了。我想，广盛选择与我同床睡，肯定也是考虑到我是个学生，懂事，嘴不乱说。他这么信任我，我不能辜负他，所以每次他出去，我总是装作不知道。他回到床边时，我故意把呼噜打得震天响。

月亮蒙着一层光晕，我们的心情也如这月夜，半明半暗。我们一分不少地拿到了工钱，但水莲却不再同我们回去了。当毛球从广盛手中，接过他分得的那几百块钱时，他说："难为水莲了，不是她，咱们的血汗钱怕是要不回来，至少要扣去很多。"广盛说："这是你凭力气挣来的，与水莲没有关系。"

广盛把钱递给我，我去接，他却把钱紧紧攥在手中，我没抽出来。广盛说，红明，你还是去复读吧，读书考上大学，才能实实在在地走出农村。我真怕你拿着这钱，到作家培训班打了水漂。

我说："你不相信作家培训班?"广盛说："学个木匠泥瓦匠的，得三年才出徒为师，他们三个月能教出你一个作家？作家这么容易当成，那不遍地都是作家了?"

我说，他们教创作理论，作品还得我们自己写。你相信我吧，我从小作文就好，我读小学时写的第一篇作文，就送到乡中心小学当范文读。广盛猛吸一口烟，火光照亮了他的脸。他眼里，那疑惑的光并没散去，手却松开了。我抽出了属于我的钱。我一查，多了两百。我往回找，广盛说，你拿着吧，你的培训费不是九百块吗?

二百块钱，他也是一棵秧一棵秧插来的。我鼻子一酸，眼泪就往眼角涌。我控制着自己，不让眼泪流出来，就像村头那口井，水满满的，就是不外溢。我说，算是我借你的。广盛说："什么借不借的，既然你要去，你就好好学吧，翅膀硬了时，你就飞出咱山沟沟。"我鼻子更酸，酸到了心底，有一滴泪，到底不争气，滴落下来。我想，我以后要是成作家了，一定要写写他。如果我挣了一笔像样的稿费，我就请全村子的老少吃一餐，在碾场摆上二十张八仙桌。

我这么想，回望李老板家的大谷仓，体育馆似的立在那里。我想象着他们家镇上的独门独院的三层楼，那批发超市。水莲要是回去同蝈蝈过日子，靠种田，一辈子也奋斗不来三层楼房和超市。月亮透过云层，天地朦胧一片，我的心也是朦胧的，我不知水莲留下，是不是一件好事，她以后真能成为李老板家的主人吗?

山货说:“明年我可不来这湖里栽秧,不出来吃这下眼食。明年我在家养鸡养蚕,哪儿也不去。”他的话,我们都不当真,他脑子里时常涌出一些想法,却没有一样付诸行动。

山菊说,她明年还要出来。在山里,上哪儿弄现钱。辛辛苦苦种的粮食卖了,也拿不来现钱。我心里清楚,这么苦的地方,她还想来,除了钱,还有广盛。

广盛还想再劝水莲,让她同我们一起回去。他说,水莲是他带出来的,出来多少人,回去就得多少人。水莲不回去,他没法向她爹交代。山货说:“怕什么,水莲又不是小孩子,是她不愿意回去,又不是我们把她卖了。再说,他女儿找了个有钱人,她爹高兴还来不及呢。”

毛球说:“嫁个有钱人好是好。只怕过个三年五载的,人家看上更年轻漂亮的,不要她了,那时,她就成了过花嫂……”他说这话时,眼光不经意扫着了山货。揭人不揭短,他急忙压住自己的话,可“过花嫂”三个字已出。山货阴沉着脸,一句话没说,毛球自己弄了个大红脸。

我心里也陡地被针刺了一般。我知道过花嫂在我们山里意味着什么,这一点,我从娘的哭诉中,就能感觉出来。娘与爹吵架,爹动手打娘,娘总是哭诉着说:“你这个没良心的,我的命咋这么苦,我还不如一个过花嫂咧……”我当时恨爹,暗自发誓,将来一定要娶个过花嫂,报复他。现在,我改变主意了,我可不喜欢吃剩饭的感觉。

广盛吸一口烟,把烟蒂扔在地上,一只脚踩上去,前脚掌狠狠地旋转着。他自言自语:“自个的路自个走,自个脚上的泡自个拿针挑。”说完,他向李老板家东侧的树林走,我跟上去,我喜欢广盛,愿意同他多待一会儿,但我猛地想起他又是去会山菊,便知趣地躲开了。其实我有时候也挺聪明。我走了几步,回头偷看广盛的背影,脸上火辣辣的,仿佛去偷情的是我。

蝈蝈盯着自己的双手,手里是他新拿到的工钱。他盯着钱,一会儿把钱放在右手,一会儿倒腾到左手。仿佛那钱是烙铁,在烧烫着他。钱是好东西,我第一次见人拿了钱这样手足无措。我想起了水莲手指上那光闪闪的钻戒。仿佛那枚钻戒,反射的不是太阳的光,而是一道道麦芒,刺得我心痛。

蝈蝈想去找水莲,但男子汉的尊严阻止了他。水莲主动来见他一面。水莲塞给他一块表,那表闪着金黄色的光,随着手的移动,那一道道光顺次移动,像太阳的光芒,异常漂亮。水莲说她说过的话,一定要做到。她一定要给蝈蝈买表。蝈蝈不要,水莲塞给他就走了。水莲转身时,我看见她眼圈红红的。看得出,她对蝈蝈还是有感情的。蝈蝈愣在那里,手里握着那块表。他仰头,像是在克制自己的泪。他自言自语说:“我先收着吧,回家给建弟,他读书,用得着。”建弟是水莲的弟弟,叫红建。

水莲就这么留下来了。她送给山菊一个手镯子,玉的。那是一只翠绿色的玉镯，我想，一定是翡翠的吧。水莲送给山菊玉镯，其实是想把山菊当媒婆，多在村子里给她说点好话，让她回娘家不至于挂不住脸面。山菊接了玉镯，盯着它，眼睛出现了光亮，但那光瞬间暗下去了。她不敢要。我捕捉到了她眼里的光，广盛大概也捕捉到了。广盛说，你要是喜欢，就戴着吧。广盛的话，冷冰冰的。山菊说，我不要，我才不要她的东西呢。她甩了蝈蝈，攀高枝，我最看不上的就是这种人，我才不要这种人的东西呢。我这就给她送回去。

山菊嘴上这么说，却往手上戴。她说她试试，完了就摘下来，给水莲送回去。她戴上了，却怎么也撸不下来。毛球要帮他，山菊说，你笨手笨脚的，哪个要你帮忙？你要是弄断了，伤了我的手好说，镯子可是赔不起。我上水莲那里，让她帮我撸下来。她说着，就向李老板家快步走去。她回来时，手里果然没有玉镯，但一脸快活。我估计她偷偷地收下了。

二十

我醒来时，霞光照进来，清新的空气驱走了牛棚陈积的味道。这是我到湖里来之后，唯一一次睡到太阳升起。我们就要离开武湖了。看着蝈蝈那么沉默，沉默得就像哑巴，我受不了，跑去找水莲。因为我们今天清晨要走，她昨日已经住到李老板家了。我找到她时，她正对着霞光远眺。湖风吹动她的衣襟，吹拂着她的黑发。她的身影的确很美，像一位女神。我喊："水莲。"她回头看我一眼，小声说："叫李娜。"

我这才想起，读初中时，她给自己改了名。她本来叫李水莲，她嫌这名字俗气，一听就是个农村娃，就自己改叫李娜，我们听起来不顺耳，我们从"李娜"这个名字里，知道她多么渴望做一个城里人。然而，一个名字又能怎样？她连高中都没考上，更别说上城里读大学。现在好了，她很快就成为武汉郊区的人了。

我喊一声李娜，话一出口，只觉得全身肌肉一阵酸麻。水莲不肉麻吗？她递给我五百块钱，说："这是我的工钱，你把钱给我爹，告诉他，别为我担心，我在这里挺好的，过年我就回去看他。"

我说："水莲姐，不，李娜姐，蝈蝈哥天天睡不着觉。"

水莲沉默片刻，说："等回了山里，他就睡得着了。"说完，她转身要走。

我这人好奇，凡事想弄个水落石出。我想起那些打架斗殴的地痞，后来为什么不来了呢？这个问题压在我心里，一直压着。他们真的是被广盛打怕了？还是像毛球猜测的那样，是李老板雇来的人，以此吓唬我们。我问："那次打架的人，是不是李老板雇的呢？"水莲说："应该不会吧？你说呢？"

我问她，她反过来问我，她可真狡猾。可怜的蝈蝈！我要为他做最后的努力。

我说，水莲姐，蝈蝈说你要是不嫁给他，他就打一辈子光棍。你忍心让他打光棍吗？水莲笑道："这话你也信？现在有人嫁他，他立马就会结婚。"她这话我信。我们的物理老师，喜欢我们的历史老师，那个全校最美的女老师。物理老师曾立下誓言，说如果历史老师不答应他的求婚，他就一辈子不娶。他绝不同我们历史老师以外的女人进行物理运动和化学反应。可是，历史老师嫁给武汉大学一位教授后，仅一个月时间，他就闪电式地结了婚，以至于这位一直研究历史的女老师感慨道：人的誓言，是多么不可信啊，从古至今！从古至今！

我们提着自己的蛇皮袋。蛇皮袋并不丰满，里面塞着我们出行的全部家当。我们沿着长长的土路往东走。走了几步，广盛停下来，他让我再去喊一声水莲。他说，回不回去，是水莲的事，咱们要做到仁至义尽。

我把我的蛇皮袋放在广盛的脚下，跑向李老板家。李老板的老婆在她家的朱漆大门旁拦住了我。她告诉我，你们走吧，水莲身体不好，在床上躺着哩。她冲我诡秘一笑，说："怕是有喜了。"她完全是在羞辱我，也是在羞辱水莲。我虽然未谙男女之事，好歹也是高中生，知道怀孕恐怕没这么快。我一阵恶心，以百米冲刺的速度，逃离李老板家。

我们走了很长一段路，碰见一辆拉脚的敞篷拖拉机。广盛与他们讨价还价后，我们挤了上去。车一开动，大伙的话就多起来。他们说水莲，多好的姑娘，咋变成这样呢，她以后不会有好结果。那样的姑娘，不要也罢。毛球说，水莲嫁给那样的人，只怕过几年，斜眼喜新厌旧，她就会变成过花嫂，那她这辈子就惨了。

毛球再次提到"过花嫂"这三个字，山货忍无可忍，他咬牙切齿骂了句："闭上你的臭嘴！"毛球就闭了嘴，别人却还在说。他们说水莲的坏话，其实是在间接地安慰蝈蝈，给他失落的内心找平衡。蝈蝈却不领情，他把头上的草帽摘下来，使劲扔了出去。草帽飞碟似的，飞出老远。没人再吱声，敞篷车静下来。如果不是敞篷车，这压抑的空气，非得把人闷死。

阳光下，我眼前晃动着绿莹莹的光，光若有若无。我沿光寻过去，光源来自于山菊，她手上还戴着那只翠绿的玉镯子。我的猜测没错，她到底收下了水莲送她的玉镯，而且这么着急地戴上了。我盯着那只玉镯，真的很漂亮，那光绿得可人。广盛也发现了玉镯，他说，你不该要水莲的东西。山菊说，她让我当她的媒人，媒人总不能白费口舌吧。广盛说，当媒人？以后他们出现啥情况，你负得了责任吗？山菊说，我负什么责？当年媒婆子把我连骗带哄，嫁到你们山沟里，现在我的男人瘫了，废了，谁来负过责？广盛无言以对。

没了水莲，我心里有些空。我想，她一定是为了李老板不扣我们的工钱，假应允这门亲事，来个金蝉脱壳。等我们走了，她就会偷偷跑出来，来追我们。我不时回头看，拖拉机碾起一阵烟尘。我希望水莲沿着长长的土路，在烟尘中向我们奔跑过来，就像好些电影里那些个结尾时的镜头。但是，长长的土路上空寂无人，只有路旁的刺槐，静静地立着，枝叶间，还有一些迟开的槐花。但我已嗅不到它们的香味了，拖拉机排出的废气，掩盖了一切。

（选自《鸭绿江》2010 年第 1 期）

曾 剑

湖北红安人，1972 年出生，1990 年入伍。毕业于解放军艺术学院全军青年作家培训班、辽宁文学院新锐作家班。现为辽西某部政工科长，少校军衔。新世纪以来，先后在《青春》《神剑》《长城》《鸭绿江》《解放军文艺》《青年文学》《西北军事文学》《西南军事文学》等报刊杂志发表中短篇小说 100 余万字。出版长篇小说《枪炮与玫瑰》。部分作品被多家选刊选载。

辽宁省作家协会会员，辽宁文学院签约作家。中国散文学会会员。